Sara Douglass est née en 1957 en Australie. Elle a été infirmière et a enseigné l'histoire médiévale avant de démarrer une carrière d'écrivain avec *La Trilogie d'Axis* qui l'a imposée d'emblée comme le best-seller de la Fantasy australienne.

www.milady.fr

Sara Douglass

Envoûteur

La Trilogie d'Axis – 2

Traduit de l'anglais (Australie) par Jean Claude Mallé

Bragelonne

Milady est un label des éditions Bragelonne

Cet ouvrage a été originellement publié en France par Bragelonne.

Titre original : *Enchanter – Book two of the Axis Trilogy*
Copyright © 1996 by Sara Douglass Enterprises Pty Ltd.

© Bragelonne 2006 pour la présente traduction

Illustration de couverture :
© Miguel Coimbra

ISBN : 978-2-8112-0010-7

Bragelonne – Milady
35, rue de la Bienfaisance – 75008 Paris

E-mail : info@milady.fr
Site Internet : http://www.milady.fr

La suite de la Trilogie d'Axis *est toujours dédiée à Lynn, Tim et Frances, avec un clin d'œil et un sourire pour le* Canon *de* Pachelbel, *qui m'a fourni le fond musical pendant la rédaction de ce livre.*
Ce roman est le pivot de l'histoire et une manière d'honorer la mémoire d'Elinor, morte quand elle et moi étions encore beaucoup trop jeunes…

Courage, mon âme, et apprends à soulever
La lourde masse de ton immortel bouclier !
De ton heaume brillant rabats donc la visière
Et brandis ton épée face à tes adversaires !
La vois-tu, cette armée si puissante et fidèle,
Aux bannières de soie battant comme des ailes ?
Si dans ses rangs serrés, en ce jour de combat,
Brillait un feu divin, ne t'en approche pas !
Car pour vaincre une âme résolue, la nature,
Sache-le, est souvent prodigue en forfaitures !

Andrew Marvell
« Dialogue entre une âme résolue et le plaisir artificiel »

Prologue

Les ruines du fort de Gorken

Dans le donjon glacial du fort de Gorken, alors que son souffle, entre ses défenses, se transformait en buée, Gorgrael le Destructeur s'imprégnait des vestiges de souvenirs et d'émotions qui flottaient encore dans la chambre à coucher abandonnée. Ses yeux couleur argent étrécis, il se pencha, passa une main le long du lit et, du bout de ses doigts griffus, déchira le drap en toile de lin. Dans cette pièce, il captait les effluves de la haine, du désir, de la douleur et d'une mâle satisfaction. Tirant sur le drap, il le porta à ses narines, inspira à fond, puis déchira le tissu entre ses griffes. *Elle* avait dormi, ri et pleuré ici ! Les muscles tendus à craquer, Gorgrael rugit à la face du monde sa rage, sa concupiscence et sa frustration. Il abominait cette femme presque autant qu'il détestait Axis. Et il aurait voulu l'avoir en son pouvoir, comme ce misérable vermisseau…

Dans la cour du fort de Gorken, les Skraelings se pétrifièrent en entendant la voix de leur maître retentir dans le fief ennemi récemment conquis.

Cessant soudain de crier, Gorgrael se redressa, et ses muscles se détendirent. Après avoir lâché le drap en lambeaux, il regarda autour de lui. *Elle* avait vécu dans cette pièce à présent dévastée – en compagnie de Borneheld, mais cet imbécile ne comptait pas ! À la première occasion, Gorgrael l'écrabouillerait sans difficulté. En revanche, la femme était la clé de tout…

Le Destructeur connaissait la Prophétie presque aussi bien que son auteur. Maintenant qu'Axis s'était enfui pour rejoindre son père – leur père, en réalité ! – il deviendrait un adversaire beaucoup plus redoutable. Suffisamment pour empêcher Gorgrael de maîtriser la Musique Sombre ? En cet instant, c'était impossible à dire… À coup sûr, Axis était désormais trop puissant pour devoir craindre encore les Skraebolds. Mais si la troisième partie de la Prophétie – celle que seuls les élus pouvaient lire ou entendre – lui révélait comment vaincre Gorgrael, elle indiquait aussi au Destructeur le point faible de son demi-frère. Sur ce plan, le prophète s'était montré d'une parfaite équité.

L'arme qui abattrait Axis était la « mie » dont parlait le poème. S'il parvenait à la tuer, Gorgrael signerait la perte du Tranchant d'Acier. Car rien ne pouvait atteindre cet homme, à part l'amour. Et ce serait bien l'amour qui le détruirait.

Le Destructeur rugit de nouveau – de joie, cette fois. Cela prendrait du temps, mais il finirait par avoir cette femme. Le traître était déjà en place, et il n'attendait plus qu'une occasion d'agir…

Faraday… Dans cette chambre, Gorgrael avait appris beaucoup de choses. C'était elle dont Timozel était devenu le champion, et d'elle encore qu'Axis tenait le feu émeraude qui avait tué tant de Skraelings. Pour ce seul crime, elle méritait la mort. Et parce que le Tranchant d'Acier l'aimait, elle agoniserait dans d'atroces souffrances.

En plus de tout, cette chienne s'était alliée à la Mère et à l'Arbre ! Cet affront-là, elle le paierait en crevant seule, sans le réconfort de l'amitié.

Gorgrael se pencha de nouveau, enfonça ses griffes dans le matelas et l'éventra. Bientôt, le torse de Faraday subirait le même sort. Oui, quand elle aurait imploré qu'il l'épargne, hurlé de douleur tandis qu'il la soumettrait à sa volonté et supplié qu'il ait pitié d'elle, il l'ouvrirait en deux et se délecterait de voir ses entrailles sanguinolentes s'échapper de son ventre.

Le Destructeur tourna la tête vers la fenêtre brisée. La plupart des villes et des villages d'Ichtar étaient en ruine. De la capitale du duché, Hsingard, il ne restait qu'un amas de gravats. Et les Skraelings s'étaient repus des cadavres de dizaines de milliers d'Ichtariens. Pourtant, tout ne s'était pas déroulé selon le plan, et il était bien trop tôt pour chanter victoire. Non content de s'être enfui, Axis avait considérablement affaibli les forces de Gorgrael.

S'il lui restait assez de Skraelings pour occuper Ichtar, il n'était pas en mesure de poursuivre Axis ou Borneheld. Après avoir réussi à filer vers le sud avec quelque cinq mille hommes (et cette maudite femme !), le duc devait déjà approcher du Ponton-de-Jervois. Et il prendrait sans nul doute position sur les berges du fleuve Nordra.

Comme ses créatures, le Destructeur détestait les cours d'eau, grands ou petits. La musique qu'ils produisaient glorifiait la beauté et la paix, pas les ténèbres. Une ignoble cacophonie !

Fou de rage, Gorgrael acheva de détruire le lit. Pour ne rien arranger, ses cinq Skraebolds l'avaient terriblement déçu. Au moment de la fuite du duc, ces incapables n'avaient pas été fichus de forcer leurs guerriers à se concentrer sur la colonne qui galopait vers le sud. Leurs menaces et leurs cris, censés faire mourir de peur les Skraelings, n'avaient pas eu l'effet escompté. Après s'être si longtemps désolés de vivre dans les étendues glacées du Nord – et avoir rêvé de déferler sur les terres hospitalières du Sud – les Skraelings, depuis la chute du fort de Gorken, s'éparpillaient en Ichtar comme des sauterelles acharnées à tout dévaster sans discernement. Dans cette confusion qui confinait à l'anarchie, les Skraebolds n'avaient pas pu rallier assez de combattants pour lancer un assaut massif sur les fugitifs. Et bien entendu, harceler leurs flancs et leur arrière-garde n'avait pas suffi à les empêcher de fuir.

En plus de l'indiscipline des Skraelings et du manque d'efficacité des Skraebolds, l'ardeur au combat d'Axis et de ses Haches de Guerre, lors de leur téméraire sortie, avait porté un coup terrible aux forces de Gorgrael. Pour reformer une armée puissante et organisée, après ce désastre, il lui faudrait des mois. Jusque-là, il ne serait pas en état de s'aventurer plus loin au sud que Hsingard…

Alors que les Skraebolds, tremblant de peur et gémissant, se demandaient comment justifier leur échec devant le Destructeur, lui-même réfléchissait aux arguments qu'il avancerait pour convaincre son mentor qu'il avait choisi le bon moment pour attaquer le fort de Gorken et se lancer à la conquête d'Achar. L'Homme Sombre lui avait conseillé d'attendre encore un ou deux ans, afin que son armée soit plus forte et que sa magie ait gagné en noirceur.

Mais Gorgrael, las de patienter, ne l'avait pas écouté.

L'Homme Sombre lui ayant appris tout ce qu'il savait, y compris la façon d'utiliser la Musique Sombre – la source de son pouvoir –, Gorgrael le redoutait au moins autant qu'il l'aimait. Ouvrant et fermant nerveusement ses griffes, il se répéta mentalement le discours qu'il lui tiendrait bientôt.

1

Arrivée au Ponton-de-Jervois

Ho'Demi tira sur les rênes de son cheval, puis il tenta de sonder le brouillard, droit devant lui. Selon ses éclaireurs, le duc d'Ichtar approchait avec les survivants de la garnison du fort de Gorken. Dans cette purée de pois, la colonne aurait pu être à dix pas de lui sans qu'il la voie.

Ho'Demi frissonna. Il détestait ces terres du Sud, avec leur fichue brume lourde et humide ! Les déserts gelés du Nord lui manquaient, et il se désolait de ne plus pouvoir chasser les ours des glaces avec les hommes et les femmes de sa tribu. Hélas, comme eux, il avait dû fuir son pays natal à cause des Spectres dont les murmures souillaient jusqu'au vent.

Désormais, Ho'Demi et les siens étaient des exilés. Pourtant, aussi loin que remontât la mémoire des chasseurs, les Skraelings avaient toujours été là. Mais pas assez nombreux, ni assez braves, pour s'en prendre aux hommes de Ravensbund, s'ils étaient assez prudents pour pister leurs proies en groupe. Depuis un an, les choses avaient changé. Dirigés par la main invisible mais puissante de Gorgrael le Destructeur, les Spectres avaient forcé les chasseurs à quitter leur territoire. Franchissant le col de Gorken, les exilés avaient dépassé la ville et le fort du même nom, où le duc d'Ichtar avait provisoirement arrêté l'invasion. Après un long voyage dans les terres du Sud, Ho'Demi avait décidé que son peuple n'irait pas plus loin que le Ponton-de-Jervois. Et c'était là que Borneheld attendrait les Skraelings…

Comme les y forçaient leurs traditions, Ho'Demi et les siens entendaient aider les hommes du Sud à repousser les hordes de Gorgrael. Mais à Gorken, Borneheld avait refusé leur offre d'assistance sans dissimuler son mépris. Le duc d'Ichtar, avait-il dit, commandait une véritable armée, pas un ramassis de barbares. Aujourd'hui, après une cuisante défaite, le fier chef de guerre et ses soldats d'élite seraient sans doute d'un avis différent.

Ho'Demi était parti de Ravensbund avec tous les compatriotes qu'il avait pu rassembler. Les différentes tribus étant éparpillées dans le désert de glace, il n'était pas parvenu à prévenir tout son peuple que l'heure de l'exode venait de sonner. Vingt mille chasseurs seulement avaient planté leurs tentes en peau de phoque sur les rives du fleuve Nordra – soit à peine un vingtième de la population de Ravensbund.

Qu'était-il arrivé à ceux qui n'avaient pas fui ? Avec un peu de chance, ils avaient dû trouver des crevasses où ils se cacheraient jusqu'à ce que l'Homme Étoile ait vaincu Gorgrael. Ho'Demi espérait qu'ils ne perdraient pas patience, parce que ça n'était pas pour demain…

Peuple très ancien et très fier, les chasseurs de Ravensbund avaient développé une culture et un type de société adaptés aux rigueurs de la lutte pour la survie dans les régions désertiques et glaciales du nord d'Achar. Depuis des lustres, très peu d'entre eux savaient à quoi ressemblait le monde au-delà du fleuve Andakilsa. Le roi d'Achar – dont ils ignoraient jusqu'au nom – était sans doute convaincu de régner sur cette partie de son royaume. En réalité, il avait aussi peu d'influence sur les hommes de Ravensbund que sur les Proscrits, et ce n'était pas peu dire ! Ho'Demi était le seul chef que les chasseurs acceptaient, et sa parole avait force de loi.

Aujourd'hui, par respect de la Prophétie – et parce que aucune autre option ne s'offrait à lui –, Ho'Demi allait se placer sous le commandement de Borneheld. Les chasseurs connaissaient les prédictions depuis des millénaires. Contre Gorgrael il fallait s'unir… ou périr. Et quelqu'un devait faire le premier pas pour fédérer Tencendor et assurer la déroute du Destructeur.

Face aux attaques de plus en plus pressantes des Skraelings, Ho'Demi avait vite compris que la Prophétie s'était éveillée et arpentait le monde. Et parmi tous les Acharites, les chasseurs étaient sans nul doute les plus loyaux à l'Homme Étoile. Le jour où il les appellerait, ils répondraient « présents » sans l'ombre d'une hésitation.

Par groupes de mille – au minimum –, les hommes et les femmes de Ravensbund avaient dépassé le fort de Gorken des semaines avant l'arrivée d'Axis. À ce jour, ils ignoraient l'identité de l'Unique et ne savaient pas où le trouver. Jusqu'à ce qu'ils l'aient localisé et soient en mesure de lui faire allégeance, ils combattraient sous les ordres de Borneheld. Ainsi en avait décidé Ho'Demi – si le duc daignait accepter qu'ils mettent leurs lances à son service !

À l'instant où leur tintement atteignit ses oreilles à travers le brouillard, Borneheld devina ce qu'étaient ces clochettes. Aussitôt, il s'emmitoufla davantage encore dans son épais manteau.

Deux semaines s'étaient écoulées depuis son départ du fort de Gorken. Aussitôt après qu'Axis et ses Haches de Guerre eurent entraîné les Skraelings vers le nord, le duc avait fait ouvrir les portes et ordonné à sa colonne de survivants de traverser la ville encore en feu. La progression vers le sud, en direction du Ponton-de-Jervois, s'était révélée un cauchemar. Affaiblis par le froid et la malnutrition, beaucoup de soldats avaient succombé à l'épuisement. D'autres avaient péri lors des attaques lancées par les monstres sur les flancs et l'arrière-garde de la formation. Et les désertions se comptaient par centaines…

Une nuit, les deux moines quasiment cacochymes ramenés par Axis de la citadelle de la Muette avaient disparu à leur tour. Excédé de les entendre babiller au sujet de leur absurde Prophétie, Borneheld s'était réjoui de ne plus les avoir sur les bras. Et s'ils avaient été dévorés par les Skraelings, cela ne risquait pas de lui arracher une larme. Pour lui, tous ceux qui avaient quitté la colonne méritaient de finir déchiquetés par les tueurs de Gorgrael !

Contre toute attente – et toute logique – les monstres, après leur départ du fort, les avaient laissés en paix pendant cinq jours. Redoutant d'être attaqués à tout moment, les fugitifs avaient galopé ventre à terre jusqu'à ce que leurs montures commencent à s'écrouler.

Comme ses hommes, le duc ignorait qu'il devait ces cinq jours de répit aux coups mortels qu'Axis et ses guerriers avaient portés aux Skraelings dans les plaines glacées proches du fort de Gorken. En revanche, Borneheld, à l'instar de tous ses compagnons, savait que l'avance ainsi concédée par leurs poursuivants ferait toute la différence entre la vie et la mort. D'autant plus que les sbires du Destructeur, lorsqu'ils s'étaient remontrés, n'avaient pas été assez nombreux pour forcer la colonne à s'arrêter. Au Ponton-de-Jervois, les survivants seraient en sécurité pour un temps, car il semblait improbable que les Skraelings s'y aventurent de sitôt.

Bien que sa situation ne fût pas si mauvaise que ça, toutes choses égales par ailleurs, Borneheld ne décolérait pas et son amertume augmentait à mesure qu'il approchait du fleuve Nordra. Il n'était pour rien dans la chute du fort de Gorken ! Des traîtres avaient saboté ses efforts – un complot qui visait à la fois Ichtar et Achar. Parmi les félons, le duc devait hélas ranger le seigneur Magariz, un officier auquel il aurait pourtant confié sa vie sans hésiter. Le jour du départ, ce chien avait choisi d'accompagner son ignoble bâtard de demi-frère, tournant ainsi le dos à la cause d'Achar et à ses obligations envers Borneheld.

Depuis trente ans, le duc brûlait de jalousie dès qu'il pensait à Axis. Aujourd'hui, sa haine tournait à l'obsession et lui déchirait les entrailles.

Qu'Artor le maudisse ! J'espère qu'il est mort dans la neige en m'appelant au secours ! Oui, j'adorerais qu'il ait crié mon nom pendant que les Skraelings le dévoraient vivant !

Cette idée, pourtant délectable, ne parvint pas à faire naître un sourire sur le visage parcheminé par le froid du duc. Depuis la perte du fort de Gorken, rien ne le déridait, et il ne se fiait quasiment plus à personne. Si Magariz avait pu le poignarder dans le dos, n'importe qui risquait d'en faire autant. Du coup, il se méfiait même de Jorge et de Roland, qui chevauchaient le plus souvent au milieu de la colonne, taciturnes comme s'ils regrettaient de n'avoir pas pris la même décision que Magariz.

Désormais, Borneheld ne jurait plus que par Gautier et Timozel. Pour son fidèle bras droit, cela n'avait rien d'étonnant. Mais Timozel… Qui aurait cru qu'un si jeune garçon – et membre des Haches de Guerre, par surcroît ! – deviendrait l'homme de confiance et le serviteur dévoué du duc d'Ichtar ? Pendant la retraite, ce gaillard avait amplement démontré sa valeur. Aussi impitoyable que Gautier quand il s'agissait de pousser les hommes au-delà de leurs limites, il s'était battu avec autant de bravoure que Borneheld ! En récompense, il chevauchait désormais sur la gauche du duc, un pas en arrière. Bien droit sur sa selle, il ne quittait presque jamais son maître des yeux. Sentir sur sa nuque la chaleur de ce regard de visionnaire suffisait à attiser la flamme de l'espoir dans le cœur du vaincu de Gorken.

Artor avait gratifié Timozel du don de voyance. Sûrement un signe que le dieu avait épousé la cause du duc, et qu'il l'aiderait à obtenir la victoire finale.

Borneheld regarda du coin de l'œil le cheval qui suivait celui du jeune héros. Faraday, sa femme, partageait sa selle avec la servante Yr, dont la monture était morte de froid trois jours plus tôt.

Faraday était-elle digne de confiance ? se demanda Borneheld. Au début, il aurait juré qu'elle l'aimait. Après tout, quand Axis s'était révélé incapable de la protéger, n'avait-elle pas couru se réfugier auprès de lui ? Ensuite, ne lui avait-elle pas murmuré des mots doux chaque nuit, tandis qu'il la possédait ? Mais qu'avait-elle donc soufflé à l'oreille du Tranchant d'Acier, dans la cour du fort, au moment de leur séparation ?

Maudite femelle ! Qu'elle le veuille ou non, son avenir est avec moi, pas près de ce foutu bâtard ! Elle donnera un héritier à Ichtar, non au royaume des morts, sur lequel Axis doit maintenant « régner » ! Et si elle devait me trahir, comme Magariz, je préférerais encore la voir morte…

La perte du fort de Gorken – et par conséquent d'Ichtar – avait dévasté l'âme du duc, déjà bien malmenée par la vie. Enfant, alors qu'il grandissait dans une maison où l'amour était inconnu, privé de sa mère et ignoré par son père, il s'était toujours consolé en pensant au duché qui lui reviendrait un jour. À la mort de son géniteur, le nouveau duc, à peine âgé de quatorze ans, avait enfin trouvé un sens à la vie. Insignifiant aux yeux de tous quand il n'était que l'héritier de Searlas, il avait découvert que le pouvoir changeait radicalement une existence. La puissance lui avait permis d'obtenir l'attention, le respect et le dévouement dont il était affamé. Mieux encore, c'était grâce à son statut qu'il avait pu épouser une femme qui lui faisait bouillir les sangs de désir.

À présent, la plus grande partie de son duché était passée entre les mains de l'ennemi, et il souffrait comme si on lui avait coupé un membre. Quel pouvoir resterait-il à un piètre chef de guerre qui s'était laissé prendre son domaine ? Et qui le respecterait encore ? Même s'il finissait par reconquérir Ichtar – et il réussirait ! – il continuerait à se sentir vulnérable. Pour fermer sa blessure, il n'envisageait qu'une seule thérapie : monter sur le trône d'Achar, comme l'y autorisait sa généalogie. Devenu roi, il aurait de nouveau tout le pouvoir, le respect et l'amour dont il avait besoin pour se sentir vivant. Accessoirement, il pourrait aussi se débarrasser une bonne fois pour toutes des traîtres qui lui empoisonnaient l'existence… Même s'il brûlait de reprendre Ichtar, cet objectif ne lui suffisait plus !

Les visions de Timozel confirmaient qu'il porterait un jour la couronne. Artor en personne tenait à ce qu'il succède à Priam !

Sachant qu'il ne tarderait plus à atteindre le Ponton-de-Jervois, Borneheld estima judicieux de faire le point sur les forces dont il disposait. Malgré la catastrophe de Gorken, dont étaient responsables Magariz et Axis, ce bâtard de Proscrit, la colonne restait impressionnante. En chemin, les cinq mille hommes originels avaient été rejoints par des multitudes de réfugiés venus des quatre coins du duché. Bien qu'ils fussent dans un état lamentable, certains de ces hommes et de ces femmes pourraient être remis au travail, et les mâles les plus solides seraient peut-être capables de tenir correctement une épée.

Étant le Seigneur de Guerre d'Achar, Borneheld pourrait aussi prendre le commandement des troupes encore cantonnées dans le royaume. Y compris, bien sûr, les cinq cents Haches de Guerre qu'Axis avait laissés à la tour du Sénéchal pour veiller sur le frère-maître Jayme. Et s'il ne s'était pas trompé sur la signification des clochettes qu'il avait entendues tintinnabuler dans le brouillard, le duc pourrait aussi compter sur un contingent de chasseurs de Ravensbund. Des sauvages, bien entendu, mais lourdement armés et munis de chevaux ! S'ils étaient capables d'éventrer un ennemi, nul doute qu'il saurait leur trouver une utilité… Enfin, il y avait les forces de l'empire coroléien, situé au sud d'Achar. Si cet imbécile de Priam, tellement ridicule avec ses frisettes, n'avait pas encore eu l'idée d'ouvrir des pourparlers avec les Coroléiens, Borneheld s'assurerait qu'il s'y mette sans tarder !

Quand il sortit du brouillard et découvrit le cavalier immobile qui l'attendait, le duc leva une main et cria à la colonne de s'arrêter. Tirant sur les rênes de sa monture, il étudia un moment le chasseur au visage encore plus couvert de tatouages noirs et bleus que ceux de ses compatriotes. Des dizaines de lignes ondulées et de spirales s'étalaient sur son menton et ses joues. Très bizarrement, au milieu de son front, lui aussi «ornementé», subsistait un cercle de peau nue qui semblait lui faire un troisième œil. Comme tous les barbares de Ravensbund, l'homme avait constellé sa chevelure – des nattes noires graisseuses – d'éclats de verre bleu ou vert et de minuscules clochettes. Bête chétive aux longs poils jaunâtres, sa monture, presque aussi hideuse que lui, avait la queue et la crinière «décorées» de la même façon. Des barbares dégoûtants! Pourtant, s'ils savaient se battre, il faudrait faire avec…

Jugeant que le duc l'avait assez étudié, le chasseur prit la parole dans un acharite étonnamment correct.

— Duc Borneheld, je me nomme Ho'Demi. Gorgrael m'a contraint à quitter mon pays. Ses Spectres avancent vers le sud, et les chasseurs de Ravensbund ont depuis toujours juré de s'opposer au Destructeur. Si tu veux le combattre, nous serons à tes côtés.

Le duc dévisagea froidement le barbare.

— Je me dresserai contre Gorgrael, en effet… Mais si tu entends m'aider, tu devras te placer sous mon commandement.

Ho'Demi parut étonné par l'agressivité de l'Acharite. Cela dit, elle ne sembla pas le perturber.

— Je suis d'accord, duc.

— Parfait… Combien de guerriers as-tu?

— Je suis venu avec vingt mille des miens. Un peu plus de la moitié sont des combattants.

— Tu as bien raison de te rallier à moi… Ensemble, nous attendrons l'ennemi, quel qu'il soit, et cette fois, je vaincrai!

2

LE MONT SERRE-PIQUE

Assis sur son rocher favori, sur le flanc du mont Serre-Pique, Axis Soleil Levant s'abandonnait aux vigoureuses caresses du vent qui ébouriffait ses cheveux et sa barbe couleur d'épi de blé mûr. Quatre semaines plus tôt, au pied de cette même montagne, Vagabond des Étoiles avait arraché de sa tunique les deux haches croisées symboles de son appartenance au bras armé de l'ordre du Sénéchal. Depuis, l'homme qui ne portait plus le titre de Tranchant d'Acier ne manquait pas une occasion, dès qu'on lui en laissait le temps, de se perdre dans la contemplation de la partie la plus nordique des Éperons de Glace. Un spectacle qui le reposait des subtilités de la société icarii, de la tension inhérente à sa nouvelle vie et de l'ahurissante complexité de la magie que les hommes-oiseaux appelaient la « Danse des Étoiles ».

De son perchoir, sur une saillie rocheuse, Axis admirait le glacier géant aux reflets blanc et bleu qui, trois mille pieds plus bas, se frayait un chemin entre les pics les moins hauts des Éperons de Glace. Inlassable, il acheminait ses énormes icebergs jusqu'à l'océan d'Iskel, où ils partiraient pour un long voyage vers l'inconnu. Un mois plus tôt, Axis aurait à peine aperçu les blocs de glace qui dérivaient déjà dans l'océan. Aujourd'hui, il voyait que le grand ours blanc perché sur le plus petit des icebergs avait perdu une oreille lors d'une ancienne bataille contre un autre plantigrade.

Axis eut un soupir mélancolique. Bien qu'il s'émerveillât de ses pouvoirs récemment découverts, rien ne pouvait lui faire oublier que Faraday était toujours piégée avec le premier de ses demi-frères. Pendant ce temps, le second, Gorgrael, reconstituait son armée afin d'envahir Achar…

Et quand il parvenait à penser à autre chose, l'ancien Tranchant d'Acier retournait dans sa tête les problèmes que lui posait sa nouvelle vie.

Un père, une mère, une sœur, un oncle et une grand-mère… Avoir soudain une famille se révélait à la fois excitant et troublant. Cela dit, Vagabond des Étoiles était de loin le problème le plus épineux. Pendant trente ans, ce géniteur absent avait alimenté les plus infâmes ragots de la cour – et permis à Gorgrael, par sa « non-existence », de hanter les cauchemars d'Axis. Aujourd'hui, les deux hommes étaient fascinés l'un par l'autre, mais leur relation n'avait rien de facile. Doté d'une puissante personnalité et terriblement exigeant, l'Envoûteur poussait sans cesse son fils au-delà de ses limites. Même si la situation l'exigeait, c'était difficile à supporter. Après une vie entière de solitude et d'indépendance, Axis en voulait à son père de s'imposer ainsi à lui. En même temps, il ne demandait que cela…

La séance de formation de la matinée s'était très mal passée. Après des heures à se faire face dans une petite grotte, le père et le fils s'étaient querellés avec une amertume et une violence inouïes. Étoile du Matin, la grand-mère paternelle d'Axis, qui assistait aux cours de magie, avait tenté de raisonner Vagabond des Étoiles. N'y parvenant pas, elle avait fini par ordonner à Axis de quitter les lieux. Il avait obéi, vaguement soulagé, mais agacé de ne pas pouvoir poser à son père davantage de questions sur son héritage et ses pouvoirs.

—Encore une dispute ? lança soudain une voix féminine.

Axis tourna la tête et reconnut Azhure. Vêtue d'une tunique et de hauts-de-chausses gris clair, elle marchait d'un pas décidé le long de l'étroite saillie rocheuse.

—Je te dérange ? lança-t-elle en s'arrêtant à quelques pas d'Axis.

—Pas le moins du monde… Viens à côté de moi, je t'en prie.

La jeune femme avança et s'assit gracieusement en tailleur.

—Une vue superbe! s'exclama-t-elle.

—Tu vois l'ours des glaces? demanda Axis, un bras tendu vers l'iceberg.

—Axis Soleil Levant, je n'ai pas tes yeux d'Envoûteur, ne l'oublie pas!

Axis se détendit un peu. Depuis qu'il vivait sur le mont Serre-Pique, Azhure et lui s'étaient beaucoup rapprochés. En elle, il voyait désormais une confidente capable de comprendre ce qu'il éprouvait à mesure qu'il découvrait sa véritable identité.

—Depuis que tu vis avec les Icarii, mon amie, l'altitude ne te fait plus peur. Très peu de Rampants oseraient s'aventurer sur cette saillie, et encore moins y marcher d'un pas aussi allègre que s'ils se promenaient dans les plaines de Skarabost.

—Pourquoi aurais-je peur, alors qu'un Envoûteur est là pour me sauver?

Axis sourit, puis il se rembrunit.

—Comment sais-tu que je me suis disputé avec mon père?

—Il est revenu chez lui, et il s'en est pris à Rivkah, qui lui a répondu vertement. Je les ai laissés à leur scène de ménage, et je suis partie en quête de la cause de tous ces troubles.

—Tu crois que mon irruption dans leur vie est une bonne chose?

—S'ils ont des problèmes, tu n'y es pour rien. Désolée que ma plaisanterie ait pu te laisser penser le contraire.

Axis posa les mains sur ses genoux et réfléchit à ses parents. Entre son père et lui, la tension était permanente. Avec sa mère, il partageait de l'amour et de la tendresse. Dès son arrivée sur le mont, escorté par cinq Icarii, elle s'était précipitée vers lui. Sans dire un mot, elle l'avait enlacé, et ils étaient restés un long moment ainsi, à pleurer dans les bras l'un de l'autre. Se souvenant de la scène de sa propre naissance, dont il avait récemment pu invoquer les images, il avait revu Rivkah lui donner le jour et lutter pour qu'il vive. Trente ans durant, il avait cru qu'elle était morte en couches en le maudissant. Quelques minutes d'émotion avaient suffi pour qu'ils guérissent tous les deux de leurs blessures.

Très vite, Axis s'était aperçu que le mariage de ses parents battait de l'aile. Ils s'aimaient, nul n'en aurait douté, mais la passion qui les unissait sur le toit de la forteresse de Sigholt, trente ans plus tôt, n'était plus qu'un lointain souvenir. Leur fils les avait-il retrouvés pour être le témoin impuissant du naufrage de leur couple ?

— Il ne doit pas être facile pour Rivkah de regarder son mari…, dit Azhure, et de voir qu'il n'a pas l'air plus vieux que son fils !

Axis se rembrunit un peu plus. Son héritage icarii dominant la part humaine de son ascendance, il vivrait aussi longtemps que sa sœur, par exemple, dont le sang était pur. Si ses ennemis n'écourtaient pas son existence, il avait quelque cinq cents ans devant lui. Qu'éprouverait-il en voyant ses amis humains vieillir et mourir alors qu'il resterait en pleine jeunesse ? Et en assistant à l'enterrement de leurs petits-enfants quand il n'aurait pas encore atteint l'âge mûr ?

— Tu crois que j'aime penser à ce qui m'attend dans quatre siècles ? Un jour comme celui-là, je regarderai les ours des glaces pêcher en essayant de me rappeler le nom de la jeune et jolie femme qui s'était jadis assise à côté de moi pour contempler le paysage. Et dont les os seront depuis des lustres retombés en poussière ! Mon amie, cette perspective ne me dit rien. C'est aussi difficile à vivre que ce qui attriste ma mère…

Azhure prit la main de son compagnon, qui se tendit davantage, même s'il parvint à sourire.

— Les pouvoirs que je me découvre chaque jour sont heureusement une compensation… Par exemple quand ils me permettent d'offrir un petit cadeau à une amie précieuse !

Un instant, Azhure crut capter dans le vent les lointains échos d'une douce mélodie. Puis elle éclata de rire quand une pluie de fleurs de lune sauvages violettes tomba lentement du ciel tout autour d'elle. Lâchant la main d'Axis, elle tenta d'en attraper le plus possible au vol.

— Comment as-tu deviné? s'exclama-t-elle.

Depuis plus de vingt ans, elle n'avait plus vu une de ces fleurs. Lorsque Azhure était enfant, sa mère l'amenait parfois en promenade, les nuits de pleine lune, pour dénicher ces végétaux rarissimes. Mais elle l'avait abandonnée si vite…

Axis saisit adroitement une fleur entre le pouce et l'index et la piqua dans les cheveux noirs de son amie. Son cadeau avait mis dans le mille, même s'il avait prévu une pluie… de roses. La preuve qu'il lui restait des progrès à faire!

— Un coup de chance, c'est tout. Tu me fais souvent penser à ces fleurs qui se cachent dans les ténèbres, désespérées que nul ne puisse les trouver et les caresser…

Soudain mal à l'aise, Azhure recueillit une ultime fleur au creux de sa paume. L'« averse » ayant cessé, elle reprit la parole… et changea hâtivement de sujet.

— Gorge-Chant veut que je participe à l'exercice avec elle, cet après-midi. Elle dit que je suis très douée…

Lors de l'attaque des Skraelings, pendant la Réunion du solstice d'hiver, la sœur d'Axis avait été impressionnée par les aptitudes guerrières d'Azhure. Tandis que la Force de Frappe, désorientée, se demandait comment repousser les Spectres, l'humaine avait découvert leur point faible – les yeux – et la voir se battre comme une lionne avait redonné du cœur au ventre aux Icarii et aux Avars. Ce même soir, elle avait également sauvé la vie de Vagabond des Étoiles.

Gorge-Chant ne cachait pas son admiration pour le sang-froid et la bravoure d'Azhure. Depuis quelques semaines, la jeune Icarii et son chef d'Aile, Plume Pique Chant Fidèle, tentaient de persuader l'humaine de participer aux entraînements de la Force de Frappe.

Axis devinait qu'Azhure n'était pas convaincue, et il comprenait pourquoi. Pour fuir avec Raum et Shra, prisonniers à Smyrton et condamnés à mort, elle avait dû tuer son propre père puis assommer le pauvre Belial, qui avait failli en mourir. Axis lui avait reproché ces actes, et les Avars, que la violence répugnait, l'avaient rejetée bien qu'elle eût sauvé des dizaines d'entre eux…

—Azhure, tu as bien agi. À présent, tu es libre de vivre comme tu l'entends. As-tu envie de participer à l'exercice avec Gorge-Chant ?

—Eh bien… J'ai vu les guerriers icarii s'entraîner à l'arc. Ils sont si élégants et adroits. Ça me tente, je dois l'avouer, et Plume Pique a promis de me montrer comment tirer juste… Axis, j'en ai assez de me sentir perdue, comme si je ne savais pas où aller ! Après tant d'années passées au fond d'un puits obscur, j'ai l'impression de remonter enfin vers la surface, mais elle est encore si loin… Chaque jour vécu ailleurs qu'à Smyrton, qui fut si longtemps mon tombeau, me rapproche du but et m'arrache à la torpeur de mon ancienne vie. Tu as raison, je dois suivre mon propre chemin ! (Azhure sourit, sa bonne humeur retrouvée.) Au moins, je ne suis pas une Envoûteuse icarii née pour accomplir d'héroïques exploits ! Pour toi, ça ne doit pas être facile tous les jours…

—Je ne suis pas un héros, souffla Axis.

Voyant qu'il détournait la tête, Azhure baissa les yeux sur la fleur qu'elle n'avait pas lâchée. L'ancien chef des Haches de Guerre se laissait parfois aller à refuser son destin, et elle ne pouvait pas l'en blâmer. Chaque jour, il pensait à tous les braves déjà morts pour lui et maudissait l'idée que d'autres doivent encore périr en son nom. Et Gorge-Chant, en le rendant responsable de la mort de Libre Chute, ne faisait rien pour l'aider à surmonter son trouble.

—Tu dois être patient avec ta sœur… Elle ne s'est toujours pas remise d'avoir perdu Libre Chute, et il lui faut un exutoire.

Axis hocha la tête, mais il n'était pas dupe. Gorge-Chant

avait bien d'autres raisons de lui en vouloir. S'être découvert un frère aîné ne l'enchantait pas. Qu'il ait hérité les pouvoirs de leur père aggravait encore les choses. Jadis aux petits soins pour sa fille, Vagabond des Étoiles la délaissait depuis qu'il se concentrait sur la formation de son authentique successeur...

Par bonheur, l'amitié qui l'unissait à Azhure consolait un peu Gorge-Chant. Axis pouvait le comprendre, car lui aussi se réjouissait d'avoir le soutien de la jeune femme. Tout comme Rivkah, qui passait beaucoup de temps avec elle... Bref, si Vagabond des Étoiles avait encore un semblant de famille, il devait remercier la jeune femme !

—Les Soleil Levant ne sont pas faciles à vivre..., soupira Axis.

—Comme tous les autres Icarii ! Pour la passion, ils sont parfaits, mais quand il s'agit d'amitié...

Axis dévisagea longuement son amie. Bien qu'ayant croupi toute sa vie à Smyrton, elle se montrait plus perceptive que nombre d'érudits ou de diplomates. D'où tenait-elle sa clairvoyance ? Sûrement pas de son père, le Gardien de la Charrue Hagen, à peu près aussi subtil qu'une enclume. L'influence de sa mère ? D'après ce qu'on disait des Noriennes, elles n'avaient pas d'égales en matière de plaisirs amoureux, mais leurs compétences s'arrêtaient là. Quant aux villageois de Smyrton, un ramassis de crétins, leur fréquentation ne faisait sûrement rien pour élargir l'horizon d'une fillette.

Mal à l'aise sous le regard bleu perçant de son ami, Azhure détourna une nouvelle fois la conversation :

—Tu t'inquiètes pour Faraday ? demanda-t-elle.

La première idée qui lui était venue à l'esprit. Et des paroles qu'elle se maudissait d'avoir prononcées ! Bien qu'elle fût sans cesse présente dans ses pensées, Axis parlait rarement de sa bien-aimée. Et il se repliait au plus profond de lui-même dès qu'on mentionnait son nom devant lui...

—Je l'ai vue, tu sais, le soir de la Réunion du solstice d'hiver... Devant tellement de beauté, de compassion et de générosité, comment s'étonner que tu l'aimes autant ?

— Tu l'as vue? répéta Axis. Comment est-ce possible?

— Vagabond des Étoiles ne t'a pas raconté qu'elle l'a aidé à réveiller l'Arbre Terre, le soir de l'attaque des Skraelings?

— Si, mais ça ne m'explique pas comment tu l'as vue.

— J'ignore quel sort a utilisé ton père, mais Faraday est apparue à ses côtés, comme dans une vision, au pied de l'Arbre Terre. Personne d'autre que moi ne l'a remarquée, sans doute à cause de la confusion, mais nos regards se sont croisés, et elle m'a souri. Enfin, j'aime croire que ce sourire m'était adressé…

— Vous avez tout pour devenir des amies, dit Axis, un peu moins tendu. Hélas, vous êtes toutes les deux piégées dans les rets de la Prophétie.

— Mais si on m'avait mariée à Borneheld, il n'aurait pas survécu à la nuit de noce, souligna Azhure, récemment informée du triste destin de Faraday. Pourquoi n'a-t-elle pas fui avec toi, après la chute de Gorken?

— Parce qu'elle est fidèle aux vœux qu'elle a prononcés, mon amie. Elle m'aime, je le sais, mais elle reste l'épouse de Borneheld! Tu voulais savoir si je m'inquiète pour elle? Eh bien, je meurs d'angoisse, voilà la vérité! Tout ce qui compte pour moi…

— Axis! lança soudain une voix reconnaissable entre toutes.

Se retournant, Axis et Azhure découvrirent Vagabond des Étoiles, debout sur la saillie, devant l'arche qui donnait accès au cœur de la montagne. Ses ailes blanches à demi déployées histoire d'assurer son équilibre, il semblait toujours de très mauvaise humeur.

Agacé par l'intrusion de son père, Axis se leva d'un bond.

L'Envoûteur soutint un instant son regard puis baissa les yeux sur Azhure.

— Tu ne devrais pas amener notre amie ici, mon fils. Elle n'a pas le pied aussi sûr que le tien…

Il se pencha, tendit les mains à la jeune femme, l'aida à se relever et la guida jusqu'à l'arche.

Alors qu'ils s'engageaient dans une large galerie, Azhure se dégagea sans dissimuler son embarras.

— C'est moi qui ai suivi Axis, Vagabond des Étoiles. Il n'y est pour rien, et je n'ai jamais eu le vertige…

L'Envoûteur étudia attentivement l'humaine. Une nouvelle fois, il regretta qu'elle s'entête à garder sa tunique et ses hauts-de-chausses avars. Vêtue d'une robe vaporeuse, à la manière des femmes icarii, elle aurait été superbe. Car elle avait tout ce qu'il fallait pour porter ce genre de tenue…

Vagabond des Étoiles regarda discrètement son fils. Leur dispute du matin avait laissé des traces, et la séance de l'après-midi s'annonçait difficile. À coup sûr, cela finirait par une prise de bec. Bien qu'avide d'apprendre, Axis détestait être dans la peau d'un élève. Un défaut commun, chez les jeunes…

Pourtant, il assimilait bien, et remarquablement vite. *Trop* vite, en réalité, au goût de son père. Car s'il se rengorgeait d'avoir donné le jour à celui qu'on nommait l'Unique – et dont la Prophétie annonçait la venue – il n'était pas aussi pressé que ça de le voir réaliser son potentiel. Comme Gorge-Chant, qui se désespérait d'avoir perdu son statut d'enfant unique et choyée, Vagabond des Étoiles avait du mal à accepter l'idée qu'il existe un Envoûteur plus puissant que lui. Et ce serait pourtant bientôt le cas…

— Tu veux bien te joindre à nous, cet après-midi ? demanda-t-il à Azhure.

En présence de l'humaine, la séance risquerait moins de dégénérer. Et jusque-là, Étoile du Matin et Axis n'avaient élevé aucune objection à ce qu'elle assiste de temps en temps aux cours de magie.

— Merci de cette invitation… que je dois refuser. Désolée, mais j'ai promis de passer l'après-midi avec Gorge-Chant. Si vous voulez bien m'excuser…

Azhure salua les deux hommes, s'éloigna dans la galerie et s'engagea dans un tunnel latéral.

— Tu imagines l'Envoûteur qui sortirait du ventre de cette femme ? dit Vagabond des Étoiles, si bas qu'Axis se demanda s'il avait bien entendu. Crois-moi, je ne me trompe jamais sur ce sujet-là… (Il riva les yeux sur son fils.) Depuis que les Icarii sont isolés, leur sang s'appauvrit. Avant la Guerre de la Hache, les humaines donnaient de magnifiques fils aux hommes de notre race. Leur sang ajoute de la vitalité au nôtre, à ce qu'on dit. Et tu en es la preuve vivante !

Axis sentit le rouge de la colère lui monter aux joues. Son père préméditait-il de séduire une nouvelle « reproductrice » ?

— J'aime Rivkah, dit Vagabond des Étoiles, et je l'ai prouvé en l'épousant alors que je te croyais mort-né… Jadis, les Icarii s'emparaient de l'enfant, et ils n'accordaient plus la moindre attention à la mère.

Révulsé par cette nouvelle preuve de la sécheresse de cœur des hommes-oiseaux, Axis comprit soudain pourquoi les Acharites, rongés par la haine et le dégoût, avaient fini par les chasser de Tencendor.

En matière de compassion, les Icarii avaient encore beaucoup à apprendre…

3

Perce-Sang

Alors qu'elle avançait dans le labyrinthe de tunnels qui couraient au cœur du mont Serre-Pique, Azhure espéra qu'elle se souvenait bien des indications de Gorge-Chant. En mille ans, les Icarii avaient eu tout le temps de forer dans la montagne un imposant réseau de corridors et de grottes. Architectes imaginatifs, ils avaient aussi creusé des puits verticaux afin de relier les divers niveaux de leur complexe d'habitation. Une bonne raison pour regarder où on mettait les pieds, lorsqu'on se déplaçait dans ces tunnels…

Azhure s'arrêta devant le garde-fou – pas très haut – d'un des principaux puits qui traversaient de haut en bas le mont Serre-Pique. Agrippant la rambarde, elle se pencha pour sonder le gouffre qui plongeait jusqu'aux entrailles mêmes de la terre. Plusieurs niveaux plus bas, deux Icarii se laissaient descendre avec une majestueuse paresse. La douce lumière magique du conduit faisait briller les plumes de ces splendides hommes-oiseaux aux ailes teintes en un dégradé de bleu et d'émeraude. Bouleversée par leur grâce, Azhure lutta pour retenir ses larmes. Les années passées à Smyrton ne l'avaient en rien préparée à la vie parmi les Icarii, un peuple entièrement dévoué à la beauté et à la passion.

À son arrivée, six semaines plus tôt, la jeune femme s'était demandé pourquoi les puits et les tunnels étaient si larges. En voyant des Icarii passer à tire-d'aile au-dessus de sa tête – ou descendre en piqué vers les étages inférieurs – elle avait tout compris. Considérant l'envergure de leurs ailes, les hommes-oiseaux avaient besoin de beaucoup d'espace.

Par bonheur, le complexe était aussi muni d'escaliers taillés à même la roche des puits. Pas pour le bien-être des Rampants, bien entendu, puisque les humains et les Icarii n'avaient plus de contacts depuis un millénaire. Mais les ailes des enfants ne se développaient pas avant qu'ils aient quatre ou cinq ans, et ils apprenaient à voler vers huit ou neuf. Quant aux adultes, il leur arrivait de se blesser et d'être obligés d'emprunter les escaliers. Parce qu'elle s'était déchiré un muscle de l'aile gauche, la mère de Vagabond des Étoiles, Étoile du Matin, n'avait pas pu participer à la Réunion du solstice d'hiver. Pas encore remise, elle tempêtait d'être contrainte de se déplacer comme une vulgaire Rampante.

Azhure passa devant les portes de la gigantesque bibliothèque de Serre-Pique. L'Eubage Raum, un Avar, y consacrait le plus clair de son temps à initier de jeunes Icarii à la culture des Enfants de la Corne et aux beautés de la forêt où ils résidaient…

En marchant, Azhure, comme souvent ces derniers temps, pensa à son amie Rivkah, qu'elle avait longtemps connue sous l'identité de Plume d'Or. Depuis le début de leur amitié, qui remontait à des années, elle ne l'avait jamais vue si profondément en paix avec elle-même. Bien entendu, c'était lié à la venue d'Axis. Même si son union avec Vagabond des Étoiles allait mal, avoir retrouvé le fils qu'elle avait si longtemps cru mort était une bénédiction pour Rivkah – et l'occasion de cicatriser enfin la plaie béante qu'elle portait au cœur. Plus détendue que jamais, elle consacrait de longues heures à éclairer la lanterne d'Azhure sur les subtilités de la société icarii. Et à la tancer vertement chaque fois qu'elle manifestait sa surprise devant la liberté de mœurs – un doux euphémisme – du peuple ailé.

Le matin même, Azhure avait eu droit à un petit sermon pas du tout moralisateur.

« Avec tes cheveux noirs et tes yeux mystérieux où semblent danser des volutes de fumée, tu t'es déjà attiré beaucoup d'admirateurs. Je doute que tu traverses les festivités de Beltide sans t'être abandonnée entre les bras puissants d'un amant ailé… »

Rouge comme une pivoine, Azhure s'était détournée, très mal à l'aise. Ces derniers temps, Vagabond des Étoiles la regardait d'une manière qui laissait peu de doutes sur ses intentions. Mais comment aurait-elle pu contribuer à briser le ménage de Rivkah, qui occupait désormais dans sa vie le rôle dont sa mère s'était si vite désintéressée ? Après son départ, combien de fois s'était-elle réveillée en larmes, persuadée que personne ne l'aimait ? Aujourd'hui, grâce à Rivkah, elle dormait paisiblement, et les cauchemars qui l'avaient hantée pendant plus de vingt ans avaient totalement disparu.

Si surprenant que ce fût, s'avisa-t-elle soudain, depuis son arrivée au mont Serre-Pique, elle était parfaitement heureuse. Jusque-là, personne ne l'avait jamais acceptée. Non contents de la prendre comme elle était, les Icarii semblaient même l'apprécier !

Après avoir salué l'homme-oiseau qui la survolait, Azhure revint au présent, et à son rendez-vous avec Gorge-Chant. Avait-elle envie de se joindre à la Force de Frappe ? Bien sûr que oui ! Mais elle redoutait, si elle le faisait, de céder à la nature « profondément violente » qui déplaisait tant aux Avars et qu'ils tenaient pour une souillure originelle. De fait, après avoir planté sa première flèche dans l'œil d'un Skraeling, elle avait bel et bien été submergée par une soif de sang inextinguible. Au fond, la méfiance des Avars était peut-être justifiée.

Eh bien, tant pis ! Axis avait raison : elle devait vivre comme elle l'entendait, et si cela la conduisait sur le chemin de la violence, il faudrait faire avec. Si elle luttait pour une juste cause, le sang qu'elle verserait ne la marquerait pas du sceau de l'infamie. Au contraire, il lui vaudrait le respect de ses frères d'armes…

Elle s'engagea dans un corridor, sur sa gauche, puis descendit plusieurs volées de marches avec une grâce qui incita un Icarii à s'immobiliser au-dessus du puits où elle était entrée.

Fasciné, il regarda évoluer la Rampante jusqu'à ce qu'elle ait disparu de sa vue…

Une lanière de cuir nouée autour du front pour empêcher la sueur de lui couler dans les yeux, Gorge-Chant para plus ou moins adroitement le coup de son partenaire d'entraînement. Elle détestait macérer ainsi dans sa transpiration. Bon sang, que n'aurait-elle pas donné pour un bon bain chaud, dans la grotte de la Vapeur !

Ayant fêté son vingt-cinquième anniversaire le lendemain de la Réunion, elle avait immédiatement intégré la Force de Frappe pour y accomplir un service militaire obligatoire de cinq ans. Pendant des années, elle avait attendu avec impatience le moment d'être dans l'armée – parce qu'elle pensait partager cette expérience avec Libre Chute, son cousin adoré. Nés la même année, avec deux mois d'écart, les deux jeunes gens avaient grandi ensemble. Ayant prévu de se marier, ils s'étaient souvent demandé ce que serait leur vie quand Libre Chute aurait succédé à son père, le Roi-Serre Crête Corbeau Soleil Levant. Chez les Icarii, les liaisons ou les mariages consanguins n'avaient rien de rare, et les deux cousins, à treize ans, étaient devenus amants.

Bien entendu, ils n'avaient jamais imaginé que l'un des deux puisse être assassiné en pleine jeunesse. Depuis, Gorge-Chant pleurait son bien-aimé… et se lamentait à l'idée de rester seule jusqu'à la fin de ses jours.

Son partenaire d'entraînement, le chef d'Aile Plume Pique Chant Fidèle, trompa soudain sa garde et lui décocha un terrible coup de bâton dans les côtes. Le souffle coupé, Gorge-Chant lâcha son arme et tomba à genoux.

— Concentre-toi ! cria Plume Pique. Sur un champ de bataille, et même dans une vulgaire rixe de taverne, tu serais morte ! Et nous ne pouvons pas nous permettre de perdre un Soleil Levant de plus !

Une main pressée sur son flanc, Gorge-Chant foudroya l'officier du regard.

— C'est un expert qui parle ! L'homme qui n'a pas su protéger Libre Chute…

Avec Éperon Voltige Aile Noire, Plume Pique avait accompagné Libre Chute jusqu'au fort de Gorken, où il voulait parler à Axis. La rencontre avait tourné à la tragédie, car Borneheld s'y était invité pour assassiner l'héritier de Crête Corbeau.

Furieux, le chef d'Aile jura entre ses dents. Puis il saisit Gorge-Chant par ses cheveux bouclés et la força à se relever. Blême de douleur, la jeune Icarii tenta de se dégager, mais l'officier était bien trop fort pour elle.

— Libre Chute a toujours eu le courage d'affronter la vie, et il a su prendre tous les risques quand il le fallait ! Que dirait-il en t'entendant utiliser sa mort pour justifier tes renoncements ?

Les dix autres membres de l'Aile cessèrent de se battre, puis ils tournèrent la tête vers l'officier et la jeune recrue. Depuis le désastre de la Réunion du solstice d'hiver, plus personne ne prenait l'exercice à la légère. Face à l'imminence d'un conflit armé contre Gorgrael, qui aurait encore eu le cœur de plaisanter, comme il était naguère de rigueur lors des entraînements ?

Plume Pique lâcha Gorge-Chant, recula d'un pas et regarda froidement ses subordonnés. Bien qu'il fût un vétéran aguerri, ses responsabilités, en des temps si difficiles, menaçaient de l'écraser. Et malgré les insinuations de Gorge-Chant, il ne se passait pas un jour sans qu'il se reproche d'avoir été trop lent pour sauver Libre Chute.

Depuis la mort de son cousin, la jeune Icarii se désintéressait de tout. Au combat, pour provoquer la perte d'une Aile entière, il suffisait qu'un seul de ses membres n'ait pas l'esprit à ce qu'il faisait…

Pour ne rien arranger, toute la Force de Frappe était sur les dents, ces derniers temps. Bien entendu, il y avait la catastrophe de la Réunion du solstice d'hiver, dans le bosquet de l'Arbre Terre, et la perspective d'une guerre contre le Destructeur. Mais ce n'était pas tout… D'Œil Perçant Éperon Court – le chef de Crête suprême – à la dernière recrue, tous les militaires étaient mal à l'aise à cause de la présence d'Axis Soleil Levant sur le mont Serre-Pique.

Quelque temps plus tôt, contre toute attente, l'Assemblée avait favorablement accueilli la requête de Vagabond des Étoiles au sujet de son fils, alors piégé dans le fort de Gorken. Cela dit, les Icarii avaient eu des raisons égoïstes d'accepter de porter secours à l'Acharite. Après mille ans de paix – à quelques escarmouches près – il leur fallait un véritable chef de guerre. Pas un stratège en chambre, mais un authentique combattant…

Axis correspondait à cette définition. Pendant des années, il avait commandé les Haches de Guerre, le corps d'élite qui avait largement contribué, mille ans plus tôt, à chasser les Icarii du royaume d'Achar. Si un homme pouvait conduire la Force de Frappe au combat, c'était bien l'ancien Tranchant d'Acier. Hélas, depuis son arrivée, il ne se souciait pas le moins du monde des militaires. Même si sa formation d'Envoûteur lui prenait beaucoup de temps, un tel désintérêt avait de quoi angoisser les soldats. Quand daignerait-il visiter les grottes d'entraînement ? ou passer les troupes en revue ? Et comment jugerait-il les guerriers icarii, après avoir si longtemps eu de fabuleux combattants sous ses ordres ?

Plume Pique allait ordonner une pause à ses hommes, mais la silhouette qu'il aperçut du coin de l'œil le fit changer d'avis. Accoudée à la balustrade de la galerie d'observation, l'humaine aux cheveux noirs regardait les soldats avec une étrange gravité.

—Azhure ! s'écria Gorge-Chant.

Plume Pique espéra que la jeune rebelle aurait un peu honte de s'être si mal comportée sous les yeux de son amie…

—Plume Pique Chant Fidèle, ne vous interrompez pas à cause de moi, je vous en prie… Et si je vous ai perturbés, veuillez tous accepter mes excuses.

Chez les Icarii, la courtoisie était de mise en toutes circonstances. Comme Azhure l'avait très vite découvert, ils n'élevaient jamais la voix, même lors des disputes les plus sauvages. Et ils devaient pouvoir s'étriper sans cesse d'échanger des formules fleuries… La scène dont elle venait d'être témoin sortait de l'ordinaire et trahissait la tension qui minait les militaires.

—Plume Pique, j'ai décidé d'accepter votre proposition. Si elle tient toujours, je suis prête à apprendre à tirer à l'arc.

L'officier battit légèrement des ailes – un salut rituel et une manifestation de bonne volonté.

—Tu es la bienvenue, Azhure. Je regrette vraiment que mon Aile ne se soit pas montrée sous son meilleur jour, cet après-midi…

Gorge-Chant s'empourpra jusqu'aux oreilles.

—Nous sommes ravis que tu te joignes à nous, Azhure. Tous les Icarii te sont reconnaissants d'avoir si bien combattu, le soir de la Réunion. Et les Soleil Levant encore plus que les autres…

Une nouvelle pique pour Gorge-Chant. Mais elle avait vraiment tapé sur les nerfs de son chef.

Azhure descendit l'échelle, retira ses bottes et avança sur le sol couvert d'épais tapis. Au passage, elle jeta un coup d'œil aux cibles qui pendaient de la voûte et aux râteliers d'armes alignés le long des parois de la grotte.

—Je ne suis pas en tenue de combat, Plume Pique, alors, je vous en prie, évitez de me tirer dessus…

Souriante, l'humaine désigna ses vêtements avars et ses pieds nus. Tous les Icarii présents, hommes et femmes, portaient une lourde cuirasse sans manches au-dessus de leur pagne. Bien qu'il évitât les blessures graves, cet équipement, comme l'avait prouvé la mésaventure de Gorge-Chant, n'amortissait pas totalement les coups les plus violents. Tous les soldats ruisselaient de sueur, et la plupart avaient les bras et les jambes couverts de marbrures. Un peu partout, des plumes perdues dans le feu de l'action gisaient sur les tapis…

—Si je tirais sur une invitée, surtout si universellement appréciée, on me chasserait de Serre-Pique ! (L'officier se tourna vers un de ses soldats.) Vol Fidèle, décroche Perce-Sang de son râtelier et prends un carquois de flèches.

Plume Pique ignora superbement les cris de surprise de ses hommes.

Sous le regard curieux d'Azhure, Vol Fidèle alla chercher un arc magnifique, choisit un carquois et donna le tout à son chef.

— Nous sommes des créatures ailées, expliqua Plume Pique en suspendant le carquois à son épaule. À ce titre, nous apprécions particulièrement toutes les armes de jet. (Il encocha une flèche.) Regarde !

Si vite qu'Azhure eut du mal à suivre le mouvement, il leva l'arc, l'arma et lâcha son projectile.

La flèche fila vers la voûte et alla se ficher dans une petite boule rouge suspendue soixante pieds au-dessus de leurs têtes.

— Ce qu'on raconte sur votre adresse ne vous rend pas vraiment justice, Plume Pique, dit Azhure. Puis-je essayer cet arc ?

D'une frappante beauté – et d'une mortelle efficacité –, l'arme exerçait sur l'humaine une attraction irrésistible.

Plume Pique dévisagea longuement Azhure. Depuis la mort de l'Icarii qui avait fabriqué Perce-Sang, quatre mille ans plus tôt, lui seul avait été capable d'utiliser l'arc. Malgré les muscles extraordinairement développés de leurs épaules et de leur dos, les autres hommes-oiseaux n'y parvenaient pas. En dépit de sa taille et de son évidente vigueur, il doutait qu'Azhure pût manier un arc icarii classique. Alors, Perce-Sang !

Mais pourquoi lui aurait-il interdit d'essayer ? Haussant les épaules, il tendit l'arc à l'humaine et sortit une flèche du carquois. Très haute mais étonnamment légère, l'arme en bois poli couleur ivoire brillait de tous les feux de ses nervures dorées, violettes et bleu de cobalt.

— Il faut le tenir de cette façon, dit Plume Pique en montrant à l'humaine où placer ses mains. Je vais t'aider à l'armer…

— Inutile, lâcha Azhure. (Elle s'écarta du chef d'Aile.) Je préfère essayer seule. Plume Pique, indiquez-moi une cible.

L'Icarii eut un sourire indulgent, comme s'il avait affaire à une enfant.

—Choisis celle que tu préfères, jeune dame. Si tu la touches, je t'offrirai Perce-Sang en gage d'admiration, et je te fabriquerai de mes mains un magnifique carquois.

Azhure leva les yeux, sélectionna une cible puis orienta l'arc vers le haut et entreprit de l'armer.

Plume Pique guetta l'instant où l'humaine mesurerait toute la difficulté du défi.

Les muscles de ses bras, de son dos et de ses épaules se tendirent à craquer. La voyant trembler violemment, l'Icarii paria qu'elle allait lâcher l'arc ou au moins laisser tomber la flèche sur le sol. Il voulut intervenir, mais Gorge-Chant le retint par un bras.

—Laissez-la faire! souffla-t-elle.

Le chef d'Aile s'immobilisa à contrecœur. Si Azhure lâchait sa flèche n'importe où, elle risquait de tuer un des soldats, car les cuirasses n'étaient pas conçues pour arrêter un projectile à tête de fer.

Au prix d'un incroyable effort, Azhure parvint à contrôler ses tremblements. Le dos bien droit, elle leva l'arc, l'arma et prit le temps de viser.

Plume Pique en resta bouche bée. Comment une humaine pouvait-elle réussir un tel exploit?

Aussi tendue que son arme, Azhure lâcha enfin sa flèche. Sous les regards ébahis des Icarii, le projectile fendit l'air et alla se ficher dans une cible dorée de la taille d'une tête d'homme. L'humaine étant quand même moins puissante que le chef d'Aile, la pointe ne s'enfonça pas totalement dans l'osier. Après quelques secondes, entraînée par son propre poids, la flèche se décrocha et retomba sur le sol.

—J'ai fait mouche! cria triomphalement Azhure. (Elle baissa l'arc et se tourna vers Plume Pique, qui n'en croyait toujours pas ses yeux.) La flèche est restée plantée un moment! Cet arc est-il à moi, chef d'Aile?

Plume Pique baissa les yeux sur l'humaine. S'il n'avait pas

été témoin de ce prodige, il aurait cru à une mystification. Armer l'arc était déjà pour Azhure un incroyable exploit. Quant à mettre dans le mille, ça n'aurait pas dû être possible! Les recrues icarii avaient en général besoin de plusieurs semaines avant d'atteindre la voûte. L'humaine avait-elle simplement eu un invraisemblable coup de chance?

Le chef d'Aile contempla l'arc qu'Azhure serrait jalousement contre elle. Un des fleurons de l'arsenal de la Force de Frappe! Comment avait-il pu être assez stupide pour le lui promettre?

Le sourire de l'humaine mourut quand elle vit l'expression sinistre de l'officier et de ses onze guerriers. Gorge-Chant semblait hébétée, comme si elle avait avalé la flèche, au lieu de l'avoir regardée toucher sa cible.

Azhure avança et prit un nouveau projectile dans le carquois de Plume Pique, qui sursauta quand les doigts de la jeune femme frôlèrent les plumes de sa nuque.

— Ce n'était pas un hasard, quoi que vous pensiez! Si j'échoue la deuxième fois, je vous restituerai l'arc. Mais si je réussis, en plus de me fabriquer un carquois, vous empennerez mes flèches avec vos propres plumes! Ce serait très seyant, puisqu'elles sont de la même couleur que mes yeux…

Avec une fluidité presque aussi impressionnante que celle de l'officier, Azhure encocha la flèche, leva l'arc, l'arma, visa et tira. Cette fois, la pointe s'enfonça profondément dans la cible et y resta fichée.

— Perce-Sang est à moi! annonça Azhure. Et je crois qu'il m'aime bien, parce que c'était beaucoup plus facile, ce coup-ci.

Plume Pique baissa les yeux sur Azhure… puis la gratifia d'une révérence, ses ailes frôlant le sol derrière lui.

— Perce-Sang t'appartient, dame Rampante! Tu auras bientôt ton carquois et des flèches empennées avec mes plumes. Azhure, tu es née pour manier un arc, et je serai heureux de t'accueillir chaque fois que tu voudras t'entraîner avec nous.

— Merci, Plume Pique Chant Fidèle, répondit Azhure au bel homme-oiseau. Je serai ravie de me perfectionner avec vous…

— Le moment venu, j'espère que tu seras capable de prendre une vie avec Perce-Sang. Car c'est pour cela qu'il fut conçu…

Un peu plus tard, les muscles des bras, des épaules et du dos atrocement douloureux, Azhure s'engagea sur l'échelle, son arc en bandoulière.

Plume Pique la rattrapa par un bras.

— Azhure, tu parles souvent avec Axis Soleil Levant… Sais-tu quand il viendra inspecter la Force de Frappe ?

L'humaine se retourna.

— Désolée, mais je ne peux pas répondre… Axis est concentré sur sa formation avec Vagabond des Étoiles, et il brûle de découvrir qui il est vraiment. Mais soyez tous patients, car il viendra tôt ou tard.

4

LA DANSE DES ÉTOILES

É toile du Matin prit une profonde inspiration pour se calmer, puis elle se tourna de nouveau vers Vagabond des Étoiles. L'Envoûteuse avait eu son fils sur le tard, peu avant son quatre centième anniversaire. Parce qu'il était arrivé alors qu'on ne l'attendait plus – et qu'il avait reçu en héritage les pouvoirs de sa mère – Étoile du Matin et Nuage Bondissant, son mari, avaient outrageusement gâté leur second fils. Alors que Crête Corbeau, son aîné de beaucoup, avait été élevé avec une inflexible rigueur, car il devait un jour succéder à son père, on avait tout passé à Vagabond des Étoiles. Au moins, se consola l'Envoûteuse avec un soupir intérieur, son indiscipline innée l'avait conduit à donner le jour à un fils qui était l'ultime espoir de survie des Soleil Levant. Voire de tous les Icarii…

Étoile du Matin regarda Axis, calmement assis sur une chaise dans la petite grotte dépourvue d'ornements. Vagabond des Étoiles faisait nerveusement les cent pas autour de son élève. Depuis le début, l'ancien Tranchant d'Acier se révélait un étudiant beaucoup plus doué que ne l'auraient imaginé son père et sa grand-mère. Après trente ans sans formation, qui aurait cru qu'un Envoûteur assimilerait aussi vite la complexité de la Danse des Étoiles ?

Bien entendu, la responsabilité de son initiation reposait sur les épaules de son père. Mais Étoile du Matin l'aidait, et ça n'allait pas sans poser de problèmes. En principe, un Envoûteur était formé par le parent qui lui avait transmis le don. Mais une autre personne de la famille pouvait aussi se charger de son instruction, à condition, évidemment, d'avoir les pouvoirs requis. Plus le lien du sang était direct, et mieux cela fonctionnait. Entre Axis et sa grand-mère, il n'y avait que deux générations d'écart. Soit assez peu pour qu'elle puisse énormément aider le futur Envoûteur.

Toute la difficulté était là. Après avoir été si longtemps séparé de son fils, Vagabond des Étoiles n'avait aucune envie de le partager avec quiconque. Étoile du Matin comprenait cette réaction, mais elle se savait mieux armée que lui pour apprendre certaines choses à Axis.

C'était à ce sujet qu'ils se disputaient depuis un long moment.

—Vagabond des Étoiles, pour utiliser le pouvoir de la Danse des Étoiles en relation avec le feu, la terre et l'air, tu es le meilleur Envoûteur vivant. Et tu transmets parfaitement ces compétences à ton héritier. Mais dès qu'il s'agit de l'eau, tu as une faiblesse, reconnais-le! Puisque c'est mon point fort, il semble logique que je me charge de l'éducation d'Axis quand il s'agit de la musique de l'eau.

—J'ai plus de pouvoir que toi…, grogna Vagabond des Étoiles en cessant de tourner en rond.

—C'est vrai, mais pour l'eau, la subtilité est plus importante que le pouvoir brut. Et avec ton impatience innée…

Vagabond des Étoiles foudroya sa mère du regard.

—Alors, occupe-toi de lui! capitula-t-il soudain.

Étoile du Matin vint se placer devant son petit-fils et lui posa une main sur l'épaule. Leur relation était toujours tendue, car chacun ignorait ce qu'il devait penser de l'autre. Axis aurait cependant juré que l'Envoûteuse était mécontente que l'Homme Étoile ne soit pas un Icarii mais un métis. Et à son avis, comme Vagabond des Étoiles, elle était un peu jalouse de son énorme potentiel.

Étoile du Matin, une femme à la volonté d'acier, occupait une place de choix dans la société icarii. Parce qu'elle était une Envoûteuse, bien sûr, mais également la veuve de l'ancien Roi-Serre.

Pour Axis, l'âge de cette femme restait un problème difficile à gérer. Même si elle approchait du terme de son existence – limitée à environ cinq siècles – elle paraissait à peine plus vieille que lui. Avec ses courts cheveux blonds bouclés, ses yeux bleu clair et ses magnifiques ailes blanches, elle resplendissait ! Sans la sagesse qui se lisait dans son regard et l'assurance de son comportement, nul n'aurait deviné qu'elle ployait sous le poids des ans.

Les yeux fermés, Étoile du Matin récita mentalement une prière à Flulia, la déesse de l'Eau. Puis elle prit la tête d'Axis entre ses mains et murmura :

— Écoute la Danse des Étoiles…

L'enseignement de Vagabond des Étoiles avait commencé par là : capter la musique qu'émettaient les astres tandis qu'ils évoluaient dans le cosmos. La source du pouvoir des Envoûteurs ! Une mélodie si belle qu'Axis, en la découvrant, avait éclaté en sanglots. Bien qu'elle ne fût pas très forte, cette musique se mêlait à tous les autres sons de l'univers. Désormais, Axis l'entendait à chaque instant : dans les battements de son cœur, par-dessus le brouhaha des conversations, dans le bruissement des ailes qui fendaient l'air et au plus profond de ses rêves.

Les Envoûteurs maîtrisaient le pouvoir des Étoiles par l'intermédiaire de leur musique. Avec la Danse, ils tissaient une mélodie qui canalisait la puissance des astres. Et pour chaque objectif, il existait une Chanson différente. La formation d'un Envoûteur était en réalité très simple, bien que fort longue. Elle consistait à apprendre toutes les Chansons et à connaître leur utilité spécifique. Dès qu'il en possédait une à la perfection – un sacré exploit ! – l'Envoûteur pouvait s'en servir en l'interprétant mentalement ou à voix haute. Bien entendu, plus il était puissant et plus il accédait à des niveaux de complexité élevés. Pendant des milliers d'années, certains Icarii avaient envisagé qu'il pût exister un jour un Envoûteur capable de recourir à l'entière palette de la Danse des Étoiles. Dix-sept siècles plus tôt, un homme-oiseau avait clos le débat en tentant de relever ce défi. Après sa mort horrible, plus personne ne s'y était risqué…

Axis apprenait très vite parce qu'il avait un don exceptionnel pour mémoriser les mélodies. Une seule audition lui suffisait, alors que ses collègues avaient toujours eu besoin de les entendre des dizaines de fois. Parmi bien d'autres, ce talent stupéfiait son père et sa grand-mère.

—Écoute! dit Étoile du Matin.

Elle interpréta une série de Chansons destinées à contrôler l'eau et tout ce qui lui était intimement associé. Avant chacune, elle indiqua son usage précis.

Vagabond des Étoiles ne quitta pas son fils du regard. Axis avait déjà appris presque toutes les autres Chansons, et il avait fait montre d'un remarquable talent relatif au feu, à la terre et à l'air. Serait-il aussi brillant avec l'élément liquide?

La réponse vint en moins d'une heure. Capable de reproduire toutes les Chansons qu'il venait d'entendre, Axis se permit même d'augmenter leur puissance. Pour être si doué, conclut son père, il devait avoir conquis le cœur de tous les Dieux des Étoiles…

Lors de leur initiation, les Envoûteurs se limitaient en général à apprendre les mélodies sans chercher à dominer le pouvoir des astres. Procéder autrement aurait été mortellement dangereux pour un débutant. Au mépris de toutes les règles, Axis ne faisait aucune erreur quand il entonnait une Chanson pour la première fois, et pas davantage quand ses mentors, très rarement, le laissaient contrôler le pouvoir qu'elle canalisait.

Épuisée, Étoile du Matin cessa de chanter et lâcha la tête de son petit-fils.

—Tu en as assez appris pour aujourd'hui, dit-elle. Nous reprendrons demain…

—Combien de Chansons reste-t-il? demanda Axis en se levant.

—Trente-huit.

—Cet après-midi, tu m'en as appris quatorze. Cinquante-deux en ce qui concerne l'eau… Ça ne fait pas tant que ça.

Chaque mélodie n'avait qu'un seul usage, et les Envoûteurs, en dix mille ans, en avaient découvert un nombre fini. Ces limites déplaisaient souverainement à Axis. À quoi bon avoir un pouvoir, s'il n'existait pas de Chanson pour ce qu'on entendait faire ? Jusque-là, rien de ce qu'il avait appris ne semblait devoir l'aider à vaincre Gorgrael et ses hordes de Skraelings.

De plus en plus frustré, il se tourna vers son père :

— Les Envoûteurs ne connaissent aucune Chanson susceptible de servir sur un champ de bataille ?

— Jadis, il existait peut-être des Chansons de Guerre, mon fils… (Sa colère oubliée, Vagabond des Étoiles tapota tendrement l'épaule d'Axis.) Mais si c'est vrai, nous les avons perdues depuis des millénaires. Sans doute parce qu'elles étaient trop dangereuses… Il fut un temps où les Icarii, plus belliqueux qu'aujourd'hui, fabriquaient des armes alimentées par le pouvoir des Étoiles…

— Perce-Sang était du nombre ! lança Crête Corbeau en entrant dans la grotte.

Il était furieux que Plume Pique, à cause d'un pari idiot, ait dû remettre l'arc à Azhure. Comment pouvait-on être si stupide ? À la place du chef d'Aile, le Roi-Serre aussi aurait été sûr que l'humaine ne parviendrait pas à utiliser l'arc. Mais ça ne changeait rien ! Depuis que l'arme était en sa possession, soit une semaine, Azhure s'entraînait tous les jours avant d'aller détendre ses muscles douloureux dans la grotte de la Vapeur…

— Perce-Sang est une arme magique ? s'étonna Axis, intérieurement amusé par la colère de son oncle.

Azhure avait gagné son trophée à la loyale – et en faisant montre d'une remarquable habileté.

— Magique, oui, intervint Vagabond des Étoiles, mais nous ne savons plus l'utiliser. La Chanson qui le contrôlait est morte avec… (Il hésita un instant.) Eh bien, avec Étoile Loup Soleil Levant, l'Envoûteur-Serre qui a fabriqué l'arc.

En entendant ce nom, Étoile du Matin fit une grimace que son petit-fils ne remarqua pas.

— Est-il possible de retrouver la Chanson de Perce-Sang ? demanda Axis. Ou toute autre mélodie liée à la guerre ?

— Pour sauver les Icarii, nous comptons sur toi ! cria Crête Corbeau, toujours aussi rageur.

Contrairement à sa mère et à son frère, le Roi-Serre était un être sombrement… chatoyant. Avec ses yeux violets, ses cheveux sombres et ses ailes noires – sauf l'intérieur, peint en bleu moucheté – il pouvait paraître très menaçant dès qu'il perdait son calme. En le voyant approcher, Axis dut résister à l'envie de reculer de quelques pas.

— Pour nous conduire à la victoire, les vieilles légendes ne te serviront pas ! Fie-toi à tes aptitudes, Axis Soleil Levant ! (Crête Corbeau s'immobilisa enfin.) Et n'oublie pas : pour vaincre Gorgrael, tu devras d'abord gagner la confiance des Icarii. Et aucune arme magique ne le fera à ta place !

Même si elle l'amusait un peu, Axis comprenait la colère du Roi-Serre. Avec la mort de Libre Chute, Crête Corbeau n'avait pas seulement perdu un fils adoré, mais aussi l'héritier du trône. Désormais, il devrait vivre avec l'idée qu'un sang-mêlé lui succéderait un jour. Et un ancien Tranchant d'Acier, par-dessus le marché ! Puissant Envoûteur ou non, Vagabond des Étoiles n'avait aucune des qualités indispensables à un bon dirigeant…

Bien que rien n'eût été dit à voix haute, tout le monde savait qu'on en était là, et Axis comptait se battre pour être nommé héritier officiel. Pour triompher de Gorgrael, il devrait unir les Icarii, les Acharites et les Avars. S'il postulait à la couronne d'Achar et au titre de Roi-Serre – des prétentions que lui autorisait son ascendance hors du commun – sa mission deviendrait beaucoup plus facile. Par sa mère, jadis princesse d'Achar, il figurait en tête de liste pour la succession du roi Priam. Juste derrière Borneheld, qu'il n'avait pas l'intention de laisser vivre longtemps…

Oubliant son haïssable demi-frère, il réfléchit au sermon que venait de lui tenir Crête Corbeau. Pour régner sur les Icarii – et avant cela, diriger la Force de Frappe – il devrait effectivement gagner la confiance des hommes-oiseaux.

Ce ne serait pas facile, il le savait. Et pourtant, il ne s'était pas encore attelé à la tâche. En cinq semaines, il n'avait rencontré aucun Icarii, à part ses proches parents.

— Crête Corbeau, dit-il, il est temps que je parle aux chefs de Crête. Et que je prenne le commandement de la Force de Frappe.

Une approche des plus directes! Le Roi-Serre était le chef suprême de l'armée, et voilà qu'il lui demandait de s'effacer!

Crête Corbeau aurait pu détester le demi-humain qui osait lui parler ainsi. Par bonheur, il était un monarque avisé. Axis seul saurait transformer la Force de Frappe en un véritable groupe de combattants. Et pour cela, il devrait la diriger.

— Je vais organiser une réunion, puisque tu le demandes. Tu verras les chefs de Crête dans trois jours, si ça te convient…

Sans attendre de réponse, le Roi-Serre tourna les talons et sortit.

Dès qu'Axis et son père furent partis, la laissant seule dans la grotte, Étoile du Matin se laissa tomber sur une chaise et se prit la tête entre les mains.

Former Axis l'épuisait, mais ce n'était pas tout ce qui la troublait… Il apprenait vite – beaucoup trop vite! La séance de cet après-midi en apportait la preuve incontestable. Jusque-là, on aurait pu penser que ses autres dons lui venaient de Vagabond des Étoiles. Sur le toit de la forteresse de Sigholt, l'Envoûteur lui avait fredonné des dizaines de Chansons alors qu'il était encore dans le ventre de sa mère.

Mais en matière d'eau, le fils d'Étoile du Matin était trop peu doué pour avoir influencé Axis!

Une affaire de talent naturel? C'était possible, mais ça n'expliquait pas tout.

L'Envoûteuse se leva. Elle devait cesser de réfléchir à cette question et chasser de son esprit la réponse qui semblait s'imposer: si Axis assimilait si bien les Chansons, c'était peut-être parce qu'il ne les apprenait pas pour la première fois…

— Par les Étoiles, vieille folle, n'ose même pas envisager cette possibilité! se tança Étoile du Matin.

5

L'ARMÉE REBELLE

S es yeux noisette plissés, Belial sondait inlassablement le
ciel plombé. Sur sa droite et sur sa gauche s'élevaient les
hautes parois rocheuses du col de Garde-Dure, quasiment
nues à l'exception de rares végétaux rabougris. Onze jours
plus tôt, la colonne était entrée dans le défilé par son extrémité
est. Après six jours de marche, le nouveau chef des Haches de
Guerre avait décidé qu'il était temps de s'arrêter et de dresser
un camp provisoire. Puis il avait chargé Arne, son officier le
plus expérimenté, d'aller explorer les environs de Sigholt avec
un détachement trié sur le volet.

Belial osait à peine espérer que la forteresse pourrait encore
leur servir de quartier général. La région était certainement
dangereuse, et il se désolait d'avoir dû y envoyer des hommes
valeureux qui risquaient de ne jamais revenir. Une situation
où il se serait félicité d'avoir sous ses ordres quelques éclaireurs
icarii volants...

Cela dit, si les Haches de Guerre étaient encore en vie, ils
le devaient essentiellement à Magariz – et, paradoxalement,
à l'extrême prudence de Borneheld.

Près de Belial, Magariz tentait de maîtriser la fougue de
Belaguez, le cheval de leur ancien Tranchant d'Acier. Les
deux hommes se relayaient pour donner un peu d'exercice
au destrier, qui, en moins d'une heure, avait déjà fait vider
les étriers deux fois au seigneur. En matière de plaies et de
bosses dues au fichu étalon, Belial n'avait rien à envier à son
compagnon...

Nous devrions le laisser filer, avant qu'il tue l'un de nous deux. Perdre Magariz serait une catastrophe…

Serviteur zélé de Borneheld, le seigneur avait commandé pendant douze ans la garnison du fort de Gorken. Pourtant, après la chute de la place forte, il avait choisi de suivre Axis. Une « trahison » qui lui coûterait sûrement la vie s'il tombait entre les mains du duc. Mais qui avait sans nul doute sauvé celles de Belial et des trois mille hommes qu'il commandait.

Après avoir assisté de loin à la rencontre entre Axis et les Icarii, sur les contreforts des Éperons de Glace, la colonne avait traversé les terribles Terres Désolées des Éperons. Puis elle s'était engagée dans les plaines du Chien Sauvage, en direction de Sigholt. Sans Magariz, qui connaissait parfaitement le terrain, pas un homme n'aurait survécu. D'autant plus que le seigneur savait où étaient entreposées les réserves de nourriture, de bois et de foin disséminées un peu partout dans le nord d'Ichtar. Sans cette manne, les soldats et les bêtes n'auraient jamais résisté à cinq éprouvantes semaines de voyage.

De longs mois avant le siège puis la chute de Gorken, Magariz et le duc s'étaient préparés à toutes les éventualités. Même si cette idée leur semblait inacceptable, ils avaient envisagé d'être contraints de battre en retraite. Mais quelle direction choisir, si ça devait arriver ? Passer par le centre d'Ichtar pour rejoindre le Ponton-de-Jervois ? ou filer à l'est, à travers les Éperons de Glace puis les plaines du Chien Sauvage, avec l'idée de rallier Skarabost ? Incapable de trancher, comme son second, Borneheld avait ordonné qu'on dissimule des stocks de vivres et d'équipements le long des deux voies de retraite possibles. Ainsi, alors que le duc fuyait par le centre d'Ichtar, et se réapprovisionnait en chemin, Belial et ses hommes l'avaient imité le long de l'autre itinéraire prévu.

S'il l'avait su, Borneheld aurait enragé d'avoir contribué à sauver la vie d'hommes qui s'étaient ralliés aux Proscrits.

Bizarrement, les Skraelings ne s'étaient pratiquement pas montrés pendant le voyage. Satisfait, mais toujours méfiant, Belial aurait donné cher pour savoir ce que les monstres mijotaient. Étaient-ils toujours en train de lécher les blessures qu'Axis et ses braves leur avaient infligées dans les plaines glacées de Gorken ? ou se regroupaient-ils pour traverser Ichtar et déferler sur Achar ?

Alors qu'il écartait nerveusement une mèche de cheveux blonds de son front, Belial aperçut la bandelette de tissu vert nouée à son biceps. Un précieux cadeau de Faraday ! Au fond, la magie de la Mère protégeait peut-être toujours l'armée rebelle… Quoi qu'il en soit, à part quelques attaques sans conviction contre des traînards, les fugitifs n'avaient pas eu d'ennuis.

Tant qu'ils étaient restés à proximité des Éperons de Glace, les éclaireurs icarii avaient gardé le contact. À l'occasion, ils s'étaient même posés pour partager un repas avec les humains. Jusque-là, seuls Belial et Magariz avaient vu des hommes-oiseaux, le triste jour de la mort de Libre Chute. La première visite de deux éclaireurs, un soir, avait fait sensation. Soudain, des dizaines d'hommes avaient éprouvé le besoin urgent de s'entretenir avec un de leurs deux chefs…

Les Icarii avaient accepté de bonne grâce la curiosité des soldats. Pour tout dire, ils la leur avaient même rendue ! Fascinés par l'équipement des Acharites, ils les auraient volontiers étudiés avec autant d'insistance que les destriers, si Belial n'y avait pas mis bon ordre.

À chaque visite, les Icarii donnaient au chef des Haches de Guerre des nouvelles d'Axis. Très vagues, puisque le futur Envoûteur passait presque tout son temps avec Vagabond des Étoiles. En revanche, ils étaient beaucoup plus prolixes sur Azhure. À ce propos, Belial était résolu à obtenir un jour où l'autre des excuses de cette femme, qui lui avait à moitié défoncé le crâne avant de fuir Smyrton avec deux prisonniers avars.

Lorsque la colonne s'était engagée dans les plaines du Chien Sauvage, deux semaines et demie plus tôt, les Icarii ne l'avaient pas suivie, car ils ne tenaient pas à trop s'éloigner des Éperons de Glace. Leur amicale compagnie avait autant manqué à Belial que leur extraordinaire mobilité.

Désormais, l'officier cherchait un site où cantonner l'armée rebelle d'Axis. Après avoir quitté son ami, il avait un instant songé à rallier Smyrton et ses riches champs de blé. Mais la forteresse de Sigholt serait plus facile à défendre et mieux adaptée aux besoins des soldats. Et Belial n'était pas mécontent de ne pas revoir les villageois de Smyrton – d'ignobles imbéciles dévoués à l'ordre du Sénéchal, auquel les Haches de Guerre avaient tourné le dos…

La forteresse avait-elle été détruite par des Skraelings ? ou était-elle encore occupée par des forces de Borneheld qui en interdiraient l'entrée à des «traîtres hérétiques» ? Il y avait trop d'inconnues, et Belial n'aimait pas avancer dans le brouillard. Agacé, il se mordit la lèvre inférieure et détesta sentir qu'elle était gercée par le froid.

Une demi-lieue derrière Magariz et Belial, leurs soldats guettaient aussi le retour d'Arne. Tous attendaient de dénicher un endroit où faire face à l'inévitable attaque des Skraelings et se soustraire aux rigueurs du climat. À lui seul, ce temps à peine moins épouvantable qu'à Gorken – mais bien trop froid pour cette région d'Ichtar – indiquait que Gorgrael, après sa première victoire, étendait son influence vers le sud.

Avec le vent et la glace viendraient les Skraelings…

Belial s'agita nerveusement sur sa selle. En cinq jours, Arne aurait dû avoir le temps d'explorer les environs de Sigholt et de revenir. S'il ne se montrait pas avant la nuit, il faudrait admettre que les choses avaient mal tourné.

Pour l'heure, attendre était la seule solution.

Au crépuscule, Belial s'ébroua puis se tourna vers Magariz, dont il ne voyait déjà plus très bien les traits.

—Mon ami, croassa-t-il, la voix cassée par le froid, nous avons assez attendu. Demain, nous lèverons le camp et nous partirons pour Smyrton, dont les habitants sont si accueillants…

—Tu as raison… Si Arne n'est pas là, c'est qu'il a eu de gros ennuis.

—Ou qu'il a perdu un peu de temps à se remplir le ventre ! lança une voix dans le dos des deux hommes.

Belial et Magariz sursautèrent de surprise puis firent faire demi-tour à leurs chevaux. Arne se tenait devant eux, aussi impassible qu'à l'accoutumée. Seul, mais apparemment en bon état…

—Arne, comment as-tu… ? commença Belial.

—Où sont tes hommes ? coupa Magariz.

Arne cracha le brin d'herbe sèche qu'il mâchouillait.

—À Sigholt, seigneur…

—Prisonniers ?

—Eh bien, disons qu'ils sont piégés devant un bon feu, fascinés par les aventures d'un cuisinier cacochyme et d'un porcher très sympathique. Comme ils voulaient paresser encore un peu, je suis revenu seul.

Tandis que Magariz luttait pour ne pas dire ce qu'il pensait de l'humour douteux d'Arne, Belial sauta à terre et approcha de son vieux compagnon.

—Qu'as-tu découvert, mon ami ?

—Pour conquérir la forteresse, nous avons dû forcer à la reddition la garnison qui l'occupait. Un cuisinier à la retraite et un porcher ! Il n'y a ni hommes de Borneheld ni Skraelings. Les monstres ont rasé Hsingard, mais selon le porcher, ils ne se sont jamais approchés de Sigholt.

—Pourquoi ? demanda Belial. Gorgrael n'a aucun intérêt à laisser une place forte derrière lui.

Avec les événements de ces derniers mois, l'officier n'était plus enclin à croire en la chance ni à se réjouir trop vite des bonnes nouvelles.

—Le porcher affirme que les Skraelings n'aiment pas Sigholt…

Arne marqua une pause, comme s'il hésitait à continuer.

—Parle ! cria Belial.

—J'avais déjà vu cet homme… Devant le bois de la Muette, avec ses cochons…

Belial ne cacha pas sa surprise. Le même porcher était près

du bois de la Muette, à deux cents lieues de là ? Une éternité semblait s'être écoulée depuis que les Haches de Guerre y avaient campé. À cette époque, Axis était simplement le Tranchant d'Acier du Sénéchal, et Belial le secondait fidèlement. Depuis, tout avait changé…

— Quel rôle joue le porcher dans cette affaire ?

— Je n'en sais rien, commandant, mais il est impliqué, et je me fie à lui. Il est pressé de voir arriver notre « armée en haillons », comme il l'appelle, car il a besoin de solides paires de bras.

Une étrange façon de parler pour un porcher, se dit Belial.

— Magariz, qu'en penses-tu ? demanda-t-il.

— Je suis étonné que Sigholt nous tende les bras comme une vulgaire putain d'Ysbadd. Et je me demande s'il n'y a pas un piège là-dessous. Belial, nous devrions être prudents. Pourquoi Gorgrael n'a-t-il pas attaqué ?

— Jack le porcher affirme pouvoir vous répondre quand vous l'aurez rejoint, dit Arne. Il m'a conseillé de vous rappeler qu'Axis fut conçu à Sigholt. Et que cette forteresse était tenue par les Icarii longtemps avant que les Acharites et les maudits ducs d'Ichtar se l'approprient. D'après lui, vous découvrirez à Sigholt des secrets qui vous seront très utiles.

— Un porcher vraiment bizarre, marmonna Magariz. Un allié, peut-être… Ou un appât pour nous piéger.

Belial réfléchit quelques instants.

— Nous lèverons le camp demain, dit-il, et nous approcherons prudemment de Sigholt.

— Si j'avais été un ennemi, lâcha Arne, j'aurais pu vous égorger avant que vous m'ayez entendu venir. Au fond, il vaut peut-être mieux qu'il n'y ait qu'un cuisinier et un porcher pour défendre la forteresse…

Belial fit la moue puis sauta en selle. Arne avait raison : il aurait dû être plus vigilant.

Trois jours plus tard, à environ une demi-lieue de Sigholt, Belial tira sur les rênes de Belaguez, qui s'arrêta en renâclant.

L'homme d'âge moyen qui venait à sa rencontre arborait un sourire rassurant. Vêtu à la manière des paysans, il s'appuyait sur un long bâton en bois à l'étrange tête métallique. Des cochons gras à souhait trottinaient joyeusement derrière lui, comme s'ils se ralliaient à sa chevelure blond foncé.

Belial était parti en éclaireur, laissant Magariz et la colonne quelques centaines de pas en arrière. Il quitta un instant des yeux le porcher pour observer la forteresse, qui semblait déserte. Si des ennemis les y attendaient, ils étaient sacrément doués pour se cacher.

—Détends-toi, Belial! lança le porcher. (Il s'immobilisa devant l'officier.) Sigholt est à toi, ne t'inquiète pas.

—Jack, ne le prends pas mal, mais pourquoi te ferais-je confiance?

—Parce que tu as bien connu des amis à moi… Et par leur intermédiaire, je te connais aussi.

—De quels amis parles-tu?

—Ogden et Veremund…

—Veux-tu dire que…?

—Ma mission est de servir la Prophétie, Belial Cœur Fidèle. Comme la tienne est d'aider Axis.

Une lueur émeraude brilla un instant dans les yeux du porcher.

—Tu es une Sentinelle! s'écria Belial.

—Une bonne raison de te fier à moi, non?

—Jack, je… Eh bien, je viens du fort de Gorken, qui a été assiégé par les Skraelings. Si je cantonne mon armée à Sigholt, ne risque-t-elle pas de subir le même sort?

—Je comprends ton inquiétude, mais les monstres ont d'excellentes raisons de ne pas approcher de la forteresse. Ils ont rasé Hsingard, qui n'est pas très loin d'ici. Si c'était en leur pouvoir, auraient-ils hésité à dévaster Sigholt?

—Pourquoi ne l'ont-ils pas fait?

—C'est une longue histoire, mon ami… Suis-moi avec tes hommes, et je te la raconterai.

6

DE NOUVELLES RESPONSABILITÉS...
ET DE VIEUX AMIS

Debout devant la fenêtre ouverte, Axis contemplait les évolutions aériennes de deux Ailes de la Force de Frappe. Des acrobaties très impressionnantes, certes, mais d'une totale inutilité. Beaucoup de grâce et de fluidité... et le meilleur moyen de se faire cribler de flèches pendant une bataille! En soupirant, l'ancien Tranchant d'Acier se tourna vers l'intérieur de la grotte de réunion. Sur la grande table en pierre vert foncé soigneusement polie, les lampes encastrées dans le plafond faisaient pleuvoir une douce lumière. À même les murs, au-dessus de leurs étendards respectifs, on avait gravé les devises des Crêtes qui constituaient le corps d'armée icarii.

Les douze chefs de Crête siégeaient à la table, les ailes enveloppant le dossier de leur fauteuil. Chacun commandait douze Ailes composées de douze membres. En tout, la Force de Frappe comptait donc mille sept cent vingt-huit guerriers et officiers, commandement non compris. Pas de quoi pavoiser, selon Axis, même si la maîtrise de l'air aurait dû être un avantage déterminant. Hélas, ce qu'il avait vu l'emplissait de doutes sur les capacités de ces soldats, à l'évidence plus décoratifs que redoutables...

Il regarda les chefs de Crête aux ailes peintes en noir, ainsi qu'il convenait en temps de guerre. Lui aussi était entièrement vêtu de noir, comme au temps où il dirigeait le bras armé du Sénéchal. Mais les deux haches croisées avaient disparu de sa poitrine, et il se sentait nu sans le symbole de son grade.

Crête Corbeau, également présent, arborait son torque royal incrusté de gemmes. À l'arrivée d'Axis, Œil Perçant Éperon Court, l'officier du plus haut rang, avait déclamé un discours de bienvenue délicieusement courtois. Le futur chef suprême de la Force de Frappe avait répondu sur un ton aussi fleuri. Depuis, plus personne ne savait que dire…

— La Force de Frappe a tout ce qu'il faut pour être excellente, déclara enfin Axis. Mais pour qu'elle soit opérationnelle au combat, il faut que je la dirige.

Autour de la table, tous les dos se raidirent et les ailes bruissèrent nerveusement.

Axis décida d'enfoncer le clou.

— Telle qu'elle est, pensez-vous que votre armée ferait le poids contre Gorgrael ? (Il ignora les murmures de protestation.) Citez-moi les exploits de vos troupes ! Parlez-moi de leur expérience et de leurs victoires !

Le chef de Crête Vue d'Aigle Plume Bleue repoussa son fauteuil et se leva d'un bond.

— Tranchant d'Acier, nous accuses-tu d'être incompétents ?

L'usage du grade d'Axis trahissait l'hostilité qu'éprouvaient pour lui la plupart des officiers. Depuis un millénaire, le chef des Haches de Guerre était l'ennemi juré des Icarii et des Avars…

Axis soutint le regard de Vue d'Aigle.

— Je suis Axis Soleil Levant, lui rappela-t-il sèchement. Mais il est vrai que je fus un Tranchant d'Acier couvert de gloire. C'est du passé, et aujourd'hui, un fils de la maison du Soleil Levant vous dit qu'il a le droit, en vertu de son sang, de diriger la Force de Frappe !

Vue d'Aigle baissant un instant les yeux, Axis en profita pour balayer du regard toute l'assemblée.

— Vais-je devoir vous accuser d'incompétence ? Si ce n'est pas le cas, informez-moi de vos réussites !

Personne ne releva le défi.

— Ce qui s'est passé pendant la Réunion du solstice d'hiver est-il un haut fait d'armes ? Œil Perçant Éperon Court, combien y a-t-il eu de morts ?

— Des centaines d'Icarii, et davantage d'Avars… Je n'en suis pas fier, Axis Soleil Levant. Mais une fois remis de notre surprise, nous avons fait face à l'ennemi.

— Parce que Azhure vous a montré comment vous y prendre ! C'est elle qui a tué le plus de Spectres, avant l'intervention de l'Arbre Terre ! Si Vagabond des Étoiles ne l'avait pas réveillé, auriez-vous vaincu les Skraelings ?

— Qu'aurais-tu fait mieux que nous ? demanda Œil Perçant, les poings serrés.

— Les Icarii et les Avars étaient massés dans le bosquet pour célébrer le solstice d'hiver. La Force de Frappe aurait dû rester dans les airs, où les Skraelings n'auraient pas pu lui nuire. Et d'où elle les aurait vus approcher ! Ce que j'aurais fait ? Sous mon commandement, la Force de Frappe aurait été prête à… *frapper* ! Je n'aurais pas laissé sans défense les Icarii et les Avars qui participaient aux festivités !

— Nous ne pouvions pas savoir que les Skraelings attaqueraient ! cria Crête Corbeau.

— Pardon ? explosa Axis. (Il se tourna vers son oncle, l'air si sauvage que celui-ci sursauta dans son fauteuil.) Bon sang, vous saviez qu'ils se massaient au nord de la forêt d'Avarinheim ! Vous étiez informé que la Prophétie s'était éveillée, et que Gorgrael s'apprêtait à conquérir le Sud. Que vous fallait-il de plus ?

Un long silence suivit. Conscient qu'il avait mis dans le mille, Axis se détourna et alla de nouveau contempler les évolutions aériennes des guerriers.

— Pourquoi avez-vous perdu la Guerre de la Hache ? demanda-t-il en se retournant. Pourquoi vous êtes-vous laissé chasser des terres du Sud ? Comment avez-vous pu permettre qu'on détruise Tencendor ?

— Les Acharites – en fait, les Haches de Guerre – étaient trop féroces, répondit Œil Perçant. Contre leur haine, nos ancêtres furent impuissants.

—J'ai passé des années avec ces soldats, et j'ai été leur chef pendant cinq ans. Croyez-moi, je connais leur valeur! Mais je sais aussi qu'une force terrestre, haine ou pas, ne peut pas grand-chose contre des troupes volantes – sauf si elles sont lamentablement mauvaises! Vous auriez dû gagner la Guerre de la Hache! Pourtant, il en fut autrement. Pourquoi?

—Nous manquions de détermination, souffla Œil Perçant. Effrayés par l'assaut des Acharites, nous avons fui au lieu de combattre. Nous étions dépourvus – et nous le sommes toujours – du réflexe instinctif de lutter quand ça s'impose.

—Excellente analyse… Dois-je énumérer vos autres lacunes?

Cette fois, aucun Icarii ne protesta.

—Votre fichue fierté vous pousse à sous-estimer vos adversaires. Vous avez mal évalué le ressentiment des Acharites, et leur désir de vous chasser de Tencendor. *Idem* pour leur détermination et leur férocité! Mille ans plus tard, vous avez cru que Gorgrael ne réussirait pas à mobiliser ses Skraelings pour lancer un assaut sur le bosquet de l'Arbre Terre. Il y a quelques jours, Plume Pique a pensé qu'Azhure ne parviendrait pas à tirer avec Perce-Sang. Du coup, nous avons perdu une de nos armes les plus précieuses. Ai-je été assez clair, ou dois-je continuer?

Œil Perçant capitula d'un soupir accablé.

—Quelles sont les missions de la Force de Frappe? lui demanda Axis.

Encore une humiliation, puis il changerait d'approche.

—Patrouiller, observer et défendre…

—Alors pourquoi l'avoir baptisée Force de *Frappe*? En ce moment, elle n'a aucun potentiel défensif, alors si elle devait attaquer… (Voilà, le moment de changer de registre était venu.) Mes amis, votre armée peut devenir la plus puissante du monde! Mais vous n'avez pas les connaissances requises pour lui permettre de se métamorphoser. (Axis approcha de la table, tira le fauteuil libre et s'assit.) Il vous faut un chef de guerre, et je suis l'homme de la situation! Vous le savez, et c'est pour ça que vous êtes ici. Confiez-moi la Force de Frappe, et je l'aiderai à réaliser son fantastique potentiel. Laissez-moi transformer des oiseaux de paradis en faucons! Ne voulez-vous pas retrouver votre fierté? Et faire payer à Gorgrael le massacre de la Réunion?

Œil Perçant regarda Crête Corbeau. Bien qu'il parût furieux, le Roi-Serre hocha la tête pour signifier son accord. Quand il eut obtenu celui de ses onze collègues, le chef de Crête se tourna vers Axis.

— Tu es le nouveau commandant de la Force de Frappe, Axis Soleil Levant.

Par les Étoiles, que penseraient mes ancêtres s'ils savaient que je viens de confier notre armée à un ancien Tranchant d'Acier?

— Merci, dit Axis. C'est un grand honneur que vous me faites. Sachez que je ne vous décevrai pas. Et bien entendu, je resterai fidèle à vos traditions.

Autour de la table, tous les Icarii se détendirent un peu.

— Quel est ton plan? demanda un des plus jeunes chefs de Crête.

— Je dois voir la Force de Frappe à l'entraînement… D'abord, vous me direz de quoi vous pensez être capables, puis nous parlerons de notre ennemi. Quand tout cela sera fait, nous déciderons de la marche à suivre.

— Comment affronterons-nous Gorgrael? intervint un autre officier. Oui, comment?

Leur contrition oubliée, les Icarii retrouvaient de la combativité.

— En nous unissant aux Avars et aux Acharites. C'est le seul moyen. Je sais que cette idée vous déplaît, mais vous êtes assez sages pour vous y résigner. À l'est d'Achar, je dispose d'environ trois mille hommes. Quand elle sera prête, la Force de Frappe se joindra à eux. Une unité à la fois aérienne et terrestre aura une bonne chance de repousser Gorgrael.

— Nos éclaireurs sont longtemps restés en contact avec Belial, annonça Œil Perçant. La dernière fois qu'ils l'ont vu, il conduisait tes soldats vers les plaines du Chien Sauvage.

— Pourquoi ne m'en a-t-on pas informé plus tôt ?

— Parce qu'il était impossible de te parler ! riposta l'Icarii. (Il se radoucit aussitôt.) La Force de Frappe n'est quand même pas sans utilité, Axis Soleil Levant...

Axis eut un sourire un peu coupable.

— Nous avons encore beaucoup de choses à apprendre les uns sur les autres, Œil Perçant...

— Dans ce cas, commençons par te parler de notre armée.

Perce-Sang à la main, Azhure courait dans le tunnel. Elle était en retard alors que l'Aile de Plume Pique l'attendait pour une séance d'entraînement. Rivkah l'avait chargée d'une mission plus longue que prévu...

À l'arc, ses progrès étaient si rapides qu'elle égalait désormais Plume Pique. Un talent qui l'étonnait elle-même. Et le chef de Crête, impressionné, lui avait promis de l'initier à l'art de toucher une cible mobile lorsqu'on se déplaçait aussi. Un défi qu'elle avait hâte de relever !

— Ma chère enfant, lança soudain une voix dans son dos, saurais-tu par hasard t'orienter dans ce terrier à lapins ?

De surprise, Azhure faillit lâcher son arc. Se retournant, elle découvrit les deux frères du Sénéchal qui avançaient vers elle. Un grand maigre et un petit gros... Tous les deux très vieux, blancs comme les neiges et vêtus de tenues crasseuses.

Azhure tendit une main vers le carquois accroché à son épaule...

— Tu ne nous reconnais pas ? demanda le frère filiforme. As-tu oublié qui nous sommes ?

Azhure étudia un moment les deux intrus.

— Oui, je vous remets... Vous étiez avec les Haches de Guerre, à Smyrton. Des Sentinelles...

Depuis, Axis lui avait révélé la véritable identité des vieillards.

— Exactement ! Je suis Veremund, et mon bedonnant compagnon se nomme Ogden.

—Moi, c'est Azhure. Je suis sûre qu'Axis sera ravi de vous revoir. Si vous voulez lui parler, il passe en général l'après-midi avec son père et sa grand-mère.

Pour aujourd'hui, la séance d'entraînement à l'arc paraissait compromise…

—Mon enfant, aurais-tu l'obligeance de nous guider?

—Bien entendu…

Après avoir passé la matinée et le début de l'après-midi avec les chefs de Crête, Axis se sentait vidé. Sachant qu'il devrait consacrer les semaines suivantes à la Force de Frappe, il avait quand même décidé d'aller suivre l'enseignement d'Étoile du Matin. Relégué dans un coin de la grotte, sur une chaise, Vagabond des Étoiles assistait à la leçon sans cacher sa morosité. Après ce cours, les deux Envoûteurs n'auraient plus rien à apprendre à leur élève, qui devrait développer seul son potentiel.

La tête entre les mains de sa grand-mère, Axis se détendit très vite. La musique venait à lui facilement, si douce qu'il redoutait de s'endormir. Charmé par la voix de l'Envoûteuse, il laissa vagabonder ses pensées.

—Je vais te faire entendre la Chanson de l'Harmonie, dit Étoile du Matin. Elle dissipe la colère, apaise toutes les émotions et incite au calme plutôt qu'à la violence. Pour un chef de guerre, elle est aussi utile qu'une épée. Écoute bien et apprends, Axis…

L'Envoûteuse ouvrit la bouche, mais elle la referma, stupéfaite, quand son petit-fils commença à fredonner. Les yeux écarquillés, elle regarda Vagabond des Étoiles.

Axis chanta avec de plus en plus d'assurance. Et c'était bien la Chanson de l'Harmonie! Sa grand-mère lui lâcha la tête et recula, le cœur battant la chamade. Il n'aurait pas dû pouvoir faire ça!

—Mère, quand lui as-tu interprété cette Chanson? demanda Vagabond des Étoiles.

—Jamais! Je la gardais pour la fin. Est-ce toi qui…

—Tu sais que je ne suis pas très à l'aise avec cette Chanson. Je ne la lui ai pas enseignée !

L'Envoûteuse se rembrunit. Ainsi, c'était bien ce qu'elle craignait…

—Laissons-le terminer, souffla-t-elle. Après, nous aurons des questions à lui poser.

Comme s'il était seul au monde, Axis finit de chanter, puis il rouvrit les yeux.

—C'était merveilleux, grand-mère. Merci beaucoup…

L'Envoûteuse n'eut pas le temps de parler. Après avoir frappé à la porte, Azhure entra en compagnie de… deux frères du Sénéchal. Voyant la surprise d'Étoile du Matin, l'humaine sourit pour la rassurer.

—Ce sont les Sentinelles dont Axis nous a parlé. Ogden et Veremund.

Axis se leva d'un bond et courut serrer la main des deux vieillards.

—Ravi de vous revoir, mes amis ! Mais que fichez-vous ici ? Et comment allait Faraday quand vous l'avez quittée ?

—Que de questions, mon garçon ! s'écria Ogden. Si tu nous présentais d'abord à tes compagnons ?

Quand ce fut fait, Azhure jugea bon de fournir quelques explications à son ami.

—Je les ai trouvés dans un tunnel. J'ignore d'où ils venaient et comment ils sont entrés.

Axis posa un baiser sur la joue de la jeune femme.

—Merci, Azhure ! Tu m'as apporté un cadeau qui illuminera ma journée ! (Il recula et contempla longuement les deux vieillards.) Il n'y a pas si longtemps, vous m'irritiez tellement que je vous aurais volontiers jetés au fond d'un puits ! Vous avez eu de la chance, messires. Survivre à ma colère n'est pas facile…

Les deux frères rayonnèrent.

—Nous sommes contents que tu aies retrouvé ton père, dit Veremund. On dirait que tu…

—Nous ne sommes pas restés longtemps avec Borneheld,

coupa Ogden. Mais il a réussi à fuir Gorken, et il se dirige vers le Ponton-de-Jervois. Compte tenu des circonstances, Faraday va très bien, et Yr est restée avec elle.

— Merci, mes amis. Savoir qu'elle n'est pas entre les mains des Skraelings me met du baume au cœur.

Soudain, Ogden s'avisa que les deux Icarii paraissaient troublés.

— Il semble que nous vous ayons interrompus…

— Il semble, oui, marmonna l'Envoûteuse.

— Dans ce cas, nous allons nous retirer. Axis, quand pourrons-nous parler ? Nous avons beaucoup de choses à nous dire et…

— C'est exact, intervint Étoile du Matin, et la plupart doivent être dites maintenant. (Voyant les deux vieillards faire mine de partir, elle leva une main.) Restez ! Nous aimerions beaucoup avoir l'avis de deux Sentinelles. Mon petit-fils, veux-tu bien te rasseoir ?

Axis obéit sans dissimuler sa perplexité. Oubliée de tous, Azhure s'installa à même le sol, près de la porte.

— Mon enfant, dit l'Envoûteuse, ta formation s'est très bien passée. En un éclair, tu retiens les Chansons et contrôles le pouvoir qu'elles véhiculent. Et tu entends mieux que quiconque la Danse des Étoiles. Bref, tu es un grand Envoûteur !

Axis parut surpris par cette avalanche de compliments.

— Il est l'Homme Étoile, souffla Veremund. On pouvait prévoir que…

— Je ne suis pas idiote ! explosa Étoile du Matin. Je sais qu'il a des pouvoirs extraordinaires ! Grâce à eux, il a assimilé en quelques semaines ce que les meilleurs Envoûteurs mettent des années à apprendre. Oui, je sais tout ça !

L'Envoûteuse prit une grande inspiration pour se calmer. Elle ne devait pas trahir son angoisse.

— Axis, où as-tu appris la Chanson de l'Harmonie ?

— Eh bien, tu me l'as chantée, et…

— Non ! Au moment où j'allais le faire, tu as commencé à la fredonner. Oui, tu la connaissais déjà !

64

—Je… eh bien…

—Ne me dis pas que Vagabond des Étoiles te l'a chantée quand tu étais dans le ventre de ta mère, parce que c'est impossible! Je n'ai pas émis une note, et pourtant, tu as interprété la Chanson! Puisqu'un Soleil Levant doit être initié par un membre de sa maison, explique-moi ce prodige, sachant que les deux Envoûteurs vivants de la famille ne te l'ont pas apprise! (Étoile du Matin regarda brièvement les deux Sentinelles.) Aucun Envoûteur, si puissant soit-il, ne connaît d'instinct les Chansons.

» Vagabond des Étoiles, à Sigholt, as-tu jamais chanté à ton fils la Litanie de la Renaissance?

—Non. Je lui ai interprété beaucoup de mélodies, mais pas celle-là. Elle ne me paraissait pas indiquée pour un bébé encore blotti dans le ventre de sa mère.

—Pourtant, Axis a sauvé la petite Avar grâce à la Litanie. Raum m'a raconté cette histoire…

—Oui, dit Ogden. Veremund et moi étions là… Axis a une voix fantastique.

—Exact, dit Étoile du Matin, sinistre. Axis, tu as appris bien trop vite! Je m'en inquiétais, et je suis sûre d'avoir eu raison depuis que tu nous as interprété la Chanson de l'Harmonie. Vagabond des Étoiles et moi ne t'avons pas formé! En réalité, nous avons réveillé tes souvenirs, parce que quelqu'un d'autre, pendant ton enfance, t'avait déjà tout appris. Qui était-ce?

Surpris par la violence de sa grand-mère, Axis sursauta puis se leva lentement.

—Que racontes-tu? Qui aurait pu me former? Et si tu avais raison, pourquoi n'ai-je pas pu utiliser mes pouvoirs plus tôt? Tu te trompes, j'en suis sûr!

L'Envoûteuse soutint le regard de son petit-fils. S'il jouait la comédie, il était très doué.

—Tu devais être très jeune, et tu as tout oublié. Au fil du temps, tes pouvoirs se sont endormis. Mais en redécouvrant ton identité, à cause de la Prophétie et des Sentinelles, tu les as retrouvés. Au moins en partie…

— Étoile du Matin, dit Veremund, n'as-tu pas dit qu'il faut un membre de sa famille pour former un Envoûteur ?

— Je l'ai dit, oui…

— Quel autre Soleil Levant a pu se charger d'Axis ?

— Mon fils et moi sommes les seuls Envoûteurs de cette maison. À part Axis, bien entendu. J'ai reçu mes pouvoirs de ma mère, Étoile Vagabonde Soleil Levant, mais voilà trois cents ans qu'elle est morte…

— Et il y aurait quand même un autre Envoûteur de votre sang ? demanda Azhure. (Dans la grotte, tout le monde sursauta, car on avait oublié sa présence.) Quelqu'un que vous ne connaissez pas, et qui a formé Axis ?

Étoile du Matin regarda l'humaine, qui s'était relevée.

— C'est ça, oui… J'avais peur de le dire à voix haute, mais c'est ce que je pense.

— Qui était-ce ? s'écria Axis. Et comment un Icarii a-t-il pu entrer en contact avec moi alors que je vivais sous la protection du Sénéchal ? Ça n'a pas de sens !

Vagabond des Étoiles approcha de son fils et lui tapota gentiment l'épaule.

— Mon enfant, dit-il, la situation est pire que tu le penses. Si un Envoûteur Soleil Levant inconnu arpente ce monde, cela explique peut-être… eh bien, pourquoi Gorgrael est également formé.

— Gorgrael ! s'écria Étoile du Matin, horrifiée.

— Après la Réunion, Libre Chute m'a demandé comment le Destructeur avait développé ses pouvoirs. (Vagabond des Étoiles se tourna vers sa mère.) À l'époque, je lui ai répondu qu'ils lui venaient sans doute de la Danse de la Mort. En réalité, j'avais éludé la question. Car il fallait que le Destructeur ait été formé – et par un membre de sa famille. Un Soleil Levant, pour être clair.

— Mais lequel ? Et pourquoi aurait-il dispensé son enseignement à Axis et à Gorgrael ? En leur apprenant en outre des musiques si différentes ? (Étoile du Matin se tourna vers les Sentinelles.) Ogden et Veremund, pouvez-vous nous aider ?

Les deux vieillards secouèrent la tête.

— Nous ne comprenons pas toutes les énigmes de la Prophétie, déclara Veremund. Cela dit, aucune ne me semble faire allusion à ce problème. Le texte nous apprend que l'Homme Étoile et le Destructeur ont le même père – en l'occurrence, Vagabond des Étoiles. Il n'y a aucune référence à leur mentor en matière de magie. Comme tous les deux sont des Soleil Levant, celui-ci doit appartenir à votre maison, mais nous ne savons rien de plus.

— Axis, dit Étoile du Matin, connais-tu la réponse ? Peux-tu nous révéler quelque chose ?

— Je ne te mentirais pour rien au monde, grand-mère, et je n'ai rien à vous cacher ! Comment peux-tu me soupçonner de jouer un double jeu ?

Azhure vint se camper à côté de son ami et lui tapota doucement le dos.

— Du calme… Tu ne te souviens de rien ?

Axis foudroya la jeune femme du regard, mais il ne tenta pas de chasser sa main.

— Non ! Ces derniers mois, depuis qu'Ogden et Veremund m'ont fait lire la Prophétie rédigée en icarii, des mélodies et des souvenirs sont remontés à la surface de mon esprit. C'est tout ce que je sais, et je n'ai jamais cherché à savoir qui les avait mis dans ma tête…

— Nous aurions dû nous poser la question, dit Ogden. Nous demander pourquoi il connaissait la Litanie de la Renaissance et tant d'autres Chansons… Mais nous étions si excités d'avoir enfin trouvé l'Homme Étoile, après des milliers d'années, et alors que la Prophétie venait de se réveiller…

Étoile du Matin dévisagea les deux frères, Azhure et Vagabond des Étoiles, puis elle riva son regard sur Axis.

— Mon enfant, Gorgrael et toi avez été formés par un Envoûteur Soleil Levant inconnu. Quelle peut être l'ascendance de cet homme ou de cette femme ? En principe, seules ma mère ou moi aurions pu le ou la mettre au monde. Et croyez-moi, c'est impossible ! Je n'ai eu que deux fils et je suis fille unique. À cause de complications, lors de ma naissance, ma mère ne pouvait plus avoir d'enfant. (Elle se tut un instant, puis souffla :) Cet Envoûteur est incroyablement puissant. Personne n'avait jamais pu utiliser la Musique Sombre, même si nous connaissions son existence. Notre inconnu l'a enseignée au Destructeur. Une excellente raison de le redouter…

Dans un silence de mort, Ogden et Veremund se prirent la main tandis que Vagabond des Étoiles se détournait, sombre et pensif. Azhure passa un bras autour de la taille d'Axis et le serra brièvement contre elle. Il lui sourit, ravi d'avoir une si fidèle amie.

—Une fois encore, dit Vagabond des Étoiles, nous ne posons pas les bonnes questions. Mais je vais le faire… Où est cet Envoûteur, quels sont ses plans, et que prépare-t-il ? Enfin, est-il dans le camp d'Axis ou du Destructeur ?

7

HOMME SOMBRE, HOMME AMI...

Les quatre Skraebolds se prosternaient aux pieds de Gorgrael. Même le plus vieux et le plus puissant de tous, OmbrePeur, s'était jeté sur le sol avec le désespoir d'un amoureux qui vient de découvrir le cadavre de sa bien-aimée. Les bras tendus vers les orteils du Destructeur, il implorait son pardon et le suppliait de l'aimer de nouveau.

Gorgrael se réjouissait amèrement de ce spectacle. L'attaque du bosquet de l'Arbre Terre avait été un désastre. Incapables de tuer l'Arbre – dont le chant, désormais, interdisait au Destructeur d'approcher du nord d'Avarinheim –, les Skraebolds avaient saboté leur mission. De plus, OmbrePeur avait failli tuer Vagabond des Étoiles alors qu'il avait ordre de le capturer vivant. Une telle série d'échecs méritait des sanctions impitoyables.

— Relevez-vous! cria Gorgrael. Mais à genoux, seulement. Vous n'êtes pas dignes d'être debout en ma présence!

Pendant que les Skraebolds se redressaient, le Destructeur leur tourna le dos. Depuis la chute de Gorken, c'était la première fois qu'il parvenait à réunir les quatre survivants, et il entendait les terroriser comme jamais.

Il siffla de rage, ses défenses reflétant la chiche lumière de la salle. Dans son dos, les vermines gémirent, conscientes que leur vie ne tenait plus qu'à un fil.

Pourtant, tout avait si bien commencé! Gorken était tombé facilement, et des milliers d'Acharites avaient péri. Alors qu'il observait ses troupes dans sa forteresse de glace, au nord d'Avarinheim, le Destructeur avait crié de joie en voyant mourir les défenseurs. Mais Axis s'était échappé avec une importante colonne, puis il avait couru se réfugier chez leur père – toujours libre à cause de cet idiot d'OmbrePeur! En fuyant, le Tranchant d'Acier avait tué beaucoup de Skraelings…

Gorgrael allait être contraint de s'enfoncer moins loin au sud que prévu. La seule solution, s'il voulait contrôler la partie d'Ichtar – de la mer d'Andeis aux collines d'Urqhart – qu'il avait conquise. Des terres désormais dévastées où on ne trouvait plus que des cadavres d'humains et des Skraelings occupés à les dévorer. Une raison de se réjouir, au moins…

Même s'il était obligé de consolider ses positions au lieu de continuer son attaque, le Destructeur devait reprendre en main ses troupes. Ensuite, il ferait naître de nouveaux vers de glace géants et donnerait le jour à des créatures inédites susceptibles de repousser l'assaut qu'Axis ne manquerait pas de lancer un jour. Comme son adversaire, Gorgrael avait besoin de temps pour reconstituer ses forces…

—Vous êtes de minables imbéciles! rugit-il.

À la lumière vacillante, sa silhouette à la fois humaine et animale, avec de fortes caractéristiques aviaires, semblait plus terrifiante que jamais.

—Nous avons fait de notre mieux!

—Dans cette confusion, il était difficile de se souvenir des ordres!

—Les Skraelings sont très peu fiables!

—Et cette lumière verte était si mortelle!

Des excuses pitoyables!

—Votre échec est la preuve que vous ne m'aimez pas! hurla Gorgrael.

Les Skraebolds jurèrent que ce n'était pas vrai. Ils adoraient le Destructeur et ne vivaient que pour lui!

—Et maintenant, vous allez payer!

Gorgrael se retourna et tendit un bras vers OmbrePeur, celui qui l'avait le plus déçu. La flèche qu'une humaine lui avait plantée dans la nuque était toujours là. La pointe avait traversé de l'autre côté, et du pus dégoulinait de la plaie infectée. Le Destructeur saisit la hampe du projectile et la secoua vicieusement. Il continua jusqu'à ce que les cris de douleur du Skraebold se transforment en sanglots, s'arrêta un moment, comme s'il avait pitié, puis recommença plus violemment encore.

— Me trahiras-tu à nouveau ? cria-t-il à OmbrePeur. Désobéiras-tu encore ?

— Non, maître ! Je ne recommencerai jamais !

Gorgrael lâcha la flèche et regarda le Skraebold s'écrouler comme une poupée de chiffon. Un porc répugnant ! Décidément, il avait besoin d'un lieutenant plus intelligent et fiable !

Timozel… Celui-là aurait été parfait ! Mais il était lié à Faraday, et tant qu'il en serait ainsi, il resterait inaccessible. Pour le moment, le Destructeur devrait se satisfaire des Skraebolds.

— Je t'aime toujours, OmbrePeur, dit-il en lui tapotant la tête. Et tes frères aussi…

— Je ne te décevrai plus, c'est juré ! (Le Skraebold s'accrocha à la jambe de son maître.) Oui, je deviendrai meilleur !

— Bien sûr, bien sûr… (Gorgrael se dégagea doucement.) Retire-toi, pour l'instant. Et emmène tes frères. Bientôt, je vous confierai une nouvelle mission. À présent, laissez-moi…

OmbrePeur eut un gémissement plein de gratitude, puis il sortit de la salle en rampant, ses semblables derrière lui. Trois ignobles vermisseaux ravis que leur maître n'ait pas jugé bon de les châtier aussi…

Gorgrael faisait les cent pas entre les meubles en bois noir de sa grotte. Avec leurs formes étranges, obtenues par sorcellerie, ils projetaient des ombres distordues dans tous les recoins de son fief. Le Destructeur aimait la pénombre qui y régnait, fidèle reflet de sa propre âme obscure et tourmentée. C'était là qu'il travaillait le mieux, porté par les ailes de l'inspiration.

Dans un coin se dressait une imposante cheminée à grille de fer. Bien qu'il tirât la plupart de ses créatures du brouillard et de la glace, Gorgrael était un être à sang chaud, et il avait parfois besoin du réconfort d'une bonne flambée. Approchant du foyer éteint, il claqua des doigts. Des flammes crépitèrent aussitôt au milieu des morceaux de bois déjà racornis.

Le Destructeur marmonna des propos inintelligibles. Parfois, il voyait de curieuses silhouettes dans le feu, et cela l'inquiétait beaucoup.

Il se tourna vers un buffet noir si bien poli qu'il brillait même dans la pénombre, s'empara d'une carafe en cristal et sourit. Comme les verres assortis, cet objet était un trophée ramené du fort de Gorken. Penser que Borneheld et Faraday avaient dû fuir en laissant derrière eux de tels trésors était une source de joie. En fredonnant une mélodie grinçante, Gorgrael prit un verre et le remplit d'un vin délicieux.

Il était un être civilisé, aussi digne de respect que n'importe qui, et surtout beaucoup plus qu'Axis. Avec un peu de chance, Faraday apprécierait sa délicatesse et sa prévenance. Dans ce cas, il ne la tuerait peut-être pas…

En buvant, il fit cogner le verre contre une de ses défenses, et du vin coula sur son menton à cause de la taille démesurée de sa bouche et de sa langue. Un rien agacé, il fouilla de nouveau dans le buffet et en sortit un gros paquet. De Gorken, il n'avait pas rapporté qu'une carafe…

Grognant de satisfaction, il approcha de son fauteuil favori, presque un trône avec son haut dossier et ses imposants accoudoirs sculptés, et le tira devant la cheminée. Une fois assis, il éventra le paquet de sa main libre. Un long moment, il contempla son contenu puis le caressa, attentif à rétracter ses griffes. Enfin, il finit son vin et jeta le verre dans les flammes, où il explosa en mille morceaux.

Sur ses genoux reposait la robe de mariée en soie verte et ivoire de Faraday. Dès qu'il la regardait, captant l'odeur de la femme qui l'avait portée, le Destructeur était envahi par des émotions curieusement douloureuses. À ces moments-là, il se sentait enclin à la compassion et à la pitié, des sentiments qu'il honnissait! Plus grave encore, il avait l'impression d'être… perdu. Et ça, c'était inadmissible!

Une bourrasque surnaturelle souffla soudain dans la grotte, faisant crépiter follement les flammes.

—Cette femme est très belle, Gorgrael, dit une voix adorée dans le dos du Destructeur. Je ne m'étonne pas que tu sois assis avec sa robe sur les genoux pour te réconforter…

—Homme Ami…, murmura le Destructeur.

Il y avait si longtemps que l'Homme Sombre n'était plus venu le voir.

Une silhouette enveloppée d'un épais manteau passa à côté du fauteuil et se campa devant la cheminée, montrant son dos à Gorgrael. Comme d'habitude, le visage de l'Homme Ami devait être dissimulé par son impressionnante capuche et l'aura de ténèbres qui l'entourait.

—L'as-tu rencontrée? demanda le Destructeur, avide d'en savoir plus sur Faraday. Lui as-tu parlé?

La silhouette encapuchonnée se retourna et s'appuya au manteau de la cheminée.

—Je la connais, oui… Et il nous est arrivé d'échanger quelques mots.

—L'as-tu désirée? demanda Gorgrael, ses mains se refermant sur la soie verte.

L'Homme Sombre eut un rire cristallin.

—Beaucoup de mâles la convoitent, et je suis peut-être du nombre… Mais ça n'a aucune importance. Si tu la veux, je ne me dresserai pas sur ton chemin.

Un long silence suivit. Tandis que Gorgrael caressait la robe, l'Homme Sombre se perdit dans la contemplation des flammes.

Le Destructeur avait depuis longtemps renoncé à voir le visage de celui qu'il appelait depuis toujours l'Homme Ami. Même avec ses pouvoirs, il n'était jamais parvenu à percer les ombres magiques qui le dissimulaient.

L'Homme Sombre faisait partie de sa vie depuis sa plus tendre enfance. Après avoir présidé à sa naissance sanglante, les cinq Skraelings l'avaient ramené dans leur terrier, au cœur de la toundra du Nord. Miraculeusement, ils avaient réussi à le nourrir jusqu'à ce qu'il soit assez fort pour ramper dehors et capturer de petits insectes. En grandissant, il était passé aux souris blanches, puis à de plus gros rongeurs, chauds et pleins de sang, dont les fourrures lui tenaient chaud la nuit. Les Skraelings l'aimaient et ils lui avaient fourni un abri. Hélas, ils ne pouvaient rien de plus pour lui. Condamné à une existence misérable avec les Spectres au cerveau obtus, Gorgrael avait végété jusqu'à sa rencontre avec l'Homme Ami, alors qu'il errait dans la toundra. Encore très petit, il avait d'abord eu peur de ce grand étranger au visage invisible. Mais l'Homme Ami l'avait pris dans ses bras pour lui murmurer des paroles qui l'avaient vite fait babiller de bonheur. En lui offrant des rêves, l'inconnu avait rendu l'espoir à un enfant au cœur dévasté.

Seul Gorgrael connaissait l'existence de l'Homme Sombre. Les cinq Skraelings d'origine – plus tard promus «Skraebolds» par le Destructeur – n'en avaient jamais rien su.

Quand il était enfant, l'Homme Ami venait le voir presque tous les jours. Lui chantant d'étranges mélodies vibrantes de pouvoir, il lui avait révélé son ascendance et montré le chemin de son avenir. Très bon élève, Gorgrael avait vite aimé et respecté son ami… autant qu'il le redoutait. Et il avait été prompt à comprendre que le contrarier n'était pas judicieux.

Au fil des ans, il n'avait jamais découvert la véritable identité de l'Homme Sombre. Chaque fois qu'il posait la question, il obtenait un éclat de rire moqueur. Pourtant, il savait certaines choses sur son mentor. Par exemple, l'Homme Ami connaissait Axis et il lui avait parlé très tôt de ce demi-frère mille fois honni… Et c'était également lui qui avait enseigné la Prophétie du Destructeur à son protégé.

Gorgrael détenait d'autres bribes d'informations. L'Homme Sombre, avait-il compris, menait une existence dominée par le complot et la ruse. Grâce à ses déguisements, il abusait sans remords les personnes qui l'aimaient. Bref, c'était un maître de la manipulation, et il arrivait au Destructeur de se demander s'il ne comptait pas parmi ses dupes.

L'Homme Ami œuvrait en vue d'un objectif bien précis. Mais il n'avait jamais mis son élève dans la confidence…

—C'est sa robe de mariée…, souffla Gorgrael. Je l'ai vue dans l'esprit endormi de Timozel. Un de mes Skraebolds est mort, et les autres ne sont pas devenus plus malins. Il me faut un lieutenant fiable. Timozel conviendrait, mais il est lié à Faraday. Sais-tu ce que l'avenir me réserve ?

—Ce garçon te servira un jour… Bientôt, beaucoup de liens seront brisés, et les serments ne vaudront plus rien…

—Et Faraday ? Sera-t-elle à moi ?

—Tu as lu la Prophétie, n'est-ce pas ? Sur ce point, tu en sais aussi long que moi.

—La « mie » d'Axis… Le seul être dont la douleur peut le déconcentrer assez pour me permettre de le tuer.

—C'est ça, oui… L'amour est l'unique moyen de le détruire.

Mais je veux avoir Faraday ! pensa Gorgrael. *Il le faut !*

—Tu as agi précipitamment, dit soudain l'Homme Ami. Tu me serviras bien, je le sais, car tu l'as déjà prouvé. Pourtant, tu devras apprendre à maîtriser ton impatience.

—Combien de temps aurais-je dû attendre ? Ma magie était puissante, mes troupes avaient soif d'en découdre… Axis ignorait encore sa véritable identité, et il ne savait rien de ses pouvoirs. C'était le moment d'attaquer !

—Non, tu t'es décidé un an trop tôt ! Tu aurais dû avoir plus de Skraelings et de créatures de glace. Et surtout, il aurait fallu que tu les contrôles mieux ! Tu t'es trompé, Gorgrael ! (L'Homme Sombre se pencha en avant et enfonça un index dans la poitrine du Destructeur.) Tu as conquis Ichtar, c'est vrai, mais tu n'iras pas plus loin avant l'hiver prochain. Jusque-là, tes adversaires auront tout loisir de s'organiser. Il y a six mois, Axis ne savait rien de son authentique nature. En agissant trop vite, tu as mis en mouvement tous les acteurs de notre petit drame. Aujourd'hui, Axis s'est libéré des mensonges du Sénéchal, et il absorbe l'enseignement de Vagabond des Étoiles comme une éponge qui se gorge d'eau. Tu as réveillé l'Homme Étoile, c'est vrai, mais au prix d'un tel affaiblissement que tu n'es pas en état de l'affronter.

—Je triompherai! cria le Destructeur. (Il détourna la tête pour échapper à l'ire de l'Homme Sombre.) Oui, je vaincrai!

Son mentor n'avait-il donc plus confiance en lui?

—Je n'en doute pas…, dit l'Homme Sombre. Oh, non, pas un instant!

8

LES PLANS DU FRÈRE-MAÎTRE

Les mystérieuses eaux argentées du lac Graal clapotaient au pied de la tour du Sénéchal, le bâtiment à sept côtés qui les dominait de sa masse imposante. À l'intérieur, le frère-maître Jayme faisait les cent pas dans ses appartements privés. Aujourd'hui, le chef de l'ordre du Sénéchal, représentant en ce monde d'Artor le Laboureur, ne cachait pas sa nervosité.

—Toujours pas de nouvelles ? demanda-t-il à Gilbert pour la quatrième fois de l'après-midi.

Le feu qui crépitait dans la cheminée de marbre vert moucheté, derrière le bureau, projetait une vive lumière qui faisait briller les objets précieux en cristal et en or exposés sur le manteau. Devant l'âtre était déroulé un magnifique tapis vert et ivoire tissé à la main importé d'un des mystérieux pays chauds qui s'étendaient au sud de Coroleas. En matière de confort, le fief du guide spirituel d'Achar n'avait rien à envier à celui d'un roi.

Second assistant du frère-maître, Gilbert s'inclina respectueusement, les mains glissées dans les manches de sa soutane.

—Les seuls messages du Nord viennent du Ponton-de-Jervois, où Borneheld a pris position. La dernière fois que le duc a vu votre Tranchant d'Acier, il chevauchait vers le nord à la tête des Haches de Guerre survivants pour tenter d'attirer les Skraelings loin de Gorken.

Jayme détesta la façon dont son assistant parlait d'Axis. « Votre Tranchant d'Acier… » Quelle façon de s'exprimer ! Gilbert n'avait jamais aimé le chef des Haches de Guerre, et il jubilait depuis que l'ordre était informé de sa trahison. Trop bouleversé, le vieil homme ne trouva pas la force de réprimander l'insolent.

— Axis n'a pas seulement « tenté » de faire diversion, frère Gilbert, dit Moryson, le premier assistant de Jayme – et son meilleur ami depuis quarante-cinq ans. Le sacrifice du Tranchant d'Acier a sauvé beaucoup de vies, dont celle du duc, la plus importante.

Gilbert ne se laissa pas démonter par cette intervention.

— Depuis que les forces de Gorgrael ont envahi Ichtar, je n'ai plus eu de nouvelles de tout ce qui s'étend au nord du Ponton-de-Jervois. Nul ne sait si Axis est vivant, ou si son cadavre se décompose dans la neige.

Comme Borneheld, Jayme et ses assistants avaient fini par admettre, non sans réticence, que Gorgrael était un adversaire plus redoutable que les Proscrits.

— Par Artor, je n'ai pas élevé et aimé Axis pour le perdre comme ça! Savez-vous combien d'heures j'ai passées à lui chanter des berceuses, après l'avoir recueilli?

— Il vaut mieux qu'il soit mort au service du Laboureur... que vivant pour comploter avec les Proscrits, souffla Gilbert.

— Bon sang! cria Jayme, comment a-t-il pu me trahir ainsi?

— Accusez Rivkah, frère-maître! cracha Gilbert. Si elle n'avait pas couché avec un Proscrit, rien ne serait arrivé. Le rapport de Borneheld est très clair. Les femmes sont toujours le maillon faible!

— Gilbert, ça suffit! (Moryson approcha de Jayme et lui tapota amicalement l'épaule.) Les insultes ne nous avanceront à rien. Aujourd'hui, c'est un plan solide qu'il nous faut...

Gilbert ne parvint pas à dissimuler son mépris. Ces deux vieillards étaient dépassés! Pour sauver le Sénéchal du possible retour des Proscrits en Achar, il fallait du sang neuf. Pas des poltrons cacochymes...

— Merci, mon ami, dit Jayme à Moryson. Je vais bien, ne t'inquiète pas...

Le premier assistant alla s'asseoir. En apprenant la trahison d'Axis, Jayme avait failli avoir une attaque. Comment le chef du bras armé de l'ordre avait-il pu s'unir aux Proscrits, la race qu'il était censé détruire ? Pis encore, Jayme avait adopté Axis, l'aimant comme un fils et lui enseignant tout ce qu'il savait. En changeant d'allégeance, le Tranchant d'Acier avait livré les Haches de Guerre aux Proscrits, renié son dieu et foulé aux pieds tout ce que chérissait le frère-maître. Le cœur du vieil homme saignait comme celui d'un père trahi par son fils préféré…

— Je dois supposer qu'il est vivant, dit Jayme. Il faut toujours se préparer au pire scénario… Axis vit, ses hommes aussi, et tous sont au service de ces maudits lézards volants !

En parlant, le frère-maître avait retrouvé sa détermination et sa combativité. L'ordre avait besoin de lui, et il ne faillirait pas. Puisque Axis l'avait abandonné, le Sénéchal lui rendrait la pareille !

— On raconte que cette maudite Prophétie se répand en Achar plus vite que la peste !

— C'est exact, frère-maître, dit Gilbert. Les messagers de Borneheld la connaissent, et ils ne manquent pas de la déclamer aux clients des tavernes où ils vont se saouler !

— Est-il trop tard pour arrêter ça ? demanda Jayme.

— Hélas, oui… Vous savez comment les rumeurs circulent. De plus, la Prophétie est ensorcelée, et il suffit de l'entendre une fois pour s'en souvenir.

— Maudits soient les frères Ogden et Veremund, qui l'ont montrée à Axis ! rugit le frère-maître.

Il ne parvenait toujours pas à croire que les deux hommes, exilés depuis des lustres dans un lointain avant-poste de l'ordre, aient pu se laisser corrompre par la solitude et les archives des Proscrits.

Ses doutes étaient fondés, mais il ne pouvait pas savoir à quel point…

— Pour déchiffrer la Prophétie, dit Gilbert, Axis n'a pas eu besoin de ces deux crétins ! Il comprenait le langage des Proscrits aussi facilement que nous lisons la parole d'Artor.

Après avoir été témoin de cette scène, je n'ai aucun mal à croire qu'un sang impur coule dans ses veines. Personne d'autre n'aurait pu lire ce poème, frère-maître! Axis est né d'un immonde accouplement, et son ascendance l'incitera toujours à nous trahir et à renier Artor. (Gilbert marqua une pause pour ménager ses effets.) Mais sa conversion au mal n'est peut-être pas la pire menace. Des traîtres rôdent sans doute plus près de nous…

Jayme plissa le front. Que savait donc Gilbert? Ces derniers mois, le vieil homme avait appris à respecter son réseau d'informateurs.

— Que veux-tu dire?

— J'ai eu vent de certaines conversations privées du roi Priam…

Par Artor, cette misérable fouine avait des espions capables de plaquer l'oreille contre la porte des appartements du roi! À ce train-là, il devait savoir combien de fois le monarque besognait sa femme chaque nuit!

Jayme laissait rarement remonter à la surface son éducation de paysan volontiers porté aux images crues. Qu'il pense des horreurs pareilles trahissait son trouble…

— Priam est obsédé par la Prophétie, continua Gilbert. Il s'y fie davantage qu'à vos conseils, frère-maître. On murmure qu'il serait enclin à soutenir la cause d'Axis. Bref, à penser qu'une alliance avec les Proscrits est inévitable!

Jayme jura tout bas et tourna la tête vers les flammes pour dissimuler sa stupéfaction. Moryson lui-même semblait surpris.

— On prétend, ajouta Gilbert, que le roi est déçu par Borneheld. Bref, il doute d'avoir choisi le bon Seigneur de Guerre… La perte d'Ichtar l'incite à prêter davantage d'attention encore à la Prophétie.

Jayme abattit son poing sur le manteau de la cheminée.

— Ce fou envisage une alliance avec les Proscrits? rugit-il. S'il devait faire ça, je préférerais le voir mort!

Stupéfaits par la violence de leur supérieur, Moryson et Gilbert échangèrent un regard angoissé.

— Priam a toujours été une girouette, mon ami, dit le premier assistant. Sa réaction n'a rien d'étonnant…

— Cet idiot dirige le royaume! explosa Jayme. Devons-nous lui permettre de l'offrir aux Proscrits sur un plateau d'argent?

— Que voulez-vous dire, frère-maître? demanda Gilbert.

— Ce que je dis! Nous… enfin, les Acharites, seraient plus en sécurité avec un roi dont la loyauté ne fluctue pas.

Dans le silence qui suivit, Jayme lui-même fut un peu surpris par l'énormité qu'il venait de proférer.

— Frère-maître, nous devrions informer Borneheld de ces… rebondissements. Il serait bon qu'il revienne pour… eh bien… remettre les idées en place au roi.

— Le duc est un chef et un guerrier d'expérience, dit Jayme. Sa dévotion à Artor semble aussi forte que sa haine des Proscrits. De plus, il héritera du trône. Nul doute qu'il serait révulsé d'apprendre que Priam envisage de nous trahir…

— De trahir *Achar*, rectifia Moryson.

— Non, de jeter aux orties tout ce que croit et défend l'ordre du Sénéchal! Les Proscrits ne doivent à aucun prix revenir en Achar. Gilbert!

Le second assistant sursauta.

— Il serait judicieux que tu partes sur-le-champ pour le Nord.

Gilbert sourit et inclina la tête. Dans la situation présente, cette mission n'aurait que des avantages pour lui.

— Tu informeras Borneheld des dispositions… regrettables… du roi. Maintenant que la majorité des Haches de Guerre sont morts – ou partis avec Axis –, nous sommes vulnérables. Une seule cohorte protège la tour du Sénéchal…

Depuis mille ans, l'ordre n'avait plus été menacé de la sorte. Pour Jayme, la priorité était d'assurer sa survie.

— Quoi que nous soyons contraints de faire, conclut-il, ce sera pour le bien du Sénéchal.

— Et celui d'Artor, tint à ajouter Moryson. Sans parler d'Achar…

— Bien entendu, c'est ce que je voulais dire…, mentit Jayme.

9

UN SOLEIL ROUGE SANG

—N'essaie pas de m'imposer ta force aussi directement! Si tu te découvres comme ça, il me suffira d'attraper au vol ton poignet et ton coude. Une simple torsion, et adieu ton bras!

Axis ayant joint le geste à la parole, Plume Pique cria de douleur et lâcha son bâton à pointe de fer. Quand il tenta de se dégager, l'ancien Tranchant d'Acier lui faucha nonchalamment les jambes, et il s'étala sur le tapis d'exercice.

Chaque jour, depuis deux semaines, Axis travaillait avec une Aile de la Force de Frappe. Le meilleur moyen de les évaluer, et de mieux connaître les différents officiers.

Les guerriers icarii manquaient de discipline et ils n'étaient pas assez endurcis. En mille ans, ils avaient développé des qualités esthétiques plus que militaires, même s'il aurait été injuste de les traiter d'«armée d'opérette». Car ils avaient à l'évidence le potentiel de devenir une force redoutable. Pour les métamorphoser, Axis avait radicalement modifié leur entraînement. Délaissant les acrobaties aériennes et autres fantaisies, il leur apprenait à tuer. Bientôt, ils brilleraient sur les champs de bataille, pas seulement lors des parades.

Axis tendit une main à Plume Pique pour l'aider à se relever. Ce chef d'Aile, vraiment doué pour le combat, avait semé le doute dans son esprit à un moment de leur démonstration. Heureusement, il avait commis une erreur grossière…

L'Icarii hésita un instant puis accepta l'assistance de son nouveau chef.

— Plume Pique, dit Axis à haute voix, pour que tout le monde entende, tu aurais pu me tuer si tu avais utilisé ton arme la plus redoutable.

— Que voulez-vous dire, chef de Force ? J'étais bien obligé de lâcher mon bâton…

— Je parlais de tes ailes ! Tu aurais pu me frapper avec la droite ou la gauche, voire avec les deux, et au minimum me forcer à te lâcher. Ne les oublie plus, désormais. Un jour, elles pourraient te sauver la vie.

Axis voulait apprendre aux Icarii qu'on devait rester agressif même lorsqu'on était acculé à la défense. Face à un adversaire plus musclé et mieux armé, la ruse et l'habileté l'emportaient presque toujours. Pour assimiler cette notion essentielle, les Icarii avaient besoin de s'entraîner avec des partenaires aguerris. Sinon, ils se feraient tailler en pièces par les hordes de Gorgrael…

— Très bien, Plume Pique, c'est fini pour aujourd'hui…

Axis leva les yeux vers la galerie d'où Œil Perçant Éperon Court et d'autres chefs de Crête n'avaient pas manqué une miette du spectacle. Derrière eux se pressaient une quarantaine de membres d'autres Ailes qui avaient demandé à observer la séance.

— Quand vous vous serez joints aux troupes de Belial, vous vous entraînerez avec les Haches de Guerre. Et les progrès seront rapides…

— Pourquoi nous fais-tu travailler si dur, Axis ? demanda Gorge-Chant. Nous sommes avant tout des archers. Dans les airs, qui risque de nous attaquer ?

La jeune Icarii s'efforçait de ne jamais utiliser le grade de son frère quand elle s'adressait à lui. Une provocation, pour qu'il soit obligé de la rappeler à l'ordre devant les soldats. Mais il n'entrait pas dans son jeu…

— Elle a peut-être raison, chef de Force, dit Œil Perçant, penché à la rambarde. Seules les flèches sont dangereuses pour nous, et avec les manœuvres que tu nous as montrées, ce ne sera bientôt plus un véritable souci. Que nous apportera un entraînement avec des Rampants ?

Axis sourit, mais son regard resta glacial.

— Les Skraebolds de Gorgrael savent voler. Et dès qu'il apprendra que je commande la Force de Frappe, le Destructeur développera des unités aériennes. Tôt ou tard, soldats icarii, vous devrez vous battre contre des créatures volantes. La lutte pour Tencendor sera sanglante sur terre et dans les airs. En suivant mes conseils, vous resterez hors de portée des flèches ennemies, c'est certain, mais n'espérez pas échapper à des corps à corps sans pitié. Les hommes de Belial, bardés d'expérience, vous apprendront à frapper pour tuer. Si vous ne retenez pas la leçon, vous ne survivrez pas longtemps.

Presque tous les Icarii se rembrunirent. Menés à la dure par leur nouveau chef, ils s'étaient consolés en pensant qu'il serait presque impossible de les attaquer dans les airs. Et voilà que la donne changeait !

— Vous devrez tous porter une lame, continua Axis. Un couteau ne vous alourdira pas, il sera facile à dissimuler, et il vous sauvera la vie si un adversaire vous contraint à combattre de près, en plein vol ou sur terre. À présent, vous allez voir comment on tue au corps à corps. Azhure, si tu veux bien avancer...

Appuyée à une paroi de la grotte, la jeune femme parut surprise et angoissée par cette requête.

— Approche, je t'en prie ! insista Axis.

Azhure obéit sans hâte, se demandant ce qui l'attendait.

— Ramasse le bâton de Plume Pique, et voyons si tu réussis à me jeter à terre.

Toujours méfiante, Azhure se pencha vers l'arme. À l'instant précis où il sut qu'il n'était plus dans son champ de vision, Axis lui plaqua une botte sur les reins et poussa. Quand elle se fut écroulée sur le bâton, il se baissa, la prit par les cheveux, la releva sans effort et passa un bras autour de sa gorge. La prise classique pour briser la nuque d'un adversaire.

Un peu avant l'instant où Axis aurait exercé la traction fatale dans un combat réel, la pointe d'un couteau entailla légèrement la peau de son ventre. Quand il eut lâché Azhure, bloquant à tout hasard sa main armée, elle le foudroya du regard comme une tigresse.

Il lui sourit gentiment. Elle avait réagi aussi vite et efficacement qu'il l'espérait…

— Vous voyez, soldats ? Avec son couteau, Azhure est passée plus près de me tuer que vous en jouant du bâton ! J'ai eu une seconde d'hésitation, et ça lui a suffi. Mon amie, merci de ne pas avoir enfoncé ta lame jusqu'à la garde ! Guerriers icarii, Azhure vient de vous apprendre deux choses essentielles. D'abord qu'un couteau, même petit, est une arme redoutable dans un corps à corps. Ensuite, qu'il faut attaquer, même si un adversaire semble avoir l'avantage sur vous.

Axis lâcha le poignet d'Azhure et se tourna face aux Icarii. Un petit bruit, dans son dos, lui apprit que la jeune femme rengainait sa lame.

— C'est terminé pour aujourd'hui, soldats. Mais n'oubliez pas ces deux leçons. Quand vous vous entraînerez avec les Haches de Guerre, il faudra vous montrer aussi agressifs que mon amie. Sinon, vous y perdrez plus que des plumes, croyez-moi ! Chef d'Aile, dis à tes hommes de disposer.

Tandis que les soldats sortaient, Axis monta dans la galerie et alla s'entretenir avec Œil Perçant. Ils convinrent d'organiser une réunion où seraient présents tous les officiers de la Force de Frappe, afin de mettre au point le protocole d'entraînement.

Même s'il n'en avait pas encore parlé aux chefs de Crête et au Roi-Serre, Axis prévoyait de quitter le mont Serre-Pique après Beltide, au début du mois de la Fleur. Une absence qui durerait quelques semaines… Pour achever sa formation – et tenir une promesse – il devait s'absenter, et il n'était pas question que la Force de Frappe se tourne les pouces en l'attendant.

Quand il regarda en bas, il constata que seule Azhure était encore là. Elle avait récupéré Perce-Sang et portait déjà son carquois sur l'épaule.

Il l'observa un moment, attendri, puis sauta souplement, se réceptionna sur un tapis et approcha sans un bruit. Se retournant, Azhure sursauta quand elle le découvrit si près d'elle.

— Désolé de t'avoir utilisée ainsi, mon amie. Mais si je t'avais prévenue, ta réaction aurait manqué de naturel. Tu étais la seule que je savais capable de neutraliser mon attaque… et de ne pas enfoncer sa lame jusqu'au bout ! Cela dit, tu as quand même ajouté une cicatrice à mon impressionnante collection…

— J'ai dû me retenir de t'embrocher, je l'avoue. Mais je n'ai pas résisté à l'envie de te faire un peu mal, pour venger mon pauvre cuir chevelu !

— Tu avais l'intention de t'entraîner à l'arc ?

— Oui…

Azhure caressa l'arme et eut un sourire extatique.

— Tes flèches sont flambant neuves, dirait-on… Et leur empennage me rappelle quelque chose. Est-ce pour ça que notre ami le chef d'Aile est tout déplumé ?

— Il était sûr que je ne parviendrais pas à armer Perce-Sang. Un homme aurait parié sa chemise. Lui, il a misé son plumage…

— Plume Pique et les autres Icarii ne sont pas près d'oublier cette leçon. Cet arc est un de leurs plus grands trésors.

— Tu crois que je devrais le leur rendre ?

— Non. Cette arme t'a choisie. N'oublie pas qu'elle est magique…

Azhure contempla amoureusement l'arc aux reflets si profonds.

— Perce-Sang se laisse aussi manier par Plume Pique…

Axis se souvint d'une conversation entre le chef d'Aile et Gorge-Chant, entendue quelques jours plus tôt.

— Il lui a fallu neuf ans pour y arriver, et aucun autre Icarii n'y est parvenu depuis quatre mille ans. Plume Pique tire avec cet arc depuis à peine quelques mois. Peut-être parce que Perce-Sang voulait l'inciter à te lancer ce défi, lorsque tu viendrais. L'arc t'a élue, mon amie, et il t'appartient.

—Il m'a fait un grand honneur, dans ce cas, même si j'ignore pourquoi… Selon toi, il serait magique ?

Axis tendit une main et laissa courir ses doigts sur la corde de l'arc.

—Étoile Loup Soleil Levant l'a fabriqué il y a des millénaires… Il fut le plus puissant des Envoûteurs-Serres de l'histoire.

Axis s'interrompit et réfléchit. Le nom du neuvième Envoûteur-Serre avait été souvent prononcé pendant sa formation. C'était logique, considérant sa stature. Mais Vagabond des Étoiles et sa mère avaient éludé toutes les questions le concernant. Comme s'il était… maudit.

—Il a ensorcelé l'arc, mais personne ne sait comment ni ne peut identifier les sortilèges. On dirait qu'une fine couche de glace recouvre l'âme de ce bois. Je distingue la « silhouette » des sorts, et rien de plus. En revanche, j'entends leur musique, quand tu l'utilises. Mais de très loin, et je ne parviens pas à la mémoriser. Étoile Loup a emporté tous ses secrets dans la tombe, dirait-on…

—Pour vaincre, tu n'auras pas besoin du savoir des Envoûteurs-Serres de jadis !

Axis fut stupéfait par l'assurance tranquille de son amie.

—Avec des alliés qui croient aussi fort en moi, j'aurais intérêt à ne pas échouer… (Axis soutint un moment le regard d'Azhure, puis il détourna la tête.) Si tu acceptes, j'aimerais que tu participes à l'entraînement aérien de la Force de Frappe.

Soufflée, Azhure éclata de rire.

—Tu comptes me faire pousser des ailes ? Comme Vagabond des Étoiles te l'a proposé ?

Axis avait refusé cette offre sans hésiter. Ses ailes resteraient à l'état embryonnaire, même si ça désespérait son père. Né « Rampant », il mourrait « Rampant », et la messe était dite !

—Bien sûr que non… Avec Œil Perçant, j'ai imaginé différentes tactiques défensives contre les archers postés au sol. J'aimerais qu'elles soient mises en application dans des conditions proches du combat. Serais-tu d'accord pour tirer sur les Icarii ?

— Tu n'es pas sérieux ?

— Qui sait ? (Axis fit un clin d'œil à son amie.) En moi, le Tranchant d'Acier n'est peut-être pas tout à fait mort !

— Je ne sais pas viser pour rater ! s'écria Azhure. Et ça reviendrait à trahir Perce-Sang !

— Dans ce cas, enveloppe les pointes de tes flèches dans du tissu, ou plonge-les dans la cire pour qu'elles ne pénètrent pas les chairs. Comme ça, tu ne tueras pas les Icarii, et tout le monde sera content !

— Et s'ils m'en veulent parce que je leur fais mal ? Ils m'ont acceptée, et je ne voudrais pas qu'ils me rejettent.

— C'est moi qu'ils blâmeront, pas toi ! S'il te plaît, accepte ! Tu te posteras sur la saillie qui domine l'océan d'Iskel, et tu les canarderas pendant qu'ils manœuvrent !

— Ce sera pour leur bien, je sais… C'est d'accord, si nous parvenons à rendre les flèches inoffensives. Et si tu m'en procures d'autres. Plume Pique détesterait voir tomber dans le vide des projectiles empennés avec une partie de son corps !

— Merci, Azhure. Demain, je parlerai de ce plan avec les chefs de Crête. S'ils le jugent trop risqué, je n'insisterai pas… Eh bien, je te laisse t'entraîner. D'ici peu, tu auras peut-être des cibles mobiles à ta disposition !

— Si tu savais combien je brûle d'envie de viser l'œil d'un Skraeling !

Azhure n'avait pas oublié la mort atroce de son amie Pease, dévorée vivante devant elle par les monstres de Gorgrael. Et elle ne se pardonnait pas de n'avoir rien fait, paralysée par la terreur.

— Dans cette guerre, tes premières cibles ne seront peut-être pas des Spectres, mon amie…

— Que veux-tu dire ?

— Tu le sauras en temps voulu… Désolé, mais je dois partir. Encore merci de ton assistance, et pardon de t'avoir brutalisée. Je suis soulagé que notre amitié ait survécu à ma petite mise en scène…

Axis tourna les talons et fit mine de sortir.

—Attends! cria Azhure.

Elle fouilla dans son sac à dos et en sortit un grand carré de soie jaune foncé soigneusement plié.

Quand il se retourna, Axis fut ému et un peu troublé par la tendresse qu'il vit briller dans ses yeux.

—J'ai remarqué que tu te touches souvent la poitrine, à l'endroit où tu portais les deux haches croisées… Mais tu n'es plus le Tranchant d'Acier, à présent! Axis Soleil Levant, fils de la princesse Rivkah et de Vagabond des Étoiles, héritier des Envoûteurs Soleil Levant et de leurs pouvoirs, il te faut un nouvel emblème! Et il doit être digne de l'Homme Étoile dont la Prophétie du Destructeur annonçait la venue!

Azhure déplia son carré de tissu.

—Rivkah m'a fourni la matière première, et j'ai consacré une bonne partie de mon temps libre à jouer les couturières.

Les yeux ronds, Axis admira la superbe tunique de soie jaune or que son amie lui avait confectionnée. Le tissu était juste assez rugueux pour refléter la lumière, et des motifs entrelacés, sur les manches et le cou, rappelaient les signes élégants et mystérieux de l'antique écriture icarii. Sur la poitrine était brodé le soleil levant symbole de la maison dont il était désormais membre. Mais celui-là était rouge sang, pas d'un jaune pâle aussi banal que fade.

Comme si elle avait craint que son cadeau déplaise à l'Homme Étoile, Azhure soupira de soulagement.

—J'aurai bientôt achevé un étendard orné du même symbole, Axis Soleil Levant!

—Je serai fier de porter cette tunique et de me battre sous cette bannière, mon amie. (Axis prit la tunique, dont la légèreté l'étonna.) Tu me fais un grand honneur, très chère Azhure!

10

PROPOSITION INDÉCENTE…

Azhure tira une nouvelle flèche qui alla docilement se planter dans le globe rouge déjà hérissé de ses précédents projectiles. Satisfaite, elle baissa les yeux sur son arc. Nul ne savait de quel bois il était fait. Étoile Loup avait-il altéré le matériau original avec sa magie ? C'était très possible… En tout cas, les nervures qui couraient tout le long de l'arme ne ressemblaient à aucun des ornements qu'elle avait vus sur les murs ou les œuvres d'art icarii.

La jeune femme essaya d'imaginer l'Envoûteur-Serre. Les hommes-oiseaux répugnant à parler de lui, elle n'avait aucun indice pour la guider. Aurait-il été furieux que son arc soit tombé entre les mains d'une Acharite ?

Azhure voulut prendre une nouvelle flèche, s'avisa que son carquois était vide… et comprit qu'elle avait un gros problème. Jusque-là, il y avait toujours eu un Icarii assez obligeant pour aller lui récupérer ses projectiles. Mais là… La cible était à près de cinquante pieds de haut, et elle ne pouvait pas y laisser ses flèches, sous peine de s'attirer la fureur des prochains utilisateurs de la grotte, qui seraient indignés par cette négligence.

Avec un soupir, la jeune femme accrocha Perce-Sang à un râtelier. À moins d'escalader – mais comment, alors que la paroi était parfaitement lisse ? –, il ne lui restait plus qu'une solution : se mettre en quête d'un homme-oiseau disposé à l'aider.

— Je serai ravi de te rendre ce petit service, jeune dame, dit une voix dans son dos.

Azhure sursauta puis se retourna vivement. Accoudé à la rambarde de la galerie, Vagabond des Étoiles la regardait avec un sourire attendri. Sans crier gare, il enjamba la balustrade, se jeta dans le vide et battit majestueusement des ailes. Comme chaque fois, Azhure envia l'Icarii. Qu'éprouvait-on quand on avait le pouvoir de sillonner à son gré les cieux ?

Quand il eut fini de collecter les flèches, Vagabond des Étoiles se posa devant l'humaine et lui tendit sa « cueillette ».

— Merci, dit Azhure avant de les ranger dans son carquois. La prochaine fois que je m'entraînerai, je prendrai garde à ne pas être seule dans la grotte.

Vagabond des Étoiles sourit, fasciné par sa beauté. Depuis des semaines, son désir pour elle augmentait chaque jour. Mais elle l'évitait, allant jusqu'à fuir la grotte de la Vapeur aux heures où il y allait.

Le regard de l'Envoûteur s'attarda sur les cheveux de l'humaine. Chez les femmes de sa race, ils n'étaient jamais si longs, car ils cessaient de pousser dès qu'ils atteignaient les plumes de leur nuque.

Vagabond des Étoiles adorait les longues crinières. C'était en partie pour ça que les humaines lui plaisaient tant. Trop tenté pour se retenir, il tendit une main et caressa du bout des doigts la natte savamment enroulée d'Azhure.

— Vagabond des Étoiles ! s'écria la jeune femme, alarmée.

L'attirant vers lui de son bras libre, l'Envoûteur étouffa ses protestations d'un baiser.

Un long moment, Azhure ne résista pas. Personne ne l'avait embrassée ainsi ! Les garçons de Smyrton, des rustres, ne savaient pas y faire, et leurs attouchements, lors de ses rares expériences, lui avaient donné envie de vomir.

Aujourd'hui, c'était différent. Le contact de la poitrine de l'Icarii, sous ses paumes, la douceur de ses lèvres, les sensations inconnues qu'il éveillait en elle, l'aura subtile mais bien présente de son pouvoir… Tout conspirait à l'empêcher de mettre un terme à leur étreinte.

Encouragé par sa réaction, Vagabond des Étoiles laissa courir sa bouche sur son menton et sur sa gorge, les couvrant de délicates morsures. Puis il l'enveloppa de ses ailes, pour se libérer les mains, et entreprit d'ouvrir les boutons de sa tunique.

Azhure trouva enfin le courage de le repousser. Son corps et son cœur lui criaient de n'en rien faire, mais elle se souvint soudain des paroles de Rivkah, et penser à son amie lui donna le courage d'agir.

« Je doute que tu traverses les festivités de Beltide sans t'être abandonnée entre les bras puissants d'un amant ailé… »

— Non… Vagabond des Étoiles, arrête, je t'en prie !

— Azhure, tu n'as pas vraiment envie que j'arrête…, souffla l'Icarii.

Sûr de lui, il glissa sous la tunique de la jeune femme une main qu'il referma doucement sur son sein.

— Si tu continues, ce sera un viol ! cria Azhure d'une voix qui ne tremblait plus. J'aime et je respecte trop Rivkah pour la trahir ainsi. Laisse-moi !

— Un viol ? N'aimes-tu pas ce que je te fais, douce dame ? (Du bout d'un index, l'Icarii stimula le téton de sa conquête.) Je te sens trembler… Allons, ne te mens pas à toi-même !

Azhure dégagea son bras droit et gifla l'Envoûteur. L'effet fut spectaculaire. Vagabond des Étoiles recula, une main sur sa joue en feu.

La jeune femme en profita pour reboutonner sa tunique.

— Je n'accepte pas tes avances, Vagabond des Étoiles ! S'il te plaît, n'insiste pas, sinon, je serais contrainte de te mépriser.

Sur ces fortes paroles, Azhure se détourna, récupéra son arc, s'engagea sur l'échelle, la gravit aussi dignement que possible et disparut dans la galerie d'observation. En réalité, elle était plus furieuse contre elle-même que contre l'Icarii. Emportée par le plaisir, elle avait failli jeter ses scrupules aux orties et trahir une amie…

Sortant en trombe de la galerie, elle ne remarqua pas la silhouette tapie dans un coin sombre…

Vagabond des Étoiles écarta lentement la main de sa joue. Il était révulsé. Pas parce que Azhure l'avait frappé, mais de l'avoir contrainte à agir ainsi. Chez les Icarii, la notion même de «viol» était inconcevable. Les deux sexes aimaient le jeu de la séduction, voire de la «chasse», mais aucun mâle n'aurait jamais harcelé une femme qui ne voulait pas de lui.

L'Envoûteur prit une grande inspiration. Il s'excuserait à la première occasion. Mais sa passion pour Azhure lui faisait perdre la tête. Il n'avait jamais désiré une femme ainsi – même Rivkah, au début de leur amour. Que se passait-il? Il y avait autour de lui de bien plus belles filles que l'humaine, et quasiment aucune ne l'aurait éconduit. Mais une force qu'il ne comprenait pas le poussait vers Azhure, assez impérieuse pour lui faire oublier jusqu'aux fondements de sa culture.

Il leva les yeux vers la galerie, espérant que l'humaine y serait encore. Mais une autre femme le regardait…

Sa magnifique chevelure cascadant sur ses épaules, l'épouse de l'Envoûteur, superbe dans une robe bleu ciel, observait son mari avec un calme de mauvais augure.

—Nous devons parler, Vagabond des Étoiles. Aurais-tu la bonté de me rejoindre?

Il ne manquait plus que ça…, pensa l'Envoûteur, accablé.

Dès qu'il fut devant sa femme, elle lui caressa la joue du bout des doigts et souffla:

—Il faut en finir…

—Je ne sais pas ce qui m'a pris, mais ça ne se reproduira plus, et…

—Tais-toi! Nous devons nous séparer avant d'avoir cessé de nous respecter. Vagabond des Étoiles, il est temps de voir les choses en face.

—Si tu le penses… Eh bien, je t'écoute!

Les mains de Rivkah tremblaient un peu, indiquant que sa sérénité n'était qu'une façade.

—Mon époux, depuis quelques années, nous nous éloignons irrémédiablement l'un de l'autre, et tu le sais aussi bien que moi. Nous nous sommes aimés à la folie, et nous avons chacun consenti de grands sacrifices pour vivre cette passion jusqu'au bout. Aujourd'hui, le chemin s'arrête, et je refuse de m'aveugler…

—Rivkah, je…

L'Envoûteur tendit les bras vers son épouse, mais elle recula.

—Non, laisse-moi finir! Si rien de fâcheux ne t'arrive, il te reste quatre siècles à vivre. Moi, je vieillis déjà. Et il n'est pas question que je lise chaque jour un peu plus de pitié dans ton regard! Je dois rompre notre union alors qu'il reste du respect – et peut-être un peu d'amour – entre nous. Quand il m'a demandé de reprendre mon nom d'humaine, le Passeur a affirmé que c'était un prix élevé à payer. À présent, je comprends pourquoi. Plume d'Or avait sa place ici, mais Rivkah y est une étrangère. Après Beltide, je retournerai en Achar.

—Rivkah!

Vagabond des Étoiles tendit de nouveau les bras. Cette fois, son épouse se laissa attirer contre lui, et ils restèrent un long moment enlacés. Alors que l'Icarii caressait la mèche dorée qui lui avait valu son surnom, Rivkah mesura à quel point elle l'aimait. Malgré ce qu'impliquaient ses paroles, rien n'avait changé en son cœur, mais elle devait rompre les ponts avant que son bien-aimé se soit définitivement détourné d'elle.

—Vagabond des Étoiles, dit-elle quand elle eut trouvé la force de s'écarter, merci pour les larmes sincères que je vois briller dans tes yeux. S'il te plaît, ne laisse pas ton désir détruire la vie d'Azhure! Épargne-lui de connaître les tourments que j'endure aujourd'hui. Sinon, dans vingt ou trente ans, comme moi, elle devra mettre fin à votre union parce que tu seras fasciné par une femme plus jeune et plus désirable qu'elle! Si tu la respectes, laisse-la en paix! Et choisis une Icarii qui restera à tes côtés jusqu'à la fin de tes jours…

—Azhure n'est pour rien dans ce qui est arrivé, dit Vagabond des Étoiles, soucieux de préserver la profonde amitié des deux femmes.

— Je sais…, soupira Rivkah. Et j'ai admiré sa résistance ! Si je me souviens bien, il t'a suffi d'un sourire pour me séduire. Je ne la blâme pas, et toi non plus, au fond… Mais j'irai voir Crête Corbeau pour annuler officiellement notre union.

Et le plus vite possible, tant que j'en ai le courage !

— Que feras-tu ensuite ? demanda Vagabond des Étoiles.

— Je retournerai auprès des miens, et j'essaierai de me faire une place parmi eux.

11

« ES-TU LOYAL ? » DEMANDA LE PONT

—Vous voyez ? lança Jack, un bras tendu. Alors, vous voyez ?

Belial, Magariz et Arne se tenaient avec le porcher devant la fenêtre ouest de la grande salle des cartes de la forteresse de Sigholt. Assis près de la cheminée, Reinald, l'ancien chef cuisinier de la garnison, sirotait une coupe de vin chaud.

—Jadis, il y avait un lac ici ! dit Jack, agacé par le manque de réaction de ses compagnons. Une merveilleuse étendue d'eau ! Vous ne voyez donc pas ?

—Si, si…, marmonna Belial. Mais quel rapport avec la réticence des Skraelings à approcher de la forteresse ?

—Notre ami Jack semble vouloir nous donner un cours de géologie, grogna Magariz. Pour supporter ça, je propose que nous buvions un peu de vin… avant que Reinald ait tout sifflé !

Belial et ses hommes étaient à Sigholt depuis près d'un mois. Au début, comme Magariz, le chef des Haches de Guerre avait été surpris de trouver les lieux intacts… et déserts, à l'exception du porcher et du cuisinier à la retraite. Avec un sourire édenté, Reinald avait expliqué que la majorité des hommes de Borneheld, une fois informés du désastre de Gorken, s'étaient hâtés de filer vers le sud. Après la chute de Hsingard, avec les Skraelings à un jour ou deux de Sigholt, les derniers défenseurs avaient détalé en plein milieu d'une nuit, si paniqués que trois d'entre eux étaient restés sur le carreau, piétinés dans la cohue.

Les Skraelings n'avaient jamais attaqué. Le lendemain du départ des derniers soldats, quelques monstres avaient rôdé à bonne distance de la forteresse, près du lit de l'ancien lac. Ils n'avaient pas osé s'aventurer plus loin, et aucun de leurs semblables ne s'était remontré. Alors que le vieux cuisinier aurait volontiers fui aussi, n'étaient les douleurs articulaires qui le clouaient au lit cette semaine-là, Jack avait gardé un calme souverain, comme si les Spectres n'avaient rien eu de menaçant. Au grand déplaisir de Reinald, il avait refusé de fermer les portes de la forteresse, même la nuit. Après trois semaines sans incident, Reinald s'était détendu, commençant à apprécier la compagnie de l'étrange porcher venu se réfugier à Sigholt quelques jours après l'avènement de la nouvelle année.

Belial et ses soldats avaient rapidement investi la forteresse, un complexe assez vaste pour accueillir trois mille hommes et leurs chevaux. La garnison que Borneheld y avait installée comptait environ le même nombre de militaires. Pressés de fuir, ils n'avaient rien emporté – à part leurs montures, évidemment –, laissant assez de vivres pour remplir pendant des mois l'estomac des Haches de Guerre et de leurs alliés.

À ce jour, Jack n'avait toujours pas expliqué à ses « invités » pourquoi les Skraelings, après avoir rasé Hsingard, ne s'en étaient pas pris à Sigholt, un objectif beaucoup plus petit et plus facile à conquérir que la capitale du duché. À vrai dire, deux jours après l'arrivée de Belial, le porcher s'était volatilisé, et on ne l'avait pas revu pendant plus de trois semaines.

Même si la forteresse paraissait sûre, Belial avait connu quelques nuits sans sommeil. Et si les Skraelings avaient délaissé Sigholt pour mieux y attirer une force importante, puis l'y assiéger ? C'était possible, et Axis, à la place de son ancien second, y aurait pensé aussi. Avec le temps, l'inquiétude de Belial s'était dissipée. Soucieux de superviser l'entraînement quotidien de ses hommes, il avait également veillé à ce qu'ils consacrent une partie égale de leur journée à se détendre. Le siège du fort de Gorken et la longue marche à travers l'est d'Ichtar avaient laissé des traces, comme il fallait s'y attendre. Par bonheur, dans des conditions si favorables, les soldats avaient très vite récupéré de leurs efforts.

Une semaine plus tôt, Belial avait envoyé en mission un détachement chargé de contacter les Haches de Guerre restés à Smyrton, d'explorer les routes d'approvisionnement méridionales, de recueillir des informations sur les plans de Priam et de Borneheld, et – le plus important – de savoir si la Prophétie était connue au-delà des rives sud du fleuve Nordra.

— Si les gens ne l'ont pas entendue, avait ordonné Belial, n'hésitez pas à la leur déclamer. Annoncez-leur la venue de l'Homme Étoile, ne serait-ce que pour faciliter la tâche à Axis !

Peu après le départ de ces hommes, Jack était revenu, et il avait refusé de répondre aux questions de Belial. Agacé par ce silence, l'officier l'avait planté là, et volontairement évité les quelques jours suivants.

Jusqu'à ce matin, où le porcher avait déboulé dans la salle des cartes et annoncé qu'il profiterait de la réunion d'état-major pour éclairer la lanterne des militaires du mieux qu'il le pouvait.

— Très bien, Jack, dit Belial tout en acceptant le verre de vin que lui tendait Magariz, nous venons de voir le lit asséché d'un ancien lac. Et après ?

— C'est à cause de ce lac que je suis ici… et que les Skraelings n'ont pas attaqué. Croyez-moi, ils resteront loin de Sigholt, sauf si Gorgrael leur botte très vigoureusement les fesses ! Belial, avant de continuer, puis-je avoir un peu de vin ? La forteresse est à l'abri des frimas du Destructeur, mais on s'y gèle quand même !

Belial fit mine d'approcher de la table, mais Arne lui indiqua qu'il se chargerait de remplir les verres. Depuis que la troupe était cantonnée à Sigholt, l'officier, de son propre chef, tenait lieu d'ordonnance au nouveau commandant. Quand Axis reviendrait, il se remettrait à son service, ça ne faisait pas de doute, et Belial ne s'en offusquait pas.

Jack sirota voluptueusement son verre de vin chaud. Pendant son absence, il avait exploré les collines et les falaises environnantes, à la recherche de ce qu'il savait *devoir* y trouver…

— Belial, dit-il après avoir posé son verre, chaque Sentinelle est associée à un des quatre lacs sacrés. Aujourd'hui, hélas, il n'en reste que trois. Tu en as vu un – le lac Graal –, et Arne en connaît deux, puisqu'il était avec Axis à la citadelle de la Muette, où se trouve le lac du Chaudron. Le troisième est le lac des Ronces, dans les hauts plateaux de la chaîne des Fougères. Tous sont magiques, et les Skraelings, qui détestent déjà l'eau normale, s'en tiennent aussi loin que possible. La forteresse de Sigholt a été construite au bord du lac de la Vie, le plus puissant de tous.

Jack se mordilla les lèvres, comme s'il hésitait à en dire plus. Puis il se décida à parler. De toute façon, le secret ne tiendrait plus longtemps…

— Mais il a été asséché, et il a disparu. Comme sa Sentinelle, Zeherah…

— Très bien, marmonna Belial, j'ai compris! Les Sentinelles sont liées à des lacs, les Skraelings abominent l'eau, surtout magique, et ils n'en approchent pas. C'est bien beau, mais puisque ce lac-là est vide, pourquoi en ont-ils peur ?

En guise de réponse, Jack haussa les épaules.

N'ayant plus besoin de passer pour un porcher, il avait troqué ses frusques miteuses contre une fine tunique de laine verte et un pantalon à bandes rouges que n'aurait pas reniés un nobliau de province.

— Un jour, les monstres peuvent surmonter leur angoisse, je suppose ? demanda Magariz, de nouveau penché à la fenêtre.

— C'est possible, admit Jack. Surtout si Gorgrael juge que Sigholt est désormais une cible de valeur.

— Le Destructeur s'est fait très discret, dit Belial. Sur le chemin de Sigholt, ses sbires nous ont pratiquement laissés tranquilles. Après les coups que nous lui avons portés, en quittant Gorken, il doit chercher à consolider ses positions, pas à en gagner de nouvelles.

— Je partage cette opinion… Pour le moment, nous sommes en sécurité, et il en sera sans doute ainsi jusqu'à la fin de l'été. Mais…

— Mais quoi, Jack ? demanda Magariz.

— Eh bien, j'ai besoin de votre aide pour rendre cette forteresse inexpugnable. Quand il aura levé une armée capable de repousser le Destructeur, Axis aura besoin d'une place forte fiable. De plus… Hum… Il faut que je retrouve Zeherah ! Mes amis, si je n'y parviens pas, nous aurons aussi vite fait de baisser les bras et d'abandonner Tencendor – ou Achar, si vous préférez ! – à Gorgrael. Pour vaincre, Axis aura besoin des cinq Sentinelles !

— Si je comprends bien, souffla Reinald, toujours confortablement assis au coin du feu, tu envisages de remplir le lac ?

Stupéfaits, Belial et Magariz se tournèrent vers le vieil homme. Puis ils se concentrèrent de nouveau sur Jack.

— C'est ça ! Si le lac renaît, la forteresse sera imprenable, sauf pour Gorgrael lui-même. Mais je doute qu'il ose demander la permission d'entrer, devant le pont… S'il arrive jusque-là ! En outre, Zeherah reviendra peut-être…

— Tu n'en es pas sûr ? demanda Magariz.

— Hélas, non…, avoua Jack, soudain accablé. Elle est liée au lac, mais pas totalement. Comme les autres Sentinelles, en ce moment, elle s'en est peut-être éloignée délibérément. Quand un de ces maudits ducs d'Ichtar a fait drainer le lac, ça n'a pas obligatoirement entraîné sa fin. Elle peut errer dans les environs de Sigholt, désespérée mais pas mortellement blessée. Hélas, je n'ai vu aucun signe d'elle.

Un long silence suivit.

— Et comment comptes-tu remplir le lac ? demanda soudain Arne.

Belial sourit. Quand il s'agissait de poser sans détour les bonnes questions, son aide de camp était imbattable.

— J'ai passé les trois dernières semaines à m'assurer que c'était faisable. Derrière la forteresse, j'ai découvert un étroit ravin qui court jusqu'aux collines d'Urqhart, à une demi-lieue d'ici. Aujourd'hui, il est envahi d'arbustes et de broussailles, mais je suis sûr que de l'eau y coulait jadis.

» Il se termine dans une petite grotte dont le fond est obstrué par des rochers. Ce n'est pas un éboulis naturel, on le voit au premier coup d'œil. À mon avis, il s'agit d'un barrage conçu pour arrêter la source qui alimentait jadis le lac. Bref, il suffira de faire sauter ce « bouchon » !

—Tu crois que c'est possible ? demanda Belial.

—Si trois mille paires de bras ne suffisent pas, nul ne réussira jamais ! Cela dit, il faudra aussi dégager le ravin, puis les « canaux d'irrigation » qui contournaient la forteresse.

—De quoi parles-tu ? demanda Belial.

Jack alla se camper devant le feu et s'y réchauffa les mains.

—La forteresse est entourée d'une profonde tranchée comblée avec des gravats et des rochers. Selon moi, l'eau arrivait par le ravin, elle se divisait en deux bras pour irriguer les douves, puis se déversait dans le lac. Avec sa couronne liquide, Sigholt sera imprenable !

Et elle revivra, ajouta mentalement Jack, *parce qu'elle sera de nouveau en contact avec la source de sa magie…*

—Demain, dit Belial, nous irons inspecter ton ravin et ta grotte avec quelques officiers du génie. Magariz, tu chargeras une escouade d'étudier les douves. Au coucher du soleil, nous saurons si l'opération est faisable.

Et même si nous ne réussissons pas, ça tiendra au moins les hommes occupés !

Alors que cinq cents de leurs camarades restaient en poste à la forteresse – une précaution inutile, selon Jack, mais Belial n'avait pas voulu en démordre – les deux mille cinq cents autres soldats s'attaquèrent aux travaux de déblaiement.

Huit jours après le début de l'énorme chantier, Belial et Magariz allèrent inspecter les douves. Une fois dégagées, il apparaissait qu'elles n'avaient rien de naturel, car leur fond et leurs flancs étaient constitués de gros blocs d'une roche verdâtre qui composaient une mosaïque d'une incroyable beauté.

Bien que les constructeurs n'aient pas utilisé de mortier, les joints étaient si serrés que Belial ne parvint jamais à y glisser la pointe de son couteau.

—De nos jours, aucun maçon ne pourrait assembler un ouvrage pareil sans recourir à du mortier, dit Magariz.

—Exact, confirma Belial. Je donnerais cher pour savoir tout ce que Jack nous cache sur cette forteresse, mon ami !

—Désolé, mais j'ai des préoccupations plus terre à terre… Quand nos hommes auront démoli le barrage, dans la grotte, comment ferons-nous pour entrer et sortir de Sigholt ? Au cas où tu ne l'aurais pas remarqué, il n'y a pas l'ombre d'un pont.

Depuis que les douves étaient dégagées, Belial avait fait installer une passerelle rudimentaire. Peu solide, elle ne supportait pas plus de quelques hommes à la fois. Et de toute façon, quand elles déferleraient, les eaux l'emporteraient.

—Nous devrions construire un pont plus résistant, tu as raison. Mais où trouver les troncs d'arbre nécessaires pour le supporter ?

Les quinze cents hommes affectés aux douves étaient au bord de l'épuisement. Belial leur avait accordé deux jours de repos. Ensuite, ils iraient relayer ceux qui s'échinaient dans le ravin et dans la grotte. Pourtant, construire un pont était vital.

—Ne vous cassez pas la tête pour ça ! lança Jack dans le dos des deux officiers. (Couvert de poussière, il semblait aussi fatigué que les soldats, et il haletait comme s'il avait couru.) Quand l'eau arrivera, la forteresse se fabriquera toute seule un pont !

—Pardon ? s'écrièrent en chœur Belial et Magariz.

—Sigholt est une dame pleine de ressources. N'oubliez pas qu'elle est la fille d'antiques Envoûteurs icarii !

—Quand arrivera l'eau ? demanda Belial.

Le porcher s'essuya le front, traçant des sillons dans la couche de poussière qui le maculait.

—Selon vos trois ingénieurs, messires, le « barrage » est du vrai travail de cochon ! On s'est contenté de décharger dans la caverne des dizaines de chariots de gravats et de rochers, sans prendre la peine de les cimenter. Oh, il y avait bien un peu de mortier, mais seulement au sommet du bouchon. Si nous avions affaire à une construction mieux finie, le travail aurait avancé plus lentement. Mais nous avons déjà atteint l'endroit où la roche est humide. Depuis des siècles, l'eau tente de se frayer un chemin, et elle aurait sans doute fini par réussir, même si nous ne l'avions pas aidée en intervenant par le haut.

—Quand aurez-vous terminé ? demanda Magariz.

Pour une raison mystérieuse, il semblait pressé de voir les eaux entourer de nouveau la forteresse et emplir le lac.

—D'ici trois jours, mon ami. Dans la caverne, les hommes travaillent prudemment, et ils ont raison. D'après les calculs des ingénieurs, quand nous aurons déblayé sur une profondeur de douze pieds supplémentaires, la pression de l'eau fera sauter le bouchon !

—Et le ravin ?

—Il sera dégagé demain en fin de matinée. Dans trois jours, quatre au maximum, le lac de la Vie commencera à se remplir… et Zeherah sera peut-être enfin libre !

Magariz posa une main sur l'épaule de Jack.

—Depuis quand ne l'as-tu plus vue, mon ami ?

—Près de deux mille ans… (Une larme roula sur la joue crasseuse de la Sentinelle.) Être séparé si longtemps de sa bien-aimée est une torture.

—Moi aussi, j'ai aimé, perdu mon amour, et pris le parti d'attendre… Mais par bonheur, ça ne durera pas deux mille ans ! Dans quelques jours, je l'espère, ton calvaire sera terminé !

Belial dévisagea Magariz sans dissimuler sa surprise. De quoi parlait-il ? Le seigneur – comme lui, d'ailleurs – lui avait toujours semblé trop dévoué à son métier pour prendre le temps de se marier. Apparemment, il avait une raison plus triste d'être resté célibataire. Pourtant, c'était un homme d'honneur, truffé de qualités, et assez bien bâti pour que bien des femmes aient envie de l'accueillir dans leur lit…

—Filez d'ici! cria le chef ingénieur Fulbright. Les rochers bougent!

Les cinq hommes qui s'étaient enfoncés dans le puits, au fond de la grotte, rampèrent jusqu'aux cordes de rappel. Aussitôt, leurs camarades affectés à cette tâche les tirèrent vers la surface. Le grondement qui monta du sol confirma les craintes de l'ingénieur.

—Tirez, bande d'abrutis! rugit-il.

Craignant une catastrophe, il alla aider une des équipes.

Les dieux étaient bien disposés, ce jour-là, car l'eau jaillit une seconde après que les cinq hommes furent revenus dans la grotte.

—On file! cria Fulbright.

Ses hommes n'eurent pas besoin qu'il les encourage de la voix. Quand tous furent en sécurité, ils regardèrent, les yeux écarquillés, le geyser qui montait vers la voûte de la grotte, retombait lourdement puis se déversait dans le ravin.

—Et en plus, c'est une source chaude, souffla Fulbright. Ce soir, nous prendrons tous un bon bain…

Debout à quelques pas des douves, Belial et Magariz frémirent quand les eaux rugissantes emportèrent la passerelle de fortune.

Jack, lui, ne sourcilla pas.

—Du calme, messires… Attendez…

—Quoi? rugit Magariz. Que quelqu'un m'apporte un morceau de savon? Si nous ne pouvons plus entrer dans la forteresse, ces douves ne seront rien de plus qu'une baignoire géante!

Jack sourit. L'impatience typique des Acharites!

—Attends que l'eau ait réchauffé les murs de Sigholt, mon ami, et tu verras…

Une demi-heure passa. Lassé de contempler les reflets rubis de l'eau – sans doute à cause des minuscules éclats de pierre qu'elle charriait –, Belial n'y tint plus, persuadé qu'ils perdaient leur temps.

—Jack…, commença-t-il.

Il se tut quand la Sentinelle tourna vers lui ses yeux émeraude brillants.

—Tu ne sens rien? Sigholt s'éveille! Regarde l'eau qui coule devant les portes!

Belial plissa les yeux et remarqua qu'il y avait à cet endroit une sorte de… pellicule… au-dessus de l'onde. Peu à peu, elle se solidifia pour former un solide pont de pierre grise veinée de bleu et de rouge qui enjambait les douves.

—Co… comment est-ce possible?

Magariz semblait aussi étonné que son ami. Ce pont semblait assez résistant pour supporter des cavaliers et des chariots lourdement chargés.

—Traverse, Magariz, dit Jack, et vois ce qui arrive!

Le seigneur interrogea Belial du regard. S'aventurer sur cet ouvrage magique qui risquait de se désintégrer sous lui? Eh bien, s'il le fallait…

À l'instant où il allait poser le pied sur la pierre, le pont… parla.

—Es-tu loyal? demanda une douce voix féminine.

—Pardon? s'écria Magariz en reculant d'un pas.

—Es-tu loyal? répéta le pont.

—Réponds! lança Jack. Elle te le demandera trois fois, pas une de plus. Ensuite, tu ne pourras jamais traverser.

—Lui répondre? Bon sang, que dois-je dire?

—Parle avec ton cœur! Mais dépêche-toi!

Le seigneur avança de nouveau.

—Es-tu loyal? répéta la voix.

—Oui, je le suis, dit Magariz après une infime hésitation.

—Alors, traverse, seigneur Magariz, et je verrai si tu n'as pas menti!

Le seigneur fit un pas, s'arrêta comme s'il avait peur de passer à travers la pierre, puis se remit en mouvement.

—Tu ne mentais pas, Magariz, dit le pont. Je te souhaite la bienvenue!

Le seigneur resta un moment devant les portes, puis il rebroussa chemin.

—Pas de question, cette fois ? demanda-t-il.

—Non, dit Jack. La voix te connaît, à présent. Elle te saluera chaque fois que tu entreras dans la forteresse, mais c'est tout. Sauf si elle sent que ton cœur a été corrompu entre-temps… Regarde !

Jack s'engagea sur le pont.

—Bonjour, Jack, dit la voix. Voilà longtemps que tu n'as pas traversé.

—Bonjour, chère amie. Mon cœur se réjouit de voir de nouveau couler les eaux.

—J'ai été triste, admit la voix, mais aujourd'hui, c'est terminé.

Quand le pont eut accordé le passage à tous ses soldats, Belial entra dans la cour de Sigholt en compagnie de Jack.

—Alors, qu'en est-il de Zeherah ?

—Rien de neuf… Mais pour revenir, elle attend peut-être que le lac soit rempli.

Six jours plus tard, la cinquième Sentinelle ne s'était toujours pas montrée. Après avoir passé son temps sur le toit, pour mieux sonder les environs, Jack se retira dans ses appartements et n'en sortit pas pendant une semaine. Quand il en émergea, ravagé par le chagrin, il dut reconnaître sa défaite. Zeherah serait perdue jusqu'à ce qu'il ait découvert et neutralisé les sortilèges qui l'emprisonnaient.

12

« Je vous ramènerai en Tencendor ! »

La caverne de l'Assemblée était immense. Autour du cercle central, dallé d'une variété hautement translucide de marbre jaune veiné de violet, étaient disposées des rangées de bancs taillés dans le même marbre blanc que celui qui revêtait les parois. Sur ces sièges, des coussins dorés ou bleus attendaient les participants aux réunions plénières des Icarii. Les «gradins» les plus proches du cercle étaient réservés aux Anciens, aux Envoûteurs et à la famille du Roi-Serre. Ceux-là étaient munis de coussins spéciaux : pourpres pour les Anciens, turquoise pour les Envoûteurs et violets, la couleur royale, pour les membres de la maison du Soleil Levant. Sur les six rangées supérieures, réservées à la Force de Frappe, on n'avait pas jugé nécessaire d'en prévoir. Tout en muscles, les soldats n'avaient pas les fesses aussi délicates que le commun des hommes-oiseaux…

Dans cette merveille architecturale, le plus impressionnant restait les colonnes qui soutenaient le dôme artificiel. Elles représentaient des hommes et des femmes-oiseaux cinq fois plus grands que nature. Les bras et les ailes joyeusement écartés, ces statues, avec leurs yeux écarquillés d'émerveillement et leur bouche ouverte sur un chant muet, semblaient étrangement vivantes. Des pierres précieuses brillaient dans leurs yeux et sur les torques d'or qu'elles portaient autour du cou. Avec leurs plumes et leurs cheveux rehaussés d'or ou d'argent et leurs muscles soigneusement ciselés imitant à la perfection la couleur de la chair, elles paraissaient prêtes à prendre leur envol. Au-dessus de leurs têtes, le dôme revêtu de miroirs de bronze poli ensorcelés diffusait une douce lumière jaune qui atteignait tous les recoins de la caverne.

Pour l'heure, la grotte était déserte. Mais les Icarii arriveraient bientôt, avides d'écouter l'Homme Étoile qui les ramènerait un jour en Tencendor, sur des terres où les attendaient des mythes et des légendes remontant à leurs origines…

Dans la petite salle circulaire qui servait de salon d'habillage aux Soleil Levant, Crête Corbeau faisait face à l'humain qui exigeait d'être reconnu comme son successeur.

Ses yeux violets brillant de fureur, le Roi-Serre tournait comme un lion en cage.

— Désigner un prétendant au trône est ma prérogative ! rugit-il.

Axis comprenait parfaitement la réaction de son oncle. Crête Corbeau n'avait toujours pas accepté la mort de Libre Chute. C'était normal, mais un héritier devait être nommé d'urgence. En des temps plus que difficiles, le souverain pouvait disparaître d'un jour à l'autre, et il n'y avait rien de pire, pour un royaume, que les incertitudes au sujet de la succession.

Le soir même, Axis s'adresserait à l'Assemblée. Pour avoir le poids indispensable, il devait être investi de l'autorité d'un prince héritier. Face à Gorgrael, il n'avait qu'une solution : unir les trois races de Tencendor et les lancer contre les hordes de Spectres. Et la réunion à venir lui offrait l'occasion de gagner les Icarii à sa cause.

Vêtu de la tunique jaune que lui avait confectionnée Azhure, il avança crânement vers son oncle. Le soleil rouge sang était une idée de génie ! Le parfait symbole de ce qu'il allait devenir…

Vagabond des Étoiles et sa mère échangèrent un regard inquiet.

Très calme, Axis s'arrêta devant le Roi-Serre.

— Ton fils est mort, Crête Corbeau, et tu n'as pas d'autres enfants. Dans l'intérêt de ta lignée, et de ton peuple, tu dois me nommer dès ce soir. Je l'exige parce que c'est mon droit !

—Vagabond des Étoiles est mon héritier direct, dit le Roi-Serre en désignant son frère.

—Mon très cher oncle, si tu raisonnes ainsi, le deuxième de la liste est son fils aîné. Veux-tu voir Gorgrael débouler sur le mont Serre-Pique pour réclamer le torque royal ? Aimerais-tu que le Destructeur règne sur les Icarii ? Entre deux maux, reconnais que je suis le moindre…

Crête Corbeau serra les mâchoires et ne daigna pas répondre.

—Tous les Icarii se demandent qui sera ton héritier ! insista Axis. Si tu ne me choisis pas, ils se tailleront en pièces après ta mort. Tu n'as plus de fils, et aucun neveu purement de ton sang ! C'est moi ou le chaos, Roi-Serre ! Pourquoi me confies-tu le commandement de la Force de Frappe, si tu refuses de me transmettre le torque ?

Troublé, Crête Corbeau interrogea sa mère du regard.

—Il a raison, mon fils, dit Étoile du Matin. Le nommer est la seule solution.

Le Roi-Serre n'apprécia pas cette déclaration.

—Cela ne s'est jamais produit ! explosa-t-il. (Il recommença à tourner en rond.) Les Icarii ont toujours eu pour monarque un Soleil Levant pur sang !

—Le monde change autour de nous, mon oncle, et rien ne sera plus comme avant…

Crête Corbeau regarda son neveu. Il aurait tout donné pour avoir son fils à ses côtés, mais Libre Chute ne reviendrait pas. Malgré son chagrin, et même s'il répugnait à nommer un métis, il devait s'y résigner. Vagabond des Étoiles aurait fait un Roi-Serre lamentable. Malgré sa généalogie douteuse – en plus, il n'avait pas d'ailes ! –, Axis serait un très bon monarque.

Sa colère dissipée, Crête Corbeau se tourna vers son frère.

—Vagabond des Étoiles, fais venir nos femmes et ta fille. Ainsi, tous les Soleil Levant seront témoins de cet… événement.

Dès que l'Envoûteur les appela, Plume Brillante, l'épouse du souverain, Gorge-Chant et Rivkah entrèrent dans la salle.

Quand la porte fut refermée, le Roi-Serre approcha d'Axis, lui prit la tête entre ses mains et l'embrassa doucement sur la bouche.

— Avec l'autorité que me confère le torque royal, je t'accueille au sein de la maison du Soleil Levant, dont je suis le patriarche. En plus de cela, et devant témoins, je te nomme mon héritier. À ce titre, tu bénéficieras de tous les pouvoirs et privilèges liés au torque royal et à la lourde charge de Roi-Serre.

Gorge-Chant parut ne pas en croire ses oreilles. Rivkah sourit à Vagabond des Étoiles, dont les yeux, comme les siens, brillaient de fierté.

Serrant toujours la tête de son neveu, le regard rivé dans le sien, Crête Corbeau ne remarqua pas ces réactions.

— Mon neveu, dit-il, depuis six mille ans, tous les souverains icarii furent des Soleil Levant. C'est un grand privilège, et nous avons toujours pu compter sur la loyauté de nos sujets.

À l'exception des Acharites, à l'époque où vous régniez aussi sur eux..., ne put s'empêcher de penser Axis.

— Respecte cette tradition, héritier du titre ! Tu seras le vingt-septième Envoûteur-Serre, et le premier depuis quinze cents ans. Le torque et ton statut d'Homme Étoile te conféreront un incroyable pouvoir. Jures-tu de respecter ton peuple ?

— Jusqu'à mon dernier souffle...

— Promets-tu, devant moi et tous les membres de ta famille, de ne jamais abuser de ta puissance ?

— J'en fais le serment.

— Guideras-tu les Icarii dans le labyrinthe de la Prophétie afin qu'ils battent des ailes sous un soleil éclatant, pas dans les ténèbres d'une tempête ?

— Je m'y engage.

Crête Corbeau lâcha la tête d'Axis, lui prit les mains, lui baisa les paumes puis lui croisa les bras sur la poitrine.

— Alors, accepte ma bénédiction et sois assuré de ma bienveillance. Devant toute la maison du Soleil Levant, je te nomme officiellement prince héritier. Dès ce soir, je l'annoncerai devant l'Assemblée. Assume tes responsabilités, et vole bravement vers le futur en compagnie des Icarii.

— Je ferai tout pour ne pas échouer, Roi-Serre, et je défendrai au mieux les intérêts de notre peuple. Merci de me faire confiance et de croire en moi. Je ne te décevrai pas…

En réalité, Axis ignorait s'il s'assiérait un jour sur le trône du Roi-Serre. Mais ce n'était pas le lieu – ni surtout le moment – de révéler à son oncle comment il entendait organiser Tencendor. S'il renonçait au torque, il le transmettrait de toute façon à un Soleil Levant…

Vagabond des Étoiles vint embrasser son fils.

— Bienvenue dans notre maison, Axis. Il est juste que tu reçoives enfin ton héritage.

Étoile du Matin congratula aussi le nouveau prince.

— Je suis heureuse de t'accueillir dans notre maison. Tu es un puissant Envoûteur, et un objet de fierté pour moi. Prends ton envol et tutoie les cieux, mon enfant !

Plume Brillante vint à son tour saluer le nouveau membre de la maison – avec une sincère cordialité, à première vue. Puis Rivkah serra contre elle le fils qu'elle avait cru perdu, et il sentit ruisseler sur ses propres joues les larmes qu'elle versait.

— Je pleure de joie, mon cher petit. Avant de mourir, j'aurai eu la joie de te voir à ta juste place parmi les tiens. Bienvenue dans la maison du Soleil Levant !

Axis étreignit Rivkah et s'aperçut qu'il pleurait aussi. Comme il regrettait de ne pas l'avoir eue à ses côtés toute sa vie !

Sa mère le lâcha et s'écarta pour laisser passer Gorge-Chant, qui posa les mains sur les épaules de son frère et l'embrassa sur la joue.

— Je ne t'ai pas très bien accueilli, Axis, il faut le reconnaître. Sache que je le regrette. Je me suis mal comportée, et j'implore ton pardon. Bienvenue dans la maison du Soleil Levant, mon frère !

— Il est inutile de t'excuser, ma sœur. Je sais combien tu souffres… Les derniers mots et les ultimes pensées de Libre Chute furent pour toi. N'oublie jamais qu'il t'aimait.

Gorge-Chant recula, le visage fermé tandis qu'elle luttait contre les larmes. Après tant de mois, entendre parler de Libre Chute la bouleversait toujours…

— Avant de rejoindre l'Assemblée, dit Crête Corbeau, il me reste une mission à accomplir, et elle me brise le cœur. Vagabond des Étoiles, Rivkah, veuillez approcher.

Quand les deux époux eurent obéi, le roi les prit par la main.

— Vous êtes sûrs de votre décision ?

Rivkah n'hésita pas un instant.

— Oui, Crête Corbeau. Ce qui doit être fait doit être fait…

Vagabond des Étoiles ne desserra pas les lèvres.

— Il y a bien des années, dit le Roi-Serre, j'ai eu le privilège de présider à votre union. Aujourd'hui, vous avez résolu d'y mettre un terme. (Il lâcha les mains de son frère et de sa belle-sœur, un geste d'une gravité délibérée.) Votre mariage est fini, Rivkah et Vagabond des Étoiles. Usez avec sagesse de votre nouvelle liberté.

Ayant été avertis un peu plus tôt, les autres membres de la famille restèrent impassibles. À vrai dire, cette nouvelle ne les avait pas surpris. La tragédie, aux yeux d'Axis, était qu'un amour assez fort pour modifier le destin du monde pût finir si banalement.

— Je t'ai aimée, Rivkah, dit Vagabond des Étoiles. Ne l'oublie jamais.

— Je t'ai aimé aussi, de tout mon cœur et de toute mon âme. Garde cela à l'esprit…

— Rivkah, dit Crête Corbeau, tu es et resteras une Soleil Levant. (Il posa une main sur l'épaule de l'humaine.) Le mont Serre-Pique est toujours ton foyer, si tu veux continuer à le voir ainsi. La fin de ton mariage ne t'exclut pas de la famille.

— Merci, Crête Corbeau. Ce sont de douces paroles, et je les apprécie. Mais… eh bien, après Beltide, je retournerai en Achar. J'ignore combien de temps j'y resterai, car je ne suis pas sûre d'y avoir encore une place.

—Il est temps de nous préparer, dit Crête Corbeau. Vous entendez ? La caverne de l'Assemblée se remplit déjà, et Axis doit être présenté à son peuple.

Alors qu'il vivait depuis trois mois avec les Icarii, Axis n'avait jamais participé à une Assemblée. Les sept ou huit premières semaines, il n'avait pratiquement vu personne, à part son père et sa grand-mère. Ensuite, il n'avait fréquenté que les militaires.

Même si la majorité des hommes-oiseaux ne l'avaient jamais rencontré, les rumeurs allaient bon train. Selon certaines, Axis avait passé deux mois avec Vagabond des Étoiles et Étoile du Matin pour leur enseigner ce qu'il savait, et pas le contraire. D'autres affirmaient qu'il lancerait une attaque contre Gorgrael immédiatement après Beltide pour lui faire payer le massacre de la Réunion. D'autres encore avançaient qu'il prévoyait d'aller d'abord au sud, pour conquérir Achar au bénéfice des Icarii.

Cinq hommes-oiseaux juraient avoir vu de leurs yeux la lettre de capitulation envoyée au mont Serre-Pique par Gorgrael. Sept autres prétendaient avoir lu un message annonçant la mort du Destructeur, abattu par un groupe de chasseurs de Ravensbund. Sur un registre plus léger, plusieurs femmes ailées avaient annoncé qu'Axis les épouserait, et l'une d'elles assurait qu'elle portait déjà un enfant de lui.

Beaucoup d'Icarii passaient le plus clair de leur temps à étudier la Prophétie pour savoir quelles prédictions étaient déjà avérées, et identifier celles qui restaient à réaliser.

Presque tous se demandaient si Crête Corbeau avait choisi son successeur. S'il refusait Axis, qui choisirait-il ?

Enfin, quelques résidents de Serre-Pique glosaient sans fin sur Azhure et son lien mystérieux avec Perce-Sang. En secret, une poignée d'originaux pensaient qu'elle était un des Dieux des Étoiles revenu parmi eux déguisé en mortelle…

Assis sur les gradins, plusieurs rangées sous celles de la Force de Frappe, Raum conversait avec Azhure.

Ces derniers mois, l'humaine avait à peine vu l'Eubage, trop occupé par ses recherches à la bibliothèque et les cours qu'il donnait aux enfants.

—Raum, selon toi, que va-t-il se passer ?

La salle continuait à se remplir, et des murmures couraient le long de tous les gradins. Azhure avait choisi une robe pourpre piquetée d'émeraudes qui lui laissait les épaules découvertes. Ainsi vêtue, ses longs cheveux défaits, elle semblait plus exotique encore qu'à l'accoutumée. Et son entrée n'était pas passée inaperçue auprès des mâles de l'assistance.

—Qui peut le dire ? répondit l'Eubage avec un sourire qui fit briller ses yeux marron. Ce soir, Axis gagnera le cœur des Icarii, ou il se les aliénera. Et dans ce cas, il n'aura pas de seconde chance…

—Ils ne vont quand même pas le rejeter ?

—Rien n'est plus imprévisible qu'une Assemblée icarii, mon amie. Ce peuple a ses humeurs, et elles le poussent souvent à s'envoler dans la mauvaise direction.

—Après le solstice d'hiver, et le massacre, l'Assemblée a accepté qu'il commande la Force de Frappe.

—C'est plus compliqué que ça, mon amie. Le sujet a été évoqué, certains Icarii étaient pour, mais le vrai débat a porté sur l'ouverture de négociations avec Axis. Sur ce point, le vote était positif. Si nos amis ailés adorent la polémique, prendre des décisions n'est pas leur fort…

Azhure souffla un commentaire que l'Eubage ne comprit pas.

—Cela dit, continua Raum, Axis dirige déjà la Force de Frappe, et c'est très encourageant. Au moins, c'est un chef de Force qui s'adressera à eux…

L'Avar leva les yeux vers les places vides des militaires. Où étaient-ils donc ? Ne viendraient-ils pas soutenir leur commandant ?

Comme en réponse, les membres des différentes Ailes commencèrent à entrer par les deux arches. Ils gagnèrent leurs places en silence… et ne passèrent pas inaperçus non plus !

—Comment sont-ils vêtus? s'exclama Raum tandis que des cris de surprise montaient des gradins.

Azhure rayonnait de satisfaction.

Les ailes teintes en noir, la couleur de la guerre, tous les soldats portaient des uniformes de laine moulants de la même couleur.

—Axis veut transformer des oiseaux de paradis en faucons, dit Azhure. Au moins, leur apparence est à la hauteur de ses ambitions!

Surtout avec le soleil rouge sang que les guerriers arboraient sur la poitrine! Pour les chefs d'Aile, on avait ajouté un liseré d'or sous l'astre étincelant. Quant aux chefs de Crête, ils avaient opté pour un cercle de petites étoiles d'or.

—Le soleil est le symbole de la maison d'Axis. Celui-là est son propre emblème!

—C'est toi qui l'as imaginé?

—Oui, et il l'a spontanément accepté. Mais il ne sait pas encore que la Force de Frappe l'a adopté. J'ai proposé cette idée à Œil Perçant.

Et le chef de Crête, à l'évidence, l'avait trouvée bonne! Au minimum, ce symbole indiquerait aux Icarii que leur armée était unie derrière son commandant.

Raum regarda du coin de l'œil l'humaine assise près de lui. S'était-elle trouvée par hasard à Smyrton, ou la Prophétie y était-elle pour quelque chose?

Est-il fortuit qu'il y ait eu dans ce village une femme assez résolue pour nous sauver, Shra et moi? Puis qu'elle se révèle une redoutable guerrière, lors de la Réunion? Et enfin qu'elle ait pu armer Perce-Sang, alors qu'un seul Icarii, en quatre mille ans, y était parvenu?

Des coïncidences? C'était impossible. D'autant plus que la même humaine, à peine arrivée au mont Serre-Pique, avait multiplié les initiatives judicieuses pour aider Axis.

Au sujet d'Azhure, trop de choses ne collaient pas. Lors de la précédente Assemblée, par exemple, elle avait sans peine compris l'ancienne langue icarii. Après des années d'études,

Raum avait encore du mal, surtout quand Vagabond des Étoiles chantait !

Qui es-tu, Azhure ? se demanda l'Eubage. *Oui, qui es-tu vraiment ?*

Ogden et Veremund, les Sentinelles, avaient pris place cinq rangées plus bas. Vêtus de soutanes un peu plus présentables que leurs habits de voyage – mais à peine ! –, eux aussi regardaient Azhure sans dissimuler leur perplexité. Chaque fois qu'ils la rencontraient, une curieuse sensation de… familiarité… les submergeait. On eût dit qu'ils la connaissaient depuis toujours – de quoi s'étonner, compte tenu de leur âge réel !

Il ne pouvait pas s'agir d'une simple paysanne de Smyrton entraînée dans des événements qui la dépassaient. Les deux frères en auraient mis leur tête à couper ! Mais qui était donc cette femme qui nageait dans la Prophétie comme un poisson dans l'eau ?

Tout le monde se tut quand les Anciens et les Envoûteurs entrèrent puis gagnèrent majestueusement leurs places.

Alors que l'assistance retenait son souffle, les femmes de la maison du Soleil Levant franchirent la petite porte du salon d'habillage et allèrent également s'asseoir. Plume Brillante était passée la première, comme il convenait pour l'épouse du Roi-Serre. Étoile du Matin la suivit, Rivkah sur les talons, et Gorge-Chant fermait la marche. Considérant son lignage, elle siégerait près du cercle central, et pas avec ses camarades de la Force de Frappe.

Les quatre dames portaient toutes des robes violettes ornées d'or et d'ivoire. Une combinaison de couleurs qui s'harmonisait à merveille avec les yeux de la sœur d'Axis.

Des dizaines de milliers de regards se rivèrent sur la silhouette qui apparut derrière les femmes. C'était Vagabond des Étoiles, superbe dans sa toge pourpre dont la poitrine arborait fièrement un soleil jaune pâle. Au lieu d'aller s'asseoir, il se plaça au centre du cercle et tourna la tête vers la porte.

Également en toge pourpre, le torque royal autour du cou, Crête Corbeau entra et alla se placer à côté de son frère. Ensemble, ils saluèrent l'assistance d'une gracieuse révérence, les bras et les ailes frôlant les dalles de marbre. Comme l'imposait le protocole, ils tournèrent lentement sur eux-mêmes pour que chacun, dans la caverne, se sente personnellement honoré.

Azhure avait déjà été impressionnée par ce rituel, quand Vagabond des Étoiles avait ouvert seul la précédente Assemblée. Exécuté par les deux frères, ce salut était d'une incroyable grâce…

D'habitude, avait cru comprendre l'humaine, l'Envoûteur et le Roi-Serre ne se tenaient pas ensemble au centre du cercle. Selon les cas, l'un ou l'autre se chargeait d'ouvrir la séance. Intriguée, Azhure interrogea Raum du regard.

—Cela signifie que la personne qui entrera bientôt est plus puissante encore que Vagabond des Étoiles et Crête Corbeau, murmura l'Eubage. Et c'est aussi une façon de montrer aux Icarii que le souverain et son frère sont pleinement d'accord sur ce qui va suivre. Ceux qui voudront s'opposer à Axis n'auront pas la partie facile. Surtout après la démonstration de solidarité de la Force de Frappe.

Crête Corbeau fit un pas en avant et prit la parole :

—Peuple de Serre-Pique, quelqu'un d'autre va entrer dans cette caverne. Vous savez tous qu'il s'agit de l'Homme Étoile, Axis Soleil Levant, fils de la princesse Rivkah d'Achar et de l'Envoûteur Vagabond des Étoiles. Et il est aussi l'héritier que je viens de me choisir.

Un silence de mort accueillit cette déclaration.

—Une entrée en matière très solennelle, souffla Raum, et une façon efficace d'exiger que les Icarii respectent Axis…

—C'est mon fils, ajouta Vagabond des Étoiles, et notre sauveur à tous.

Les deux frères se tournèrent vers la porte. Axis la franchit d'un pas assuré et avança vers le centre du cercle.

Tous les soldats se levèrent, le poing sur le cœur pour saluer leur chef. Leurs mouvements attirèrent le regard d'Axis, qui tressaillit en découvrant leur nouvel uniforme orné du soleil rouge sang. Comme s'il venait, à cet instant, de prendre conscience de sa destinée…

Fier de la fidélité de ses hommes et débordant de confiance, il vint se placer entre son père et son oncle et salua à son tour l'assistance.

Alors qu'il tournait sur lui-même, son regard croisa celui d'Azhure, qui eut le sentiment de partager toutes les émotions qu'il éprouvait en cet instant.

Tu me fais encore un grand honneur, Azhure, et ma dette envers toi augmente…, dit la voix de l'Homme Étoile dans la tête de la jeune femme.

Enveloppée par les pouvoirs de l'Envoûteur, Azhure s'abandonna à leur extatique chaleur. Puis Axis les rappela à lui, et il se releva pour s'adresser à l'Assemblée.

À l'inverse de son père et de son oncle, il ne portait pas de toge pourpre, mais la tunique de soldat que lui avait confectionnée son amie.

— Vous êtes mon peuple, dit-il, et je me suis libéré des mensonges qui m'enchaînaient. Icarii, je vous ramènerai en Tencendor !

Des milliers d'hommes-oiseaux se levèrent, criant, chantant ou sifflant. Dans leur ferveur, certains éventrèrent leur coussin.

Si les Anciens doutaient encore que la jeune génération ait envie de quitter le confort de Serre-Pique pour affronter les rigueurs de Tencendor, ils cessèrent à cet instant précis.

Axis resta debout à écouter les vivats. Quand ses yeux croisèrent de nouveau ceux d'Azhure, lui permettant de partager une fois de plus ses émotions, la jeune femme cessa de lutter contre l'évidence qu'elle fuyait depuis des mois. Elle était amoureuse d'Axis ! Toute sa vie, elle avait rêvé d'être la compagne d'un héros, et il n'en existait pas de plus grand que lui.

Réfugiée dans un îlot de paix intérieure, au milieu du vacarme ambiant, Azhure eut un sourire rêveur.

Axis cessa de la toucher avec son pouvoir et balaya les gradins du regard. Depuis des jours, il réfléchissait à ce qu'il allait dire. Pour finir, il avait décidé de se fier aux conseils que lui avait donnés un jour Jayme, le chef de l'ordre du Sénéchal!

« Gagne le cœur de ton auditoire dès tes premiers mots, car ces loyautés-là sont les plus durables. Et si un homme a besoin d'un long discours pour être convaincu, sache qu'il restera pour toujours un traître potentiel. »

Axis leva une main pour obtenir le silence. L'effet ne fut pas immédiat, mais tous les Icarii consentirent peu à peu à se taire.

— Je vous ramènerai en Tencendor! Cela dit, ce ne sera pas facile, et sans doute moins agréable que vous le pensez. Pour récupérer ce qui est à vous, il faudra des années…

Le moment clé de toute l'affaire – et le plus dangereux. Comment réagiraient les Icarii en comprenant que leurs rêves ne se réaliseraient pas en claquant simplement des doigts?

— Vous savez que la Prophétie s'est réveillée et que je suis l'Homme Étoile. En ce moment même, deux Sentinelles sont présentes dans cette caverne.

Sentant qu'on les regardait, Ogden et Veremund adressèrent à l'assistance de timides petits saluts.

— Quoi que je fasse, et où que je vous conduise, cela sera en accord avec la Prophétie. Tencendor doit renaître de ses cendres pour écraser Gorgrael, et cela implique que les Icarii, les Avars et les Acharites ne forment plus qu'une seule nation. Si nous n'oublions pas les vieilles haines, la destruction de Gorgrael frappera pour l'éternité, comme l'annonce la Prophétie. Ma première mission, et sûrement la plus ardue, sera d'unir les trois races et de ressusciter Tencendor. Car je devrai affronter une opposition féroce.

— Les Acharites! lança une voix.

— Non, pas le peuple d'Achar, car je suis sûr qu'il se ralliera à Tencendor, mais l'ordre du Sénéchal et le duc Borneheld d'Ichtar! N'est-ce pas l'ordre, durant la Guerre de la Hache, qui persuada les Acharites de vous chasser de Tencendor?

Aujourd'hui encore, le Sénéchal nous combattra, et Borneheld sera son chef de guerre.

—Qu'en est-il de Priam? demanda quelqu'un.

—Il ne pourra pas se dresser contre l'ordre et le duc… Mes amis, deux combats nous attendent. Le premier contre l'ordre et ses alliés, pour fédérer les trois races. Le deuxième contre les hordes de Gorgrael, quand nous serons unis.

Axis se tut, au cas où il y aurait des questions, mais personne n'en posa.

—Si vous voulez Tencendor, il faudra vous battre pour l'avoir! Dès cet été, les Icarii feront mouvement vers le sud. Une armée acharite fidèle à l'Homme Étoile nous attend là-bas! Œil Perçant Éperon Court, nos éclaireurs ont-ils des nouvelles des forces de Belial?

Le chef de Crête se leva. Dans son nouvel uniforme, les ailes teintes en noir, il ressemblait à un oiseau de proie.

—Mes amis, dit-il après avoir salué Axis, ce matin même, cinq braves partis en mission dans les collines d'Urqhart sont revenus avec de stupéfiantes informations. L'armée de l'Homme Étoile, actuellement commandée par ses fidèles lieutenants, Belial et Magariz…

Sur son banc, Rivkah en blêmit de surprise.

—… s'est emparée de l'antique forteresse de Sigholt. Oui, Sigholt revit, et elle nous attend! En réalité, nous avons déjà fait notre premier pas en Tencendor!

Des acclamations retentirent, mais Axis y coupa court.

—Écoutez-moi! cria-t-il. À partir de Sigholt, nous fédérerons Tencendor, car c'est là que nous écraserons le Sénéchal et Borneheld!

C'est donc ce qu'il sous-entendait, pensa Azhure, *quand il disait que les Skraelings ne seraient pas mes premières cibles. Eh bien, contribuer à la destruction du Sénéchal ne me brisera pas le cœur!*

—Oui, continua Axis, c'est de Sigholt que partira la renaissance de Tencendor, et c'est là que se scellera la destinée du Destructeur!

Le soleil rouge sang brillant sur son poitrail, Axis leva les bras.

— Je suis l'Homme Étoile, et je vous ramènerai en Tencendor ! J'en fais le serment ! Viendrez-vous avec moi ?

La réponse ne fit aucun doute, car tous les Icarii se levèrent pour hurler leur assentiment et crier le nom d'Axis.

Les membres de sa famille semblaient plus partagés. Si Rivkah et Vagabond des Étoiles rayonnaient de fierté parentale, Étoile du Matin semblait mélancolique, comme si elle regrettait de voir une époque se terminer. Car rien, désormais, ne serait plus pareil pour les Icarii.

Gorge-Chant devait surtout regretter que Libre Chute ne soit pas à la place de l'Homme Étoile. De fait, Axis occupait la position qui aurait dû être la sienne. Mais aurait-il suscité une telle unanimité chez les Icarii, notoirement portés à la division ?

Comme sa mère, Crête Corbeau voyait une page d'histoire se tourner devant ses yeux. Ce soir, son astre avait pâli, et il le savait. Bien qu'il restât le Roi-Serre, Axis était désormais le véritable chef des Icarii. Les épaules voûtées et les ailes pendantes, le souverain, comme sa nièce, devait penser à Libre Chute…

Axis leva de nouveau une main.

— Un peu de silence, mes amis. Et merci pour votre soutien.

— Quand retournerons-nous en Tencendor ? demanda une voix, en haut des gradins.

— Surtout, quand affronterons-nous le Sénéchal ? lança un guerrier de la Force de Frappe, encore plus haut.

— Tout cela est pour bientôt, répondit Axis, mais pas pour demain. La Force de Frappe doit encore s'entraîner – surtout avec les hommes qui l'attendent à Sigholt ! Dans deux semaines, nous participerons aux festivités de Beltide avec les Avars. Ensuite, notre armée se mettra en route pour Sigholt. À ce propos, moi aussi, j'ai encore besoin d'entraînement…

— Non ! cria un Icarii surexcité. Tu es déjà l'Envoûteur le plus puissant qui ait vu le jour depuis des générations ! Que te resterait-il à apprendre ?

Des centaines de voix approuvèrent ce point de vue.

— Avec l'entraînement que j'entends suivre, dit Axis, je serai plus puissant encore… Grâce à ma chère mère, Rivkah (il se tourna vers elle, la salua et obtint un sourire en réponse), j'ai la possibilité de demander l'aide des Charonites. Et j'entends qu'ils me révèlent leurs secrets…

Ignorant que les Charonites existaient encore, la plupart des Icarii en restèrent bouche bée. Fidèle à sa nature, Vagabond des Étoiles ne cacha pas sa fierté. Son fils allait découvrir tout ce que les Charonites dissimulaient depuis des milliers d'années.

— Je partirai peu après Beltide, conclut Axis, mais je serai vite de retour. Alors, je vous ramènerai en Tencendor. Chez vous !

Les acclamations reprirent. Après avoir attendu si longtemps, les Icarii n'étaient pas d'humeur à discutailler à cause d'un retard insignifiant…

13

UN DÎNER À
LA MOUETTE HARASSÉE

P longé à l'intérieur de lui-même – un état très particulier
proche du sommeil –, Timozel avait à peine conscience
de l'existence des autres convives assis à la table.

Ses visions étaient plus fréquentes, désormais. Et beaucoup
plus vivaces !

*Il chevauchait une énorme bête – pas un étalon, mais une
créature très différente – qui plongeait et remontait sans cesse.
Combattant pour un grand seigneur, il commandait une colonne
de soldats qui s'étirait sur des lieues et des lieues. Un vent glacial
soufflant dans son dos, il entendait des centaines de milliers
d'hommes crier son nom alors qu'ils couraient au combat pour
le couvrir de gloire. Devant lui, une autre armée, ses pitoyables
ennemis, tremblait déjà de terreur. Nul ne pouvait rien contre
son génie stratégique ! Trop apeuré pour l'affronter, le chef adverse
s'était alité sous un minable prétexte.*

*Au nom de son seigneur, Timozel débarrasserait Achar de la
vermine qui l'avait envahi !*

—Euh, oui ? marmonna-t-il alors que Borneheld lui jetait
un regard agacé.

*Après une glorieuse bataille, les positions de l'ennemi étaient
balayées comme une dune de sable par la tempête. Et le grand
Timozel n'avait pas perdu un seul soldat.*

*Un autre jour, sur un terrain différent, l'ennemi osant
recourir à une ignoble sorcellerie, ses forces payaient un lourd
tribut. Mais une fois de plus, il finit par vaincre, et se délecta*

de voir les soldats adverses et leur chef, gravement blessé, détaler devant lui comme des lapins.

Un autre jour encore, après un nouveau triomphe, Timozel était assis devant une cheminée avec son seigneur et Faraday, qui le couvraient de louanges. Tout était pour le mieux. Enfin, il avait trouvé le chemin de la lumière et accompli sa destinée.

Oui, tout allait pour le mieux…

La vision se dissipa, et Timozel entendit de nouveau la voix du duc, qui s'acharnait sur Faraday.

—Tu ne me sers à rien! criait-il.

La jeune femme se raidit, car les invectives de son mari étaient audibles par tous les dîneurs.

—Inutile! répéta le duc. Depuis quand sommes-nous mariés? Cinq mois? Et je ne vois toujours pas ton ventre s'arrondir!

Faraday regarda droit devant elle, résolue à ne pas s'empourprer. En réponse à ses prières, la Mère avait fait en sorte qu'elle reste stérile, et elle refusait que des promesses mensongères sortent de ses lèvres. S'il comptait sur elle pour la perpétuer, la longue lignée des ducs d'Ichtar s'arrêterait avec Borneheld.

—Tu es un fruit sec, grogna le duc, et pourtant, j'ai mobilisé toute mon énergie pour t'engrosser. Je me demande si je ne devrais pas te faire voir à un guérisseur. Il existe peut-être des potions pour rendre fécondes les mauvaises reproductrices!

Assis à gauche de Faraday, Gautier, le second du duc, eut un méchant sourire. Le duc Roland, placé de l'autre côté de la jeune femme, semblait au contraire très embarrassé.

L'épouse de Borneheld baissa les yeux sur son assiette. Si elle ne réagissait pas, il finirait peut-être par se lasser…

Yr avait pris place dans un coin sombre de la salle, comme il seyait à une servante. Malgré la distance, Faraday sentait les ondes de sympathie et de soutien qu'elle lui envoyait.

Au fort de Gorken, elle avait pu supporter son union avec le duc, même si ce n'était pas facile. À présent, elle ne parvenait plus à cacher à quel point cet homme lui déplaisait. Au lit, elle ne faisait plus le moindre effort pour lui plaire, et elle fuyait sa compagnie autant que possible.

Si obtus qu'il fût, Borneheld s'était rendu à l'évidence : Faraday lui avait menti ! Elle ne l'aimait pas, et nourrissait en revanche de doux sentiments pour Axis. Cela aurait été tolérable, si elle lui avait donné un héritier. Hélas, son ventre restait plat malgré tout le mal qu'il se donnait !

Bien qu'il n'eût jamais rien eu d'un courtisan attentionné et délicat, le duc, au début du mariage, s'était efforcé de traiter son épouse avec respect. Depuis la perte du fort de Gorken – et pis encore, d'Ichtar ! –, il n'hésitait plus à l'humilier en public, histoire de passer sa mauvaise humeur sur elle. Bouleversé par sa défaite, Borneheld devenait chaque jour un peu plus méchant et vindicatif. À croire qu'un mal incurable le rongeait.

Il se détourna de sa femme et se lança avec Gautier et Timozel dans une grande conversation sur le meilleur moyen de renforcer les défenses du Ponton-de-Jervois.

Son épouse en soupira de soulagement, puis elle fit le tour de la salle du regard. Borneheld et son état-major avaient réquisitionné *La Mouette Harassée*, l'auberge où Timozel, Yr et Faraday, des mois plus tôt, étaient descendus alors qu'ils voyageaient vers le fort de Gorken. Les survivants du siège étaient cantonnés en ville, ou dans l'énorme camp qui avait poussé tout autour.

Quand son regard croisa celui de Ho'Demi, le chef des chasseurs de Ravensbund, la jeune femme faillit détourner la tête, soucieuse de ne pas embarrasser le guerrier. Au lieu de l'accabler de son mépris, comme l'auraient fait la plupart des autres officiers, le « barbare » lui sourit chaleureusement. Lisant du respect et de l'amitié dans ses yeux noirs, Faraday redressa un peu les épaules, et il l'en félicita d'un hochement de tête.

Borneheld l'ayant coupée de tout le monde, à part Yr et Timozel, elle n'avait jamais eu l'occasion de parler à cet homme. Mais son maintien aristocratique, combiné à une apparence délibérément sauvage, la fascinait. À dire vrai, tous les chasseurs de Ravensbund réfugiés au Ponton-de-Jervois l'intriguaient. Lors des rares occasions où le duc l'avait autorisée à sortir de leurs appartements – avec une imposante escorte –, elle avait vu leurs tentes multicolores, qui avaient poussé comme des champignons aux abords de la ville. De très loin, elle avait entendu l'écho des clochettes qui ornaient leurs cheveux et la crinière de leurs montures.

Un jour, elle avait vu des « barbares » d'assez près pour découvrir qu'ils étaient tous tatoués, hommes comme femmes. Les motifs indiquaient à quelle tribu ils appartenaient. Cependant, sans considération d'allégeance, tous arboraient au milieu du front un cercle de peau nue.

Bien entendu, la jeune femme ignorait qu'elle intéressait Ho'Demi au plus haut point. Tous les chasseurs vivaient pour servir la Prophétie et l'Homme Étoile, et il avait compris d'instinct que la jeune beauté faisait partie des femmes mentionnées dans les prédictions. À cause de la surveillance de Borneheld, il n'avait pas pu s'entretenir avec la dame, ni avec la Sentinelle qui jouait le rôle de sa servante. Mais cela viendrait un jour… Cela dit, pourquoi le duc humiliait-il ainsi une des filles de la Prophétie ? Ho'Demi ne connaissait pas la réponse, et ce comportement l'indignait.

Consciente qu'elle risquait d'attirer l'ire du duc sur le chasseur, s'il la surprenait à le regarder, Faraday tourna la tête vers Timozel.

Son champion l'observait, et il n'y avait pas une ombre de sympathie dans son regard. Au fil des mois, le jeune homme était devenu le séide le plus zélé de Borneheld. Toujours lié à Faraday, et censé défendre ses intérêts, il avait décidé que servir le duc était la meilleure manière de militer pour le bien de son épouse.

Pour une raison qui dépassait la jeune femme, Timozel aimait et respectait Borneheld. Pour lui, il était allé jusqu'à renier Axis !

Faraday détourna la tête. Si elle avait su que le fils d'Embeth deviendrait un sinistre soudard, elle aurait refusé qu'il soit son champion. Car aujourd'hui, il ne voyait plus en elle que la « reproductrice » du duc…

Dans son coin, Yr vit Faraday redresser les épaules quand Ho'Demi lui sourit – puis les baisser de nouveau lorsqu'elle croisa le regard accusateur de Timozel.

Pour la énième fois, la fausse servante se demanda si les trois autres Sentinelles avaient eu raison de convaincre Faraday qu'elle devait oublier Axis et épouser Borneheld.

Nous voulions préserver l'Homme Étoile, et pour ça, nous avons forcé une jeune fille pleine d'amour à partager la couche d'un butor. Au nom de quoi avons-nous jugé que c'était indispensable pour servir la Prophétie?

Si Faraday finissait par trouver le bonheur avec Axis, leur faute serait un peu moins lourde. Car le Tranchant d'Acier aimait la jeune femme, tout le monde avait pu le voir au fort de Gorken. Pour l'arracher aux griffes du duc, l'Homme Étoile serait capable de se frayer un chemin en Achar à la pointe de l'épée.

Au moins, Yr l'espérait, refusant d'envisager que le calvaire de Faraday reposât sur un malentendu.

Comme sa protégée, quelques instants plus tôt, Yr regarda Timozel. Il avait été son amant, un court moment, mais sa récente métamorphose l'avait incitée à mettre un terme à leur relation. Bref, pour sortir vivantes du piège, Faraday et elle devraient se tenir les coudes… et prier pour qu'Axis ne tarde pas trop.

—Mon brave, dit le frère Gilbert, je représente le frère-maître de l'ordre du Sénéchal! À ce titre, j'exige qu'on me laisse entrer sur-le-champ chez le duc!

Le garde ricana puis étudia des pieds à la tête le religieux maigrichon. À la place du frère-maître, conclut-il, il se serait choisi un émissaire plus reluisant.

—J'ai des documents qui prouvent mon identité! s'écria Gilbert, à bout de patience.

Pour avoir donné le jour à un crétin de cette envergure, les parents du soldat avaient dû être rongés par la petite vérole ! Après un long et épuisant voyage, Gilbert rêvait de s'asseoir devant un bon feu, de préférence en compagnie de Borneheld. Il allait exploser quand il aperçut une silhouette dans le couloir, derrière l'imbécile congénital.

Entendant des bruits de pas, le soldat se retourna et se mit promptement au garde-à-vous. Gilbert n'en crut pas ses yeux, car l'homme qui approchait était un sauvage de Ravensbund au visage encore plus tatoué que celui de ses semblables.

— Chef Ho'Demi, dit le garde, cet avorton prétend être en mission pour le frère-maître.

— J'ai des documents qui le prouvent, grogna Gilbert.

Lui, un avorton ? Il s'était toujours jugé raisonnablement séduisant…

Le sauvage claqua des doigts.

— Fais-les voir !

Gilbert sortit une liasse de feuilles de sous son manteau et la tendit au barbare – comme si des gens pareils avaient su lire !

— Vous avez des nouvelles de Priam intéressantes pour Borneheld, frère Gilbert ? demanda le « chef Ho'Demi » quand il eut parcouru les documents.

Gilbert eut toutes les peines du monde à ne pas en rester bouche bée. Mais le sauvage avait seulement dû reconnaître le nom du roi, puis deviner le reste…

— C'est ça, oui… Des nouvelles très importantes ! (Au cas où son interlocuteur ne comprendrait pas, il répéta :) Très importantes !

Se fichant du regard désapprobateur du religieux, Ho'Demi plia les feuilles et les glissa sous sa tunique.

— Je m'occupe de la suite…, Eavan, tu as fait ce qu'il fallait.

Gilbert se fendit d'un rictus en passant près du garde. Quel triple crétin !

En trottinant derrière le chasseur, il faillit trébucher sur un balai qu'un imbécile heureux avait laissé près d'une porte. Ensuite, il manqua s'étaler dans un escalier encore moins bien éclairé que le couloir.

—Nous n'avons pas assez de combustible pour les lampes, expliqua Ho'Demi en entendant le religieux se prendre les pieds dans sa soutane.

En haut des marches, deux colosses montaient la garde devant une porte. Pendant qu'ils le saluaient, Ho'Demi poussa le battant, entra et fit signe à Gilbert de le suivre.

Le religieux battit des paupières à cause de la vive lumière qui lui blessa les yeux. Puis il s'écarta pour laisser passer les deux femmes qui sortaient en trombe.

—Attends-moi dans notre chambre, Faraday! cria le duc d'Ichtar. C'est peut-être cette nuit que je te ferai un enfant!

Alors que retentissaient des rires gras, la duchesse d'Ichtar frôla Gilbert dans sa hâte de s'éclipser. En six mois, la jeune femme avait terriblement changé, constata le religieux. Naguère pleine de vie, elle semblait maintenant accablée par toute la misère du monde.

—Qui veut me voir? demanda le duc.

Ho'Demi lui tendit les documents.

—Ah, fit Borneheld quand il les eut parcourus, on dirait que le frère Gilbert a des nouvelles passionnantes. Approche, je t'en prie!

Gilbert s'empressa d'obéir. Au moins, ici, on lui parlait poliment.

Borneheld était debout devant la cheminée. Bien qu'il fût un peu plus maigre que lors de leur dernière rencontre, ses cheveux auburn coupés si court qu'on aurait pu croire qu'il venait d'être scalpé, le duc restait un homme imposant.

Il mérite notre soutien et notre protection, pensa Gilbert en se fendant d'une révérence pataude.

—Seigneur duc, dit-il respectueusement.

Ajouter «d'Ichtar» eût été d'une extrême maladresse, dans la situation actuelle. Et Jayme avait insisté: il ne devait pas offenser Borneheld.

—Que se passe-t-il pour que le frère-maître m'envoie un de ses assistants ?

—Mon seigneur, Jayme m'a recommandé de vous parler en privé…

Le duc fronça les sourcils. Cet homme était-il porteur de nouvelles renversantes, ou voulait-il l'assassiner ? Ces derniers temps, plus personne n'était fiable…

—Roland, Ho'Demi, vous pouvez vous retirer, ordonna quand même le duc après une courte réflexion. Avec Jorge, venez me voir demain dès l'aube. Nous devons finaliser le plan, au sujet des canaux à inonder…

Les deux hommes s'inclinèrent et sortirent. Au passage, Gilbert nota que Roland le Marcheur avait perdu pas mal de poids.

—Mon seigneur ? souffla-t-il en désignant Gautier et Timozel.

—Ces deux-là resteront. Je leur confierais ma vie sans hésiter, et ils t'étriperont promptement si tu fais mine de me menacer.

—Je suis ici pour vous servir, seigneur, pas pour vous assassiner.

—Dans ce cas, assieds-toi à table et sers-toi du vin. Tu as l'air assoiffé.

Le duc prit place en face de son visiteur. Gautier et Timozel restèrent debout, prêts à bondir sur le frère au premier geste suspect. Les deux hommes avaient de quoi glacer les sangs… Comment Timozel, hier encore un charmant garçon, était-il devenu si vite une brute pareille ? Et pourquoi avait-il abandonné Axis pour servir Borneheld ?

—Mon seigneur, le frère-maître a lu vos rapports, et les nouvelles venues du nord l'inquiètent beaucoup.

—J'ai fait de mon mieux, mais…

—Vous avez été trahi, seigneur, nous le savons ! En pactisant avec les Proscrits, Axis et Magariz vous ont poignardé dans le dos. Et ils ont violé leur serment de fidélité à l'ordre du Sénéchal !

—Le ver était dans le fruit, rugit le duc, et je ne peux me fier à personne, à part Gautier et Timozel!

Les deux lieutenants inclinèrent légèrement la tête.

—Vous avez raison de redouter la félonie, seigneur, dit Gilbert. (Pour une fois, tout se passait mieux que prévu, et il n'allait pas s'en plaindre.) Car je vous apporte des nouvelles affligeantes…

—Au nom d'Artor, s'écria le duc en se levant si vite qu'il renversa sa chaise, qui d'autre m'a trahi?

—Je suis navré de vous infliger cela, seigneur, mais…

—Parle, imbécile! beugla Borneheld.

Se penchant au-dessus de la table, il prit Gilbert par le col de sa soutane.

—Priam, mon seigneur… Oui, Priam!

Borneheld lâcha le frère, désormais vert de peur.

—Priam? Un traître?

—Il est seul et terrorisé, seigneur. Loin d'avoir votre courage et votre détermination, il s'est laissé pervertir par la Prophétie du Destructeur.

Borneheld lâcha un horrible juron.

—Il se demande si Axis est toujours vivant, messire duc. Et dans ce cas, il envisage de s'allier aux Proscrits.

—Quoi? Comment peut-il penser à ça? Artor lui-même doit hurler de fureur à cette seule idée!

—Seigneur, Jayme a réagi exactement comme vous.

—Combien d'Acharites savent que Priam est devenu fou?

—Jayme, Moryson, nous quatre, et mes espions en place au palais de Carlon.

—Il ne faut pas que ça s'ébruite!

—Le frère-maître pense comme vous, seigneur. Il est mort d'inquiétude! Si Priam s'alliait avec Axis et sa vermine, les Proscrits pourraient conquérir Achar, et tout serait perdu. Messire duc, Jayme m'a chargé de vous assurer de son soutien – non, de celui de l'ordre du Sénéchal tout entier! Quoi que vous décidiez, nous serons derrière vous.

Afin que nul ne puisse voir son visage, Borneheld se tourna vers la cheminée.

— Et que pèse ce soutien ? demanda-t-il. Où sont vos fameux Haches de Guerre ? Avec Axis, voilà où ils sont !

— Seigneur, nous contrôlons les cœurs et les âmes des Acharites. S'ils refusent de nous écouter, nous les menacerons des foudres d'un enfer où des vers leur dévoreront les entrailles jusqu'à la fin des temps. Croyez-moi, ils nous écouteront, car ils tiennent à connaître les délices de l'Après-Vie, sous l'aile bienveillante d'Artor. Si nous le leur ordonnons, ils se rallieront à votre étendard !

Gilbert marqua une pause pour souligner l'importance de ce qu'il allait dire.

— Si vous combattez Axis et les Proscrits, Jayme et le Sénéchal approuveront toutes vos actions. Et j'ai bien dit *toutes* !

— Et que me conseille le frère-maître, Gilbert ?

— De retourner à Carlon au plus vite, si votre présence ici n'est pas indispensable. Une fois près de Priam, vous pourrez le raisonner, ou…

— Ou quoi, Gilbert ?

— Opter pour un plan plus énergique !

— Et qu'entends-tu par là ?

— Vous n'êtes qu'à un pas du trône, seigneur. Priam n'a pas d'enfant, et il vous a désigné pour lui succéder. Accélérer les choses serait judicieux. Nous avons besoin… Achar a besoin d'un roi déterminé à écraser les Proscrits.

Dans un silence de mort, Borneheld dévisagea un long moment son visiteur. Puis il hocha sombrement la tête.

À l'aube, comme prévu, le duc conféra avec ses officiers supérieurs : le duc Roland d'Aldeni, le comte Jorge d'Avonsdale… et le sauvage Ho'Demi. Parce qu'il commandait onze mille hommes, le chasseur avait le droit d'assister aux réunions, où étaient également présents Gautier et Timozel.

L'ordre du jour concernait essentiellement les canaux qu'étaient en train de creuser les hommes du duc.

Conscient qu'affronter les Skraelings selon leurs conditions équivalait à un suicide, le Seigneur de Guerre d'Achar entendait leur imposer les siennes.

Les canaux s'étendaient entre les fleuves Azle et Nordra, qui les alimenteraient une fois le dispositif en place. Terrorisés par l'eau, les monstres de Gorgrael faisaient n'importe quoi pour l'éviter. S'ils attaquaient en masse, les canaux les forceraient à se séparer, puis à se piéger eux-mêmes dans des zones où les hommes du duc auraient beau jeu de les massacrer.

Un plan audacieux, mais qui offrait d'excellentes chances de succès. Sachant leurs ennemis éparpillés en Ichtar, Borneheld ne redoutait pas un assaut avant des mois. Un répit qui laissait amplement le temps aux soldats, épaulés par tous les civils disponibles, de terminer les canaux. Larges de soixante pieds et profonds de trente, ils constitueraient une barrière aquatique de près de quinze lieues…

— C'est très encourageant, messires, dit Borneheld. Jorge, vous avez la responsabilité de la série de canaux située à l'ouest. Quand seront-ils inondables ?

— Dans deux jours, Seigneur de Guerre.

— Excellent ! (Le duc flanqua une bourrade amicale dans le dos du vieux comte.) Roland, les vôtres sont déjà inondés, je crois ?

Le gros duc acquiesça, étonné que Borneheld soit d'une humeur si rayonnante.

— Ho'Demi, que disent tes éclaireurs ?

— Au nord, tout est tranquille sur deux bonnes lieues. Au-delà, des Skraelings rôdent par petits groupes. Mais ils semblent désorganisés, et ils ne devraient pas attaquer avant longtemps.

— En tout cas, pas pendant la bonne saison ! approuva Borneheld. Messires, le printemps arrivera dans une semaine. Voilà des mois que je n'avais pas eu un tel moral ! Grâce aux canaux, nous contiendrons les monstres. Et très bientôt, je pourrai envisager de me lancer à la reconquête d'Ichtar.

Ignorant la stupéfaction de Roland, de Jorge et de Ho'Demi, le duc sourit comme si la victoire était déjà acquise.

— Messires, reprit-il en se frottant les mains, c'est le moment idéal de descendre le fleuve Nordra pour aller m'entretenir avec Priam. De plus, Faraday ne semble pas aller très bien. Elle n'est plus elle-même, ces derniers temps. Consulter un médecin, à Carlon, lui fera sans doute du bien. Bref, nous partirons dès cet après-midi.

— Borneheld, s'écria Roland, tu ne peux pas quitter le Ponton-de-Jervois !

— Ici, tu seras plus utile qu'à Carlon ! renchérit Jorge.

— Mes chers frères d'armes, avec des officiers si compétents pour me remplacer, je peux bien m'offrir quelques semaines de liberté ! Timozel, tu m'accompagneras. Choisis une escorte et occupe-toi de nous trouver un bateau. Je veux être parti en fin d'après-midi au plus tard. Gautier, en mon absence, tu assumeras le commandement. Roland, Jorge et Ho'Demi te soutiendront comme ils m'ont soutenu jusque-là.

Borneheld regarda les trois hommes, qui luttaient pour dissimuler leur trouble. Gautier, commandant ?

— Nous obéirons, Seigneur de Guerre, finit par souffler Jorge.

— Je l'espère bien ! Désormais, je ne tolérerai plus de trahison ! Timozel, tu as du pain sur la planche ! Si j'étais toi, je m'y mettrais tout de suite.

Très pâle, le jeune homme ne fit pas mine de se lever.

— Mon seigneur, dit-il, ne suis-je pas le plus qualifié pour commander les forces cantonnées au Ponton-de-Jervois ?

— Quoi ? Tu oserais me contredire, sale gamin ?

Timozel eut du mal à déglutir, mais il ne céda pas, une lueur inquiétante dans le regard.

— Seigneur, vous savez que j'ai vu…

— Je me fiche de ce que tu vois ou pas ! À Carlon, j'aurai

besoin de toi, et ta place est à mes côtés! Et… hum… à ceux de Faraday, bien entendu… S'il te prend des envies d'insubordination, tu te retrouveras vite à commander une paillasse, au fond d'une cellule humide! C'est compris?

—Oui, seigneur…, marmonna Timozel.

Quand le duc me transmettra-t-il le commandement? se demanda-t-il, pris d'un vague doute qui se dissipa aussitôt.

Cela viendrait en temps voulu. Oui, tout irait pour le mieux…

14

Une succession de cols

—Je sais que voir tes parents se séparer après tant d'années te brise le cœur, dit Étoile du Matin à Axis. Mais c'était prévisible depuis le début.

—Que veux-tu dire?

—Les Soleil Levant sont une famille très particulière. Si nous ne nous marions pas entre nous, cela finit toujours très mal.

Axis fronça les sourcils. Dans quelques heures, Rivkah, Azhure, Raum, les deux Sentinelles et lui se mettraient en chemin pour rejoindre les Bosquets des Avars, où ils célébreraient Beltide…

—Et ces mariages consanguins ne vous posent pas de problèmes?

—Pour être heureux, les Soleil Levant doivent choisir un parent… N'aie pas l'air aussi horrifié, mon enfant! As-tu l'impression d'avoir affaire à des dégénérés? Il n'y a pas de fous parmi nous… Enfin, à quelques exceptions près… En général, nous épousons nos cousins germains. Nuage Bondissant et moi étions dans ce cas. Et si Libre Chute avait vécu, Gorge-Chant se serait unie à lui. Ces traditions ont renforcé notre sang au fil des siècles…

—Et qu'advient-il de ceux qui convolent hors de la famille?

—Au mieux, ils ne sont pas trop malheureux… Le plus souvent, ils vivent un enfer! Plume Brillante n'est pas des nôtres. Crête Corbeau et elle se respectent, mais il n'y a jamais eu de passion entre eux. En revanche, Nuage Bondissant et moi avons connu un bonheur exaltant. Comme Libre Chute et Gorge-Chant, nous sommes devenus amants à l'âge de treize ans.

— Si jeunes ? s'écria Axis, choqué.

Sa sœur et Libre Chute ?

— Et pourquoi pas ? À cet âge-là, on n'est plus un enfant, qu'on soit icarii, avar ou humain… C'est le moment où on se détourne de certains jeux pour passer à des… loisirs… plus adultes. Quand as-tu partagé pour la première fois le lit d'une femme ?

Voyant Axis rougir, sa grand-mère sourit, puis le regarda en inclinant sa tête à la merveilleuse chevelure argentée.

— Nous sommes tous deux des Soleil Levant, et notre sang chante en nous, mon petit. Ne prétends pas que tu es sourd à son appel. Pour Beltide, t'es-tu déjà choisi une compagne ? ou laisserons-nous nos sangs chanter ensemble, cette nuit-là ?

D'instinct, Axis recula d'un pas.

— Oui, oui, je vois… Je suis ta grand-mère, et ça te perturbe. De telles unions ont déjà existé, et cela se reproduira. (Étoile du Matin sourit.) Mais ce n'est pas pour ce printemps, j'en ai peur… Ton éducation acharite t'en empêchera. Quel dommage !

Étoile du Matin se laissa tomber sur une chaise.

— Mais je voulais t'expliquer pourquoi le mariage de tes parents a mal fini… Rivkah n'est pas une Soleil Levant. Ils se sont aimés, y compris charnellement, mais le sang de Vagabond des Étoiles le pousse sans cesse à chercher la compagnie d'une femme qui lui ressemble. Hélas, il ne reste plus de dame Soleil Levant disponible pour lui. Car nous ne nous unissons jamais, même pour une simple liaison, avec nos géniteurs ou notre fratrie. Ce serait… eh bien… inconvenant. Pour son père et son frère, Gorge-Chant est taboue. Père et fille, mère et fils, frère et sœur… Voilà les seules interdictions ! Toutes les autres possibilités sont envisageables !

— Quand elle sera libre, j'épouserai Faraday ! affirma Axis.

— Une Soleil Levant ?

— Tu sais bien que non !

— Alors, tu seras malheureux… Comme celui de Vagabond des Étoiles et de Gorge-Chant, ton sang aspirera à entendre chanter celui d'un membre de la famille. Avec un peu de chance, tes enfants épouseront ceux de ta sœur. Et eux, au moins, connaîtront le bonheur.

Furieux, Axis se détourna et sortit.

La traversée des Éperons de Glace se révéla une expérience exaltante. Jusque-là, Rivkah l'avait toujours effectuée seule. En si bonne compagnie, elle appréciait davantage encore la splendeur des paysages. Depuis le soir de l'Assemblée, la mère d'Axis se montrait de plus en plus enjouée. Sans doute parce qu'être libérée d'un mariage à la dérive l'avait déchargée du fardeau qui l'oppressait.

Les sentiers qui descendaient des montagnes traversaient des canyons et des vallées, serpentaient autour des glaciers ou les longeaient parfois par-derrière. Si ces pistes étaient souvent en pente douce, et très abruptes en de plus rares occasions, le spectacle de la nature restait à tout moment splendide. Décrivant des lacets entre de hautes falaises de roche noire couverte de glace, tous ces chemins conduisaient à des cours d'eau bordés de broussailles, des milliers de pieds plus bas.

Au crépuscule, quand le brouillard s'épaississait, Rivkah indiquait à ses compagnons une des multiples petites grottes qu'elle avait découvertes au fil des ans. Ils s'y installaient pour la nuit, d'humeur à se plaindre et à plaisanter en même temps, et se réchauffaient autour d'un bon feu de camp.

Jusque-là, Rivkah avait toujours dû emporter assez de nourriture, de couvertures et de bois pour survivre aux deux semaines nécessaires pour atteindre les Bosquets. Si haut dans les Éperons de Glace, il n'y avait pas de végétation, et encore moins de gibier à chasser.

Ces voyages-là avaient été aussi dangereux que fascinants. Traverser les cols de montagne avec un Envoûteur, au contraire, tenait de la randonnée. Doté d'extraordinaires pouvoirs, Axis faisait en sorte que les chemins restent secs – à des endroits où sa mère avait souvent failli se rompre les os ! –, il modifiait le sens du vent quand les bourrasques menaçaient de pousser les voyageurs dans un gouffre et entretenait en permanence une poche d'air tiède autour de la petite colonne. Le soir, il faisait jaillir des flammes du néant et fournissait à ses amis des matelas d'air aussi confortables et chauds que s'ils avaient été en plumes.

Sans même parler de ces merveilles, Rivkah se réjouissait de passer un moment en compagnie de son fils. Pendant sa formation avec Vagabond des Étoiles, elle avait à peine eu le temps de le voir. Puis prendre en main la Force de Frappe l'avait occupé du matin au soir… En marchant, il parlait des goûts et des dégoûts de l'ancien Tranchant d'Acier, de sa jeunesse sous la protection du Sénéchal, de sa vie de soldat, des bons et des mauvais moments que traversait un chef…

Les soirées couronnaient le tout, car elles étaient de fantastiques moments de convivialité.

Une fois le feu allumé, Axis chantait aux parois de la grotte une douce litanie qui les incitait à émettre une pâle lumière jaune dont l'intensité augmentait à mesure que la nuit tombait.

Les repas aussi étaient magiques, mais Axis n'avait rien à voir dans cette affaire-là. Tous les soirs, pendant qu'il invoquait des flammes, Ogden et Veremund ouvraient leurs sacs – pourtant curieusement légers et plats –, fouillaient dedans en marmonnant et en râlant, puis en sortaient des délices soigneusement empaquetés. Du jambon au miel, du poulet rôti, des tranches de bœuf aux épices, des morceaux de choix en marinade qu'il suffisait de réchauffer sur le feu, du pain délicieux, des légumes, du fromage, des salades de fruits… Sans oublier des gourdes d'un vin aux épices délicieux.

Chaque soir, les deux Sentinelles offraient à leurs amis un véritable festin.

—C'est Ogden qui s'occupe de faire nos bagages, avait annoncé Veremund le premier soir. Ne me demandez pas comment il s'y prend pour emporter tout ça !

— Quoi ? s'était écrié Ogden. Je n'y suis pour rien ! C'est toi qui t'en es chargé ! Au fait, où as-tu fourré les serviettes de table ?

Amusé, Axis avait ordonné aux deux vieillards de cesser leur numéro.

— Savourez le repas, avait-il conseillé à ses compagnons, et arrêtez de vous demander d'où il vient. Nos chères Sentinelles se disputent simplement pour éviter de répondre à des questions gênantes…

Après le dîner, l'Envoûteur chantait en s'accompagnant sur sa harpe. En début de soirée, il interprétait des mélodies icarii. Plus tard, alors que son humeur changeait avec l'obscurité, il entonnait des chansons et des ballades acharites. Ravies, Rivkah et Azhure battaient la mesure…

Le talent d'Axis dépassait celui de tous les bardes que l'ancienne princesse avait entendus à la cour.

Il demandait souvent à ses compagnons de chanter avec lui, ou de lui faire découvrir leur propre répertoire. Rivkah et Raum s'en sortaient bien, et les deux Sentinelles y mettaient assez d'enthousiasme pour masquer leurs lacunes. En revanche, Azhure était accablée d'une voix épouvantable. Après un essai catastrophique, elle avait éclaté de rire et juré qu'elle ne casserait plus jamais les oreilles à ses amis.

Le chant n'occupait pas l'intégralité de leurs soirées. Tandis qu'Axis caressait distraitement sa harpe, les six voyageurs parlaient pendant des heures. Évoquant volontiers les mythes et les légendes icarii et avars, ils mentionnaient parfois les Dieux des Étoiles, si intimement liés aux mystères de l'univers. De temps en temps, Rivkah racontait une anecdote de sa vie passée, à la cour de Carlon, où foisonnaient les intrigues en tout genre.

En dignes vieillards facétieux, Ogden et Veremund aimaient raconter des histoires remontant aux origines des Icarii. Surtout celles où les hommes volants, encore débutants, tombaient souvent du ciel parce qu'ils s'étaient emmêlés les ailes.

Un soir, très tard, alors qu'ils en étaient au début de leur voyage, Axis s'allongea à côté du feu, les mains croisées sous la nuque, et admira ouvertement Azhure, occupée à peigner ses magnifiques cheveux noirs.

Un peu gênée, la jeune femme lui sourit, puis se tourna vers Raum, histoire de dissimuler son embarras.

—Eubage, puis-je t'interroger sur les Enfants Sacrés de la Corne ? Pour commencer, appartiennent-ils à ton peuple ?

L'Avar ne sembla pas gêné par cette question.

—Oui. Ce sont tous des Eubages, comme moi. Mais seuls les mâles les plus puissants peuvent se métamorphoser ainsi. Car leur mission est de veiller sur le Bosquet Sacré.

—Comment se passe cette transformation ? demanda Axis.

Dans un cauchemar, près du bois de la Muette, il avait vu ces créatures cornues. Comment un homme doux et paisible tel que Raum pouvait-il devenir un être si terrifiant ?

—Il y a des secrets que je ne révélerai à personne, Axis Soleil Levant – même à toi ! Nous changeons, voilà tout. Sans le décider, car c'est la métamorphose qui nous contrôle, et pas le contraire. Lorsqu'elle commence, nous partons seuls dans la forêt d'Avarinheim, parce que nous ne tenons plus à voir nos parents et nos amis.

—Aucune Avar ne s'est jamais transformée ? demanda Azhure.

—Aucune, confirma Raum. Nous ne savons pas pourquoi, mais il n'y a pas de femme parmi les gardiens du Bosquet Sacré. Je crois que les Eubages féminins se métamorphosent aussi, mais en secret, et j'ignore ce qu'elles deviennent – et encore plus où elles vont ensuite. Nous avons tous nos mystères, Azhure, et il est sage de les respecter…

En écoutant Raum, Axis s'était replongé dans son cauchemar, dont les images remontaient à sa mémoire.

—Les Enfants Sacrés se cachent parmi les arbres du Bosquet. Ils baignent dans le pouvoir qui y réside…

—Comment sais-tu ça ? s'étonna l'Eubage.

—En rêve, je suis allé dans le Bosquet Sacré…

Ogden et Veremund hochèrent doctement la tête. Ils l'avaient senti quand ils s'étaient unis pour tester Axis, dans la citadelle du bois de la Muette. Et les Enfants Sacrés n'avaient pas dû apprécier l'intrusion dans leur sanctuaire d'un Tranchant d'Acier du Sénéchal!

— Vraiment? dit l'Eubage. Comment as-tu fait?

— Tout est parti d'un cauchemar, dit Axis en se rasseyant. Une nuit, à la lisière du bois de la Muette, le mauvais rêve qui me hante depuis toujours est venu me troubler, mais il n'a pas continué comme d'habitude, et je me suis retrouvé dans le Bosquet, épié par une multitude de paires d'yeux. Puis un homme s'est approché de moi, terrifiant malgré sa beauté, car sa tête de cerf arborait d'énormes andouillers. Quand il m'a demandé mon nom, j'ai dit que j'étais Axis Rivkahson, le Tranchant d'Acier des Haches de Guerre. Tous les yeux ont brillé de haine, l'Enfant Sacré a fondu sur moi, fou de rage… et je me suis réveillé.

— Tu viens de dire qu'un cauchemar te hante depuis toujours, intervint Rivkah avant que Raum ait le temps de bombarder son fils de questions. Comment était-il?

Le cœur serré, elle imaginait l'enfant qu'avait été Axis, séparé de ses parents et torturé par d'atroces songes.

De sa vie, l'Homme Étoile n'avait jamais décrit son cauchemar à quiconque – même à Embeth, la dame de Tare, dont il était «l'amant occasionnel» depuis des années. À sa grande surprise, il s'entendit pourtant le raconter en détail.

— Alors que j'étais nu et ligoté, une ignoble entité dont je sentais la présence et la puanteur venait me tourmenter. Ce monstre prétendait être mon père… Pendant trente ans, je me suis réveillé en hurlant de terreur. Mais c'est terminé depuis le jour où une horrible tête m'est apparue dans les nuages, près du champ aux tumulus… À cet instant, sans savoir pourquoi, j'ai compris que mon père m'avait aimé, et qu'il ne m'aurait jamais fait souffrir ainsi.

— C'était Gorgrael qui te harcelait, dit Veremund. Il essayait de te briser le cœur et de te pousser à la folie en mentant au sujet de ton père.

— Il disait que ma mère était morte en me mettant au

monde, et qu'elle m'avait maudit en exhalant son dernier souffle. Je le croyais, parce que personne ne m'avait raconté la vérité.

Bouleversée, Rivkah prit la main de son fils. Quelle terrible enfance il avait dû avoir, convaincu que sa mère était morte et que son père l'avait abandonné !

Un long moment, ils restèrent ainsi, chacun consolant l'autre de son mieux. Puis l'Homme Étoile lâcha la main de Rivkah et se tourna vers Azhure.

— Mon amie, dit-il gentiment, se débarrasser de ses hantises met du baume au cœur. Nous diras-tu pourquoi ton dos est zébré de cicatrices ?

La réaction d'Azhure fut l'unique événement sinistre du voyage. Se raidissant soudain, elle riva sur Axis des yeux terrifiés de petite fille effrayée.

— Non…, gémit-elle d'une voix de gamine angoissée. Non ! (Cette fois, elle avait hurlé.) N'approche pas ! Laisse-moi !

Rivkah se précipita vers son amie et la prit dans ses bras.

— Non ! cria Azhure en se débattant. Lâche-moi ! Par pitié, lâche-moi ! Je ne recommencerai pas ! C'est promis !

Axis se pencha avec l'intention d'ajouter sa tendresse à celle de Rivkah. Pour éviter qu'il la touche, Azhure se contorsionna comme une possédée.

Veremund accourut et lui posa une main sur l'épaule. Elle cessa aussitôt de se débattre, mais ne se détendit pas pour autant.

Le grand frère maigrichon échangea un regard inquiet avec son vieux compagnon, puis il se tourna vers Axis.

— Retire cette question, dit-il. Elle ne veut pas en parler. Ce souvenir est trop pénible pour elle…

— Azhure, je suis navré de t'avoir fait du mal… (Du bout des doigts, Axis caressa la joue de son amie.) Pardonne-moi, et oublie que je t'ai demandé ça…

Une douce mélodie tourbillonna dans l'air. Axis se rassit, et Rivkah lâcha sa protégée.

— Que se passe-t-il ? demanda Azhure, étonnée que tout

le monde la dévisage. J'ai dit quelque chose qu'il ne fallait pas ?

Veremund croisa le regard d'Axis et hocha la tête, très satisfait. L'Homme Étoile avait bien retenu les leçons de son père et de sa grand-mère. Et il venait d'en assimiler deux de plus. *Primo*, il ne fallait pas parler de son dos à la jeune femme. *Secundo*, il convenait de découvrir ce qui s'était passé, parce que c'était la clé qui ouvrait « l'armoire secrète » d'Azhure. Mais agir sans prendre de précautions risquait d'entraîner la mort de la jeune femme – ou de l'inconscient qui se serait aventuré à la presser de questions.

À part Azhure, personne n'avait beaucoup dormi cette nuit-là. Les yeux grands ouverts, Axis l'avait longtemps regardée respirer régulièrement, comme une enfant qui se sent enfin en sécurité.

Mais quel drame avait-elle vécu jadis ?

Quatre jours après leur départ de Serre-Pique, Axis s'immobilisa brusquement sur le sentier, tous les sens aux aguets. Puis il sourit, eut même un petit rire, et appela Raum.

— Mon ami, je l'entends ! Je l'entends ! Et il chante si bien !

L'Eubage se tourna vers l'Homme Étoile et lui sourit. Même s'il n'entendait pas encore, il savait de quoi il s'agissait. La Chanson de l'Arbre Terre ! Lors de la Réunion du solstice d'hiver, cette mélodie avait détruit les Skraelings. À présent, elle interdisait à Gorgrael d'approcher du nord d'Avarinheim. Sans Vagabond des Étoiles et Faraday, l'Arbre Terre ne se serait pas réveillé, et la forêt aurait sans doute grouillé de Spectres.

Deux jours plus tard, l'Eubage capta les premières notes lointaines de la chanson. Quarante-huit heures après, ce fut au tour de Rivkah et d'Azhure.

Ogden et Veremund, bien entendu, avaient eu l'oreille caressée par la musique en même temps qu'Axis.

Un soir, alors qu'il n'était plus qu'à un jour de marche du pied des montagnes – et après s'être régalé de perdreau farci – le petit groupe se mit à son aise autour du feu.

À regret, Axis cessa d'admirer les lueurs qui brillaient dans les cheveux noirs d'Azhure, et il tourna la tête vers Raum.

—Dis-moi comment tu as lié Faraday à la Mère, souffla-t-il. J'ignore tant de choses qui m'aideraient à comprendre ma bien-aimée…

L'union entre Faraday et la Mère – en d'autres termes, avec le pouvoir de la terre – était pour Axis un mystère d'une totale opacité. Et au fort de Gorken, il n'avait pas pu converser vraiment avec la jeune femme.

Ce soir, il avait besoin d'entendre parler d'elle. Pendant longtemps, son image avait été gravée dans sa tête. À présent, il devait lutter pour se souvenir de la couleur de ses cheveux et du son de sa voix…

Après une brève hésitation, Raum commença par expliquer ce que représentaient les Bosquets pour les Avars. Ensuite, il révéla que les enfants avars susceptibles de devenir des Eubages devaient être présentés très jeunes à la Mère. Pour cela, il fallait les conduire au lac des Ronces, au sud d'Avarinheim, dans la chaîne des Fougères. En chemin, il était obligatoire de traverser les plaines de Skarabost, très dangereuses pour les « Proscrits ».

—Et ma mère vous aidait ? lança Axis, qui connaissait déjà cette partie de l'histoire.

—Oui. Depuis des années, elle passe l'été avec nous et accompagne souvent un ou deux petits jusqu'à la chaîne des Fougères.

—En Achar, nul ne savait que la princesse Rivkah était encore de ce monde. N'as-tu jamais eu envie de retourner chez toi, mère ?

—Personne ne m'y attendait, et je te croyais mort. Si j'avais su la vérité, je serai allée à pied jusqu'à la tour du Sénéchal pour rencontrer le Tranchant d'Acier.

Après un long silence, Azhure demanda à Raum de

continuer l'histoire de la « conversion » de Faraday. Depuis qu'elle avait vu la jeune femme réveiller l'arbre, la nuit de l'attaque, elle la jugeait fascinante.

Raum raconta qu'il avait fait subir une épreuve initiatique à Faraday sur l'insistance d'Yr et de Jack. À sa grande surprise, il avait découvert qu'elle parlait aux arbres aussi aisément qu'une Avar. Plus tard, elle s'était liée instantanément à la Mère, qui avait réveillé le lac puis invité Faraday – avec Shra et lui – à entrer dans le Bosquet Sacré.

— Vous avez vraiment traversé une lumière émeraude pour entrer dans le Bosquet? demanda Azhure quand il eut terminé.

Une incroyable magie…

— Oui… Les Enfants Sacrés ont accueilli Faraday, puis leur patriarche lui a offert une coupe en bois magique. Un fantastique cadeau! Avec cette relique, Faraday peut entrer en contact avec la Mère et aller dans le Bosquet Sacré chaque fois qu'elle en éprouve le besoin.

— Elle a été bénie…, souffla Azhure.

Raum lui posa une main sur l'épaule. Au fil du temps, il s'était attaché à l'humaine, et il regrettait que les Avars l'aient rejetée. Bien entendu, Azhure lui avait sauvé la vie, mais ses sentiments pour elle allaient bien au-delà de la simple gratitude.

— Tu as raison, elle a été bénie…

Axis fixa la main de l'Eubage, puis il leva les yeux pour croiser son regard.

— Raum, être l'Amie de l'Arbre est-il le seul rôle de Faraday dans la Prophétie?

— Elle a plus d'une mission à remplir, mon garçon, répondit Veremund à la place de l'Avar. Comme toi! Concentre-toi sur le chemin que tu dois suivre, et laisse les autres trouver le leur.

— Raum, a-t-elle utilisé la coupe magique? Est-elle revenue dans le Bosquet Sacré?

— Oui, plusieurs fois. Quand elle recourt à la coupe, je le sens…

Les deux Sentinelles dévisagèrent l'Eubage.

Tu le sens, dis-tu? pensa Ogden. *Tu t'aperçois aussi que cela te modifie, pas vrai? Dans combien de temps partiras-tu seul sur les sentiers d'Avarinheim, poussé par ton corps douloureux et ton esprit proche de la folie? Heureusement, la torture cessera dès que tu seras transformé. As-tu déjà conscience de ce qui t'arrive, Eubage?*

Azhure se laissa aller en arrière avec un soupir. Comme elle enviait Faraday! Aimée d'Axis, elle avait en plus à jouer dans la Prophétie un rôle qui l'assurait de marcher un jour aux côtés de l'Homme Étoile.

Azhure aimait Axis sans se faire d'illusions. Il ne lui rendrait jamais ses sentiments! Faraday et lui étaient des héros destinés à entrer ensemble dans la légende et l'immortalité. Elle n'était qu'une humaine au corps et à l'âme stigmatisés. Oui, une vagabonde condamnée à n'avoir jamais de foyer ni d'amoureux!

Le lendemain, les voyageurs sortirent de la montagne et entrèrent dans les Bosquets.

Les cochons quittèrent Sigholt cinq jours avant Beltide.

Mélancolique, Jack regarda les quinze bêtes qui lui tenaient compagnie depuis trois mille ans traverser allègrement le pont. Il savait depuis toujours que ses amis à quatre pattes l'abandonneraient un jour – quand ils l'auraient décidé, et sans avertissement. Quel meilleur moment auraient-ils pu choisir, puisque la Prophétie arpentait le monde?

Malgré sa tristesse, Jack était surexcité. Car ses amis s'en allaient pour se mettre en quête du Sang!

Trois jours durant, les quinze cochons traversèrent d'un pas décidé le col de Garde-Dure. De temps en temps, ils s'arrêtèrent pour tenter de dénicher de quoi manger autour des rochers, mais ils ne s'attardèrent jamais. Bientôt, ils auraient bien mieux à se mettre sous la dent que des racines ratatinées.

Le quatrième jour, ils sortirent du col et se dirigèrent vers le nord-est. Puis ils marchèrent vingt-quatre heures de plus.

Le soir de Beltide, ils commencèrent à se transformer. Leurs membres s'allongèrent, leurs corps maigrirent et leurs crins devinrent plus clairs. Enfin, leurs dents blanchirent et leurs gueules esquissèrent des sourires.

Quand la lune se montra, ils se mirent à courir en silence. Car aucun son ne sortirait de leur gorge tant qu'ils n'auraient pas senti l'odeur qu'ils attendaient depuis si longtemps.

Toute la nuit, la lune brilla pour leur éclairer le chemin.

15

Beltide

Alors qu'ils approchaient des Bosquets, Axis décida de marcher aux côtés d'Azhure.

— Que penses-tu des Avars ? lui demanda-t-il.

La jeune femme prit le temps de la réflexion.

— Ils acceptent difficilement les étrangers. Pour eux, la non-violence est une valeur fondamentale.

Cette analyse confirmait celle d'Axis. Si les Avars s'étaient détournés d'Azhure à cause de la mort de son père, dont elle était indirectement responsable, comment réagiraient-ils face à un ancien Tranchant d'Acier ?

— Ils ne sont pas très ouverts, continua Azhure, et presque… timides. Après des siècles de persécution, ils ont appris à redouter les résidents des plaines, comme ils nous – enfin, comme ils appellent les Acharites. Ils affirment détester la violence, mais…

— Tu vois une aura de sauvagerie autour d'eux ?

— Oui, c'est ça ! Je ne l'avais jamais formulé ainsi, mais tu as raison ! Pour déterminer s'ils peuvent devenir des Eubages, ils soumettent leurs enfants à une épreuve terrifiante dont beaucoup ne sortent pas vivants. D'ailleurs, les Eubages eux-mêmes ne sont pas si pacifiques que ça… Quand j'étais petite, à Smyrton, j'ai surpris Rivkah avec deux enfants et un adulte. Ils traversaient le village pour gagner la chaîne des Fougères. L'Eubage était si furieux que ta mère est parvenue de justesse à l'empêcher de me tuer. Oui, ils prétendent mépriser la violence, mais elle brûle en eux…

—Dans mon rêve, au cœur du Bosquet Sacré, les ondes de haine et d'agressivité m'ont submergé. Bien entendu, j'étais encore le Tranchant d'Acier, à cette époque…

—Tu redoutes la réaction des Avars ? Aujourd'hui, ce n'est plus le chef des Haches de Guerre qui vient vers eux, mais l'Homme Étoile…

—Ils ont encore des raisons de se méfier de moi… Les rallier à ma cause ne sera pas facile.

Azhure baissa la voix pour que Raum, qui les suivait, n'entende pas.

—Ils ont honte qu'une femme de leur race ait donné le jour à Gorgrael. Les Icarii et les Acharites t'ont accepté – ou t'accepteront, pour les seconds – parce que tu es de leur sang. Aux yeux des Enfants de la Corne, tu es un étranger… terrifiant. Axis, ne pèche surtout pas par excès de confiance. Les Avars seront plus durs à convaincre que les Icarii.

Une fois de plus, Axis fut stupéfait par la vivacité d'esprit d'Azhure. Comme Ogden et Veremund, il se demandait souvent si elle n'était qu'une simple fille de la campagne. Soudain, un étrange souvenir lui revint. Dans les rares occasions où elle avait mentionné Hagen, elle ne semblait pas le tenir vraiment pour son père.

—Azhure…, commença-t-il.

—Oui ?

—Hagen était-il réellement ton père ?

—Quelle étrange question ! Bien sûr que oui !

Une réponse spontanée et… un peu forcée.

Axis voulut insister, mais son amie l'en empêcha.

—Regarde ! Nous y sommes presque ! J'ai tellement hâte de revoir Fleat et Shra !

Quand la petite colonne entra dans les Bosquets, la vallée boisée et la forêt environnante grouillaient d'Icarii et d'Avars. Arrivés une heure plus tôt, les hommes-oiseaux échangeaient des salutations et des plaisanteries avec les Enfants de la Corne.

—Axis! Rivkah! Azhure! s'écria Vagabond des Étoiles dès qu'il aperçut les nouveaux venus.

Il étreignit son fils et embrassa son ancienne épouse sur la joue.

—Je suis ravi que vous soyez là à temps pour les festivités, dit-il en posant également un baiser sur la joue d'Azhure. Le voyage s'est bien passé ?

Raum répondit d'un hochement de tête et prit le bras de l'Envoûteur.

—Tu as l'air de très bonne humeur, mon ami. Dois-je en conclure que…

L'Avar n'eut pas besoin d'achever sa question. Cette année, comme les Envoûteurs, les Eubages avaient eu des craintes au sujet du printemps. L'attaque des Skraelings, lors de la Réunion, avait interrompu les rituels, et on pouvait redouter que le soleil n'ait pas repris assez de force pour lutter victorieusement contre l'hiver surnaturel du Destructeur. Que se passerait-il si le printemps ne se montrait pas ? Et dans ce cas, à quoi rimeraient les célébrations de Beltide ?

—Raum, dit Vagabond des Étoiles, l'hiver est plus puissant que d'habitude, et il règne toujours sur les régions les plus nordiques. Mais le chant de l'Arbre Terre a redonné assez de force au soleil pour que la terre se réveille. Le printemps est là ! Il ne sera pas radieux, et l'été restera très froid, surtout en Ichtar. Sur Avarinheim, l'astre du jour brillera normalement, et ton peuple n'a rien à craindre.

—Et en Achar ? demanda Axis. Fera-t-il beau ?

Si le froid et la glace ne relâchaient pas leur emprise sur le royaume, l'Homme Étoile devrait modifier ses plans.

—Oui, mon fils ! L'été sera frais, et les récoltes risquent d'être chiches, mais ce sera quand même un été ! L'influence de Gorgrael s'est moins étendue vers le sud que nous le redoutions.

—Une excellente nouvelle…

Vagabond des Étoiles dévisagea son fils. Depuis qu'il avait annoncé son intention de continuer sa formation avec les Charonites, il n'avait rien dit de plus sur ses plans. Tout le monde savait qu'il entendait unir les Icarii, les Avars et les Acharites. Mais pour ça, il devrait affronter Borneheld. Quand avait-il prévu de le faire, et de quelle façon ?

— Chef de Force ! s'écria Œil Perçant Éperon Court. Te voilà enfin !

Axis alla aussitôt converser avec l'officier. Cette fois, il ne serait pas question que la Force de Frappe laisse sans protection les Icarii et les Avars occupés à conduire les rituels. Avant son départ, l'Homme Étoile avait imaginé un plan de protection avec l'aide du chef de Crête.

Pendant qu'ils en parlaient, Azhure regarda autour d'elle, les yeux plissés.

— Par là, dit Raum, un bras tendu. En général, le clan de l'Arbre Fantôme dresse ses tentes sous ces arbres. Tu t'en souviens ?

— Vous croyez que je peux…

— Nos amis seront ravis de te voir, surtout Fleat et Shra. Cours les rejoindre !

Azhure ne se le fit pas dire deux fois. Fleat et Shra l'accueilleraient à bras ouverts, mais qu'en serait-il de Grindle, le chef du clan ? Et de l'Eubage Barsarbe, si elle était là ?

Rivkah suivit sa jeune amie. Depuis des années, le clan de l'Arbre Fantôme était sa famille d'adoption. De plus, Azhure semblait avoir besoin de soutien…

Alors que les deux femmes s'éloignaient dans la foule, Raum tapota le bras de l'Homme Étoile.

— Axis…

— Oui, un instant… Œil Perçant, tu t'en es très bien sorti. Viens me voir une heure avant le crépuscule, quand les rites de Beltide seront encore loin de commencer…

Le chef de Crête salua son supérieur et s'en fut.

— Que me veux-tu, Raum ?

— Axis, il est temps que je te présente aux Eubages, aux chefs de clan et à l'Arbre Terre. Es-tu prêt ?

Axis acquiesça. Pour se donner du courage, il frôla du

bout des doigts le soleil rouge sang qu'il arborait sur la poitrine.

Alors qu'il approchait du cercle de pierres érigé autour de l'Arbre Terre, en compagnie de Raum et de son père, Axis se sentait de plus en plus nerveux. Les Avars seraient très réticents, il en avait l'absolue certitude. Dix siècles plus tôt, les Haches de Guerre, sous les ordres du Sénéchal et du Tranchant d'Acier de l'époque, avaient abattu des centaines de milliers d'arbres, rasant ainsi toutes les forêts de Tencendor.

De plus, comme l'avait souligné Azhure, les Enfants de la Corne étaient sûrement furieux que l'Homme Étoile soit d'ascendance icarii et acharite. Leur sang coulait dans les veines de Gorgrael, leur ennemi, pas dans celles d'Axis, qui se présentait comme leur sauveur.

Sans l'aide de Faraday, il redoutait de ne pas y arriver. Mais elle était si loin de lui…

Les Eubages et les chefs de clan attendaient à l'intérieur du cercle de pierres. Alors qu'il avançait vers le centre du bosquet de l'Arbre Terre, Axis sentit tous les regards peser sur lui.

Émerveillé, il admira un moment l'Arbre Terre dont les branches semblaient vouloir tutoyer les cieux. Sa chanson planait dans l'air, pas assez forte pour couvrir les conversations, mais assez pour résonner dans la tête de tous, au nord d'Avarinheim – et pour tenir à distance Gorgrael et ses Skraelings.

Même si l'Arbre Terre était plus sacré pour les Avars que pour les Icarii, les deux races vénéraient ce symbole de l'harmonie entre la terre et la nature. Dès qu'on s'attaquait à cette harmonie, l'Arbre tombait malade. Mais il pouvait aussi agir.

La nuit du solstice d'hiver, Vagabond des Étoiles et Faraday, l'Amie de l'Arbre, l'avaient tiré de la torpeur où il avait sombré pendant des millénaires. Ayant immédiatement compris que les monstres de Gorgrael attaquaient son bosquet, l'Arbre avait riposté. Terrassés par sa chanson vibrante de colère, les Skraelings étaient tombés comme des mouches. Toujours éveillé et lucide, il continuait à protéger le nord d'Avarinheim de toute intrusion.

À présent, comme les Eubages et les chefs de clan, il attendait de découvrir l'Homme Étoile.

Plus haut que les dolmens qui l'entouraient, l'Arbre Terre arborait un feuillage vert sombre très dense. Au bout de ses branches, de superbes fleurs qui rappelaient des tulipes composaient un curieux arc-en-ciel végétal. Du jaune, du vert émeraude, du bleu saphir, du rubis… Bref, rien qu'Axis eût jamais vu ailleurs que dans les cieux, après un orage…

Le moindre des mystères, en ce qui concernait cet arbre! Selon Vagabond des Étoiles, les Avars eux-mêmes ignoraient l'étendue des pouvoirs de l'Arbre Terre, et ils n'en savaient pas plus long sur sa raison d'être et ses objectifs. Ils se contentaient donc de le vénérer et de le protéger. Car les rituels les plus sacrés des Enfants de la Corne et des Icarii se déroulaient à l'ombre de ses branches.

—Qui a érigé ce cercle? demanda Axis à son père.

L'ouvrage était impressionnant avec ses blocs de trente pieds de haut coiffés de pierres presque aussi énormes afin de former des arches sur toute la circonférence…

—Personne ne le sait, répondit Vagabond des Étoiles. Certains affirment que les Dieux des Étoiles eux-mêmes l'ont construit pendant une nuit de feu, d'autres qu'il est l'œuvre d'une race de géants depuis longtemps disparue. À présent, avance seul avec Raum. J'attendrai ici.

Alors qu'il franchissait une des arches, Axis fut submergé par une sensation de… sainteté… qui lui serra le cœur. Cet endroit était très spécial, nul n'aurait pu en douter! Avisant les Eubages qui le regardaient approcher, debout près de l'Arbre Terre, il remarqua du premier coup d'œil leur nervosité, et sentit leur hostilité.

Ogden et Veremund s'étaient campés près des prêtres avars. Curieusement, tout le monde acceptait les Sentinelles…

Raum fit signe à Axis de s'arrêter, puis il alla saluer ses collègues Eubages. Vêtue d'une longue robe de laine rose, une petite femme à la silhouette délicate, le front ceint d'une couronne de fleurs, avança vers Raum et l'embrassa sur les joues.

— Une longue séparation, mon ami, dit-elle. Tu nous as manqué, sache-le! Bienvenue parmi nous, et ne t'avise plus de nous fausser compagnie sans prévenir!

— Barsarbe, je vais très bien, et je suis heureux de te voir en bonne santé.

Raum sourit, recula de quelques pas et désigna Axis.

— Vous savez tous qui m'accompagne, dit-il. Axis Soleil Levant, fils de l'Envoûteur Vagabond des Étoiles et de la princesse Rivkah d'Achar. S'il vous plaît, accueillez dignement l'Homme Étoile!

Barsarbe hésita, puis elle avança et embrassa Axis sur les joues.

— Bienvenue, Axis Soleil Levant. Nous sommes contents que l'Homme Étoile se soit libéré des mensonges qui l'aveuglaient. Et qu'il ait retrouvé ses parents, bien entendu...

— Merci, Eubage Barsarbe. J'espère être à la hauteur des attentes de ton peuple et de la Prophétie.

Un lourd silence ponctua cette profession de foi pourtant sincère. Puis un des chefs de clan approcha. De haute taille, le teint très mat, comme Raum, il arborait une musculature impressionnante.

— Je suis Brode, le chef du clan de la Marche Silencieuse, dit-il sans dissimuler sa méfiance. On dit que tu as l'intention d'unir les Enfants de la Corne, de l'Aile et de la Charrue pour chasser Gorgrael de Tencendor?

— C'est le seul moyen, répondit Axis. La Prophétie nous le dit, et par mon intermédiaire, les trois races devront apprendre à se comprendre, afin de ne plus en former qu'une.

Aucun Avar ne parla. Sans se soucier de la tension des êtres de chair et de sang, l'Arbre Terre continuait de chanter sa mélodie joyeuse et puissante.

— C'est étrange, dit enfin une Eubage en longue robe de laine. Comment la Prophétie peut-elle nous demander de suivre un homme naguère au service de la Hache ?

— L'Homme Étoile se tient devant vous, répliqua Axis, très calme. Le Tranchant d'Acier n'existe plus !

— Mais tu es un guerrier, dit un Eubage presque aussi imposant que Brode.

— Oui, admit Axis. Quelqu'un est-il mieux qualifié que moi pour affronter Gorgrael ? L'Homme Étoile doit être un chef de guerre !

— La violence ! s'écria Barsarbe. Tous les guerriers l'ont dans le sang !

Axis se souvint qu'elle avait toujours été très froide avec Azhure, même après qu'elle eut sauvé des centaines d'Avars, le soir de la Réunion.

— Gorgrael ne viendra pas pour vous susurrer des paroles fleuries ! riposta-t-il. Combien d'entre vous a-t-il déjà tué ? Voulez-vous passer votre vie à fuir, ou à vous cacher sous les jolies feuilles de l'Arbre Terre ?

Furieuse, Barsarbe voulut répliquer, mais Axis ne lui en laissa pas l'occasion.

— J'ai juré aux Icarii de les ramener en Tencendor, et je vous fais la même promesse. Désirez-vous que des arbres poussent de nouveau dans les plaines dénudées de Skarabost ? Quand vous les traversez pour gagner le lac que vous nommez la Mère, rêvez-vous d'avancer à l'ombre de doux feuillages ? ou préférez-vous chercher refuge dans les légendes et les souvenirs du passé et condamner les futures générations d'Avars à voyager de nuit, comme des... « Proscrits » ? Entendez-vous reprendre ce qui vous appartenait, ou n'êtes-vous plus assez courageux pour une telle aventure ?

Axis n'avait pas prévu de provoquer à ce point ses interlocuteurs. Mais leur refus obstiné de la violence le mettait hors de lui. Comment pensaient-ils se débarrasser de Gorgrael ? En le bombardant de fleurs ? En lui criant : « Paix aux monstres de bonne volonté ! » ?

— Nous nous fions à l'Amie de l'Arbre, intervint Raum. Depuis toujours, nous pensons que c'est elle qui nous ramènera en Tencendor, pas l'Homme Étoile. Notre guide se nomme Faraday.

Conscient que la colère ne le mènerait à rien, Axis fit un gros effort pour se calmer.

— Nous avons cru comprendre, dit Barsarbe, que tu projettes de combattre les Acharites avant de t'occuper de Gorgrael.

— En Achar, des gens s'opposeront à toute tentative d'unifier les trois races. Le duc Borneheld et l'ordre du Sénéchal ne voudront rien entendre, et je dois les… convaincre… qu'ils se trompent. S'il faut aller jusqu'à la guerre, ce que je crois, il en sera ainsi !

Barsarbe dévisagea Raum un moment, puis elle consulta les autres Avars du regard.

— Nous ne t'aiderons pas à vaincre Borneheld, déclarat-elle en se tournant de nouveau vers Axis.

— Avez-vous perdu l'esprit ? Faraday est avec lui ! Ne voulez-vous pas la libérer ?

— Pourquoi ne l'as-tu pas emmenée avec toi en quittant le fort de Gorken ? cria Brode, de plus en plus menaçant. Elle devrait être ici !

— Mes hommes et moi étions chargés d'attirer les Skraelings loin du fort. J'ai estimé qu'elle serait plus en sécurité avec le duc. De toute façon, si j'avais tenté de l'arracher à Borneheld, j'aurais mis sa vie en danger.

— Quoi qu'il en soit, dit Barsarbe, nous continuerons d'attendre l'Amie de l'Arbre. C'est elle qui nous ramènera chez nous, pas toi. Si elle veut que nous nous unissions aux Icarii et aux Acharites, nous obéirons.

Fou de rage, Axis serra les mâchoires et les poings. Les Avars avaient tout décidé bien avant son arrivée !

— Mon ami, dit Raum, tu dois comprendre les Enfants de la Corne. Nous sommes un peuple très solitaire. Bien entendu, nous connaissons la Prophétie, et nous savons que

Gorgrael est dangereux. Enfin, nous ne sous-estimons pas le rôle qui est le tien. Mais nous n'avons jamais oublié les heures sombres de la Guerre de la Hache, qui virent mourir tant des nôtres. Il reste si peu d'Avars, Axis ! Comment pourraient-ils combattre pour toi ? Sans guerriers ni armes, contrairement aux Icarii, nous devons attendre l'Amie de l'Arbre. Lorsqu'elle viendra, nous la suivrons. Faraday a le cœur tendre et elle est liée à la Mère. Toi, tu es un guerrier qui sert la cause des Étoiles. Sans vouloir t'offenser, ni te manquer de respect, nous préférons attendre Faraday.

— Je comprends, mon ami… (Axis posa une main sur l'épaule de l'Eubage, puis il se tourna vers les autres Avars.) Si mes paroles vous ont blessés, veuillez m'en excuser. Parfois, je suis trop impatient. Je comprends votre position, et j'accepte que vous ne fassiez rien avant la venue de Faraday. À partir d'aujourd'hui, je brûlerai davantage encore d'envie de la revoir…

Les Eubages et les chefs de clan se détendirent un peu. À l'évidence, ils avaient redouté la réaction de l'Homme Étoile.

— Bienvenue aux festivités de Beltide, Axis Soleil Levant, dit Barsarbe. Pour nous, c'est le jour le plus heureux de l'année. Celui où nous oublions nos tracas pour célébrer la vie, la renaissance et l'amour. Homme Étoile, partage ce bonheur avec nous !

La Réunion du solstice d'hiver étant consacrée au soleil et à son dieu Narcis, les Envoûteurs et les Eubages mâles y jouaient un rôle prépondérant. Pour Beltide, qui célébrait la résurrection de la terre, les femmes dominaient. Assistée par Étoile du Matin, Barsarbe conduirait les rituels, et Vagabond des Étoiles, pour une fois, serait relégué au rang de simple spectateur.

Aucun mâle ne s'en plaignait, pas même lui ! Car la nuit de Beltide, le « public » s'amusait beaucoup plus que les officiants.

À la tombée de la nuit, Azhure revint du camp de Grindle. Tout l'après-midi, elle était restée avec Shra et Fleat. Folle de joie de la revoir, l'enfant s'était jetée dans ses bras et ne l'avait plus quittée. Également ravie, Fleat avait invité Rivkah et Azhure à partager le dîner avec son clan. Autour du feu, les deux humaines et les Avars avaient échangé des nouvelles et bavardé gaiement. Fleat et Grindle ne semblaient pas juger Azhure responsable de la mort de Pease, et cela l'avait profondément soulagée.

— Pease n'aurait pas voulu que tu la pleures trop longtemps, avait dit Fleat. La nuit de Beltide, il faut oublier sa peine et forger de nouveaux liens. La joie domine, et il n'est pas question de la gâcher en pensant aux morts. Pease t'aurait dit la même chose…

— Où nous placerons-nous ? demanda Azhure à Rivkah tandis qu'elles se dirigeaient vers le bosquet de l'Arbre Terre.

— Près des Soleil Levant, mon amie. En tout cas, c'est là que nous commencerons la nuit. Qui peut dire avec qui nous la finirons ?

Ces paroles ne rassurèrent pas Azhure, déjà très nerveuse. Ces derniers mois, elle avait entendu pas mal d'histoires sur les excès de la nuit de Beltide. Tous les liens établis oubliés, comme les promesses d'union, on pouvait sans risque y vivre les aventures sentimentales les plus folles. Même les étreintes entre Avars et Icarii, interdites le reste de l'année, y étaient permises, voire encouragées.

Que lui réservait cette nuit ? Encore émue par le souvenir du baiser de Vagabond des Étoiles, Azhure se demandait si elle aurait la force de le repousser, maintenant qu'il n'était plus avec Rivkah…

Les Soleil Levant s'étaient assis au pied de la falaise noire qui se dressait à l'extrémité ouest du bosquet. Sur leur gauche, la forêt d'Avarinheim semblait presque effrayante sous son manteau de ténèbres.

Crête Corbeau s'était placé un peu à l'écart, assez loin de sa femme, qui affichait une expression rêveuse. Les deux époux pensaient-ils aux « jeux » qu'ils s'autoriseraient cette nuit ? Le Roi-Serre et sa reine laissaient-ils eux aussi libre cours à leurs désirs ?

— Axis, où est Gorge-Chant ? demanda Azhure en s'asseyant près de son ami.

Méticuleuse, elle tira sur les plis de la robe pourpre qu'elle avait enfilée dans le camp du clan de l'Arbre Fantôme.

— Elle s'est portée volontaire pour monter la garde. Sans Libre Chute, la nuit de Beltide ne l'intéresse pas…

— Sommes-nous en sécurité ?

— Oui. La Force de Frappe patrouille dans le ciel et au cœur de la forêt. À cinquante lieues à la ronde, il n'y a pas l'ombre d'un Skraeling.

Assis sous une petite saillie rocheuse, lui aussi un peu à l'écart, Vagabond des Étoiles repassait en revue sa stratégie. Cette nuit, Azhure serait à lui ! Au fil des mois, son désir pour elle avait tourné à l'obsession. L'humaine occupait toutes ses pensées conscientes, et elle le hantait jusque dans ses songes. De sa vie, il n'avait jamais brûlé ainsi de passion pour une femme, qu'elle fût avar, icarii ou acharite ! La nuit précédant son départ pour Avarinheim, il avait rêvé qu'Azhure et lui tombaient vers le sol, leurs ailes trop emmêlées pour être utiles. Ils ne s'en souciaient pas, occupés à assouvir la passion qui les consumait. Étrangement, dans ce songe, la jeune femme avait les traits et les appendices ailés d'une Icarii…

Ce soir, il la posséderait enfin ! Comme il l'avait dit à Axis, elle était taillée pour donner le jour à de puissants Envoûteurs, et il entendait la féconder dès leur première étreinte. Mais la nuit serait longue, et l'heure n'était pas encore venue…

De grandes coupes d'un liquide noir entre les mains, les Eubages faisaient le tour de l'assistance, parfaitement silencieuse depuis que le début des rituels était imminent.

Le jeune Eubage affecté à cette partie du bosquet s'arrêta d'abord devant Crête Corbeau. Après lui avoir murmuré quelques mots, il lui tendit la coupe. Dès que le Roi-Serre eut bu, l'Avar vint se camper devant Plume Brillante.

Il passa ensuite à Rivkah, puis à Vagabond des Étoiles.

Enfin, il s'arrêta devant Axis.

— En coulant dans ta gorge, Axis Soleil Levant, puisse le vin sacré de Beltide te rappeler la joie et les pas de la Danse des Étoiles tandis que tu célèbres la renaissance de la vie.

Axis prit la coupe à deux mains et but une longue gorgée. Quand il se força à arrêter, Azhure, qui ne le quittait pas des yeux, vit que quelques gouttes du liquide rouge et épais s'étaient mêlées à sa barbe. Deux d'entre elles coulaient l'une à côté de l'autre le long des courts poils blonds qui festonnaient son menton. Fascinée, Azhure les regarda comme si elles étaient deux amants cherchant à se rejoindre.

Ce vin était si épais qu'il la faisait penser à du sang.

L'Eubage s'arrêta devant elle et secoua tristement la tête.

— Nous ne t'avons pas acceptée parmi nous, dit-il. J'ai peur de ne pas pouvoir t'offrir…

L'Avar se tut, stupéfait, quand Axis se leva et lui prit la coupe des mains.

— Je m'en occupe! lança-t-il. Cette coupe est presque vide, et on a besoin de toi dans le cercle de pierres. Je me chargerai de distribuer ce qui reste de vin sacré.

L'Eubage hésita, mais il finit par céder.

— La coupe et son contenu sont sous ta responsabilité, Axis Soleil Levant.

Visiblement mécontent, l'Avar s'inclina puis s'éloigna.

— Azhure, lève-toi, dit Axis.

La jeune femme obéit avec sa grâce coutumière.

— En coulant dans ta gorge, Azhure, puisse le vin sacré de Beltide te rappeler la joie et les pas de la Danse des Étoiles tandis que tu célèbres la renaissance de la vie.

Consciente que tous les regards, à vingt pas à la ronde, étaient braqués sur elle, la jeune femme hésita.

— Bois! ordonna Axis.

Quand Azhure saisit la coupe, il ne la lâcha pas, déplaçant simplement ses mains pour les poser sur celles de son amie.

À l'instant où le liquide épais coula dans sa bouche, Azhure comprit pourquoi tous ceux qui avaient bu avant elle semblaient avoir le plus grand mal à s'arrêter. Ce nectar paraissait vivant, et on eût dit qu'il lui parlait – ou mieux, qu'il chantait pour elle – avant de ruisseler dans sa gorge. Son goût évoquait celui de la terre, du sel, de la naissance, de la mort, de la sagesse et d'une tristesse au-delà de l'imaginable. Alors qu'il lui réchauffait le ventre, Azhure aurait juré qu'elle entendait une musique sauvage, comme si les Étoiles elles-mêmes, ivres de désir, tourbillonnaient dans le firmament.

Elle prit une autre gorgée et constata que la coupe était presque vide.

—Merci, Axis, dit-elle du fond du cœur. Grâce à toi, je ne serai pas une étrangère, cette nuit. J'aimerais que tu boives la dernière gorgée…

Leurs mains toujours unies autour de la coupe, Axis la porta à ses lèvres et la vida. Sur sa barbe, les gouttes ressemblaient de plus en plus à du sang. Soudain, Azhure se souvint du magnifique cerf sacrifié dans ce même bosquet, lors de la Réunion.

—Il nous a donné son sang et sa vie pour que nous puissions nous réjouir ce soir, dit Axis en posant la coupe au pied d'un rocher.

Azhure se demanda comment il avait deviné qu'elle songeait à l'animal. Puis elle regarda autour d'elle, et s'avisa que tous les Soleil Levant la dévisageaient. Se fichant de ce qu'ils pensaient, elle se rassit avec grâce. Mais le vin coulait déjà dans son sang… et il l'embrasait.

Soudain, toutes les torches placées le long du cercle de pierres s'allumèrent en même temps. Éblouie, Azhure cligna des yeux. Puis sa vision s'éclaircit, et elle se prépara à savourer le spectacle.

Derrière les arches, des silhouettes bougeaient au rythme endiablé de la musique qui venait de déchirer le silence. Azhure n'avait jamais rien entendu de tel, que ce fût lors de la Réunion ou sur le mont Serre-Pique. En général, les Icarii chantaient *a cappella* ou en s'accompagnant sur une harpe. Ce soir, des cornemuses donnaient un concert. Une musique avar dont Azhure ignorait jusqu'à l'existence.

Stimulés par ces accords entraînants, des hommes et des femmes commencèrent à danser. Des fourmis dans les jambes, Azhure allait se lever pour les imiter quand la musique cessa brusquement.

Le cœur de la jeune femme battait la chamade, et son sang pulsait à ses oreilles. Était-ce la musique, ou l'effet du fluide vital fermenté du cerf ?

Azhure sentit qu'on lui tapotait le coude. C'était Rivkah, qui lui tendit une gourde de vin avec un petit sourire.

— Il n'est pas aussi bon que le précédent, dit-elle, mais il te plaira aussi. Bois, puis fais circuler la gourde !

La jeune femme obéit, prit une généreuse rasade, et donna le vin à Axis. Plongé dans une intense concentration, l'Homme Étoile semblait attendre que la musique reprenne. Alors qu'elle lui passait la gourde, les doigts d'Azhure frôlèrent la barbe de son ami, où brillaient encore des gouttes de sang séché.

Captant un mouvement du coin de l'œil, l'humaine se concentra de nouveau sur le cercle de pierres.

Une silhouette franchit une arche sous les murmures excités de l'assistance. C'était Barsarbe, menue, délicate… et aussi nue qu'au jour de sa naissance. Des lignes rouges peintes couraient sur son corps, soulignant les courbes de ses seins et de ses hanches. Mais leur étrange couleur intrigua Azhure. Avec quoi les avait-elle tracées ?

— Avec le sang du cerf, souffla Axis. Ne vois-tu pas comme elles brillent ? Ne sens-tu pas leur chaleur ?

— Je n'ai pas les pouvoirs d'un Envoûteur…, chuchota Azhure, incapable de détourner le regard de Barsarbe.

Une autre femme vint rejoindre l'Eubage.

Étoile du Matin, également nue, arborait les mêmes peintures, mais d'une teinte jaune or qui mettait en valeur sa peau d'un blanc laiteux.

Mal à l'aise, Axis se balança nerveusement d'avant en arrière.

Au rythme des cornemuses, dont le concert avait repris, les deux femmes commencèrent à danser. Plus douce et lancinante, la mélodie des instruments à vent était accompagnée d'un discret roulement de tambour qui semblait faire écho aux battements du cœur d'Azhure.

Un instant, ce son lointain la fit penser au bruit insistant du ressac, sur une plage de galets.

Comme la voix de Vagabond des Étoiles, dotée d'un formidable pouvoir d'évocation, la danse sensuelle de Barsarbe et Étoile du Matin s'adressait au cœur et à l'âme de tous ceux qui les regardaient. Elle parlait du lent réveil de la terre sous les caresses du soleil, des graines enfouies pendant de longs mois glaciaux, mais prêtes à se réchauffer, des pousses vertes sur le point de jaillir du sol pour nourrir les hommes et les bêtes… Elle évoquait le perpétuel recommencement de la vie, que ce fût dans le ventre d'une femme ou d'une biche, la joie qui illuminait le monde chaque fois qu'un enfant respirait pour la première fois…

Et surtout, elle célébrait l'amour, inépuisable source de plaisir et rouage essentiel dans le cycle éternel de la vie.

Bien que Barsarbe dansât avec passion, Azhure se sentit bouleversée par les évolutions d'Étoile du Matin. En plus de ses longs membres délicats et de son corps épanoui, elle jouait au maximum de ses ailes, les utilisant un instant pour cacher les appas qu'elle voulait faire désirer, et celui d'après pour les révéler et exiger qu'on s'en empare.

Alors que les mouvements des deux femmes ralentissaient, mais gagnaient encore en intensité, un homme se leva pour aller danser avec Étoile du Matin. Stupéfaite, Azhure reconnut Grindle, le chef du clan de l'Arbre Fantôme.

La grand-mère d'Axis se concentra sur son cavalier, et Barsarbe fit de même avec l'homme qui venait de la rejoindre.

Le souffle court, Azhure admira un moment le ballet délibérément suggestif des deux couples. Autour d'elle, de plus en plus d'Avars et d'Icarii imitaient les quatre « officiants ».

Dans le cercle de pierres, des couples allongés sur le sol s'abandonnaient aux délices d'un « rituel » aussi vieux que le monde. Même si elle ne disposait pas de la vision surhumaine d'un Envoûteur, Azhure n'eut aucun mal à deviner ce qu'ils faisaient.

Dans ses veines, le vin chantait et bouillonnait.

Cédant à une impulsion, la jeune femme se leva, slaloma entre les rochers et s'enfonça dans la forêt.

Azhure marcha jusqu'à ce qu'elle n'entende plus la musique des cornemuses et des tambours. Se délectant du contact sous ses pieds d'une herbe douce et fraîche, elle captait toujours le chant de l'Arbre Terre, désormais sensuel et tentateur. Autour d'elle, la brume nocturne s'épaississait, lui donnant le sentiment d'avancer dans les profondeurs d'un océan de vif-argent. Au cœur de ce cocon, elle aurait pu se sentir emprisonnée, mais il n'en était rien, car le brouillard évoquait plutôt une étendue infinie d'espace et de lumière.

Dans les veines de la jeune femme, le sang chantait de plus en plus fort, et elle aurait juré entendre, sous son crâne, les échos lointains d'une autre chanson – peut-être une réponse à la sienne !

Azhure ralentit le pas. Ses mains volèrent vers la ceinture qui fermait sa robe et la défirent. Libérée de toute contrainte, la soie pourpre du vêtement ouvert ondula au gré du vent, et la jeune femme sentit sur son corps la grisante caresse de l'air dense et humide de la forêt.

Bercée par la mélopée de l'Arbre Terre, Azhure ferma les yeux, prit une profonde inspiration et s'abandonna à l'étreinte de la forêt.

Certaine que quelqu'un répondait à la chanson de son sang, elle rouvrit les yeux et regarda autour d'elle.

À trente pas de là, Vagabond des Étoiles, triomphant, lui tendait les bras, certain qu'elle allait courir s'y blottir.

Et il avait raison ! comprit Azhure. Elle ne pourrait pas résister.

À cet instant, une brindille craqua derrière elle.

Alors que la chanson de son sang, devenue assourdissante, occultait la mélopée de l'Arbre Terre, Azhure se retourna.

Encore distante, une autre silhouette avançait vers elle dans la brume.

Axis !

—Azhure ! cria Vagabond des Étoiles.

La jeune femme sursauta. Il y avait tant de colère et de tension dans la voix de l'Envoûteur… Sans qu'elle sache pourquoi, des larmes lui montèrent aux yeux.

—Azhure, viens à moi ! Ton sang m'appelle ! Laisse-le te guider ! Maintenant !

Une mélodie douce et profonde fit écho à la furieuse chanson du sang d'Azhure. Axis l'appelait aussi, avec tant de tendresse…

Azhure gémit, les mains plaquées sur ses hanches. Elle devait choisir, car son sang l'exigeait. Mais elle se détestait de n'être pas assez forte pour fuir les *deux* hommes.

La brume formant une aura autour d'eux, Vagabond des Étoiles et Axis ressemblaient à des spectres éthérés. Chacun à sa façon, ils l'imploraient de venir…

D'instinct, Azhure se tourna vers Vagabond des Étoiles, qui eut un sourire triomphant.

—Désolée…, souffla-t-elle avant de faire volte-face.

Axis lui ouvrit les bras, et l'Envoûteur, dans son dos, hurla de rage.

Axis avait cru que son cœur allait exploser de fierté et de désir au moment où Azhure s'était décidée pour lui. Tout le corps vibrant au rythme des battements de son cœur, il avait senti le sang, dans ses veines, déferler comme une marée rugissante.

—Danse avec moi, avait-il murmuré alors qu'Azhure levait enfin les yeux vers lui.

Et qu'importait si Vagabond des Étoiles était toujours là pour assister à sa défaite !

À présent, Azhure dormait dans les bras d'Axis au creux d'un nid de broussailles entouré d'une couronne d'herbe folle. Quand elle gémit dans son sommeil, son amant se tendit un peu, puis relâcha ses muscles alors qu'elle replongeait dans un sommeil sans doute peuplé de songes.

Était-il présent dans ses rêves ? En tout cas, elle hanterait les siens pendant longtemps, il n'en doutait pas. Aucune femme ne l'avait emporté aussi loin de tout – jusque dans les Étoiles, aurait-il juré, où les astres les avaient entraînés dans leur danse. Oui, c'était bien cela. Au zénith de leur passion, il avait senti sa conscience exploser puis s'éparpiller dans le cosmos, enfin libérée de la prison du temps et de la chair.

L'émerveillement, la folie, l'exultation, la douleur... Un embrasement de tous les sens qui l'avait consumé ! Dans les bras de cette femme, il avait dû s'abandonner entièrement, car il ne pouvait rien soustraire aux flammes de sa passion... et de son amour.

Avait-il réagi ainsi parce qu'elle était vierge ? Leur sang s'était-il déchaîné à cause du vin de Beltide ? ou avait-il vibré aussi sauvagement parce qu'il n'avait plus connu de femme depuis qu'il était en pleine possession de ses pouvoirs d'Envoûteur ?

Il serra plus fort sa compagne et lui caressa le bras. Avant de pouvoir lui refaire l'amour, combien de temps devrait-il se reposer ? Peut-être pas tant que ça...

Sa main glissa sur les omoplates d'Azhure et se fit plus légère. Pendant qu'il l'étreignait, immergé dans la folie de la Danse des Étoiles, il avait senti les affreuses cicatrices qui lui zébraient le dos. Le monstre responsable de ces stigmates n'avait pas épargné un pouce carré de peau. Quelle impensable perversité avait poussé Hagen à torturer ainsi sa fille ?

—Azhure..., soupira Axis.

Il l'entoura de ses bras, comme s'il était en son pouvoir de la protéger à jamais du mal. Puis il la berça doucement... mais pour la réveiller.

—Axis..., murmura-t-elle en ouvrant les yeux, avons-nous...?

—Célébré ensemble la nuit de Beltide, douce dame? Tu ne t'en souviens donc pas?

Azhure eut un petit rire, et le rose lui monta aux joues.

—Si... Je n'ai rien oublié.

Axis l'embrassa doucement histoire de lui rafraîchir la mémoire. Comme d'elles-mêmes, ses mains glissèrent jusqu'aux hanches de sa compagne.

—Quand tu grandissais à Smyrton, as-tu imaginé que tu perdrais ta virginité avec un Envoûteur icarii, au cœur de la forêt d'Avarinheim?

—Toute petite, je me suis juré de découvrir l'amour entre les bras d'un héros. L'aimer de toute mon âme ajoute de la douceur à cette nuit...

Les mains d'Axis s'immobilisèrent.

—Azhure, tu ne dois pas m'aimer... Je... il y a... Faraday...

Cette nuit, c'était la première fois qu'il pensait à sa bien-aimée, et la culpabilité lui transperça le cœur comme une lame.

—Je sais... N'aie crainte, je n'espère pas être aimée en retour.

Axis frémit intérieurement. Qui avait-il trahi, ce soir? Faraday, ou Azhure?

Se penchant, il embrassa la jeune femme et la serra contre lui, implorant le désir de l'emporter de nouveau loin de ses conflits et de ses contradictions.

La nuit commençait à peine, et Faraday était si loin de lui...

Assis seul devant un petit feu, le prophète souriait en pensant à l'homme et à la femme enlacés dans un nid de broussailles. Vraiment, il était ravi. Cette nuit, Azhure n'aurait pas pu mieux servir la Prophétie!

16

SÉPARATION

De nouveau vêtue de sa tunique et de ses hauts-de-chausses avars, Azhure posa au fond de son sac la robe pourpre soigneusement pliée. Sans les courbatures qui la torturaient, elle aurait juré avoir rêvé les événements de la nuit précédente.

— Rivkah, demanda-t-elle, où comptes-tu aller ?

— Je retourne en Achar, mon amie. Tu envisages de m'accompagner ? Ne serais-tu pas mieux à Serre-Pique, avec les Icarii ?

— Eh bien, je…

— Je sais ce qui s'est passé cette nuit. J'ai vu Vagabond des Étoiles et Axis te suivre, puis mon ex-mari réapparaître seul.

Azhure baissa les yeux sur son sac, qu'elle avait entre-temps presque fini de remplir.

— Revenir à Serre-Pique me paraît délicat. Vagabond des Étoiles serait…

— Intenable ! acheva Rivkah. Je comprends ton point de vue. Tu ne préférerais pas partir avec Axis ?

— Ça ne me mènerait à rien, mon amie. Venir avec toi est la meilleure solution. J'en ai assez de la Prophétie, et il vaut mieux que j'en reste là avec Axis…

Rivkah n'eut pas besoin d'explications. Azhure voulait fuir Axis avant qu'il ravage son âme, comme Vagabond des Étoiles avait dévasté la sienne. Les simples mortelles n'étaient pas à leur place auprès des Envoûteurs.

Les Icarii qui n'avaient pas trop forcé sur le vin se préparaient déjà au départ. Alors qu'ils faisaient des adieux sonores à leurs amis avars, Axis tenait une réunion avec plusieurs chefs de Crête.

— Nous avons des nouvelles de Sigholt, annonça Œil Perçant.

— J'écoute! lança sèchement Axis.

Il avait envoyé trois patrouilles survoler Ichtar et les collines d'Urqhart. Depuis, il attendait des rapports sur le sort de Belial… et de Borneheld.

Œil Perçant fronça ses sourcils noirs. Pour un homme qui avait profité à fond de la nuit de Beltide – selon les rumeurs – le chef de Force était de bien méchante humeur.

— Belial se porte comme un charme, et il s'est confortablement installé à Sigholt. La forteresse lui semblant un endroit sûr, il a ouvert des routes d'approvisionnement pour la relier au nord d'Ichtar. Aujourd'hui, sa garnison a des vivres pour plusieurs mois. Avant que nous le rejoignions, Belial veut sécuriser les environs de Sigholt et les plaines du Chien Sauvage.

— La forteresse est vraiment à l'abri du danger?

— Oui, chef de Force. Les Skraelings n'osent pas approcher de l'eau.

— Quelle eau? demanda Axis, stupéfait.

Ogden et Veremund, qui rôdaient dans le coin, l'air innocent, renoncèrent à jouer la comédie et accoururent.

— Belial a réussi à réalimenter le lac. Désormais, la forteresse est entourée par de larges douves. Comme nous le savons tous, les Skraelings détestent l'eau.

— Surtout quand elle est magique! s'écria Ogden, sa chevelure blanche plus en bataille encore que d'habitude. Axis, c'est un des quatre lacs sacrés! Je me demande comment Belial a réussi ça…

— Jack…, souffla Veremund en tirant sur la manche d'Ogden. Il y est sûrement pour quelque chose.

— Eh bien, déclara Axis, Sigholt semble l'endroit idéal où installer notre base. Il faut que j'envoie un message oral à Belial.

—Nos éclaireurs pourront…, commença Œil Perçant.

—Nous irons ! coupèrent en chœur les deux Sentinelles.

—Pardon ? Vous espérez que je confie un message à deux fantaisistes de votre acabit ? Même si je m'y risquais, Belial ne croirait pas un mot de ce que vous raconterez !

Les deux vieillards se décomposèrent.

—Allons, remettez-vous ! J'enverrai des éclaireurs icarii, mais vous irez aussi… Œil Perçant, quelles nouvelles de Borneheld ?

—Il a pris position au Ponton-de-Jervois, comme tu le prévoyais. Hélas, c'est trop loin pour nos éclaireurs, et bien trop dangereux. À l'ouest de Sigholt, Ichtar grouille de Skraelings, et les archers du duc n'hésiteraient pas à cribler nos Icarii de flèches. Belial a prévu d'envoyer des espions humains déguisés en paysans. Pour le moment, nous n'en savons pas plus, et lui non plus.

—Dans ce cas, je préfère que la Force de Frappe retourne sur le mont Serre-Pique. Elle continuera à s'entraîner jusqu'à ce que Belial ait ouvert des voies d'approvisionnement suffisantes pour nourrir ses soldats et les nôtres. Dès que ce sera fait, la Force de Frappe le rejoindra. Quoi qu'il arrive, elle devra être sur place au début de l'automne, pour préparer la campagne hivernale. Gorgrael profitera de l'été pour regrouper ses forces et il attaquera dès le début du mois de l'Os, voire un peu plus tôt. Idéalement, nos guerriers devraient partir pour Sigholt dans douze semaines, soit au début du mois de FeuilleMorte. Ainsi, ils auront largement le temps de s'entraîner avec les hommes de Belial. Mon but est d'avoir une seule armée, au terme du processus…

—Et qui la commandera ? demanda Œil Perçant.

—Moi, répondit Axis, dès mon arrivée à Sigholt. Tu garderas la responsabilité de la Force de Frappe tant qu'elle n'aura pas quitté Serre-Pique, puis Belial sera le chef jusqu'à mon retour. Hum… Il serait peut-être prudent de faire délivrer ce message par deux groupes d'éclaireurs.

—Tu n'as pas à t'inquiéter, chef de Force, dit Œil Perçant.

Aucune partie de ton discours ne se « perdra » en route. La Force de Frappe t'est acquise. Si tu penses que Belial sera un meilleur commandant en chef, personne n'y verra d'inconvénient. Penses-tu être absent longtemps ?

— Je n'en sais rien, mon ami… Selon Ogden et Veremund, le temps s'écoule bizarrement dans le Monde Souterrain. Je serai peut-être parti quelques jours… ou quelques mois. Mais je dois apprendre les secrets des Charonites, et j'ai une promesse à tenir.

Ogden et Veremund se désintéressèrent de la réunion et s'éloignèrent en conversant à voix basse. Était-ce Jack qui avait rendu la vie au lac ? Avait-il trouvé Zeherah ? À l'idée de la revoir, ils ne se tenaient plus d'impatience…

— Messires ? lança soudain une voix dans leur dos.

Les deux vieillards se retournèrent et sourirent à Rivkah, qui approchait en compagnie d'Azhure.

— Bonjour, chère dame, dit Ogden, ravi de revoir l'ancienne épouse de Vagabond des Étoiles.

Les Sentinelles appréciaient beaucoup la mère d'Axis. Quant à Azhure… eh bien, elle était pour eux une énigme fascinante, surtout depuis la nuit de Beltide, où Axis et son père, s'il fallait en croire la rumeur, s'étaient disputé ses faveurs.

— Mes amis, dit Rivkah, je n'ai pas pu m'empêcher d'entendre votre conversation avec Axis et les chefs de Crête. Vous partez vraiment pour Sigholt ?

— Dès que possible, oui. Vous songez à nous accompagner ?

— Azhure et moi ferions volontiers le chemin avec vous.

— Ce sera un honneur, dit Veremund. Pour toi, Rivkah, revoir Sigholt sera une sorte de voyage dans le temps.

— Sur bien des points, oui… Traverserons-nous la forêt d'Avarinheim jusqu'à l'endroit où le fleuve Nordra sort de la chaîne de la Forteresse ?

Azhure se raidit. Ce chemin les ferait passer très près de Smyrton, et cette seule idée lui donnait la nausée.

Veremund tapota gentiment le bras de la jeune femme.

— Non, répondit-il à Rivkah, nous ne passerons pas par là.

— Alors, quel chemin prendrons-nous ? C'est la route la plus directe…

Ogden et Veremund échangèrent des sourires de conspirateurs.

— Nous préférons emprunter un itinéraire moins connu, dit Ogden. Nous traverserons bien Avarinheim, au début, mais nous bifurquerons très vite vers l'ouest, en direction des montagnes.

— Je croyais qu'on ne pouvait pas les traverser, intervint Azhure. Le seul chemin n'est donc pas celui qui passe par la vallée des Proscrits ?

— Il y en a d'autres, mon enfant, assura Veremund, et nous serons ravis de vous en montrer un… Ensuite, nous avancerons vers le sud, dans les plaines du Chien Sauvage, puis à travers le col de Garde-Dure. Ce sera un long voyage, et nous serons heureux d'avoir une si charmante compagnie pour nous divertir.

— Quand partirons-nous ? demanda Rivkah.

— Cet après-midi. Si vous avez des adieux à faire, dépêchez-vous !

Rivkah perdit d'un coup toutes ses couleurs. Depuis des semaines, elle parlait de quitter les Icarii. L'heure du départ ayant sonné, l'idée de laisser trente ans de vie derrière elle la terrorisait. Des larmes aux yeux, elle regarda les hommes-oiseaux qui s'envolaient pour rentrer chez eux. Avait-elle pris la bonne décision ?

Vagabond des Étoiles apparut soudain à côté d'elle et lui passa un bras autour de la taille.

— Tu sembles bouleversée, douce dame. Pourquoi ?

Rivkah se força à sourire. Alors qu'il désirait la femme qui se tenait à ses côtés, l'Envoûteur aurait pu s'abstenir de l'enlacer.

— Je pars cet après-midi pour Sigholt avec Ogden, Veremund et… Azhure. Nous allons à Sigholt.

Vagabond des Étoiles en resta bouche bée. Il avait cru que l'humaine retournerait chez les Icarii. Axis étant absent, il s'était donné de bonnes chances de la conquérir. Et voilà qu'il risquait de ne plus la voir pendant des mois !

La tension monta encore d'un cran quand Axis approcha du petit groupe. Voyant son père fondre sur Rivkah et Azhure, il avait écourté sa conversation avec les chefs de Crête et couru à la rescousse des deux femmes.

Enfin, d'Azhure, surtout, car il n'avait d'yeux que pour elle… Depuis qu'ils s'étaient séparés, à l'aube, elle l'évitait soigneusement. Pas question de laisser Vagabond des Étoiles lui mettre la main dessus !

Axis embrassa sa mère, puis se tourna vers son amante pour l'embrasser aussi. Une provocation délibérée qui visait Vagabond des Étoiles !

Quand Azhure s'écarta vivement, le plus vieux des deux Envoûteurs eut un rictus satisfait.

Je les ai dressés l'un contre l'autre ! pensa Azhure. *Il était vraiment temps que je parte !*

Si le père et le fils s'entre-déchiraient par jalousie, la Prophétie en souffrirait. Quelle folie avait-elle commise, la nuit précédente ? Fuir ses deux prétendants aurait été la seule solution…

Rivkah posa un bras sur les épaules de son amie.

— Nous partons pour Sigholt avec Ogden et Veremund, annonça-t-elle à Axis. Toutes les deux, nous en avons assez que les Envoûteurs nous compliquent la vie !

Remis de sa surprise, Vagabond des Étoiles se pencha pour embrasser son ancienne épouse.

— Je te reverrai sûrement là-bas, dit-il. Monte sur le toit pour guetter mon arrivée…

— Tu es sûr que c'est moi que tu veux voir sur ce toit ? lança Rivkah.

L'Envoûteur encaissa assez mal le coup. Il n'était pas au bout de ses déconvenues, car Azhure, pour éviter qu'il l'embrasse sur la bouche, lui tendit la main.

— À très bientôt, douce dame…, susurra l'Icarii avant de la lui baiser.

Azhure préféra ne rien répondre. Des propos inconsidérés auraient pu lui aliéner l'Envoûteur, et ça n'était jamais une très bonne idée.

— Mon fils, dit Vagabond des Étoiles en se tournant vers Axis, Beltide met parfois au jour nos rêves et nos désirs les plus secrets. Hélas, on dirait que nous nous ressemblons plus que nous le pensions. C'est la première fois que j'ai pour concurrent un fils doté de tout mon charme – au minimum. Azhure a fait un choix cette nuit, et elle n'a pas changé d'avis aujourd'hui. Je n'en conçois aucune amertume, et je ne t'en veux pas. Cette affaire ne doit pas nous séparer…

Sous le regard des deux femmes, aussi dubitatives l'une que l'autre, Axis hésita, puis donna l'accolade à son père.

Après avoir fait leurs adieux aux Avars et aux Icarii, Azhure et Rivkah allèrent attendre les Sentinelles à la lisière d'un des bosquets.

— Le voyage sera pénible, soupira Rivkah, et je n'ai plus mes jambes de vingt ans.

Azhure pianotait nerveusement sur son paquetage. Un peu plus tôt, Axis lui avait confié sa tunique jaune or pour qu'elle la dépose à Sigholt. Le vêtement était rangé avec la robe pourpre, au fond du sac.

— Regarde, ils arrivent, et ils sont encore en train de se disputer !

Les deux vieillards approchaient, chacun tenant par la bride un baudet blanc ventripotent chargé de gros sacs de toile.

— J'ai entendu parler de ces animaux, dit Azhure. Mais où les ont-ils trouvés, ce coup-ci ?

— Trouvés ? répéta Veremund quand les vieillards eurent rejoint les deux femmes. Ils étaient dans le camp, pas vrai, Ogden ?

— Bien entendu ! Et ils nous attendaient. Veremund a dû les y amener.

—Ah non, c'est toi! s'écria le vieillard maigrichon. Moi, je ne m'en suis jamais occupé!

—Eh bien, coupa Rivkah, nous aurons au moins un moyen de locomotion, quand nos pieds nous feront trop mal…

Voyant que les Sentinelles continuaient à se quereller au sujet des baudets, la mère d'Axis éclata de rire.

Le voyage ne manquerait pas de piment, et elle avait pris la bonne décision. Azhure aussi, elle en était certaine.

Pour la première fois depuis des années, Rivkah pensa à l'avenir sans angoisse…

Avant de partir, Axis donna ses derniers ordres à Œil Perçant.

—Quand Belial sera prêt, que la Force de Frappe le rejoigne à Sigholt. Je viendrai dès que j'en aurai fini avec les Charonites. Dis à mon second de faire ce qui s'impose, mais de penser surtout à consolider la position.

—Chef de Force, ne reste pas absent trop longtemps. Belial et moi aurons besoin de toi à la fin de l'automne…

Œil Perçant salua son commandant puis s'envola.

Axis se tourna vers son père et l'étreignit de nouveau.

—Merci, souffla-t-il, certain que Vagabond des Étoiles comprendrait le message.

Il ne parlait pas seulement de la formation à la magie!

—Au revoir, Axis, dit Étoile du Matin en posant un rapide baiser sur la joue de son petit-fils.

Pour elle non plus, Beltide n'avait pas tourné comme prévu. Et Vagabond des Étoiles n'était pas le seul Soleil Levant déçu par le choix de partenaire d'Axis…

—Profite des leçons des Charonites, ajouta-t-elle, et demande-leur s'ils ont une idée au sujet de…

L'Envoûteuse hésitait à formuler sa question à voix haute, mais Axis avait compris ce qu'elle voulait dire. Depuis qu'il était établi que Gorgrael et lui avaient été formés par un Envoûteur Soleil Levant inconnu, ils n'avaient plus abordé le sujet. Mais il n'était jamais vraiment absent de leur esprit…

— Les Charonites sauront sans doute, affirma Vagabond des Étoiles.

Axis lut une profonde inquiétude sur le visage de son père.

— Je les interrogerai, dit-il, mais j'ai peur que cet Envoûteur rebelle reste introuvable tant qu'il n'aura pas décidé de se montrer.

— Et si tu le connaissais déjà, Axis ? avança Étoile du Matin d'une voix blanche. S'il était un de tes proches ? Un Envoûteur ou une Envoûteuse si puissant peut adopter n'importe quelle apparence.

Axis suivit le chemin que lui avait indiqué son père et arriva très vite devant l'entrée de la caverne. Avec les broussailles qui la dissimulaient, il aurait pu passer devant des dizaines de fois sans la remarquer, mais la description de Vagabond des Étoiles était remarquablement précise.

Sans hésiter, Axis s'enfonça dans la grotte, s'arrêta devant la paroi du fond et la tapota en entonnant la Chanson que son père lui avait conseillé d'utiliser. Comme il la chanta doucement, contrairement à Vagabond des Étoiles, la muraille entière ne s'écroula pas sur lui. Seule une petite partie s'effrita pour révéler une porte en bronze.

Axis la poussa et commença son voyage dans le Monde Souterrain.

Des heures plus tard, il déboucha dans la grotte où le Passeur l'attendait déjà, son bac arrimé dans le canal.

Axis s'arrêta à deux pas du vieillard aux yeux violets d'une étonnante jeunesse.

— Je te salue, Axis Soleil Levant, toi qui es aussi l'Homme Étoile, dit le Passeur en s'inclinant. Bienvenue dans le Monde Souterrain. Que puis-je pour toi ?

— Je te salue, Passeur. Si j'ai bien compris, ma mère a réussi à t'extorquer une faveur ?

— C'est exact.

— Tu dois donc m'aider, quoi que je te demande ?

— Je le dois…

—Alors, enseigne-moi les secrets des canaux, et tout ce que ton peuple a découvert au fil des âges.

—Je désire le faire depuis toujours, Axis. C'est pour ça que j'ai vécu si longtemps – et navigué inlassablement sur ces canaux. Car je suis né pour enseigner !

17

AUDIENCE ROYALE

Elle voit Borneheld descendre du trône. Puis deux hommes, épée au poing, se tourner autour en quête d'une ouverture. Borneheld et Axis, défigurés par la haine, tous les deux blessés et titubant de fatigue. Partout dans la salle, les témoins crient au meurtre et à la trahison. Le sang… Pourquoi y a-t-il tellement de sang ?

Elle entend un cri – le sien !

La vision se dissipa, mais Faraday, l'estomac retourné, crut que ses jambes allaient refuser de la porter. Pour conserver son équilibre, elle ferma un instant les yeux. Depuis qu'elle était entrée dans le hall des Lunes, soit une bonne demi-heure, la vision que lui avaient envoyée les arbres, dans le bois de la Muette, la harcelait sans relâche. Par bonheur, Priam lui avait seulement adressé quelques mots avant de se concentrer sur son mari.

Le duc et elle étaient arrivés à Carlon quatre jours plus tôt, et le roi avait fait lambiner Borneheld jusqu'à ce matin avant de lui accorder une audience. Malgré sa fureur, le Seigneur de Guerre avait pris son mal en patience.

À présent, debout devant l'estrade royale, Faraday était si tendue qu'elle tremblait légèrement.

Dans le hall des Lunes bondé, tout le monde retenait son souffle. Les scribes écrivaient frénétiquement, les nobles écarquillaient les yeux, et les serviteurs se pressaient sur le pas de la porte. Campés à gauche du trône, Jayme, Moryson et Gilbert, le teint grisâtre, suaient à grosses gouttes.

Seul Priam paraissait serein. Assis nonchalamment, il pianotait sur les accoudoirs de son trône – une manière subtile de manifester son déplaisir.

Faraday cligna des yeux et tenta de s'éclaircir les idées. Même si elle connaissait peu le roi, elle avait assez entendu parler de lui pour voir qu'il avait changé. Cet homme à la voix dure et au regard d'acier n'était plus le charmant dilettante à frisettes de jadis…

— Je t'ai nommé Seigneur de Guerre, dit-il à Borneheld, et pour me remercier, tu as perdu Ichtar ! Pendant que tu te pavanes à la cour, nul doute que les Spectres du Destructeur s'apprêtent à déferler sur le reste de mon royaume.

Le duc passa du rouge à l'écarlate, et sa femme se mordit les lèvres, de plus en plus inquiète.

— J'ai été trahi…, commença Borneheld, à deux doigts d'exploser.

Le roi ne le laissa pas continuer.

— On m'a raconté que tu t'en es tiré entier grâce à la bravoure d'Axis.

Faraday vit l'effort prodigieux que fournit son mari pour rester calme. Les poings serrés, il semblait prêt à sauter sur l'estrade.

— Majesté, il s'est allié aux Proscrits. Après une telle félonie, comment s'étonner d'avoir perdu Ichtar ?

— On m'a également raconté, lâcha froidement Priam, que mon neveu est en faveur d'une alliance du royaume avec les… eh bien…, les Icarii et les Avars.

Comme tout le monde dans l'assistance, Faraday eut du mal à en croire ses oreilles. En public, le roi n'avait jamais reconnu qu'Axis était son neveu.

— La Prophétie, continua Priam, affirme que ce pacte avec nos anciens ennemis est indispensable pour vaincre Gorgrael.

Faraday baissa les yeux pour que son mari ne les voie pas briller de joie. La tête lui tournait de nouveau, mais cette fois, c'était l'ivresse de l'espoir. Une alliance impliquerait le retour en Achar d'Axis – près d'elle !

Mère, implora-t-elle, *donne à Priam le courage de se ranger sous l'étendard de la vérité ! Et ramène-moi Axis !*

Un mouvement, sur sa droite, attira l'attention de la jeune femme. Une main devant la bouche, Gilbert tenait un discours enflammé au frère-maître.

Tu peux chuchoter, pourceau ! Il y a mille ans, ton Sénéchal adoré a déclenché la Guerre de la Hache pour chasser de chez eux les Avars et les Icarii. Dix siècles durant, ton ordre maudit a accusé de tous les maux ceux qu'il nomme « les Proscrits ». Et voilà qu'un souverain d'Achar envisage de s'allier à eux !

Faraday ne put s'empêcher de sourire.

Je sais ce que tu redoutes, Jayme… Au moment où les Proscrits entreront en Achar, mille ans de mensonges tomberont en poussière. As-tu peur que ton ordre perde tout contrôle sur les Acharites quand la Mère et les Dieux des Étoiles répandront de nouveau la joie sur un royaume redevenu merveilleux ?

Avant de reprendre la parole, Priam leva une coupe incrustée de pierres précieuses et but une gorgée d'eau.

— Je me demande, dit-il, si j'ai choisi le bon Seigneur de Guerre…

Cette fois, l'assistance cria de surprise, et les scribes redoublèrent d'efforts.

Faraday en soupira de soulagement. Priam allait s'unir à Axis ! La guerre civile n'aurait pas lieu, Gorgrael serait mis en déroute… et son amoureux vivrait. Sa vision ne se réaliserait pas, au bout du compte…

Jayme bouillait de colère, mais Moryson, le retenant par la manche, l'empêchait d'intervenir.

— Par Artor ! rugit Borneheld. (Comble de l'insubordination, il avança vers le trône.) Le roi est-il devenu fou ?

Tout aussi furieux, Priam se leva d'un bond.

— Tu peux te retirer, duc sans duché, car je ne t'adresserai plus la parole aujourd'hui. Ma décision est prise. Si tu t'entêtes à la contester, il faudra bien que je repense à mon choix, en matière de Seigneur de Guerre et d'héritier…

L'assistance en resta bouche bée, les scribes eux-mêmes

ayant du mal à croire ce qu'ils consignaient pourtant par écrit.

— Je…, commença le duc, ébranlé.

— Tu ne m'as servi à rien, dit Priam en se rasseyant. Hors de ma vue, Borneheld!

Blanc comme un linge, ses yeux gris brillant de fureur, le duc ne bougea pas.

— Dehors! lança Priam.

Méprisant, il se tourna pour parler avec sa reine, Judith, assise sereinement près de lui.

Ignoré par son roi, mais conscient que tout le monde le regardait, Borneheld pensa de justesse à offrir son bras à Faraday. Puis il l'entraîna hors du hall des Lunes.

— Duchesse, dit Priam alors qu'ils atteignaient la porte, la reine parle toujours en bien de toi. Accepterais-tu de déjeuner avec elle, demain?

Plus heureuse que depuis de longs mois, Faraday hocha gracieusement la tête.

Borneheld lâcha la bonde à sa colère dès qu'ils furent dans leurs appartements.

— Il est fou! cria-t-il.

— Mon époux, il pense à sauver son peuple, dit Faraday en allant s'asseoir devant une table basse, près de la fenêtre.

— Sois maudite, sale garce! rugit le duc. Mon humiliation te ravit, bien entendu!

Le voyant avancer vers elle, la jeune femme leva les yeux, pas du tout intimidée.

— À l'instar de Priam, je me soucie avant tout du royaume, Borneheld. Pas des titres, de la fortune et du pouvoir, comme toi…

Le duc recula avant que sa main vole d'elle-même jusqu'au visage de l'insolente.

— L'idée de régner à mes côtés ne te séduit donc pas, ma douce colombe?

— La couronne ne me tente pas plus que de rester près de toi, mon époux!

Voilà, tout était dit!

—Pourtant, catin aux airs de sainte-nitouche, les vœux que tu as prononcés t'y obligent, quoi que dise Priam, et quel que soit le désir que tu éprouves pour mon frère...

Cette tirade fut interrompue par des coups frappés à la porte et par l'intrusion, aussitôt après, du frère Gilbert.

Évaluant d'un coup d'œil la situation, il eut un rictus satisfait, puis s'inclina distraitement devant le duc.

—Mon seigneur, le frère-maître vous demande une audience.

—Une audience, Gilbert?

—Il estime que l'heure est venue d'examiner... l'hypothèse... que je vous ai exposée au Ponton-de-Jervois.

—Et il a raison... Ma chère épouse, si tu veux bien m'excuser...

Faraday plissa le front en regardant sortir les deux hommes. Pourquoi l'humeur du duc avait-elle changé si brutalement?

Au fond, elle s'en fichait!

Par la fenêtre, elle regarda la foule qui grouillait dans les rues. Priam avait eu l'audace de penser s'allier avec Axis et d'envisager en public de le nommer son héritier. Un extraordinaire rebondissement!

Les yeux de la jeune femme s'emplirent de larmes.

D'espoir, cette fois...

18

Dans la chaîne de la forteresse

Deux jours durant, Ogden et Veremund guidèrent Azhure et Rivkah vers le sud-ouest à travers la forêt d'Avarinheim. Dans cette zone, les sentiers étroits étaient envahis par la végétation, car les Avars évitaient autant que possible de s'aventurer dans les montagnes qui séparaient leur territoire d'Achar.

—Ils préfèrent avoir une bonne épaisseur de forêt entre les Acharites et eux, avait expliqué Veremund à Azhure.

Si difficiles d'accès qu'ils fussent, les chemins de montagne se révélèrent magnifiques. Abrités du vent du nord par des rideaux d'arbres, ils baignaient dans une lumière dorée délicatement filtrée par les feuillages.

Une symphonie pastorale accompagnait en permanence les voyageurs : le bruit du vent qui s'infiltrait entre les chênes et les broussailles, le goutte-à-goutte de la rosée qui tombait des feuilles, l'écho assourdi des torrents en route pour alimenter le fleuve Nordra, le chant toujours renouvelé des oiseaux perchés dans les hautes branches… Sans oublier, bien entendu, l'omniprésente douceur de la mélopée de l'Arbre Terre…

Les deux Sentinelles, comme prévu, appréciaient la compagnie d'Azhure et Rivkah. Un dur voyage, avec ces humaines, prenait des allures de joyeuse promenade.

Ogden et Veremund n'avaient plus entrepris une expédition de ce type depuis deux mille ans. À l'époque, la forêt couvrait toute la zone qui s'étendait à l'est du fleuve. Aujourd'hui, seule la poche de nature protégée par la chaîne de la Forteresse échappait encore à la férocité de l'ordre du Sénéchal – et de Gorgrael, depuis peu.

—Veremund, dit Rivkah en arrivant au niveau du vieillard, qui marchait près d'Azhure, Ogden a un problème avec son baudet. La pauvre bête a un caillou coincé dans le sabot avant droit, et il voudrait que tu lui tiennes la tête pendant qu'il tente de le retirer.

Veremund remercia l'humaine et courut rejoindre son vieux complice. Les deux femmes continuèrent leur chemin sous la lumière voilée où les papillons et les oiseaux chanteurs voletaient avec une grâce nonchalante.

—Azhure, je suis ravie que nous ayons l'occasion de parler en privé. (Rivkah prit la main de son amie et la sentit se raidir.) Je n'ai pas l'intention de te faire un sermon, rassure-toi, mais simplement d'en savoir plus sur tes sentiments. Ne suis-je pas la dernière à pouvoir blâmer une femme qui a succombé au charme d'un Envoûteur ?

—J'ai tout fait pour l'éviter, dit Azhure, toujours un peu méfiante. Hélas, j'ai échoué…

Rivkah lâcha la main de son amie, lui passa un bras autour des épaules et la serra brièvement contre elle.

—Mon enfant, aimer un Envoûteur n'est pas facile, c'est tout ce que je voulais te dire. Si tu as besoin d'une confidente, sache que je serai là pour toi.

—Je n'en doutais pas… Le cœur d'Axis appartient à Faraday. J'en ai conscience, et je peux l'accepter, mais…

—Mais ? répéta Rivkah, certaine d'avoir deviné la suite.

—Eh bien, noble ou pas, Faraday est une humaine, comme moi. Axis et elle n'auront-ils pas les mêmes difficultés que Vagabond des Étoiles et toi ? Elle vieillira plus vite que lui, et mourra alors qu'il sera dans la force de l'âge.

—Depuis que Faraday est liée à la Mère, elle n'est plus vraiment comme nous. Pour ce que j'en sais, elle vivra peut-être aussi longtemps qu'Axis, et il ne se détournera jamais d'elle à cause des… ravages du temps.

—C'était une simple nuit… Ne t'inquiète pas pour moi, je saurai rester loin d'Axis.

—Je l'espère pour toi, mon amie. Mais le sang de Vagabond

des Étoiles coule dans ses veines. Comme son père, il est un puissant Envoûteur, et vos chemins se croiseront de nouveau un jour ou l'autre. Seras-tu assez forte pour le fuir?

Derrière les deux femmes, Ogden et Veremund lâchèrent la patte du baudet, dont le sabot était en parfait état.

—Il a passé la nuit de Beltide avec Azhure, dit Ogden.

—Ce n'est pas la première fois qu'il couche avec une femme, souligna Veremund.

—Peut-être, mais ça n'a rien à voir, parce qu'elle est différente!

—Oui, oui, tu as raison, vieux grincheux! Tu crois que c'est important, du point de vue de la Prophétie?

—Qui peut le dire, cher compagnon? Nous ignorons tant de choses… Le prophète aurait pu être plus explicite!

—En tout cas, Azhure complique les choses.

—C'est certain…

—Je l'aime bien, Ogden…

—Oui, oui…

Les deux Sentinelles ne pouvaient s'empêcher d'apprécier la jeune femme, qui leur semblait être… une vieille amie. Mais comment était-ce possible?

—Elle a un pouvoir très spécial, dit Veremund, mais dissimulé derrière un épais rideau de peur.

Ogden dévisagea longuement Veremund.

—Tu es très perspicace! Je ne m'en étais pas aperçu, pourtant, maintenant que tu le dis… Oui, tu as raison! Tu penses qu'elle est dangereuse?

—Pour être franc, je ne me suis jamais posé la question. Dangereuse? Peut-être, mais il reste à savoir pour qui. Ogden, que devons-nous faire à son sujet?

—Rien du tout, mon vieux, à part observer, comme nous l'ordonne la Prophétie.

—Elle a toutes les qualités d'une héroïne, souffla Veremund. Un jour, elle déchirera le rideau de peur et réclamera ce qui lui revient de droit.

Le matin suivant, les quatre voyageurs atteignirent le pied de la chaîne de la Forteresse.

—Alors, messires, demanda Rivkah, où est votre chemin secret ?

—Pas très loin d'ici, mais il faudra encore un petit moment pour atteindre le tunnel.

—Un tunnel ? répéta Azhure, peu enthousiaste.

Les deux Sentinelles s'étaient déjà engagées sur un sentier à peine repérable qui conduisait au pied de la colline la plus proche. Les suivant, les deux femmes s'engouffrèrent dans une étroite crevasse qui s'enfonçait dans les entrailles de la terre. Très vite, la lumière disparut, et Ogden sortit une petite lampe à huile d'un des sacs que portait son baudet.

—Nous n'en aurons pas besoin longtemps, dit-il pour rassurer les humaines.

Rivkah et Azhure échangèrent un regard inquiet. Où les conduisaient les deux fantasques vieillards ? Si la pente devenait plus abrupte, les baudets ne pourraient pas aller plus loin sans se rompre le cou.

—Le pire est derrière nous, gentes dames ! lança Ogden. Nous y sommes presque.

—Je ne suis pas sûre de vouloir découvrir où nous allons, marmonna Azhure.

Ses jambes lui faisaient un mal de chien, tout particulièrement son mollet gauche.

Quelques minutes plus tard, elle soupira de soulagement quand le terrain sembla vouloir s'aplanir.

—Où sommes-nous ? demanda Rivkah, le souffle court, alors qu'ils débouchaient sur un sentier couvert de gravillons.

La lampe d'Ogden ne suffisait pas à éclairer les environs – à part l'étroite fissure qui s'ouvrait devant eux dans une muraille rocheuse. Bien qu'il fût autour de midi, il faisait noir comme en pleine nuit.

—Où nous conduisez-vous ? insista Rivkah.

—Au cœur d'un mystère, chère dame, répondit Ogden.

Veremund posa une main rassurante sur l'épaule de chacune des femmes.

— Il n'y a pas de danger, et nous serons bientôt au sec et à la lumière. Soyez indulgentes avec Ogden, il adore jouer les mystérieux…

Le gros frère guida ses compagnons derrière un amas de rochers. Devant eux, au-delà du cercle lumineux de la lampe, l'obscurité était totale.

Sans crier gare, Ogden éteignit sa lampe, et les ténèbres enveloppèrent le petit groupe.

— Regardez, chères dames! cria-t-il. Regardez!

Les deux femmes sentirent qu'il avançait.

Il y eut un « clic » presque imperceptible. Soudain, une lumière jaune rasante éclaira le sol – et les deux femmes crièrent de surprise.

Ogden avançait sur une étroite voie lisse et noire. Et chaque fois qu'il avait fait quatre ou cinq pas, une nouvelle lumière s'allumait au niveau de ses pieds ou de sa tête. Au fil de sa progression, il révélait ainsi le long tunnel rectiligne qui semblait s'étendre jusqu'à l'infini, des lignes jaunes séparant en deux parties égales sa chaussée sombre.

Le baudet du gros frère lui avait emboîté le pas.

— Qu'est-ce que c'est? demanda Rivkah à Veremund.

— Et qui a construit ce… ce… tunnel? ajouta Azhure. De quand date-t-il? Comment s'active la lumière? Quelle est la matière noire brillante qui couvre le sol?

— Que de questions, mon enfant! Hélas, nous ignorons les réponses. Tout ce que nous savons, c'est qu'il existe plusieurs tunnels de ce type en Tencendor. À l'occasion, nous les empruntons, et voilà tout! Ils sont très anciens, et nous donnerions cher pour savoir qui les a construits.

Veremund partit sur les talons d'Ogden, dont la silhouette rondelette disparaissait déjà à demi. Après une brève hésitation, Rivkah et Azhure le suivirent.

Dans leur dos, exactement dix minutes après leur passage, les lumières s'éteignaient une à une…

Les quatre voyageurs descendirent pendant des heures – en pente douce, cette fois – puis l'étrange chaussée s'aplanit d'un seul coup. Un peu plus tard, alors que le crépuscule devait approcher à la surface, Ogden annonça qu'ils allaient faire une courte pause.

Épuisées, les deux femmes protestèrent vigoureusement. Après une telle marche, elles avaient besoin de plus de repos!

—Nous n'avons pas de paillasse confortable, dit Ogden, et aucun Envoûteur pour invoquer des matelas d'air. Si nous restons ici longtemps, vous serez tellement mal, sur cette surface dure, que vous insisterez pour repartir!

—De plus, ajouta Veremund, j'ai hâte de revoir le ciel, même nocturne, et de respirer un peu d'air frais. Ce tunnel est très sûr, et bien pratique, mais sa monotonie n'apporte aucune joie à mon âme.

—Où conduit-il? demanda Azhure. (Elle enleva Perce-Sang de son épaule et le posa délicatement sur le sol.) Quand l'aurons-nous traversé?

—Il court sur toute la longueur de la chaîne de la Forteresse, répondit Ogden en sortant d'un de ses sacs un plateau de biscuits aux raisins. Si nous ne traînons pas, et en évitant les trop longues pauses, nous devrions en sortir d'ici deux jours.

—Eh bien, soupira Rivkah, c'est supportable, si ça nous permet d'arriver plus vite à Sigholt…

Elle alla aider Veremund à délester les baudets de leur chargement, afin qu'eux aussi se reposent un peu.

Azhure s'assit et accepta de bon cœur un biscuit. L'atmosphère du tunnel l'oppressait, mais c'était un faible prix à payer pour rester aussi loin que possible de Smyrton.

Veremund prit place à côté de la jeune femme et leva les yeux vers son vieux compagnon.

—Ogden, aurais-tu par hasard une pomme dans ton sac?

Les Sentinelles n'avaient pas menti. Après deux heures de repos, les deux femmes ne furent pas mécontentes du tout quand Ogden donna le signal du départ. Avancer, même à moitié endormies, était bien préférable à un séjour prolongé sur cette matière aussi dure et glacée que du métal.

189

Les deux jours suivants, ils adoptèrent un rythme de cinq à six heures de marche entrecoupées de pauses ne dépassant jamais les trois heures. Autour d'eux, le décor ne changeait pas, les faisant parfois douter qu'ils avalaient vraiment de la distance. Piégés dans les îlots de lumière qu'ils créaient en avançant, ils eurent vite l'impression d'être coincés entre deux océans d'obscurité qui ne leur rendraient jamais la liberté. Même sans être claustrophobe, dans un tel environnement, le besoin d'espace et d'air frais finissait par devenir impérieux.

Le matin du troisième jour, la chaussée commença à remonter, et le moral des voyageurs revint peu à peu au beau fixe. Malgré leur fatigue, les baudets pointèrent les oreilles comme s'ils sentaient que leur calvaire serait bientôt fini.

Après huit heures d'ascension, tous les muscles douloureux, les voyageurs émergèrent à l'air libre par un milieu d'après-midi grisâtre et frisquet. Pressés de s'éloigner du tunnel, ils escaladèrent un amas de rochers, négocièrent non sans peine la pente traîtresse d'un ravin et débouchèrent sur une plaine battue par le vent glacial qui soufflait du nord. Sur le mont Serre-Pique, puis dans la forêt d'Avarinheim, ils avaient été quasiment hors d'atteinte des frimas maléfiques de Gorgrael. À l'extrémité sud de la chaîne de la Forteresse, là où naissaient les plaines du Chien Sauvage, les bourrasques du Destructeur se déchaînaient sans entraves.

—Ne devrions-nous pas passer la nuit ici, Ogden? demanda Rivkah. Les rochers que nous venons de traverser pourraient bien être le dernier abri disponible avant longtemps.

—Non, adorable dame, répondit le vieillard. Avant de camper, nous avancerons quelques heures de plus vers le sud. Je n'aime pas ce vent, et je crains qu'il nous vide de nos forces si nous restons trop longtemps ici. Mais regarde donc ce que je viens de trouver!

Le gros frère sortit deux manteaux d'un de ses sacs et les tendit aux humaines, qui ne se firent pas prier pour les enfiler. Veremund ayant fait la même «découverte» de son côté, les vieillards aussi s'emmitouflèrent chaudement.

À la grande surprise de leurs compagnes, ils insistèrent pour qu'elles voyagent à dos de baudet. Au chaud et relativement bien assises, Rivkah et Azhure n'eurent plus aucune raison de se plaindre.

Ils campèrent dans le lit asséché d'un ruisseau – rien d'idéal en matière de refuge, mais ils furent bien obligés de s'en contenter. Par bonheur, le vent était un peu tombé, et quelques buissons rachitiques leur fournirent assez de bois pour une flambée convenable.

Ogden sortit d'un de ses sacs à malice de la soupe et du pain dont ils se régalèrent. Après le repas, Veremund réussit à forcer les baudets à s'allonger près du feu. Entre les flammes et la chaleur des animaux, les quatre compagnons passèrent une nuit à peu près correcte. D'autant plus que le sol craquelé, après celui du tunnel, leur parut aussi doux et caressant qu'un matelas de plumes !

Les trois jours suivants, ils avancèrent vers le sud en longeant d'aussi près que possible les contreforts de la chaîne de la Forteresse, histoire de couper au maximum le vent.

Pour les deux femmes, un climat pareil semblait incompatible avec l'idée même de « printemps ». Ayant survécu au siège du fort de Gorken, les deux frères savaient combien l'hiver, quand il était l'œuvre de Gorgrael, pouvait être féroce. L'absence de neige les encouragea. Avec un peu de chance, les terres qui s'étendaient au sud du fleuve Nordra auraient échappé aux glaces du Destructeur…

Le vent du nord, cependant, ne leur permit pas d'oublier que Gorgrael, en Ichtar, continuait à rallier ses troupes en préparation d'un assaut massif.

Tandis qu'elle « chevauchait » en silence, Rivkah se demanda ce que son fils ferait contre la sorcellerie de Gorgrael. Si puissant fût-il, pourrait-il vaincre son demi-frère alors que le climat lui-même lui obéissait ?

19

LES ALAHUNTS

Trois jours après que le petit groupe eut quitté le tunnel, des silhouettes blanches difficiles à identifier vinrent fureter au milieu des rochers où les Sentinelles et leurs compagnes s'étaient brièvement arrêtées.

Soudain, l'une d'elles s'arrêta et renifla les vestiges d'une empreinte de semelle. Ensuite, elle releva la tête et poussa un long cri modulé qui alerta le reste de la meute. Très vite, toutes les créatures se regroupèrent et aboyèrent en chœur en tournant autour de l'empreinte. Puis elles slalomèrent ensemble entre les rochers et s'engagèrent sur la piste étroite qui menait vers le sud. À intervalles irréguliers, certaines relevaient leur long museau pour lancer un aboiement qui se répercutait à l'infini dans les plaines désertes.

Fous de terreur, les petits chiens sauvages à poil jaune auxquels la région devait son nom – de fiers chasseurs de petits rongeurs et d'oiseaux – coururent se réfugier dans leurs terriers.

Les Alahunts rôdaient de nouveau sur leur territoire !

En fin d'après-midi, le quatrième jour, les Sentinelles entendirent l'écho des aboiements de la meute, très loin au nord. Par bonheur, les deux femmes ne remarquèrent pas le regard angoissé qu'échangèrent Ogden et Veremund avant d'inciter les baudets à avancer un peu plus vite.

Les vieillards ne se faisaient pas d'illusions : distancer les Alahunts serait impossible. Mais s'ils pouvaient différer d'une heure ou deux l'inévitable confrontation, elle aurait peut-être lieu sur un terrain plus facile à défendre.

—Que se passe-t-il ? demanda Azhure, s'apercevant que quelque chose clochait. Vous semblez inquiets !

Ogden consulta son compagnon du regard, et la décision logique s'imposa à eux. Les Alahunts approchant vite, les deux femmes les entendraient très bientôt…

—On nous suit, annonça Veremund.

—Qui ? demanda Azhure. (Sa main vola vers Perce-Sang.) Des Skraelings ?

—Non, des créatures plus anciennes et beaucoup plus dangereuses.

—Quoi ?

Déjà prête au combat, Azhure tira une flèche de son carquois.

—Des Alahunts, dit Ogden. Une race de chiens…

—Des chiens ? répéta Azhure en sautant de son baudet.

—Oui, répondit Rivkah, le regard voilé par la peur. J'en ai entendu parler quand j'étais enfant… Selon ma nourrice, il s'agit d'une meute de chiens ensorcelés qui traquent les humains. Sans prendre de repos ni même se nourrir, ils peuvent suivre une piste pendant des semaines. Quand ils ont senti l'odeur de leur proie – de son sang ! – ils ne renoncent jamais.

—Les Alahunts ne se sont pas montrés depuis la mort d'Étoile Loup, il y a des millénaires, dit Ogden. Je me demande pourquoi ils réapparaissent maintenant…

—Ont-ils des points faibles ? lança Azhure. Peut-on les tuer ?

—Personne ne le sait…, soupira Veremund.

—Dans ce cas, ce sera eux ou nous ! Ogden, tu vois cet amas de rochers, devant nous ?

Quand ils atteignirent la pitoyable position défensive, au pied d'une falaise, les aboiements étaient déjà assez forts pour les oreilles des deux humaines. Pendant que ses compagnons allaient se cacher, Azhure tapa sur la croupe des baudets avec l'espoir qu'ils détalent et attirent les Alahunts sur leur piste.

Soudain, les hurlements de la meute redoublèrent d'intensité.

—Nous sommes fichus ! cria Veremund. Vous les entendez ?

Une flèche déjà encochée, Azhure se retourna et gifla le vieillard à la volée.

—Tais-toi ! lui ordonna-t-elle d'une voix dure. Et file te tapir derrière ces rochers !

Quand elle fut à l'abri – très relatif – de l'éboulis, Rivkah se maudit d'avoir pris une décision si stupide. Si elle n'avait pas quitté Vagabond des Étoiles, elle aurait été blottie dans ses bras, au lieu d'attendre que des chiens viennent la tuer. Face à la mort, les infidélités de l'Envoûteur semblaient si insignifiantes ! Qu'éprouvait-on quand on agonisait la gorge déchirée par des crocs ?

Azhure s'agenouilla derrière un rocher, Perce-Sang prêt à tirer. Plissant les yeux, elle sonda la plaine, où le crépuscule s'installait déjà. Venait-elle vraiment de capter un mouvement ? Sur sa gauche, ou sur sa droite ?

Les deux, constata-t-elle très vite.

—Ils nous encerclent !

Puis une des silhouettes blanches abandonna la manœuvre tournante et se dirigea droit vers les rochers. Presque aussi gros que les baudets des Sentinelles, ce chien était le plus énorme qu'elle eût jamais vu. Les babines retroussées sur des crocs luisants de bave, il grognait sinistrement…

Ses yeux jaune sombre mouchetés d'argent se rivèrent dans ceux de l'humaine, comme s'ils la défiaient de tirer.

Azhure retint son souffle, lâcha sa flèche et en encocha immédiatement une autre.

Une fraction de seconde avant que le projectile l'atteigne, le chien s'écarta sur le côté et intercepta la flèche au vol entre ses crocs. Aussitôt, ses compagnons cessèrent d'aboyer.

Couverte de sueur, la paume d'Azhure glissa sur le bois de son arc.

La flèche serrée entre ses mâchoires, l'Alahunt continua d'avancer. Arrivé devant le rocher, il se dressa sur les pattes arrière, posa celles de devant sur l'arête de pierre… et laissa tomber le projectile aux pieds de l'humaine.

Enfin, sa gueule se fendit comme s'il tentait de sourire.

—Par les Étoiles, s'écria Rivkah, il t'a rapporté ta flèche !

Le chien émit un jappement joyeux. Puis il sauta par-dessus le rocher, atterrit lourdement et vint se coucher aux pieds de l'archère, les yeux levés vers elle.

Sous le regard ébahi des Sentinelles, Azhure tendit une main tremblante et caressa la tête de l'Alahunt. Extatique, il ferma les yeux.

—Assis…, dit doucement Azhure.

Elle retira sa main et ferma le poing pour endiguer ses tremblements.

Le chien se redressa. S'agenouillant devant lui, la jeune femme lui flatta l'encolure.

—Gentil petit…, le félicita-t-elle.

Un peu plus tard, les quatre voyageurs s'assirent autour d'un bon feu en compagnie de trois des quinze Alahunts. À l'extérieur de l'éboulis, les douze autres s'étaient rassemblés non loin des deux baudets, revenus d'eux-mêmes vers leurs maîtres. D'abord méfiants, ils s'étaient détendus en constatant que les chiens ne leur accordaient aucune attention. Les voyant si calmes, Ogden et Veremund les avaient déchargés de leur fardeau et rapidement bouchonnés.

Azhure profita de la lueur des flammes pour mieux examiner les Alahunts. Leur corps lourd mais tout en muscles semblait taillé pour la vitesse et l'endurance. Carrée et massive, leur gueule munie d'un long museau puissant n'était pas si effrayante que ça, une fois qu'on s'était habitué. Le poil très court, ils arboraient une robe uniformément jaune foncé, sauf autour des pattes et du museau, où elle virait à l'or patiné.

—Ce sont bien les chiens d'Étoile Loup ? demanda Azhure aux Sentinelles.

—Oui, répondit Ogden. Il les a obtenus par croisement, en insistant sur l'intelligence, la vitesse, la force, la loyauté… et la sauvagerie. Leur chef s'appelle Sicarius, ce qui signifie « assassin rusé ». Seule la mort a pu le séparer de son maître.

—Étoile Loup…, souffla Azhure. Pourquoi ce nom me hante-t-il ? D'abord son arc, puis ses chiens… De quoi d'autre vais-je hériter ?

Ogden et Veremund se posaient exactement la même question. Perce-Sang aurait pu échoir à l'humaine par hasard, mais les Alahunts militaient contre cette théorie. Derrière tout cela, il y avait un plan bien précis…

— Qui était Étoile Loup ? demanda Azhure.

Veremund pesa le pour et le contre et conclut que des faits bruts ne pouvaient pas être dangereux.

— Il fut l'Envoûteur le plus puissant de l'histoire. Et il est possible qu'il en soit toujours ainsi, malgré l'avènement d'Axis…

— Les Icarii n'aiment pas évoquer son souvenir, dit Rivkah.

Elle connaissait l'histoire d'Étoile Loup. Mais pour parler de ses méfaits, elle aurait eu besoin de l'autorisation des hommes-oiseaux.

— Tout ce que je peux dire, fit Ogden, c'est qu'il est mort jeune. À moins de cent ans, en fait !

— Comment a-t-il péri ? demanda Azhure, consciente du malaise des Sentinelles.

— Il fut assassiné, jeune dame. Par un autre membre de la maison du Soleil Levant.

— Assassiné ? répéta Azhure.

Un mot bien faible pour ce qui avait dû être un acte abominable.

— Par son frère, précisa Veremund. (Les trois Alahunts, hantés par de sombres souvenirs, s'agitèrent dans leur sommeil.) Lors d'une Assemblée, devant tout son peuple. Un couteau lui a transpercé le cœur, et personne n'a esquissé un geste pour l'aider. Il est mort dans une flaque de sang, seul et détesté, au centre du cercle sacré de l'ancienne salle de l'Assemblée, sur l'île de la Brume et de la Mémoire. Et tous les Icarii l'ont regardé agoniser sans broncher.

Des larmes montèrent aux yeux d'Azhure. Étoile Loup était mort seul et détesté ?

Elle savait si bien ce que ça voulait dire !

20

Arrivée à Sigholt

Le lendemain matin, les Alahunts étaient toujours là, Sicarius roulé en boule contre le dos d'Azhure. Assis en cercle, les quatorze autres chiens montaient la garde devant l'éboulis.

— De vaillantes sentinelles, dit Veremund à Azhure, qui venait de se réveiller et s'étirait en bâillant. Les Skraelings eux-mêmes hésiteraient à s'y frotter. Tu t'es fait de solides et loyaux compagnons, jeune dame.

Azhure tapota le crâne de Sicarius puis caressa le bois poli de Perce-Sang.

— Tu ne crois pas qu'ils sont plutôt venus à cause de l'arc ? Une arme fabriquée par leur créateur ?

Veremund fronça les sourcils à l'attention d'Ogden. Le raisonnement de l'humaine se tenait. Les Alahunts étaient des chiens de chasse, et Étoile Loup avait dû tirer très souvent avec l'arc. Sans parler de la magie spécifique qu'il pouvait encore contenir.

— C'est facile à savoir, dit Ogden. Confie Perce-Sang à Rivkah, en montrant bien à Sicarius que tu le lui remets de ton plein gré.

— Rivkah, veux-tu bien garder l'arc un moment ? demanda Azhure à son amie.

Puis elle lui tendit l'arme.

Sicarius broncha à peine.

— Maintenant, conseilla Ogden à Azhure, sort de l'éboulis, comme si tu avais l'intention de nous quitter.

La jeune femme obéit. Imitant leur chef, tous les chiens la suivirent.

Les deux Sentinelles échangèrent un bref regard. À l'évidence, les Alahunts étaient là pour Azhure, pas pour Perce-Sang.

Ils avancèrent vers le sud pendant une semaine, puis bifurquèrent vers le sud-ouest, en direction du col de Garde-Dure. À l'horizon, les collines d'Urqhart n'étaient encore qu'une masse indistincte colorée de pourpre.

Malgré le froid, toujours mordant, le voyage n'était pas trop pénible. Les deux femmes continuaient à chevaucher les baudets, qui ne se plaignaient jamais de cet excédent de poids. Une chance, car les bottes de Rivkah et d'Azhure n'avaient pas des semelles assez solides pour résister au sol caillouteux des plaines du Chien Sauvage.

Les étranges sacs des Sentinelles continuaient à leur fournir des festins. Chaque soir, pendant que les autres dressaient le camp, Ogden distribuait de la viande aux chiens, assis patiemment devant lui. Ce régime semblant les ennuyer, il arrivait souvent, surtout la nuit, que trois ou quatre d'entre eux partent en chasse dans les plaines. Ils revenaient quelques heures plus tard, du sang plein le museau…

En échange de la viande, les chiens fournissaient de la chaleur à leurs compagnons. Avec un tel mastodonte blotti dans son dos, on ne craignait plus les courants d'air ! Un matin, en ouvrant les yeux, Azhure s'aperçut que six chiens rendaient le même service aux baudets. Dans ces plaines dénudées, les nuits étaient glaciales.

Deux jours après avoir tourné vers le sud-ouest, les voyageurs repérèrent dans le lointain un groupe d'une dizaine de cavaliers qui approchaient prudemment, sans doute à cause de la meute d'Alahunts.

Azhure prit son arc et y encocha une flèche.

—Vous pouvez les identifier ? demanda-t-elle aux Sentinelles. Ce sont des hommes de Belial, ou du duc ?

Ogden et Veremund étudièrent les cavaliers, qui venaient de se déployer – une manœuvre défensive classique. Tous les chiens se raidirent, prêts au combat.

Quand les inconnus furent à une trentaine de pas, les Alahunts se détendirent, et Sicarius jappa gentiment pour les saluer. Visiblement, ils connaissaient ces hommes, toujours impossibles à voir clairement, car ils avançaient avec le soleil couchant dans le dos.

— Au moins, les Alahunts les aiment bien, dit Veremund, une main en visière pour ne pas être ébloui. Mais je ne suis pas sûr que…

Il ne finit pas sa phrase, car le cavalier de tête venait de lancer sa monture au petit galop.

— Ogden, Veremund, cria-t-il, c'est bien vous ?

— Arne ! s'écria joyeusement Ogden.

Azhure eut aussitôt l'estomac noué par l'angoisse. Cet officier des Haches de Guerre était à Smyrton avec Axis le jour où elle avait défoncé le crâne de Belial pour libérer Raum et Shra. S'il la reconnaissait, comment réagirait-il ? Soucieuse d'éviter tout malentendu, elle désencocha la flèche, la remit dans son carquois et suspendit Perce-Sang à son épaule.

Arne s'arrêta devant Veremund, sauta de selle et jeta un regard méfiant aux chiens.

— Ravi de vous revoir, messires, dit-il aux deux vieillards. (Il leur serra chaleureusement la main.) Les éclaireurs icarii nous ont prévenus que vous traversiez les plaines. Mais où avez-vous déniché ces chiens ?

— C'est plutôt eux qui nous ont trouvés, répondit Ogden, mais c'est une très longue histoire. Arne, tu ne te souviens peut-être pas d'Azhure ? Elle vient de…

— Je ne l'ai pas oubliée, lâcha l'officier d'une voix dure. Belial a eu des migraines pendant plusieurs mois…

Azhure s'empourpra, terrorisée à l'idée de se trouver bientôt devant sa victime. Bon sang, pourquoi avait-elle frappé si fort ?

Arne la foudroya du regard, puis il se tourna vers l'autre femme.

—La princesse Rivkah, souffla Veremund.

Le comportement de l'officier changea instantanément. Plein de respect, il s'inclina bien bas.

—Princesse, je suis à vos ordres.

Rivkah sourit puis tendit la main à Arne. Avec une grâce étonnante, il la baisa du bout des lèvres. Ogden et Veremund ne cachèrent pas leur surprise. Cet ours mal léché avait donc des manières de courtisan, quand l'envie lui en prenait?

—Comment va Axis? demanda-t-il lorsqu'il eut lâché la main de la princesse.

—Il se porte à merveille, Arne, et il a su accepter tout son héritage.

Du premier coup d'œil, Rivkah avait apprécié cet homme. Sa loyauté et sa vaillance ne faisaient pas de doute…

—Les éclaireurs nous l'avaient dit, mais l'entendre de la bouche de sa mère est plus que je n'espérais.

Arne jeta un nouveau regard méfiant à Azhure, puis il fit signe à ses hommes d'approcher.

—Notre camp n'est pas loin, et nous avons des montures de rechange. Demain matin, nous partirons tous pour Sigholt.

Dès qu'ils eurent négocié le dernier lacet de Garde-Dure, la forteresse leur apparut dans toute sa nouvelle splendeur.

Ogden et Veremund écarquillèrent les yeux.

—Elle a changé, pas vrai? lança Arne.

Rivkah arrêta sa jument près des deux baudets blancs. Jusqu'à ce jour, elle abominait Sigholt, symbole de son désastreux mariage avec Searlas, ancien duc d'Ichtar et père de Borneheld. Même si c'était là qu'elle avait connu Vagabond des Étoiles, et conçu Axis avec lui, ce lieu restait marqué par de mauvais souvenirs.

Mais la forteresse qui se dressait à moins d'une demi-lieue devant elle n'avait plus guère de rapport avec celle qu'elle avait connue.

— Les éclaireurs nous ont parlé de la renaissance de Sigholt, dit Veremund. Mais je ne m'attendais pas à ça!

Pour l'essentiel, le miracle tenait à la résurrection du lac, dont les eaux brillaient partout où les rayons du soleil qui perçaient entre les nuages venaient les caresser. Depuis le début tardif du printemps, un mois plus tôt, les collines d'Urqhart reprenaient vie, leurs pentes couvertes d'herbe folle et de fleurs violettes. À leur pied, au bord de l'eau, des fougères poussaient avec une belle vigueur, et d'autres variétés de fleurs pointaient déjà timidement leur corolle entre les rochers.

Jadis grisâtre, la forteresse arborait maintenant des murs aux reflets argentés, et des fanions multicolores ondulaient au gré du vent sur ses remparts.

Dans quelques semaines, quand les collines auraient entièrement reverdi, Sigholt serait un petit paradis. Et même aujourd'hui, elle était un des plus beaux sites que Rivkah eût jamais vus.

— L'air est si chaud…, s'émerveilla Azhure.

Depuis qu'Arne s'était joint à eux, la jeune femme avait été d'une discrétion peu coutumière. Rivkah ne s'en inquiétait pas, sachant qu'elle redoutait ses retrouvailles avec Belial.

Arne tourna la tête vers Azhure. Deux jours plus tôt, il lui avait demandé une démonstration de ses talents d'archère. Sans doute parce qu'il pensait qu'elle portait Perce-Sang pour se donner de l'importance.

Après l'avoir vue tirer quelques flèches, il avait changé d'avis. Même Belial, un des meilleurs archers qu'Arne eût connus, aurait eu du mal à égaler les exploits de la jeune femme.

En outre, il y avait les molosses, qui lui obéissaient au doigt et à l'œil. Familier des chiens de chasse, l'officier n'en avait jamais vu de semblables. Et le chef de meute, Sicarius, suivait Azhure comme son ombre!

— L'eau est chaude, dit enfin Arne, et c'est grâce à elle que l'air tiédit ainsi. Ici, Gorgrael et ses Spectres de glace ne peuvent rien contre nous. Sigholt est un sanctuaire!

201

En approchant, les voyageurs distinguèrent mieux les douves étincelantes qui entouraient désormais la forteresse.

— Tout a changé, dit Rivkah à Azhure alors qu'elles avançaient vers le pont. Cette Sigholt-là vit et chante !

— Halte ! s'écria Arne. Ogden et Veremund, passez les premiers ! Rivkah et Azhure vous suivront.

Les deux vieillards, aux anges, descendirent de leurs baudets pour être en contact plus direct avec le pont.

— Bienvenue, Ogden et Veremund ! lança joyeusement la voix féminine. Voilà longtemps que vous n'avez pas traversé.

Rivkah et Azhure écarquillèrent les yeux de surprise.

— Le pont est vivant, princesse, expliqua Arne, et il interdit le passage à tous ceux qui ne sont pas loyaux.

Ogden et Veremund traversèrent en bavardant allègrement avec le pont, puis ils étreignirent Jack, qui les attendait devant les portes de la forteresse. Leur gaîté les quitta quand ils apprirent que Zeherah ne s'était toujours pas montrée…

— Princesse, si vous voulez vous donner la peine, dit Arne avec un geste d'encouragement.

Rivkah talonna sa monture.

— Es-tu loyale ? demanda la voix quand elle arriva devant le pont.

— Oui, je le suis, répondit Rivkah d'une voix qui ne tremblait pas.

— Alors, traverse, princesse Rivkah, et je verrai si tu n'as pas menti.

La mère d'Axis fit avancer son cheval. Que voulait dire le pont ?

— Tu fus jadis duchesse d'Ichtar, princesse Rivkah ! lança la voix, très dure, quand la cavalière fut à mi-chemin des portes.

Alors que l'eau qui coulait sous le pont semblait soudain menaçante, la mère d'Axis lut de l'inquiétude sur le visage d'Ogden, de Veremund et de l'inconnu debout près d'eux à l'ombre des portes de la forteresse.

— C'est vrai, dit-elle, je l'étais…

Le cheval de Rivkah s'immobilisa et refusa de repartir, même quand elle le talonna.

—Tu n'as pas été loyale avec Searlas, ton époux, car tu l'as trompé avec un autre homme.

—Je l'admets, avec lui, je n'ai pas été loyale… (Étrangement, l'ancienne duchesse d'Ichtar ne parvenait pas à mentir à ce… pont.) Je lui ai été infidèle sur le toit de cette forteresse.

La voix prit le temps de réfléchir à cette confession. Puis, contre toute attente, elle eut un petit rire coquin.

—Dans ce cas, je t'accueille avec joie, princesse Rivkah, car je n'ai jamais aimé les ducs d'Ichtar! Continue à avancer, très chère amie!

—Merci, dit Rivkah avec un pâle sourire. (Son cheval consentit enfin à repartir.) Merci du fond du cœur!

De l'autre côté du pont, Azhure soupira de soulagement. Un instant, elle avait craint que son amie se voie interdire l'entrée de Sigholt.

Sur un signe de tête d'Arne, l'archère avança à son tour.

—Es-tu loyale? demanda la voix.

—Je le suis, répondit Azhure sans hésiter.

—Alors traverse, Azhure, et je verrai si tu n'as pas menti.

Le verdict tomba alors que le cheval de la jeune femme avait à peine fait trois pas sur le pont.

—Tu ne mentais pas, Azhure! Je te souhaite la bienvenue.

—Merci beaucoup…

Azhure regarda l'autre extrémité du pont, où Rivkah s'était arrêtée pour l'attendre. Mais la voix n'en avait pas fini avec elle.

—Voilà longtemps que je n'ai plus entendu les pas de ton père résonner sur mes pierres, dit-elle. Où est-il?

—Il… il… est mort…

—Je suis triste, mon amie. Contrairement à beaucoup de gens, je l'aimais. Nous avons passé tant de nuits à parler ensemble!

—Que voulait-elle dire? demanda Rivkah quand son amie l'eut rejointe.

— Je n'en ai pas la moindre idée. Ce pont a dû me confondre avec une autre «Azhure», parce que Hagen ne l'a sûrement jamais traversé!

Dès que Rivkah et son amie talonnèrent leurs montures, deux hommes sortirent de l'ombre des portes de la forteresse. Un inconnu pour Azhure… et un officier dont les traits étaient gravés dans sa mémoire.

— C'est Belial…, murmura-t-elle.

Mais le Hache de Guerre s'adressa d'abord à Rivkah.

— Bienvenue à Sigholt, princesse. Je suis Belial, l'ancien second d'Axis, désormais commandant en chef de cette place forte. (Il sourit, ses yeux noisette brillant de bonté sous sa chevelure blonde.) Bienvenue chez toi, princesse Rivkah!

— Axis m'a dit beaucoup de bien de toi, Belial, et je vois qu'il n'a pas exagéré. Je suis honorée et ravie d'être accueillie à Sigholt par un des plus fidèles amis de mon fils.

L'officier inclina humblement la tête puis se tourna vers Azhure.

— Veux-tu bien mettre pied à terre? demanda-t-il en lui tendant son bras.

La jeune femme hésita, finit par accepter l'aide qu'il lui proposait, et se tendit quand il la prit par la taille après qu'elle eut glissé de sa selle.

Au lieu de la lâcher dès que ses pieds eurent touché le sol, comme l'exigeait l'étiquette, Belial la serra plus fort.

— Pour ce que tu m'as fait, dit-il, je devrais te jeter dans les douves. Je me fiais à toi, et tu m'en as très mal récompensé.

Des larmes perlèrent aux paupières d'Azhure. Comment pouvait-elle se justifier face à un homme qu'elle avait si mal traité?

Pendant ce temps, Belial ne parvenait pas à s'empêcher de… l'admirer. À Smyrton, il la trouvait déjà superbe, mais elle s'était encore épanouie, avec une aura de violence qui la rendait plus fascinante encore. Et voilà qu'elle venait à Sigholt! Que pouvait-il demander de plus à la vie?

À regret, il lâcha les hanches de la superbe amazone.

204

— Tu mériterais une bonne correction, et pourtant, je t'accueille avec plaisir à Sigholt. Plus tard, nous reparlerons des… hum… compensations possibles.

Azhure parvint à esquisser un sourire.

— Magariz, mon cher ami, dit Belial en se tournant vers l'homme qui l'accompagnait, puis-je te présenter la princesse Rivkah et dame Azhure?

L'«inconnu» avança. D'âge mûr, les cheveux poivre et sel, il restait séduisant malgré – ou peut-être grâce à – sa légère claudication et à la cicatrice qui barrait sa joue gauche.

Il tendit une main pour aider Rivkah à descendre de cheval.

— Bienvenue, princesse, dit-il. Notre dernière rencontre ne date pas d'hier, et le temps a fait grisonner nos cheveux, mais au moins, nous nous revoyons dans des circonstances plus heureuses.

— Mes cheveux sont bien plus gris que les vôtres, seigneur, dit Rivkah tandis que le vétéran lui baisait la main.

— Un écrin encore plus brillant pour votre beauté, ma dame!

— Vous vous connaissez? s'étonna Azhure.

Rivkah sourit de la surprise de son amie… et de Belial.

— As-tu oublié que j'ai grandi à la cour de Carlon? Quand j'étais enfant, le jeune page Magariz faisait le service à la table royale. (Elle se tourna vers Magariz, qui lui tenait toujours la main.) Et vous voilà un officier supérieur! Bien plus que nos cheveux gris, cela montre combien de temps a passé…

Le seigneur lâcha la main de Rivkah et recula d'un pas.

— J'en ai vite eu assez de faire le larbin, princesse. Peu après votre mariage avec Searlas, j'ai convaincu mon père de me laisser rejoindre la garde du palais. Des années plus tard, Priam m'a affecté auprès de Borneheld, quand il est devenu duc. Pour finir, votre fils m'a confié le commandement du fort de Gorken, où j'ai végété plus de dix ans, jusqu'à ce que les événements tragiques des huit derniers mois remettent ma vie en mouvement. (Magariz eut un sourire désabusé.) Trente années racontées en quelques phrases… Mais cela résume parfaitement mon existence, depuis notre dernière conversation.

— À Gorken, vous avez embrassé la cause d'Axis, dit Rivkah. L'âge ne vous a pas fait passer le goût des choix audacieux, semble-t-il.

— Je reconnais qu'il m'est arrivé d'être un rien impétueux, princesse, mais je ne regrette pas un seul de mes choix !

Rivkah sourit, détourna légèrement la tête et ouvrit son manteau, devenu inutile dans l'air chaud de Sigholt.

— Magariz, je sais si peu de chose sur Borneheld. Si vous en avez le temps, j'aimerais que vous me parliez de lui.

— Ce sera un plaisir, princesse.

— Et de Faraday, l'actuelle duchesse d'Ichtar, ajouta Rivkah. Il me plairait d'en apprendre plus à son sujet…

Azhure eut un sourire visiblement forcé.

Pourtant, pensa Rivkah, *elle doit accepter qu'Axis traversera bientôt Achar pour se jeter dans les bras de Faraday. Pour elle, il n'y a aucun avenir aux côtés de mon fils.*

La princesse cria de joie quand Reinald sortit à son tour des ombres. Oubliant le protocole, elle se jeta au cou du vieux cuisinier – un de ses rares amis au temps où elle vivait à Sigholt.

Belial commença à présenter Magariz à Azhure, mais il fut interrompu par un concert de jappements. Se retournant, tous virent les Alahunts traverser dignement le pont pendant que la voix féminine et Sicarius dialoguaient à grand renfort d'aboiements.

— D'où viennent ces chiens ? demanda Belial à Azhure.

— Ils semblent… eh bien… m'appartenir. J'espère que leur présence ne te dérangera pas. Ils sont bien dressés, et ne poseront aucun problème. Mais je t'en dirai plus quand je me serai rafraîchie et changée.

Belial s'avisa soudain qu'il avait retenu trop longtemps les deux femmes devant les portes. Au moment où il allait les prier d'entrer, Jack rejoignit le petit groupe. Le faux porcher avait reconnu instantanément les chiens… et échangé un regard entendu avec Sicarius.

—Tu es Azhure ? demanda Jack.

Belial se hâta de faire les présentations.

Azhure serra la main de la Sentinelle, qui lui sourit avec une sincère chaleur.

Contrairement à ses quatre « collègues », qui s'étaient brièvement entretenus avec le prophète au moment où il les avait recrutés, Jack le connaissait bien, et cela lui valait d'être informé de beaucoup de secrets.

Mais la Prophétie comptait des mystères qui le dépassaient, et Azhure était du nombre…

21

CRÉPUSCULE ROYAL

L'espoir de Faraday s'éteignait en même temps que l'homme étendu sur son lit de mort devant elle. Debout, près de Judith penchée sur le corps inerte de son mari, la duchesse d'Ichtar tentait de soutenir la reine en lui témoignant son amitié et sa compassion. Devenue la première dame de compagnie de Judith, Embeth aussi était présente. Mais aucune des deux femmes ne pouvait apaiser le chagrin de la souveraine.

Quelques cierges diffusaient une chiche lumière dans la chambre de Priam où brûlait un encensoir posé sur le toit d'une bibliothèque, hors de vue du moribond et de ceux qui l'assistaient. De l'autre côté du lit, flanqué de Moryson, comme toujours, Jayme ne trahissait rien de ses sentiments. Vêtu de la soutane réservée à l'office des morts, il se tenait à la droite de Borneheld, dont Faraday croisa un instant le regard. Révulsée par ce qu'elle y lut, elle détourna vivement la tête.

Au fond de la chambre, des serviteurs et des courtisans pleuraient, comme il convenait en de telles circonstances. Dans un coin, deux médecins, parfaitement impuissants, attendaient l'issue inéluctable.

Faraday baissa de nouveau les yeux sur le roi. Trois semaines plus tôt, jour pour jour, Priam, pourtant connu pour sa santé physique et mentale, avait souffert des premiers symptômes de la folie furieuse. Trois jours durant, il avait hanté les couloirs du palais à la poursuite de démons et de sorciers imaginaires.

Judith et une cohorte de serviteurs l'avaient suivi, l'implorant de voir un médecin, ou au moins de prendre un peu de repos. Car au fond, il s'agissait peut-être simplement de surmenage… Sans dormir ni manger, Priam avait continué d'arpenter les couloirs, de la bave au coin des lèvres.

Depuis trois semaines, l'épouse de Borneheld n'avait quasiment pas quitté Judith. À ce prix, elle avait réussi à la convaincre de dormir un peu et de ne pas dépérir faute de nourriture. Elle s'était aussi efforcée de la rassurer, mais sans grand succès.

Selon les médecins, le roi souffrait d'un « échauffement du cerveau » qui avait commencé depuis longtemps, sans que les symptômes soient apparents. L'embrasement atteignait maintenant la couche supérieure de sa matière grise, le poussant à se comporter comme un dément. En guise de cure, les hommes de l'art lui appliquaient des compresses de glace sur le front et lui couvraient les membres et le torse de sangsues pour évacuer les excès de « fluide vital trop chaud ». Un moment, ils avaient envisagé d'envelopper le malade de bandelettes de tissu imprégnées de rhum et de le confiner dans une chambre obscure. Après mûre réflexion, ils avaient renoncé à cette thérapie, car le dernier noble à en avoir « bénéficié » était mort brûlé vif à cause d'un domestique assez maladroit pour lui laisser tomber une bougie dessus. Aucune de leurs prescriptions n'ayant eu d'effet, les médecins avaient fini par admettre qu'ils étaient dépassés.

À Carlon, tout le monde se désolait du déclin de Priam, apparemment irréversible. Comme toujours, des rumeurs méprisables firent vite un contre-chant au chœur éperdu des lamentations. Si le roi avait envisagé une alliance avec les Proscrits, murmurait-on, c'était sûrement parce que la maladie le rongeait déjà. Et sans cette affection qui l'empêchait de distinguer le bien du mal – ou de faire la différence entre ses alliés et ses adversaires – il n'aurait jamais maltraité si inconsidérément Borneheld.

Jayme s'était promptement rallié à ces théories fumeuses. Si promptement, pour tout dire, que Faraday le soupçonnait d'en être à l'origine.

— Notre pauvre roi a été infecté par les miasmes des Proscrits, déclarait-il à qui voulait l'entendre. Les émanations toxiques de ces monstres lui ont embrumé le cerveau avant de le détruire. Dire qu'ils sont parvenus à frapper jusqu'au cœur de Carlon ! Maintenant, qui doutera encore de leur malveillance ? Le Sénéchal ne met-il pas les Acharites en garde depuis des siècles ? Pensiez-vous que l'ordre n'avait aucune raison de chasser les Proscrits du royaume, lors de la Guerre de la Hache ?

Avec le déclin du roi, et la montée en puissance des rumeurs, l'espoir de Faraday mourait chaque jour un peu plus. Borneheld serait bientôt roi et il mobiliserait toute la puissance d'Achar contre Axis. Aveuglés par la haine, les deux frères dévasteraient le royaume jusqu'au jour où ils se retrouveraient face à face dans le hall des Lunes, épée au poing.

Comme la vision l'annonçait…

Faraday baissa la tête et tenta d'essuyer ses larmes.

Borneheld ne quittait pas le chevet du roi, et les courtisans ne tarissaient pas d'éloges sur son dévouement. Avant que Priam finisse par s'écrouler comme une masse, il l'avait suivi dans le couloir, une coupe à la main afin de lui donner à boire dès qu'il se plaignait d'avoir la gorge sèche. À présent, il bondissait dès que le moribond gémissait, toujours prêt à lui humidifier le front avec une compresse et à étancher sa soif avec la même coupe…

Faraday n'était pas dupe de cette comédie. Dès qu'il s'absentait – après tout, il fallait bien qu'il mange et qu'il dorme un peu – le duc tenait des messes basses avec Jayme ou l'un de ses conseillers. Gilbert n'était jamais bien loin des appartements ducaux, et Moryson hantait les couloirs, le visage caché par la capuche de sa soutane.

La nuit, Borneheld dormait d'un sommeil agité. Les mains serrant les draps comme s'il voulait les déchirer, il marmonnait sans cesse des propos hélas incompréhensibles. L'unique fois où sa femme l'avait réveillé pour l'arracher à ses cauchemars, puis lui avait proposé un peu d'eau, il avait hurlé comme un possédé et envoyé voler dans les airs le gobelet qu'elle lui tendait.

Après cet incident, il n'avait plus partagé le lit conjugal. De plus en plus las de Faraday, avait-il annoncé, il ne parvenait plus à dormir sereinement près d'elle.

Très heureuse d'avoir le lit pour elle seule, la jeune femme était cependant intriguée par ce comportement.

Voyant que Judith se tournait vers elle, Faraday lui tendit une serviette humide propre.

— Merci, souffla la reine avant de se pencher de nouveau sur son époux.

Quatre jours plus tôt, après avoir réussi à envoyer la reine au lit, Faraday était restée seule au chevet de Priam. Une main sur son front, elle avait invoqué le pouvoir de la Mère pour le guérir comme elle avait guéri Axis.

Elle avait dû s'écarter du lit d'un bond. Ce qu'elle avait senti était sans rapport avec une maladie ! Des sortilèges avaient rampé comme des vers pour s'introduire sous la peau du roi, et ils le dévoraient de l'intérieur. Mais qui avait pu utiliser la sorcellerie contre Priam ? Et comment l'agresseur s'y était-il pris ?

Bien entendu, il n'y avait pas pénurie de suspects. Sur la liste des gens qui désiraient la mort du roi, Borneheld occupait la première place, juste devant tous les membres de l'ordre du Sénéchal, de Jayme jusqu'au frère le plus obscur. Sans parler de certains nobles, qu'une alliance avec les Icarii et les Avars aurait lésés plus ou moins gravement.

Mais parmi ces coupables potentiels, qui maîtrisait une telle magie noire ? Personne, à première vue…

Si elle avait capté le pouvoir mis en œuvre pour tuer Priam, elle était incapable de l'identifier. Car il ressemblait à celui d'Axis tout en étant radicalement différent !

Priam avait été assassiné, et l'arme qui lui ôtait la vie était magique. Mais…

Embeth posa une main sur l'épaule de Faraday, la ramenant au présent.

211

Jayme venait de faire le tour du lit pour prendre la main de Judith.

— Je suis désolé, ma reine, mais je vais commencer le service des morts. Priam n'a plus beaucoup de temps à vivre, et il doit quitter ce monde avec la bénédiction d'Artor…

— Faites ce que vous jugez bon, frère-maître, souffla Judith en étouffant un sanglot.

Jayme psalmodia le Requiem du Passage, une antique prière conçue pour aider l'âme du mourant à gagner l'autre monde. D'une poignante beauté, ce texte exhortait l'agonisant à partir à la rencontre de son créateur avec un cœur débordant de joie et de gratitude. Il rappelait aussi aux vivants que celui qu'ils pleuraient, après son départ, aurait le grand bonheur d'être reçu à la droite d'Artor, qui veillerait sur lui pour l'éternité.

Pour mourir dignement, l'agonisant devait se souvenir de ses fautes et de ses péchés, afin que le Laboureur puisse l'accepter à son côté. Et ceux qui l'assistaient, en cet instant capital, avaient mission de l'aider à passer le cap de la meilleure façon possible.

Faraday ne quitta pas Jayme des yeux, attentive au moindre indice qui trahirait sa culpabilité. Un rien de satisfaction dans la voix, une lueur de triomphe au fond du regard… Elle ne vit rien. Si le frère-maître exultait, il le cachait avec le talent d'un très grand comédien.

— Priam, écoute-moi, murmura-t-il, l'index, l'annulaire et le majeur posés sur le front déjà cireux du roi. Tu dois marcher d'un pas décidé vers Artor, car ton heure est venue. Mais n'oublie pas qu'Il se détournera de toi si tu ne confesses pas tes fautes, tes erreurs et tes péchés. Grand roi, vide ton cœur, afin que le Laboureur t'ouvre le sien !

Priam releva les paupières et ses lèvres desséchées remuèrent sans parvenir à former des mots. Jayme fit signe à Borneheld de lui donner la coupe dont il ne se séparait plus.

— Bois, mon doux roi, afin de pouvoir confesser tes péchés.

Soudain bouleversée, Faraday ne put détourner le regard de la coupe. Plus elle l'observait, et plus elle lui paraissait maléfique, comme si des brumes méphitiques en montaient. Des lettres noires couraient tout au long du bord de ce récipient, et leur seule vue la glaçait jusqu'à la moelle des os. Elle venait de découvrir la source du sortilège qui tuait Priam !

Pourtant, le roi parut revigoré par la gorgée d'eau. Les yeux mi-clos, il commença à murmurer, et des larmes perlèrent aussitôt aux paupières de Judith.

Son mari parlait des premiers temps de leur mariage, quand l'avenir semblait radieux. Cette époque où ils croyaient encore que de vigoureux enfants couronneraient leur union…

Bien que leur mariage eût été arrangé, comme toujours dans les familles royales, Judith et Priam s'étaient aimés à la folie, et leur tendresse ne s'était jamais démentie, même quand la déception de n'avoir pas d'héritier avait manqué les désunir.

— Oui, mon roi, oui…, souffla Jayme, une étrange lueur dans les yeux. Confesse-toi, afin qu'Artor t'ouvre les bras.

Faraday dévisagea le frère-maître. Depuis le début, Borneheld et lui se passaient et se repassaient la coupe. Comment pouvaient-ils être restés en bonne santé alors que Priam agonisait ?

Du coin de l'œil, elle aperçut Moryson… et se demanda ce qu'il faisait. Debout derrière Jayme et Borneheld, sa capuche levée, il bougeait les lèvres en silence, les yeux rivés sur la coupe.

Les relevant un instant, il croisa le regard de la duchesse… et sourit.

Faraday en frissonna de la tête aux pieds. Les yeux de glace de cet homme semblaient vouloir s'enfoncer dans les siens comme des poignards.

— Faraday…, souffla Embeth.

Grâce à elle, la jeune femme s'arracha à sa morbide fascination. Et quand elle regarda de nouveau Moryson, il observait fixement le roi, un masque d'affliction sur le visage.

Les traits de Priam se tordirent, et un spasme le força à s'arc-bouter dans le lit. Désespérée, Judith poussa un petit cri et lui serra la main aussi fort qu'elle put.

Embeth se pencha pour essuyer le filet de sang qui perlait au coin des lèvres du roi. Les yeux rivés sur son ciel de lit, le souffle de plus en plus irrégulier, Priam vivait ses dernières secondes.

Judith lui murmura des mots d'amour et d'au revoir…

Mobilisant ses dernières forces, Priam tendit une main, tira la tête de sa femme près de sa bouche et lui murmura quelques mots à l'oreille.

Faraday vit la reine se raidir de stupeur.

Puis elle s'écarta, sa contenance retrouvée, et regarda la tête de Priam retomber sur l'oreiller.

Après une dernière caresse du bout des doigts sur la joue de sa bien-aimée, le roi rendit le dernier soupir.

Au terme de semaines de bruit et de fureur, sa fin avait été étonnamment paisible.

—Le roi est mort, annonça Moryson, brisant un terrible silence. (Puis il se tourna vers Borneheld.) Vive le roi !

Jayme retira la bague d'améthyste que le défunt portait au majeur et la glissa à celui du duc.

—Vive le roi Borneheld ! lança Jayme.

Faraday se demanda si elle se réveillerait bientôt de ce cauchemar.

Une lueur de triomphe dans le regard, son époux tourna la tête vers elle.

—Ma reine…, dit-il simplement.

Faraday se glissa en silence dans les appartements de Judith. La mort d'un roi étant entourée d'un cérémonial complexe, elle venait de passer trois heures à préparer la dépouille de Priam en compagnie de la reine et d'Embeth. Tout au long de la toilette mortuaire, puis des prières et des divers rituels, Judith avait affiché une impressionnante sérénité. Mais sous ce calme de façade, le chagrin la dévastait, et elle avait plusieurs fois failli s'évanouir.

Faraday voulait à présent s'assurer qu'elle se reposait un peu.

La reine avait pris place sur un canapé, près de la cheminée. Assise à ses côtés, Embeth lui avait posé un bras autour des épaules, et les deux femmes sirotaient un verre d'alcool fort.

Quand Faraday s'assit de l'autre côté de la reine, la dame de Tare eut un sourire amer.

— Il n'y a pas de meilleur moment, pour s'étourdir, que les quelques heures qui suivent la mort d'un mari, dit-elle en levant son verre.

La duchesse d'Ichtar devina qu'Embeth repensait au décès de son propre époux, le seigneur Ganelon.

Judith ravala un sanglot et posa son verre sur une table basse. Les yeux cernés, elle arborait tous les stigmates du manque de sommeil, et sa chevelure blonde, d'habitude splendide, pendouillait lamentablement.

Ma pauvre amie, pensa Faraday en tentant de lisser les mèches emmêlées de la reine, *que deviendras-tu, maintenant que Priam n'est plus là pour te protéger ?*

— Merci, Faraday…, chuchota Judith. (Elle s'éclaircit la gorge et continua d'une voix plus assurée :) Priam et moi te remercions de ton soutien, pendant ces trois terribles semaines.

Faraday sourit sans répondre. Si un deuil si cruel la frappait un jour, elle espérait pouvoir le vivre avec autant de grâce que la reine.

— Mon amie, continua Judith, je prie pour que tu me pardonnes ce que je vais dire. Mais il le faut, et après t'avoir vue en compagnie de Borneheld, depuis près d'un mois, je crois que tu seras disposée à l'entendre…

La reine reprit son verre et le vida d'un trait.

— Avant de mourir, Priam m'a demandé de présenter Axis comme son héritier. Il ne voulait pas que Borneheld lui succède !

Faraday en eut le souffle coupé. Alors que tout était joué, quel bien pouvait faire à Axis une telle proclamation ?

—Qu'Artor nous ait en pitié! s'exclama Embeth. Judith, tu ne peux pas te dresser devant le roi Borneheld, au beau milieu de sa cour, et annoncer que Priam avait choisi Axis!

—Je sais, mon amie, et ne t'inquiète pas, je tiens trop à la vie pour m'y risquer. Selon moi, le destin de Priam a été scellé à l'instant où il a publiquement révélé son intention de s'allier à Axis.

D'instinct, Faraday décida de ne pas parler de la coupe. Faute de pouvoir désigner un coupable, savoir la vérité perturberait Judith sans l'aider le moins du monde.

—Pourquoi Priam a-t-il changé d'avis? demanda Faraday en prenant la main de la reine.

—Ces derniers mois, il a compris qu'il avait eu tort de sous-estimer Axis – un chef de guerre et un prince bien plus brillant que ne le sera jamais Borneheld. Je t'en parle parce que la dame de Tare m'a fait quelques confidences à ton sujet. Bien que connaissant tes sentiments pour le Tranchant d'Acier, elle t'a conseillé d'épouser Borneheld…

—Une erreur que je ne regretterai jamais assez, souffla Embeth.

Faraday baissa la tête et réfléchit quelques instants. Quand elle releva les yeux, la lueur émeraude qui en jaillissait fit crier ses compagnes de surprise.

—Permettez-moi de vous révéler certaines choses sur Axis et sur moi-même, dit-elle d'une voix étonnamment puissante.

Elle parla plus d'une heure. Vers la moitié de sa longue tirade, Embeth refit le service d'eau-de-vie…

—Maintenant que Borneheld est monté sur le trône, conclut enfin Faraday, Axis aura besoin de toute l'aide possible. Puis-je compter sur la vôtre, Majesté?

Judith n'hésita pas une seconde.

—Oui, Faraday. Priam aurait voulu que j'agisse ainsi, et c'est ce que mon cœur me pousse à faire. De plus, je crois connaître quelqu'un qui fera basculer la balance en faveur du Tranchant d'Acier…

Borneheld fut couronné le lendemain de l'enterrement de Priam. La guerre menaçait Achar, et dans des circonstances pareilles, laisser le trône vacant eût été irresponsable.

On accorda un jour férié à toute la population, qui se hâta d'installer partout des banderoles et des fanions à la gloire du nouveau roi. Un grand banquet public eût été approprié – et apprécié –, mais comment l'organiser en si peu de temps ? Pour l'anniversaire de Priam, qui offrait bombance au peuple chaque année, on s'y prenait des mois à l'avance. À défaut, Borneheld ordonna qu'on distribue des tonneaux de vin et de bière à chaque coin de rue. Ainsi, les Carlonites resteraient sur leur faim mais se saouleraient quand même.

Alors que les citoyens levaient le coude sur les trottoirs, la cérémonie officielle se déroula dans le hall des Lunes. Bien entendu, toute la cour y assista, et soupira d'aise quand Jayme posa la lourde couronne d'or sur la tête du duc d'Ichtar.

Alors que des sonneries de trompettes et de cornes annonçaient à la cité son intronisation, Borneheld se leva pour recevoir avec grâce les serments de fidélité de ses nouveaux vassaux.

Assise sur un petit trône, près de lui, un diadème d'or autour du front, Faraday repensa au banquet où elle avait vu Axis pour la première fois, moins d'un an plus tôt.

Mère, implora-t-elle, *fais que je sois un jour sur cette estrade en compagnie du roi Axis.*

Les nobles défilèrent par ordre d'importance devant le nouveau monarque. Revenus du Ponton-de-Jervois pour l'occasion, le duc Roland d'Aldeni et le comte Jorge d'Avonsdale passèrent les premiers.

Une profonde sincérité sur son visage aux traits exotiques, le baron Ysgryff de Nor jura ensuite fidélité à Borneheld. Le comte Burdel d'Arcness lui succéda. Ce vieil ami et allié du duc d'Ichtar, à l'évidence, s'attendait à être généreusement récompensé de son soutien de toujours.

Le baron Greville de Tarantaise montra autant d'enthousiasme que Burdel.

Quand vint le tour de son père, le comte Isend de Ska-rabost, Faraday eut la désagréable surprise de le voir flanqué d'une jeune noble sans grâce de Rhaetia. Comble de mauvaise éducation, l'idiote s'était tellement tartiné les tétons de rouge à joue qu'elle en avait maculé son chemisier!

Les nobles furent suivis par une kyrielle de dignitaires et d'ambassadeurs.

Alors que les représentants de Coroleas se prosternaient devant lui, Borneheld nota mentalement de convoquer au plus vite l'ambassadeur de cet empire. Une alliance militaire s'imposait, et il fallait la conclure rapidement.

Avant que les nobles de second rang aient pu faire allégeance au nouveau roi, la reine douairière Judith et sa fidèle dame de compagnie, Embeth de Tare, vinrent se camper devant l'estrade.

Borneheld fronça les sourcils d'inquiétude. Faraday, pour sa part, salua ses deux amies de la tête.

— Sire, dit Judith, veuillez accepter mes félicitations et tous mes vœux de réussite. Fasse Artor que votre règne soit long et heureux! Vous aurez toujours en moi une de vos plus fidèles alliées, et s'il advenait un jour que je puisse faire quelque chose pour vous, soyez sûr que je n'y manquerais pas.

» Maintenant, Majesté, si vous m'y autorisez…

Borneheld grimaça intérieurement. La garce venait de changer de ton, et il aurait parié sa chemise qu'elle allait lui demander quelque chose!

— … je voudrais que vous m'accordiez une faveur.

Je vois… Une rente annuelle ou un joli domaine… Les reines douairières sont de véritables sangsues!

— Je suis toujours accablée de chagrin, Majesté, et j'aimerais que vous me permettiez de quitter la cour. Elle est désormais la vôtre, et une superbe reine l'illuminera de sa grâce. (Judith tourna légèrement la tête et sourit à Faraday.) La dame de Tare a proposé de m'accueillir chez elle. Si nous savoir loin de Carlon ne vous gêne pas, nous mènerons dans son domaine la vie retirée qui convient à deux veuves…

Borneheld ne cacha pas sa surprise. Pas d'argent? De bijoux? De superbe résidence? Seulement l'autorisation de ne plus lui traîner dans les pattes? Par Artor, il ne demandait que ça!

—Chère Judith, dit-il, vous avez ma permission, bien entendu.

—Dans ce cas, je partirai dès cet après-midi, Majesté. Sauf si vous y voyez un inconvénient…

En fait, un carrosse attendait déjà les deux femmes dans la cour du palais.

—Faites comme bon vous semble, dame Judith. Je vous souhaite bonne chance à toutes les deux. Qui sait si je ne vous rendrai pas visite, un de ces jours? Après la déroute définitive des Proscrits, bien entendu…

—Vous revoir sera toujours un plaisir, Sire…

Judith s'inclina, croisa un instant le regard de Faraday puis tourna les talons et sortit du hall des Lunes en compagnie d'Embeth.

Faraday regarda s'éloigner ses deux meilleures amies. Elles ne partaient pas seulement pour se remettre de leur chagrin, mais avant tout pour attendre Axis. Et la duchesse d'Ichtar aurait donné dix ans de sa vie pour s'en aller avec elles! Si Axis avait survécu et se préparait à attaquer Borneheld, il passerait probablement par Tare – où Judith pourrait lui apprendre que Priam l'avait choisi comme héritier.

Faraday sourit intérieurement. Judith espérait avoir une autre nouvelle, au moins aussi surprenante, pour le Tranchant d'Acier!

22

LE DILEMME D'AZHURE

Blottie sous une couverture agréablement légère, Azhure écoutait la respiration régulière de Rivkah. Depuis leur arrivée à Sigholt, un mois et demi plus tôt, les deux femmes partageaient un appartement, et leur amitié s'était encore approfondie.

Azhure vivait les plus beaux jours de sa vie. Son séjour au mont Serre-Pique avait été agréable, et elle serait éternellement reconnaissante aux Icarii de l'avoir si bien accueillie. Cela dit, elle avait enfin trouvé un foyer, et il se nommait Sigholt. Émerveillé par ses prouesses avec Perce-Sang et par son farouche désir de se rendre utile, Belial lui avait confié la formation d'une compagnie de trente-six archers.

À sa grande surprise, et celle de tous ses amis, la jeune femme avait fait montre d'un talent naturel pour le commandement. Son escouade était vite devenue la plus disciplinée, la plus efficace et la plus enthousiaste de la forteresse. Et même s'ils n'en croyaient pas leurs yeux – et encore moins leurs oreilles ! – Belial et Magariz avaient dû se rendre à l'évidence : aucun de ces rudes guerriers ne se plaignait d'être sous les ordres d'une femme.

Dans une garnison où trois mille hommes cohabitaient avec deux femmes, la vie aurait pu être difficile. Mais Azhure n'était pas du genre pudibond, et les soldats, malgré son indéniable beauté, avaient très vite oublié ses charmes pour ne plus voir que ses compétences. À dire vrai, les trois Alahunts – au moins – qui ne la quittaient jamais d'un pouce avaient dû décourager les séducteurs potentiels…

Mais pas Belial, visiblement touché par la féminité de sa nouvelle recrue. Et c'était bien le seul dilemme de la pauvre Azhure.

En soupirant, elle se glissa hors du lit, attendit que son estomac cesse de vouloir se retourner, puis enfila un pantalon d'uniforme, une chemise d'homme et des bottes de cavalerie. Attrapant au vol une veste, elle sortit à pas lent de la chambre. Comme tous les matins depuis qu'il dormait au pied de son lit, Sicarius la précéda pour s'assurer qu'il n'y avait pas de danger.

Dès que la porte fut refermée, Rivkah ouvrit les yeux et se demanda pour la énième fois quand son amie déciderait de se confier à elle…

Azhure dévala l'escalier, salua le garde campé devant la porte, débordula dans la cour principale et courut vers les écuries. Elle adorait chevaucher juste avant l'aube, quand il faisait encore frais. Et pour méditer à son aise, il n'y avait pas mieux que ces heures-là – un ultime moment de répit avant que Sigholt se transforme en une ruche bourdonnante d'activité. Elle laissa deux autres chiens se coller à ses basques, mais renvoya le reste de la meute d'un geste sec. Ce matin, personne n'avait le droit de la distraire de ses pensées.

Azhure approcha de la stalle de Belaguez et sifflota pour lui signaler qu'elle arrivait. Malgré les protestations horrifiées de Belial et de Magariz, elle chevauchait régulièrement l'étalon d'Axis. Sachant à quel point l'animal était rétif, Belial avait d'abord parié qu'il désarçonnerait sa cavalière en moins de cinq minutes. Et il avait perdu ! Bien qu'il fût encore un rien trop impétueux, Belaguez avait senti chez Azhure quelque chose qui l'incitait à modérer ses ardeurs.

La première fois qu'il avait vu l'étalon se laisser docilement faire, Belial avait regardé Magariz avec un fatalisme un peu forcé. Quelqu'un devait monter ce cheval, sinon il deviendrait vite fou. Et puisque Azhure s'en sortait bien, pourquoi ne pas lui permettre de continuer ?

La jeune femme brossa soigneusement la robe grise de l'étalon, puis elle le sella. Serrant fermement la sangle, elle laissa la bête expirer à fond et tira encore un bon coup. Le mors et les rênes en place, elle ouvrit la porte de la stalle et, le tenant par la bride, guida Belaguez dans la cour encore obscure. Voyant que les trois chiens l'attendaient déjà près des portes, Azhure sauta en selle.

Elle salua les trois sentinelles, habituées à la voir s'éclipser dès l'aube, puis souhaita joyeusement une bonne journée au pont. Dès qu'elle l'eut traversé, l'archère talonna Belaguez qui fila comme le vent en direction des collines d'Urqhart, dont il entendait bien atteindre le sommet avant le soleil.

L'étalon gagna sa course contre l'astre diurne. Une fois à destination, Azhure se délecta de la vue, comme tous les matins. À ses pieds se dressait Sigholt, étincelante à la lumière naissante de l'aube, et des volutes de vapeur tourbillonnaient gracieusement au-dessus des eaux du lac. La jeune femme mit pied à terre et s'assit sur un rocher pour admirer le lever du soleil sur la lointaine forêt d'Avarinheim. À l'instant précis où l'astre frôlait la crête des arbres, Azhure aurait juré que la frondaison ondulait pour la saluer.

Une illusion… Comme les Avars, la forêt était trop préoccupée par ses propres soucis pour s'intéresser à une humaine. Sauf s'il s'agissait de Faraday, bien entendu…

La jeune femme baissa les yeux sur la forteresse et repensa à Belial. Après des premiers moments difficiles, lors de leurs retrouvailles, tout s'était arrangé, et l'officier lui faisait à chaque instant sentir qu'il ne lui en voulait plus de lui avoir à demi fracassé le crâne à Smyrton.

—Tu peux te racheter en te montrant utile ici, avait-il dit.

Azhure l'avait pris au mot, et sa réussite avec les archers lui avait valu de sincères félicitations. Elle appréciait de plus en plus Belial, dont l'amitié n'était pas pour rien dans son bonheur actuel.

Depuis une dizaine de jours, le militaire avait clairement montré qu'il désirait voir évoluer leur relation. La veille, aux écuries, il s'était approché pendant qu'elle bouchonnait Belaguez et l'avait embrassée en riant. Ce baiser «fraternel» était vite devenu une étreinte passionnée qu'Azhure avait dû interrompre sans trop de douceur. Pas à cause de Belial, mais parce qu'elle redoutait de ne pas pouvoir lui résister.

Ensuite, il lui avait demandé de partager sa couche et sa vie. Voyant des larmes monter aux yeux de sa compagne, il s'était excusé de son audace. Après l'avoir assuré qu'elle ne lui en voulait pas, Azhure l'avait prié de lui laisser une nuit de réflexion.

La «demande en mariage» de Belial la tentait terriblement. Certaine de pouvoir l'aimer, avec le temps, elle ne doutait pas qu'il ferait un parfait compagnon et se voyait très bien vieillir à ses côtés. De plus, il l'aimait, et cela la bouleversait, car il était le seul, avec Rivkah, à avoir jamais éprouvé une sincère affection pour elle. À Smyrton, tous les villageois, imitant Hagen, l'avaient toujours regardée comme une bête curieuse. Ses traits de Norienne leur inspiraient un vague mépris au même titre que son caractère affirmé et son indépendance d'esprit. Les jeunes garçons ne s'étaient jamais intéressés qu'à son corps. Furieux qu'elle les repousse, ils s'étaient vengés en répandant d'ignobles rumeurs sur la «légèreté de ses mœurs».

Belial était épris d'elle et il la respectait. En soi, cela suffisait pour qu'elle accepte sa proposition. Hélas, les choses n'étaient pas si simples.

Pour commencer, Azhure était amoureuse d'Axis. Cependant, s'il n'y avait eu que ça, ç'aurait été insuffisant pour qu'elle oppose à Belial une fin de non-recevoir. Axis ne rêvait qu'au jour où il reverrait Faraday, et il ne se jetterait jamais à ses genoux pour la supplier de l'épouser.

De plus après avoir été témoin de la fin désastreuse du mariage entre Rivkah et Vagabond des Étoiles, Azhure était certaine de n'avoir aucun avenir possible aux côtés d'Axis.

Dans ce cas, pourquoi ne se jetait-elle pas dans les bras de Belial ?

La jeune femme posa les mains sur son ventre. Parce qu'elle était enceinte d'Axis, et que cela changeait tout ! Avant de fuir Smyrton, elle avait rêvé qu'un héros lui donnerait un jour un enfant. Eh bien, cela s'était passé plus vite qu'elle l'aurait cru.

Belial aurait sans doute accepté l'enfant d'Axis, mais comment pouvait-elle s'unir à un homme alors qu'elle en aimait un autre et attendait de mettre au monde le fruit de leur union ? Et après avoir grandi sans père, Axis ne supporterait sûrement pas que son fils ou sa fille subisse le même sort.

Elle ne pouvait pas priver l'ancien Tranchant d'Acier de son héritier. Cela posé, quelle solution lui restait-il ?

Ouvrir son cœur à Belial, qui méritait de connaître la vérité. Ensuite, elle attendrait Axis, qui arriverait sûrement bientôt à Sigholt.

Pour l'heure, elle préférerait ne pas penser à ce qui se produirait après. Axis pouvait vouloir s'approprier cet enfant, une idée qui la terrorisait…

— Jamais, souffla-t-elle. Personne ne me prendra ce petit !

Son enfant ne serait jamais privé de mère !

Elle avait tant aimé la sienne, le cœur gonflé de joie dès qu'elle la voyait ou entendait le bruit de ses pas. Persuadée que sa mère était la femme la plus belle et la plus intelligente du monde, elle avait vécu son départ comme un abandon dont le souvenir, aujourd'hui encore, ravivait un paradoxal sentiment de culpabilité. Avait-elle été une mauvaise fille ? Ne s'était-elle pas montrée assez aimante ?

— Maman, pourquoi ne m'as-tu pas emmenée avec toi ? Je t'aimais, tu sais ? Je t'aimais !

Parmi tous ses péchés, Azhure ne se pardonnerait jamais le plus ignoble : avoir oublié le nom de sa mère ! Depuis plus de vingt ans, cet impensable trou de mémoire l'avait hantée jour et nuit. Mais ses efforts pour se souvenir étaient toujours restés vains.

Fillette, elle avait osé poser la question à Hagen. Fou furieux, il l'avait battue comme plâtre, et elle ne s'était jamais avisée de recommencer. Ainsi, elle serait condamnée à vivre jusqu'à la fin de ses jours avec un grand vide dans sa tête et dans son cœur.

Je n'abandonnerai jamais mon enfant, et il ne risquera pas d'oublier jusqu'à mon nom…

Ses pensées dérivant, Azhure se demanda ce qu'elle éprouverait en serrant pour la première fois contre elle un nouveau-né, et plus tard, quand il l'aimerait, se fierait aveuglément à elle et chercherait dans ses bras de la tendresse ou du réconfort. L'enfant d'Axis serait sûrement superbe ! Aurait-il les cheveux couleur de blé mûr de son père ? ou la crinière noire et le teint pâle de sa mère ? Et serait-il plus icarii qu'humain ?

La jeune femme s'avisa soudain que le soleil était déjà bien au-dessus de l'horizon. Si elle ne rentrait pas vite, une patrouille risquait de partir à sa recherche.

Elle se leva d'un bond, saisit les rênes de Belaguez et sauta en selle. Ce matin, l'étalon devrait se passer de sa course à travers le col de Garde-Dure.

Belial l'attendait-il déjà aux écuries ?

L'officier était arrivé en avance au rendez-vous. Souriant, il aida Azhure à mettre pied à terre et resta près d'elle tandis qu'elle dessellait Belaguez.

Alors qu'elle desserrait la sangle, Belial se plaça derrière elle et lui caressa la nuque du bout des doigts.

—Azhure, dit-il, j'espère que tu ne m'as pal mal compris, hier. Je parlais d'un mariage, pas d'une liaison. Je veux passer ma vie avec toi.

—Je sais…

Azhure ferma les yeux quand son prétendant l'enlaça et lui embrassa tendrement la nuque.

Il ferait un si bon père pour mon enfant…, pensa-t-elle. *Mes rêves de « héros » étaient absurdes ! Que demander de plus qu'avoir un homme solide et bon à ses côtés ?*

—Puis-je connaître ta réponse ?

—Belial, je… (Azhure prit les mains de l'homme et les posa sur son ventre.) Je suis enceinte !

Le souffle de Belial s'accéléra, et elle sentit son désarroi. Bon sang, il ne méritait pas ça !

—C'est Axis ?

—Oui…

—Et tu l'aimes ?

—Oui…

Belial s'écarta et flanqua un coup de poing dans le mur de l'écurie. Surpris, Belaguez fit un pas de côté, les oreilles aplaties sur le crâne.

—Que Gorgrael l'emporte ! rugit Belial. Je ne lui avais jamais envié ses maîtresses, jusqu'à aujourd'hui ! Azhure, je t'aime, et je veux t'épouser, enceinte ou pas. Et tant pis si tu aimes Axis ! Tu n'as pas d'avenir avec lui, et tu le sais ! Ensemble, nous serions heureux… et tu le sais aussi !

Pourquoi Axis s'était-il laissé aller ainsi ? se demanda l'officier. N'avait-il aucune conscience, et pas le moindre contrôle de ses instincts ? Et Faraday, que devenait-elle dans tout ça ?

—Belial, souffla Azhure, des larmes aux yeux, tu sais mieux que personne combien Axis serait blessé si son fils devait grandir sans un véritable père ! Bien sûr que je n'ai pas d'avenir avec lui ! Mais avant son retour, et la naissance de l'enfant, je ne peux prendre aucune décision !

—Quand accoucheras-tu ?

—Au début du mois du Corbeau, l'an prochain. L'enfant a été conçu la nuit de Beltide, le premier jour du mois de la Fleur. Et il n'y a eu que… cette fois-là…

—Une seule nuit ? Et ça lui a suffi pour t'engrosser ?

Azhure hocha la tête, consciente que Belial n'était pas furieux contre elle, mais contre Axis.

—Il aurait semé des bâtards dans la moitié d'Achar, s'il avait réussi ce coup-là chaque fois !

Belial tendit les bras et tira Azhure contre lui, certain qu'il l'étreignait ainsi pour la dernière fois. Face à Axis, il ne serait jamais un rival sérieux…

—Azhure, si tu n'avais pas été enceinte, m'aurais-tu épousé?

—Oui, et j'en aurais été honorée!

Un long moment, ils restèrent dans l'écurie à écouter la forteresse se réveiller lentement.

Quand Azhure revint se changer, Rivkah était debout depuis une heure. Bien entendu, elle vit au premier coup d'œil que son amie était bouleversée.

—Que se passe-t-il?

En larmes, Azhure ne parvint pas à répondre. La mère d'Axis traversa la chambre et la prit dans ses bras.

—Mon amie, je sais que tu es enceinte. Et j'ai hâte de voir mon premier petit-enfant!

—Belial m'a demandé de l'épouser, et j'ai dû refuser parce que je porte l'enfant d'Axis.

—Je vois…

Azhure voulait fuir le malheur qu'Axis attirerait inévitablement sur sa tête, et Belial aurait été la solution idéale. Hélas, le papillon s'était trop attardé près de la flamme, et il avait les ailes roussies. Axis n'accepterait jamais qu'on le sépare de son premier héritier, surtout s'il avait des dons d'Envoûteur.

Rivkah guida Azhure jusqu'au lit, la fit asseoir et la laissa pleurer dans ses bras. Comme Belial, elle s'étonna un moment que son fils n'ait pas déjà fécondé d'autres femmes. Pourtant, à sa connaissance, cet enfant serait son premier.

Mais en fait, elle savait pourquoi. Les Envoûteurs – en réalité, tous les mâles icarii – avaient des difficultés à devenir pères. Quand ils y étaient parvenus, ils refusaient obstinément de lâcher l'enfant et la mère…

Très souvent, les Icarii n'officialisaient pas une union avant qu'elle ait porté ses fruits. Et si elle restait stérile, le mariage pouvait très bien ne jamais avoir lieu, car le couple se séparait pour tenter sa chance avec d'autres partenaires.

Vagabond des Étoiles n'aurait jamais aimé Rivkah à la folie si elle ne lui avait pas donné un enfant. Et maintenant qu'elle n'était plus en âge, il lui restait la plus grande partie de sa vie pour trouver un autre ventre à féconder…

Rivkah berça tendrement son amie… Après une seule nuit, Azhure était enceinte d'Axis. Si fort qu'il aimât Faraday, il ne renoncerait jamais à la mère de son premier enfant…

Oui, le papillon avait pris trop de risques, et il y laisserait sa liberté. Aussi loin qu'elle puisse aller, Axis poursuivrait inlassablement Azhure. Même s'il ne le voulait pas, son sang l'y obligerait !

23

LA BAGUE DE L'ENVOÛTEUSE

Dans une immense grotte à la voûte couverte de cristaux, Axis et le Passeur, assis à la poupe du bac, contemplaient les eaux aux reflets violets d'un grand lac souterrain.

— Grâce à ta mère, dit le Charonite, tu as gagné le droit de me demander de l'aide. Tu veux apprendre mes secrets, et je te les enseignerai. Cependant, il y a une condition…

— Laquelle ? demanda Axis, sur la défensive.

Vagabond des Étoiles et Rivkah l'avaient tous les deux prévenu : le Passeur était un redoutable négociateur et il adorait parler par énigmes.

— Je t'apprendrai tout ce que tu voudras, mais j'exige que tu transmettes ce savoir uniquement à tes héritiers. Quand tu retourneras dans le Monde de la Surface, tu n'en parleras pas à ton père ni à un autre Envoûteur. Ce que je te révélerai est exclusivement pour toi et tes enfants. Es-tu d'accord ?

— Pourquoi cette restriction ?

— Mes motivations ne te regardent pas. Es-tu d'accord, ou veux-tu que je te ramène à la surface ?

— Marché conclu ! Seuls mes enfants sauront ce que tu vas m'apprendre.

— Parfait. Que veux-tu savoir ?

— Ton nom, pour commencer.

— Jadis, on m'appelait Orr, et tu peux utiliser ce nom. Ensuite ?

Axis regarda autour de lui. À part leur bac, le lac était désert, et ils n'avaient croisé personne le long des canaux.

— Où sont les autres Charonites ?

— Je suis les Charonites, Axis Soleil Levant ! Pas seulement le dernier survivant, mais le réceptacle de toute une race. (Le Passeur se tapota la poitrine.) Ils sont tous là !

Dérouté, Axis dévisagea le vieillard, mais il décida de ne pas insister pour le moment.

— Orr, que sont les canaux ?

Le Passeur eut un petit rire qui surprit son interlocuteur.

— Ils n'ont pas grand-chose d'extraordinaire, mais ils sont enfouis trop profondément sous terre – et dans la mémoire des résidents de la surface – pour ne pas être entourés d'une aura de mystère.

— Pourrais-tu être plus précis ?

— Tu es impatient, Axis ! L'influence de ton père, sûrement.

Selon Rivkah, Orr n'appréciait pas beaucoup Vagabond des Étoiles. À l'évidence, elle avait bien jugé la situation.

— Ne me fais pas perdre mon temps avec tes énigmes, Passeur !

— T'a-t-on enseigné la Danse des Étoiles ? demanda Orr avec un soupir agacé.

Pour se calmer, il tira méticuleusement sur les plis de son manteau rouge.

— Oui. J'entends sa musique tout au long de la journée, et la nuit, elle résonne dans mes rêves.

— Comme tu le sais, les Envoûteurs utilisent la musique pour refléter la structure même de la Danse des Étoiles. Les canaux ont la même ambition, mais le « reflet » se présente sous une forme matérielle. Se déplacer à travers le réseau souterrain revient à voyager dans la trame de l'une ou l'autre des Chansons icarii.

— Il y a un canal pour chacune ?

— C'est ça, oui…

— Lors de ma formation d'Envoûteur, j'ai appris les Chansons, et je sais que chacune a une utilité bien spécifique. Quand j'en chante une, elle me permet de manipuler le pouvoir de la Danse des Étoiles afin d'obtenir un résultat très précis.

—Oui, tout le monde sait ça!

—Les canaux sont-ils aussi des «intermédiaires» qui donnent accès au pouvoir de la Danse des Étoiles? Au lieu de chanter, il suffirait de longer celui d'entre eux qui correspond à mon intention? Eux aussi auraient chacun une utilité spécifique?

—Tu as compris, oui… Les canaux sont un autre moyen de contrôler le pouvoir de la Danse des Étoiles. Les Envoûteurs ont leurs Chansons, et les Charonites leurs canaux. Bien entendu, notre méthode est un peu plus contraignante que la vôtre…

—Mon père et ma grand-mère m'ont enseigné toutes les Chansons qu'ils connaissaient. Selon eux, il y en a un nombre fini.

—Vraiment? Combien?

—Environ un millier. Et avoir de telles limites est frustrant. Si j'ai une intention, mais pas de Chanson pour la réaliser, mon pouvoir ne me sert à rien.

—Ils connaissent seulement mille Chansons? s'étonna Orr. Ont-ils oublié tant de choses?

Axis se pencha en avant, de plus en plus intéressé. Il avait rudement bien fait de venir ici!

—Combien de canaux y a-t-il?

De nouveau agacé par l'impatience de l'Envoûteur, Orr parvint de justesse à garder son calme.

—Je te répondrai en… te posant une question. Vagabond des Étoiles t'a-t-il appris à utiliser ta bague?

Axis baissa les yeux sur l'anneau en or rouge incrusté d'éclats de diamant qu'il portait à la main droite. Ce bijou était l'emblème des Soleil Levant. Chaque maison icarii n'en possédait qu'un, et Vagabond des Étoiles avait été heureux et fier de transmettre cette précieuse relique à son fils…

—C'est un symbole de mon statut d'Envoûteur le plus puissant d'une maison, rien de plus… Comment pourrais-je l'utiliser?

Orr se prit la tête à deux mains et se balança un moment d'avant en arrière, comme s'il était stupéfait… et franchement accablé.

231

— Mon pauvre garçon…, soupira-t-il enfin en tapotant gentiment le genou d'Axis. Je ne me doutais pas que les Icarii étaient tombés si bas. Comment de tels incompétents osent-ils encore se donner le nom d'« Envoûteurs » ?

— Orr, que veux-tu dire ? lança Axis, pressé d'entrer dans le vif du sujet.

— Mon garçon, il existe un nombre quasiment illimité de Chansons… et de canaux. Le pouvoir des Étoiles peut servir à une infinité de choses ! Comment les Icarii ont-ils pu oublier des notions aussi élémentaires ? Baisse les yeux sur ta bague !

Axis obéit.

— Les éclats de diamant composent-ils toujours le même motif ?

— Non. Au contraire, ils ne se répètent jamais.

— À de rares exceptions près, c'est bien le cas… Maintenant, pense à une Chanson que tu connais et regarde de nouveau la bague.

Axis pensa à la Chanson de l'Harmonie. Alors que la musique résonnait dans sa tête, il écarquilla les yeux. La configuration des étoiles en éclats de diamant, sur la bague, avait changé pour s'adapter à la Chanson.

— À présent, fit Orr, pense à une « intention », comme tu dis, pour laquelle tu ne connais pas de Chanson. Quelque chose de simple, pour ne pas nous ramener dans le Monde de la Surface, ou une autre extravagance de ce genre. Imagine ce que tu voudrais faire, et regarde la bague.

Axis réfléchit quelques instants, puis la couleur du manteau d'Orr lui attira l'œil. Une Chanson qui transformerait le rouge en gris ? Pourquoi pas ? Il y pensa très fort, baissant les yeux sur la bague.

La configuration des étoiles s'était transformée – rien qu'il eût jamais vu, constata-t-il. D'instinct, il la « traduisit » en notes qu'il chanta dans sa tête. Aussitôt, le manteau du Passeur vira du rouge au gris.

— C'est d'une facilité déconcertante, non ? triompha Orr. Et dire que les Icarii ont oublié comment utiliser leurs bagues !

Mon garçon, la seule limite au nombre de Chansons, c'est le volume d'« intentions » qu'un Envoûteur peut avoir !

— C'est tout ? demanda Axis, qui ne parvenait pas à croire que ce fût si simple. Il suffit de penser à ce que je veux faire, de regarder la bague, qui me fournit la structure de la mélodie, et le tour est joué ?

— Absolument ! C'est pareil avec les canaux. Au début, il en existait relativement peu, mais quand j'ai une idée en tête – ou une destination – j'y pense, et la voie de communication idoine se crée toute seule.

— Puis-je utiliser le pouvoir de la Danse des Étoiles pour faire tout ce que je veux ?

— Non. Il existe des Chansons pour presque tous les objectifs, et la bague te les montrerait, mais certaines seraient trop dangereuses pour toi. Investi de trop de pouvoir, tu ne survivrais pas… Au fil de ta formation, loin d'être terminée, le plus important sera de savoir reconnaître les mélodies qui te tueraient. En règle générale, plus le but est ambitieux et plus il faut de puissance. Maintenant que tu sais utiliser ta bague, sois très prudent. Sinon, en essayant de nous sauver, tu provoqueras ta propre destruction.

Axis regarda le bijou avec un tout nouveau respect. Pour qu'il lui montre des Chansons « mortelles », quels objectifs devrait-il avoir en tête ?

— Tu apprendras, mon garçon, dit Orr. Au début, tu te blesseras, comme un enfant qui joue avec un couteau, mais ça viendra vite. Sache aussi que les Chansons ne permettent pas de tout faire. Bizarrement, le pouvoir de guérison est un des plus limités. La Danse des Étoiles, sur ce point, est souvent impuissante. Avec elle, on peut sauver un moribond, mais pas soigner les plaies et les bosses. Ne me demande pas pourquoi, parce que je n'en sais rien !

— Merci pour tout ce que tu viens de me dire, Orr. Tu m'as fait de précieux cadeaux, mon ami…

— J'en ai reçu un en échange, Axis Soleil Levant. Sans toi, je n'aurais jamais su que les Icarii avaient régressé au point d'être stupides. Ces idiots ne savent même plus recourir à leurs bagues !

Orr éclata d'un rire moqueur.

—Passeur, dit Axis, Étoile du Matin m'a appris des nouvelles très préoccupantes.

Le Charonite retrouva aussitôt son sérieux.

—Lesquelles ?

—Elle pense que j'ai appris beaucoup de Chansons alors que j'étais bébé. Avant de commencer ma formation, j'en savais déjà certaines, et c'est impossible, sauf si un professeur s'est occupé de moi.

—Étoile du Matin a raison. Enfant, tu n'avais pas cette bague ?

—Non. Elle est en ma possession depuis huit mois seulement…

—Pour se former, un Envoûteur a besoin du bijou, ou d'un membre de sa famille apte à l'éduquer. Quelles Chansons connaissais-tu ?

—La Litanie de la Renaissance et la Chanson qui permet de revoir des événements passés.

—Deux mélodies très puissantes !

—Je sais… Orr, connais-tu un autre Envoûteur Soleil Levant que mon père, ma grand-mère ou moi ? Vagabond des Étoiles pense que cet homme, ou cette femme, a également formé Gorgrael.

—Je ne me suis jamais demandé qui l'avait éduqué ! Comment ai-je pu être si stupide ?

—Le Destructeur contrôle la Musique Sombre des Étoiles. Son mentor doit donc être également capable d'y recourir.

Orr hocha la tête, de plus en plus troublé.

—Passeur, avec cette bague, puis-je avoir accès à la Musique Sombre ?

—Non. Les bagues sont conçues pour puiser de l'énergie uniquement dans la Danse des Étoiles. Aucun Envoûteur de ma connaissance ne maîtrise la Musique Sombre. Axis, tes nouvelles m'inquiètent, et il faudra que j'y réfléchisse…

— Orr, j'ai vu certaines créatures de Gorgrael se dématé-rialiser, comme si leur magie leur permettait de voyager dans l'espace… et peut-être aussi dans le temps. Pourrai-je faire la même chose?

— Pas exactement, puisque ces êtres utilisent la Musique Sombre. Mais avec ta bague, il te sera possible de franchir de très grandes distances. Cela dit, ne t'emballe pas, car il y a des restrictions. Pas en ce qui concerne les points de départ… En revanche, les destinations sont limitées…

— Que veux-tu dire?

Le Passeur pianota nerveusement sur le plat-bord du bac.

— Seuls certains endroits de Tencendor te seront acces-sibles. Essaie d'utiliser la Chanson du Voyage pour atteindre d'autres lieux, et tu te désintégreras! Ai-je été assez clair pour toi, cette fois?

— Parfaitement, oui… Et quels sites me seront accessibles?

— Ceux qui contiennent assez de magie pour servir… eh bien, de «balises» à la Chanson. Bref, les antiques forteresses: Sigholt, la citadelle du bois de la Muette, Spiredore…

— Spiredore? coupa Axis.

— Un lieu que tu connais sous le nom de tour du Sénéchal, précisa Orr, ravi de voir son interlocuteur écarquiller les yeux de surprise. L'ordre a choisi pour quartier général la forteresse la plus investie de magie de Tencendor. Mais ne l'utilise pas comme pivot de tes voyages, parce que sa magie est pour l'instant étouffée sous le poids des mensonges du Sénéchal. Tant que Spiredore ne se sera pas éveillée, comme Sigholt, très récemment, tu ne devras pas t'en servir.

— J'ai compris. Y a-t-il d'autres sites?

— Oui. Le bosquet de l'Arbre Terre, maintenant qu'il chante de nouveau. Le Portail des Étoiles…

— J'en ai entendu parler, coupa de nouveau Axis, mais je ne l'ai jamais vu.

— Sois patient, je t'en prie! Bientôt, je t'y conduirai… Il y a aussi l'île de la Brume et de la Mémoire. Comme pour Spiredore, son temple doit revenir à la vie pour que tu puisses y aller.

— Donc, récapitula Axis, quand tu m'auras tout appris, pour gagner Sigholt, il me suffira d'y penser, de regarder ma bague et de chanter la mélodie qu'elle me montrera.

— C'est ça, mais n'oublie pas : tu devras te limiter aux endroits que je viens de citer – et parmi eux, à ceux qui sont « éveillés ». Tente d'aller ailleurs avec la Chanson du Voyage, et tu mourras !

Son enthousiasme un peu douché, Axis contempla pensivement sa bague. En quelques minutes, le Passeur lui avait appris plus de choses que Vagabond des Étoiles depuis leurs retrouvailles.

En proie à une étrange excitation, Orr contemplait l'eau violette. Il attendait ces instants depuis si longtemps ! Et cet homme-là était vraiment l'Unique ?

Le Passeur laissa courir ses doigts dans l'eau. Puis il les retira brusquement, comme s'il venait de capturer un poisson.

— Que se passe-t-il ? s'écria Axis.

Orr lui tendit sa paume mouillée.

Axis y découvrit la plus belle bague d'Envoûteur qu'il eût jamais vue. Contrairement à la sienne, elle semblait avoir été taillée dans un saphir plus translucide que toutes les pierres précieuses qu'il avait jamais pu admirer. Sur sa bague, et toutes celles qu'il connaissait, les étoiles étaient représentées par des éclats de diamant. Avec celle-là, c'était différent, car des astres jaunes paraissaient exécuter un harmonieux ballet à l'intérieur même du saphir.

À voir son diamètre, fort réduit, cet anneau avait dû être conçu pour le doigt d'une femme.

— Elle est magnifique, Orr !

— N'est-ce pas ? Mon garçon, c'est la bague originelle, et toutes les autres en sont des copies. Elle fut confiée à la première Envoûteuse, l'ancêtre – et la mère – commune aux Icarii et aux Charonites. Il y a quinze mille ans, cette femme découvrit la façon d'utiliser le pouvoir des Étoiles. Mais je ne saurais te dire qui lui remit la bague.

— Tu es sûr qu'elle ne l'a pas fabriquée, tout simplement ?

—Certain. Elle était sa gardienne, rien de plus. La bague cherche son véritable propriétaire. Elle retournera chez elle, mais pas avant que le Cercle ne soit complété.

—Le Cercle?

À l'expression fermée du Passeur, Axis comprit que ce secret-là ne lui serait pas révélé.

—Tu veilles sur la bague depuis la mort de l'Envoûteuse? demanda-t-il.

—Non. Quand elle a quitté ce monde, le bijou est passé sous la garde des Icarii, qui l'ont protégé et vénéré pendant des millénaires. C'était leur plus précieuse relique…

—Alors, comment es-tu entré en sa possession?

—Il y a quatre mille ans, juste avant de mourir, un Envoûteur-Serre me l'a apportée. Il se nommait Étoile Loup Soleil Levant.

Encore ce nom…, pensa Axis.

—Et pourquoi te l'a-t-il donnée?

—Selon lui, parce que les motifs cosmiques s'altéraient… Étoile Loup était très puissant, et destiné à le devenir plus encore. Sa fin fut précoce, et cela n'a pas été un mal, car il aurait conduit les Icarii au désastre avec ses idées folles et ses expériences étranges. Mais c'est sans rapport avec ce qui nous occupe… Étoile Loup a placé la bague sous ma protection en affirmant que je saurai à qui la transmettre. Et tu es celui qui doit la détenir à présent…

—Que suis-je censé faire avec? Pourrai-je l'utiliser?

—Surtout pas! La bague de l'Envoûteuse ne fonctionne pas comme les autres, et sa première propriétaire elle-même n'avait pas percé tous ses mystères. Étoile Loup m'a dit que je saurai à qui remettre le bijou. Et j'ai mission de répéter la même chose à son nouveau gardien…

—Que veux-tu dire?

—En temps voulu, tu sauras aussi à qui donner la bague. Ne t'inquiète pas, Axis, l'évidence s'imposera à toi! Tu seras certain d'être en face de la bonne personne. Jusque-là, veille sur la bague et ne la montre à personne. C'est compris?

—Oui… (Mal à l'aise, Axis glissa le bijou dans une de ses poches.) Je veillerai sur cette bague, et personne ne la verra.

Mais qui serait le prochain récipiendaire du bijou ? Qui compléterait ce Cercle dont il ne savait rien ?

24

LA PATROUILLE

—Azhure, dit Belial, tes compagnies s'en sortent très bien…

Campé devant une fenêtre de la salle des cartes, l'officier suivait l'entraînement des archers montés – et tirer en chevauchant était un des exercices les plus difficiles.

—Tu as fait un travail remarquable, ajouta Belial.

Azhure accepta le compliment sans fausse modestie. Un mois plus tôt, le nouveau chef des Haches de Guerre lui avait confié deux compagnies supplémentaires. Aujourd'hui, ces cent huit hommes constituaient une unité mobile dévastatrice apte à épauler n'importe quel corps de fantassins. Même s'ils étaient loin d'égaler l'habileté de leur chef, ces archers avaient progressé à pas de géant – au point de devenir ce qui se faisait de mieux en Achar, constata Belial en les voyant cribler de flèches des cibles mobiles.

Satisfaits, l'officier et la jeune femme allèrent rejoindre Arne et Magariz, assis à la grande table de conférence.

Cinq semaines s'étaient écoulées depuis qu'Azhure avait parlé de sa grossesse à Belial. Au fil des jours, tout malaise peu à peu oublié, leur relation était devenue une solide amitié cimentée par un grand respect.

En homme d'expérience et de cœur, Belial avait enterré sa passion pour Azhure aussi profondément que possible.

Les deux Haches de Guerre, le seigneur et la jeune femme étaient vêtus à l'identique : des hauts-de-chausses et une tunique grise ornée, sur le côté gauche, du soleil rouge sang.

239

Sur l'insistance d'Azhure, toutes les forces cantonnées à Sigholt porteraient cet uniforme dont l'emblème leur rappellerait à chaque instant pour qui elles luttaient.

— Nous sommes prêts à combattre, Belial, déclara Azhure dès qu'elle fut assise. Et je le suis aussi! N'espère pas que je reste à la maison, penchée sur une broderie. Appuie-toi sur moi et sur mes hommes!

Belial croisa le regard de Magariz. Azhure était déterminée, comme toujours, mais l'idée d'envoyer une femme sur un champ de bataille déplaisait aux deux guerriers.

Arne leva ostensiblement les yeux au plafond. Si une femme était apte au combat, il ne voyait aucune raison de la tenir à l'écart.

— Quand la Force de Frappe arrivera, tu verras que les Icarii autorisent leurs femmes à guerroyer. Et Axis n'a jamais eu de scrupules à utiliser mes talents.

— C'était avant que tu... eh bien... tu vois ce que je veux dire...

Azhure éclata de rire. Dans cette pièce, tout le monde savait qu'elle était enceinte d'Axis.

— Avant que j'attende un enfant? Sans doute, oui... Mais ma grossesse ne m'a pas gênée, jusqu'à maintenant. Les nausées ont disparu, et je me sens plus en forme que jamais. (La jeune femme posa les mains sur son ventre.) Regardez, toujours aussi plat! Selon Rivkah, les bébés icarii sont petits, et je ne grossirai pas tellement. Donc, je refuse qu'on me laisse en arrière, un point, c'est tout! Tant que je ne serai pas trop énorme pour chevaucher, je veux être à la tête de mes hommes. Sinon, pourquoi m'avoir donné le commandement de trois compagnies? Pour que je les dirige de mon lit?

Souriant, Belial leva les mains pour signifier qu'il capitulait.

— Très bien, Azhure! S'il faut passer à l'action, et si j'estime que tes archers et toi serez utiles, vous vous battrez à nos côtés. Mais sache que je t'interdirai de chevaucher si tu risques de mettre en danger la vie du bébé, la tienne ou celle de tes hommes.

— Bien compris, chef ! lança Azhure, son sourire effacé.

— Dans ce cas, si nous passions aux choses sérieuses ? Magariz, quelles nouvelles des Skraelings ?

— Elles ne sont pas assez rassurantes à mon goût, Belial. (Le seigneur semblait épuisé, et sa cicatrice ressortait encore plus que d'habitude sur sa joue pâle.) Les Spectres grouillent partout en Ichtar, et ils se dirigent lentement vers le sud. Depuis peu, nos patrouilles en aperçoivent dans les collines qui entourent Sigholt. Mais combien sont-ils en tout ? Et où ont-ils l'intention de se regrouper ? Je n'en sais rien. Mais nous approchons de l'automne, et Gorgrael a eu des mois pour reconstituer ses forces. Il se prépare sans doute à lancer une attaque, ses troupes massées on ne sait où...

Belial étudia la carte déroulée devant eux.

— La route la plus directe pour Achar passe par le Ponton-de-Jervois.

— Et pourquoi pas les plaines du Chien Sauvage ? avança Arne. En choisissant ce chemin-là, ils déferleraient sur Skarabost...

— Nous devons nous préparer à cette possibilité, répondit Belial, mais je doute que Gorgrael opte pour ce plan. Le fleuve Nordra sépare les plaines de Skarabost, et les Skraelings ont peur de l'eau. Pour éviter de traverser l'Andakilsa, ils se sont tous engouffrés dans le col de Garde-Dure...

— Risquent-ils de nous couper de nos voies d'approvision-nement ? demanda Azhure.

L'intendance étant en partie sous sa responsabilité, ce sujet la préoccupait beaucoup.

Belial faillit répondre par la négative, mais il se ravisa et regarda de nouveau la carte.

— S'ils décident de passer par les plaines du Chien Sauvage, ils peuvent bloquer le col de Garde-Dure.

— Des « si », toujours des « si » ! lâcha Magariz. Devons-nous rester les bras ballants à attendre de savoir ce qu'ils feront ?

— Il n'y a pas d'autre solution, mon ami, répondit Belial.

Pour l'instant, avec si peu de soldats, il est impossible de patrouiller au-delà des collines d'Urqhart. Et Axis…

Un long silence suivit. Quand reviendrait-il ?

Azhure posa un instant la main sur son ventre.

—Nous avons besoin de lui, acheva Belial. Et des éclaireurs de la Force de Frappe. Magariz, avons-nous des nouvelles à ce sujet ?

—Non. Les derniers messagers nous ont affirmé que les Icarii seront là dans trois semaines.

—Eh bien, soupira Belial, ce ne sera pas trop tôt, parce que Borneheld s'en sort moins mal que prévu. Cette nuit, j'ai eu un message des espions envoyés au Ponton-de-Jervois. Il y a du bon et du mauvais, mes amis… Le duc a fait creuser des canaux entre les fleuves Nordra et Azle – une véritable barrière liquide ! Avec cet atout de plus, il a assez d'hommes pour contenir les Skraelings en Ichtar, cet hiver.

—Le « mauvais » est facile à deviner, intervint Arne. Si Borneheld redoute moins les Skraelings, il disposera de troupes bien entraînées pour nous attaquer. Sa haine d'Axis le poussera à prendre tous les risques, j'en suis sûr !

—Nous avons à peu près le même nombre d'hommes, dit Magariz. (Mal à l'aise, il consulta Belial du regard.) N'est-ce pas ?

Le chef des Haches de Guerre ne répondit pas.

—Belial, demanda Azhure, combien de soldats a-t-il ?

—Près de vingt mille, et peut-être plus.

Arne lâcha un juron bien senti.

—Vingt mille…, répéta Magariz. Comment est-ce possible ? Au fort de Gorken, nous étions au plus quatorze mille, et le duc avait dû puiser dans les réserves d'Achar pour lever une armée pareille. Six mille soldats sont tombés face aux Skraelings et trois mille nous ont accompagnés… Au mieux, Borneheld a battu en retraite avec cinq mille hommes. Belial, tes informateurs doivent se tromper.

—Hélas non, même si je donnerais cher pour que ce soit le cas. Le duc a bien vingt mille soldats, parce que le chef des chasseurs de Ravensbund, Ho'Demi, l'a rejoint avec onze mille guerriers. Borneheld peut aussi enrôler les hommes qui fuient Ichtar et ceux qui ont précipitamment quitté Sigholt. Avec tout ça, vingt mille est un nombre optimiste... pour nous.

Un long moment, personne ne parla. Avec les Icarii, la garnison de Sigholt compterait cinq mille guerriers. Le combat pour Achar menaçait d'être féroce et sanglant !

— Mais Borneheld devra combattre sur deux fronts, intervint Azhure. Pour retenir les Skraelings, il lui faudra laisser en permanence des forces au Ponton-de-Jervois. Quand il sera de retour, Axis décidera sûrement de traverser Skarabost puis de bifurquer vers l'ouest, en direction de Carlon. Le duc devra couper en deux son armée.

— Tu as raison, Azhure, dit Belial, ouvertement admiratif. L'ennui, c'est qu'Axis aussi sera obligé de diviser ses troupes. S'il décide d'attaquer Achar, il devra laisser assez d'hommes pour défendre Sigholt et les plaines du Chien Sauvage. Sinon, Gorgrael risquerait de le prendre à revers pendant qu'il en découdrait avec Borneheld.

— N'oublions pas ma meute de quinze chiens, dit Azhure avec un grand sourire. Ils pourraient faire basculer les choses en notre faveur.

Les trois hommes la regardèrent, soufflés, puis ils éclatèrent de rire.

— Assez parlé du duc et du Destructeur, dit Belial quand il eut recouvré son sérieux. (D'un signe de tête, il remercia la jeune femme d'avoir détendu l'atmosphère.) Pour l'heure, l'afflux de réfugiés à Sigholt est presque aussi inquiétant qu'eux...

Après s'être installé dans la forteresse, l'officier avait envoyé en Skarabost des patrouilles chargées d'étudier les voies d'approvisionnement et de faire connaître la Prophétie aux habitants. Au sujet des routes, tout se passait au mieux. Pour le reste, c'était plus compliqué. Attirés par la Prophétie, de petits groupes d'hommes et de femmes arrivaient chaque jour depuis près d'un mois, et le flot ne semblait pas vouloir se tarir.

—Belial, dit Azhure, il n'y a pas de quoi s'inquiéter. Au contraire, tu devrais te réjouir que tant de gens se rallient à la cause d'Axis.

—Pas de sermon moralisateur! cria l'officier. Dis-moi plutôt comment tu t'en sors avec ces nouveaux venus.

—J'ai réussi à les loger dans des tentes, sur la berge nord-est du lac. Nous avons assez de nourriture pour l'instant, car beaucoup sont arrivés avec des vivres. Et très bientôt, nous pourrons compter sur une autre source que les voies d'approvisionnement.

—Comment est-ce possible? demanda Magariz.

—Depuis la renaissance du lac, les collines d'Urqhart refleurissent. J'ai ordonné aux réfugiés de débroussailler pour aménager des jardins potagers. Les premiers légumes arrivent à maturité après seulement deux semaines. Je pense que l'eau accélère leur croissance.

—Très bien joué, approuva Belial. Arne, y a-t-il des guerriers parmi nos «invités»?

—La plupart sont des paysans qui ont failli crever de faim l'hiver dernier. Ces malheureux s'accrochent à tout espoir d'avoir une vie un peu moins rude… Cela dit, les plus jeunes sont costauds et avides d'en découdre. Les meilleurs pourraient manier correctement un bâton.

—Tu crois qu'ils veulent se battre pour Axis? demanda Belial. Ou qu'ils sont venus pour fuir Gorgrael et ses frimas surnaturels?

—Il y a un peu des deux, répondit Magariz. Beaucoup d'Acharites ont été terrorisés par la chute du fort de Gorken et la perte d'Ichtar. Ils se demandent si l'Homme Étoile de la Prophétie n'est pas plus à même de les sauver que Borneheld. Vous connaissez tous la réputation qu'avait Axis, quand il était le Tranchant d'Acier. Pourtant, d'après ce que je sais, une petite fraction seulement de la population de Skarabost tente de quitter le pays. Beaucoup de gens refusent d'abandonner

leur maison, et d'autres ont peur parce que la Prophétie parle
d'une alliance avec les Proscrits.

Belial soupira et se frotta les yeux.

— Mes amis, j'espère que nos « invités » ne sursauteront
pas trop quand la Force de Frappe arrivera !

Magariz tira sur les rênes de son cheval et leva un bras
pour indiquer à ses hommes de rester hors de vue. Puis il se
tourna sur sa selle et regarda Azhure.

Le seigneur, la jeune femme et un solide détachement
patrouillaient dans la zone sud des collines d'Urqhart, à
moins d'une demi-lieue des berges du fleuve. Un territoire
dangereux où ils risquaient de rencontrer des Skraelings et
des éclaireurs de Borneheld.

La dernière patrouille envoyée par Belial était tombée
sur une vingtaine de soldats venus du Ponton-de-Jervois.
L'escarmouche avait coûté la moitié de ses hommes au chef
de chaque camp. D'où la présence, aujourd'hui, d'Azhure et
de deux compagnies d'archers.

Magariz fit signe à la jeune femme d'avancer. Ils avaient
quitté Sigholt huit jours plus tôt, bien décidés à tester les
forces de Gorgrael et de Borneheld. Face aux petites meutes
de Skraelings qu'ils avaient affrontées, Azhure s'était révélée
aussi calme et fiable qu'autour d'une table de conférence. Ses
archers s'étant aussi bien comportés qu'elle, Magariz avait
l'intention, dès son retour, d'inciter Belial à lui confier plusieurs compagnies supplémentaires.

Les Alahunts aussi faisaient des combattants redoutables.
Deux jours plus tôt, la patrouille avait rencontré une bande
d'environ deux cents Skraelings plus courageux et disciplinés
que la moyenne. Après avoir ordonné à ses archers de tirer,
Azhure avait envoyé les chiens au contact des Spectres. Magariz
en avait été horrifié. Si les pauvres bêtes ne mouraient pas
dévorées par les monstres, elles finiraient criblées de flèches !

Les Alahunts évitèrent tous les projectiles comme s'ils
savaient d'instinct où ils tomberaient. Cerise sur le gâteau,

ils mirent en déroute presque autant de Skraelings que les archers. Avec de tels alliés, les autres membres de la patrouille s'en étaient tirés quasiment sans une égratignure.

— Que dis-tu de cette vallée, devant nous ? demanda Magariz à Azhure, qui venait d'immobiliser Belaguez près de lui.

— Il y a un camp ennemi à peu près au tiers de la pente qui y mène. Une quinzaine d'hommes avec leurs montures… Ils ont fait du feu, mais en sélectionnant du bois mort très sec qui ne produit presque pas de fumée.

— Bien observé… Si tu étais leur chef, autoriserais-tu ces soldats à s'asseoir autour d'un feu pour bavarder ou chanter ? En plein cœur d'un territoire ennemi ?

— Non, bien sûr… Attends, il y a bien quinze hommes, mais je compte davantage de chevaux. Il y a des sentinelles autour de ce camp. Six ou sept, je crois…

— Encore très bien vu ! Que suggères-tu ?

— Une attaque me tenterait.

— C'est une option, oui… Vingt hommes du duc en moins, ce serait déjà ça de pris, mais sans savoir où sont les sentinelles, j'hésite à courir le risque. L'enjeu n'est pas assez important…

— En éliminant les sentinelles, nous pourrions capturer les autres soldats. Avant de les exécuter, des interrogatoires bien conduits seraient sans doute enrichissants !

— Sans aucun doute… Mais comment se débarrasser de sentinelles dont on ignore la position ?

— En envoyant les Alahunts ! Dans une demi-heure au plus, ils auront déblayé le terrain.

— Suivons ton plan, mon amie. Comme ça, nous saurons si ces chiens savent tuer en silence.

Ils eurent la réponse en moins de vingt minutes. Le museau rouge de sang, les Alahunts revinrent fièrement vers leur maîtresse. Et ils n'avaient pas fait le moindre bruit !

— Et maintenant ? demanda Azhure à Magariz.

—Nous allons approcher à pied, pour ne pas nous faire remarquer. Fais signe à tes archers de nous suivre.

Le crépuscule tombait quand ils eurent fini d'encercler les quinze hommes assis autour du feu. Les Alahunts sur les talons, Azhure avait avancé contre le vent pour ne pas effrayer les montures de leurs ennemis attachées près de la berge d'un ruisseau.

Cinq hommes contournèrent le camp et allèrent libérer ces chevaux. Magariz fit prendre position au reste du détachement, puis il indiqua à Azhure de ne pas s'éloigner de lui. La jeune femme encocha une flèche et arma Perce-Sang.

Tapis derrière les arbres, à la limite de la flaque de lumière produite par les flammes, ils écoutèrent un moment la conversation de leurs cibles. Ces hommes venaient du Ponton-de-Jervois. Comme la patrouille de Magariz, ils devaient bientôt rebrousser chemin et ils se félicitaient de ne pas avoir dû affronter les féroces bandits censés grouiller dans les collines.

Sentant la soudaine tension de Magariz, Azhure l'interrogea du regard.

—C'est Nevelon, souffla le seigneur en désignant un homme adossé à un rocher. Le second du duc Roland… Un brave type…

Azhure étudia l'officier. Jeune et bien bâti, il arborait une épaisse crinière de cheveux châtains et une courte barbe frisée.

Un brave type, pensa la jeune femme, *mais qui est quand même resté fidèle à Borneheld…*

—Azhure, fais-moi confiance, chuchota Magariz. Je veux parler à ces hommes. Nevelon n'est pas un imbécile. S'il sait que ses soldats sont encerclés par des archers, il ne tentera pas de se battre. Tes petits gars sont capables d'entourer le camp d'un cercle de flèches?

Azhure hocha la tête, transmit l'ordre par signes à ses hommes, puis consulta Magariz du regard.

—Maintenant? demanda-t-elle.

—Oui!

Sur un geste de la jeune femme, une volée de flèches zébra l'air en sifflant. Autour du feu, tous les soldats se levèrent… et écarquillèrent les yeux devant le parfait cercle de projectiles qui se formait autour d'eux.

Magariz se leva et avança dans la lumière.

— Nevelon, lança-t-il, ne songe pas à résister ! Si l'un de vous tente de dégainer son arme, vous finirez tous criblés de flèches !

Nevelon fit signe à ses hommes de ne pas broncher.

— Magariz ? Je te croyais mort…

— Et tu te trompais, vieil ami ! Finalement, le fort de Gorken n'aura pas été notre tombeau… Comment va le duc Roland ?

Un muscle se contracta sur la joue de Nevelon. Magariz était détendu comme s'ils conversaient amicalement au palais de Carlon. Avait-il l'intention de les tuer tous, après ce courtois bavardage ?

— Roland a survécu, même s'il a perdu pas mal de poids, ces derniers mois…

— Et Borneheld, toujours bon pied bon œil ? J'aurais le cœur brisé d'apprendre qu'il a succombé à un rhume, pendant votre retraite.

— Le roi se porte à merveille…

Magariz en sursauta de surprise. Borneheld avait succédé à Priam ? Stupéfait, le seigneur faillit s'étaler quand une pierre glissa sous sa jambe blessée…

Nevelon sourit puis tendit un bras vers la dague glissée à sa ceinture. Très doué pour le lancer, il aurait le temps de tuer Magariz avant qu'il ait pu ordonner à ses archers de tirer. Une seconde volée de flèches jaillirait quelques secondes après, et celle-là ne dessinerait pas un cercle autour de ses cibles. Mais quelle importance, puisque le seigneur prévoyait sans nul doute un massacre ?

Nevelon parvint à dégainer sa dague, mais il dut la lâcher en criant de douleur quand une flèche empennée d'une jolie plume bleue se planta dans le dos de sa main.

—Mon prochain projectile se fichera dans ton œil gauche, Nevelon, dit une voix féminine. Et je me ferai un plaisir de venir te l'enfoncer dans le cerveau! Suis-je assez claire?

L'officier acquiesça, la main serrée contre sa poitrine.

—J'aimerais bien récupérer ma flèche, continua la femme. Aurais-tu l'obligeance de l'arracher de ta chair et de la lancer derrière Magariz?

Nevelon eut du mal à en croire ses oreilles. Arracher la flèche, alors que la pointe devait être à un pouce de dépasser de sa paume?

—Je n'attendrai pas longtemps! cria la femme.

—Tu devrais lui obéir, mon ami, conseilla Magariz avec un rictus sardonique. Cette archère est très attachée à ses flèches. Pour récupérer la première, elle n'hésitera pas à te tuer avec une seconde…

Nevelon saisit la hampe du projectile et tira. Grognant de douleur et pâle comme un mort, il lança la flèche derrière Magariz.

—Merci, dit la femme.

Un instant plus tard, le plus gros chien que Nevelon eût jamais vu sortit de derrière un arbre, trottina jusqu'à la flèche, la prit entre ses crocs et s'en retourna vers sa maîtresse.

—Merci beaucoup, Azhure! lança Magariz. On dirait bien que tu m'as sauvé la vie…

Azhure? Nevelon grava ce nom dans sa mémoire.

—Borneheld est le nouveau roi? demanda Magariz. Priam est mort?

Nevelon hocha la tête. À présent, il apercevait la femme: une superbe brune armée d'un arc d'une fabuleuse beauté. Deux de ses hommes – des chasseurs de Ravensbund – rivaient sur l'arme des yeux émerveillés.

—Oui, Priam a quitté ce monde il y a quelques semaines. Une fièvre cérébrale l'a rendu fou, puis elle l'a rapidement emporté.

—C'est triste, mais ça ne changera rien à mon message.

Un message? Magariz allait les laisser vivre?

—Comme tu le vois, Nevelon, Azhure et moi portons un soleil rouge sang sur la poitrine. Sais-tu ce qu'il signifie ?

—J'avoue que non…

—C'est le symbole de l'Homme Étoile. Tu te souviens sûrement de la Prophétie dont tant de soldats parlaient au fort de Gorken ?

—Un tissu de mensonges…, souffla Nevelon sans grande conviction.

—Non, répondit Magariz avec une vibrante sincérité. La Prophétie ne ment pas ! Nous attendons l'Homme Étoile pour qu'il nous conduise – Acharites compris – à la victoire contre Gorgrael.

—Axis ! cracha Nevelon. (Au fort de Gorken, avant de déserter, Magariz avait annoncé que le Tranchant d'Acier et ce prétendu « Homme Étoile » ne faisaient qu'un.) Ce chien et toi nous avez trahis, à Gorken !

—Tu te trompes, Nevelon ! Axis, d'autres braves et moi avons fait de notre mieux dans une situation irrémédiablement compromise. À présent, écoute-moi, parce que j'ai un message pour Borneheld. S'il ne se rallie pas à l'Homme Étoile, il mourra, car seul Axis peut assurer la victoire d'Achar. Et s'il continue à mépriser la Prophétie, elle le taillera en pièces ! Le duc a gagné un royaume dont il ne profitera pas longtemps, parce que Axis viendra bientôt, porté par le pouvoir de la Prophétie !

—Et allié aux Proscrits ? lâcha Nevelon, méprisant.

—Allié avec nos amis ! rectifia Magariz. Notre pacte repose sur la confiance et l'amitié. Qu'en est-il de Borneheld ? Dans son entourage, à qui peut-il se fier vraiment ? La Prophétie se répand en Achar, et le passé tombe en miettes. Choisis l'avenir, Nevelon !

L'officier cracha aux pieds de Magariz.

—Tu es courageux, mon ami, mais pas très malin ! Que crois-tu accomplir en réagissant ainsi ? N'oublie pas de transmettre mon message à Borneheld ! À présent, je dois te quitter. S'il vous venait à l'idée de nous suivre, sachez que nous avons libéré vos chevaux. Pour les retrouver, il vous faudra des heures… Je vous aurais bien pris vos armes, mais ces collines grouillent de Skraelings, et j'aimerais que mon message arrive à destination. Au fait, vos sentinelles sont mortes, abattues par nos chiens. Azhure, aurais-tu la gentillesse de faire une petite démonstration à ces gentilshommes ?

La jeune femme siffla. Aussitôt, les quinze Alahunts sortirent de l'ombre et vinrent encercler la patrouille ennemie.

— Ils vous garderont à l'œil pendant que nous nous éloignerons, conclut Magariz. Un seul geste, et ils vous égorgeront tous. Azhure, tu veux bien transmettre cet ordre ?

L'archère s'accroupit et murmura quelques mots à l'oreille de Sicarius, qui ne quittait pas Nevelon des yeux, sans doute parce qu'il sentait son sang.

Magariz recula, posa une main sur l'épaule d'Azhure et s'enfonça avec elle dans la pénombre.

Nevelon observa les chiens, se demandant si…

— Commandant, dit un des chasseurs de Ravensbund, à votre place je n'y penserais même pas. Ce sont les légendaires Alahunts.

Stupéfait, Nevelon écarquilla les yeux. Puis il déglutit péniblement et ne bougea plus, sa main blessée serrée contre la poitrine, jusqu'à ce que les chiens fantômes consentent à briser le cercle et à s'éloigner.

Même alors, et pendant près d'une heure, aucun des soldats n'osa broncher.

25

LE PORTAIL DES ÉTOILES

Sous la lumière de la voûte couverte de cristaux, Axis et Orr étaient toujours assis à la poupe du bac, au milieu du lac aux eaux violettes. Autour d'eux, la Danse des Étoiles soufflait comme une douce brise. Le plus souvent silencieux, l'Envoûteur et le Charonite se parlaient quand ils en éprouvaient un impérieux besoin.

— Dis-m'en plus sur les Dieux des Étoiles, demanda soudain Axis. Sur ce point, l'enseignement de mon père et de ma grand-mère n'était pas très clair.

— Que veux-tu savoir?

— Il y a bien neuf dieux, n'est-ce pas? (Le Passeur hocha la tête.) Pourtant, je ne connais que sept noms: Adamon et Xanon, les grands dieux du Firmament, Silton, le dieu du Feu, Pors, celui de l'Air, Zest, la déesse de la Terre, Flulia, celle de l'Eau et Narcis, le dieu du Soleil. Comment se nomment les divinités de la Lune et de la Chanson?

— Au fil des millénaires, sept des neuf Dieux des Étoiles se sont révélés à nous. Ceux de la Lune et de la Chanson ne nous ont pas encore fait cet honneur. Un jour, peut-être dans des milliers d'années, ils daigneront nous faire connaître leurs noms.

— Ces dieux me semblent très… éloignés de nous, Orr. Quand j'étais encore le Tranchant d'Acier, un fidèle d'Artor, je sentais sa présence lorsque je priais ou méditais. Pour le moment, quand j'invoque les Dieux des Étoiles, rien ne se passe…

— Ils sont vivants, Homme Étoile, mais on les a emprisonnés.

— Emprisonnés ?

— Tu ne peux rien y changer, et moi non plus. La bataille entre Artor et les Dieux des Étoiles ne nous concerne pas.

— Une bataille, dis-tu ?

Orr refusant d'en révéler plus sur ce sujet, ils restèrent assis en silence des heures – ou des jours ? – durant.

Puis Axis interrogea le Passeur sur les lacs sacrés.

— D'où viennent-ils ? Et pourquoi sont-ils magiques ?

Orr parut vaguement mal à l'aise.

— Il y a des millénaires, bien avant mon époque, les Anciens Dieux, ceux qui étaient là quand les Dieux des Étoiles n'existaient pas encore, déchaînèrent une tempête de feu qui dura des jours et manqua détruire toute vie en Tencendor. Seuls ceux qui purent se réfugier dans des grottes souterraines échappèrent à la mort…

» Cette tempête et les lacs qu'elle créa étaient un cadeau – un moyen de nous rappeler le pouvoir des Anciens Dieux et notre insignifiance comparés à eux. Certains affirment que ces dieux ne sont jamais retournés dans le ciel. Au contraire, ils se seraient endormis dans les profondeurs des lacs sacrés. Mais je n'y crois pas. Depuis que je suis ici, je ne les ai jamais vus ni entendus…

Axis ne se sentit pas beaucoup plus avancé. Orr ne lui avait rien enseigné de concret, le laissant se débrouiller seul avec une imagerie aussi foisonnante que complexe. Il voulut poser une question sur la « tempête de feu », mais le Passeur leva une main pour l'en empêcher.

— L'heure est venue de me montrer tes progrès, Axis Soleil Levant. Conduis-nous au Portail des Étoiles !

Le Portail des Étoiles ! Baissant les yeux sur sa bague, Axis pensa à son objectif : faire dériver le bac jusqu'au lieu le plus sacré qu'aient jamais adoré les Icarii.

Sur le bijou, les étoiles se reconfigurèrent. Invoquant le pouvoir de la Danse des Étoiles, Axis fredonna la mélodie qui s'imposa à son esprit.

Le bac quitta le lac, remonta de longs tunnels, passa sous d'étranges ponts et traversa des cavernes plus déroutantes encore. Alors que certaines étaient vides, d'autres abritaient, sur les deux flancs du canal, les ruines d'immenses cités ou de gigantesques forêts pétrifiées. Enfin, une brume grise flottait dans quelques-unes, si dense qu'Axis n'y voyait rien à dix pieds devant lui.

— Tu as remarqué, je suppose, dit le Passeur, que la configuration des canaux reflète la trame de ta mélodie…

— Et si j'étais dans le Monde de la Surface, demanda Axis sans cesser de chanter mentalement, que se passerait-il ?

— Je n'en sais rien, Homme Étoile. Ce sera à toi de le découvrir…

Dans une petite grotte, le bac s'immobilisa devant un escalier de pierre qui jaillissait de l'eau.

— Suis-moi ! dit Orr quand Axis eut arrimé leur embarcation à un pilier de pierre.

Ils gravirent les marches puis s'engagèrent dans un tunnel étroit qui montait en pente douce. Très vite, Axis entendit le souffle d'un vent puissant, puis il remarqua qu'une lumière bleue dansait dans l'air.

— Que signifient ce bruit et cette lueur ? demanda-t-il, un peu essoufflé par le rythme que lui imposait son compagnon.

— Ils viennent du Portail des Étoiles, répondit Orr. Suis-moi !

Quelques instants plus tard, ils entrèrent dans la grotte où se dressait le Portail.

Comme Faraday, des mois plus tôt, Axis en resta bouche bée. Ce lieu était d'une incroyable beauté !

Contrairement à sa bien-aimée, qui lui avait trouvé de frappantes ressemblances avec le hall des Lunes du palais de Carlon, Axis vit au premier coup d'œil que la grotte de l'Assemblée des Icarii était la copie conforme de ce site.

La caverne parfaitement ronde était entourée de colonnes et d'arches. En pierre blanche translucide, chaque pilier représentait un homme-oiseau, le plus souvent avec la tête baissée, les bras croisés et les ailes juste assez déployées pour toucher celles de ses voisins – formant ainsi la pointe des arches.

À l'autre bout de la caverne, plusieurs colonnes étaient radicalement différentes. Ces statues-là avaient la tête levée, les ailes et les bras écartés, et leurs yeux jaunes grands ouverts fixaient le centre de la salle.

— Ces statues représentent les vingt-six Envoûteurs-Serres inhumés dans les tumulus, loin au-dessus de nos têtes, dit le Passeur.

Ainsi, ils étaient sous le champ aux tumulus, où la tempête de glace de Gorgrael avait tué tant de Haches de Guerre. L'endroit maudit où Axis avait perdu Faraday…

Orr avança et fit signe à son compagnon de le suivre. Au centre de la grotte, entouré par un muret, s'étendait ce qui semblait être un bassin circulaire. La lumière bleue et le souffle du vent venaient de là…

Quand il se pencha pour admirer le Portail des Étoiles, Axis, comme Faraday avant lui, découvrit qu'il donnait accès à l'univers entier. Le véritable cosmos, pas l'image lointaine – une pâle imitation – qu'on pouvait voir dans le ciel nocturne. Ici, la mélodie de la Danse des Étoiles était presque assourdissante, et Axis vit rapidement pourquoi il en était ainsi. Dans ce «bassin», les astres dansaient, les soleils se poursuivaient à travers les galaxies, les lunes virevoltaient au cœur des systèmes solaires et des comètes à la queue lumineuse vagabondaient d'un bout du cosmos à l'autre.

Une beauté qui dépassait l'imagination… La Danse des Étoiles implorait Axis de se fondre en elle. Il lui fallait un amant, et elle l'avait choisi.

Viens! criait-elle. *Traverse le Portail et unis-toi à moi!*

— Résiste à son appel…, murmura Orr. Résiste!

Mobilisant toute sa volonté pour ne pas céder au désir qui le submergeait, Axis permit à la splendeur de l'univers de se déverser en lui. Les couleurs, surtout, étaient stupéfiantes. Dans le Monde de la Surface, quand il contemplait le ciel nocturne, seules les étoiles brillaient, avec parfois une aura de jaune ou de rouge. Ici, dans ce bassin qui n'en était pas un, il découvrait des galaxies émeraude, or et lilas, des systèmes solaires turquoise ou rubis et des étoiles dont le spectre de couleurs évoquait celui d'un arc-en-ciel.

—À la surface, expliqua Orr, quand tu sondes le ciel, après le coucher du soleil, un voile d'air, de nuages et d'ondes sonores obscurcit ta vision. Pour voir l'univers tel qu'il est, il faut mourir… ou se tenir au bord du Portail des Étoiles.

Le Passeur et son protégé restèrent une petite éternité penchés sur ce qui était sans nul doute la première merveille du monde. Puis Axis se détourna en tremblant de tous ses membres. S'il ne s'éloignait pas, l'appel de la Danse des Étoiles deviendrait irrésistible.

L'ancien Tranchant d'Acier balaya la salle du regard, puis il gagna le fond et se campa devant la première statue d'Envoûteur-Serre. L'œuvre d'un sculpteur de génie, sans le moindre doute…

Avançant de quelques pas, il ne put s'empêcher de toucher du bout des doigts les quatre colonnes devant lesquelles il passa. La pierre glaciale lui parut étrangement… inamicale.

—Ne fais pas ça, Axis! conseilla le Passeur. Toucher ces statues est une offense aux défunts qu'elles honorent.

—Ces Icarii sont morts il y a des millénaires, mon ami. Je doute qu'ils se formalisent de mon audace. (Axis s'arrêta devant le huitième monarque et lui caressa le bout des ailes.) De plus, ma statue viendra un jour ou l'autre se dresser à côté des leurs…

—Axis, insista Orr, on dit depuis toujours que toucher ces statues porte malheur. Tu devrais arrêter, maintenant!

Arrivé devant le neuvième Envoûteur-Serre, Axis, disposé à obéir, tendit quand même une dernière fois la main. Au lieu de rencontrer de la pierre froide, ses doigts… traversèrent la statue.

Il cria de surprise, recula, reprit son souffle puis se pencha en avant et toucha de nouveau la statue – très prudemment, cette fois. Les contours de l'Envoûteur-Serre se brouillèrent, puis sa représentation pétrifiée se dématérialisa, laissant le Passeur et l'Homme Étoile devant un espace vide.

—C'était une illusion…, parvint à dire Orr après un long silence. Une illusion !

—Que s'est-il passé ? demanda Axis en laissant enfin retomber sa main.

Comme pour se protéger, Orr resserra les pans de son manteau autour de son corps décharné.

—Je n'aurais jamais cru voir ça un jour…, murmura-t-il.

—Voir quoi ? explosa Axis.

—Le neuvième Envoûteur-Serre est revenu, dit Orr d'une voix tremblante. Étoile Loup Soleil Levant a franchi dans l'autre sens le seuil du Portail.

—Quand ?

—Je n'en sais rien… Il est mort il y a quatre mille ans, et son retour peut s'être produit à n'importe quel moment.

—Est-il l'Envoûteur Soleil Levant qui m'a formé ? Et qui s'est chargé d'éduquer Gorgrael ?

—Il peut prendre l'apparence qui lui chante : un bébé, un vieillard, une jolie jeune femme… Étoile Loup était déjà très puissant au moment de sa mort, *avant* de traverser le Portail des Étoiles. S'il a pu revenir, c'est que son pouvoir dépasse à présent l'imagination.

—Mais pourquoi est-il revenu ? Et pour quelle raison ne s'est-il pas montré aux siens ?

Le Passeur haussa simplement les épaules.

Axis fit le tour des statues et les toucha toutes. Aucune ne se révéla sans substance ni ne disparut.

—Orr, où peut-être Étoile Loup ?

—J'aimerais le savoir, mon garçon ! Parce que ça m'aiderait à trouver le meilleur endroit où me cacher !

—Pourquoi parles-tu de te cacher ?

—Étoile Loup fut un Envoûteur-Serre terrifiant ! Si maléfique, en vérité, qu'il fut assassiné par son propre frère !

« *Terrifiant* » ? répéta mentalement Axis. *C'est pour ça que mon père et ma grand-mère répugnaient à parler de lui ?*

—Qui est le plus redoutable, Orr ? Gorgrael, ou Étoile Loup ?

—L'Envoûteur a de loin le potentiel le plus menaçant, répondit le Passeur sans l'ombre d'une hésitation.

—Mais pourquoi nous a-t-il formés tous les deux ?

—Afin de vous manipuler, mon garçon. Tout ça pour réaliser un plan démoniaque dont je ne sais rien.

La vengeance peut-elle tout expliquer ? se demanda le Passeur. *Est-ce pour ça qu'il revient nous hanter ?*

—Orr, quel lien y a-t-il entre Étoile Loup et la Prophétie du Destructeur ? Si notre ancêtre nous manipule, Gorgrael et moi, peut-il également se servir de la Prophétie ? ou est-il son jouet ?

Est-il le traître dont parle la troisième partie du poème ?

—Passeur, je dois aller informer mon père et ma grand-mère de ce que nous venons d'apprendre. Ensemble, nous parviendrons peut-être à démasquer Étoile Loup. Mais j'ai encore une mission à remplir dans le Monde Souterrain. Ou plutôt, une promesse à tenir…

—De quoi s'agit-il ?

—Je dois ramener Libre Chute Soleil Levant dans le monde des vivants. Et tu vas m'aider à le faire !

26

LA NOUVELLE AMIE DE GORGRAEL

Gorgrael étudia longuement le monticule de boue gelée. La «dépouille» du Skraebold tué par Belial devant le fort de Gorken… Coûte que coûte, le Destructeur était résolu à en faire quelque chose!

Bien entendu, il avait ses Skraelings et ses vers de glace tueurs, mais il entendait donner la vie à une nouvelle créature avant de foncer vers le sud. Dès le début de l'hiver, ses forces fondraient sur le Ponton-de-Jervois. À moins qu'il décide d'attaquer d'abord Sigholt…

Le Destructeur désirait créer une arme volante qui détruirait les Icarii dans les airs et briserait le cœur d'Axis.

Alors, que faire avec cette boue ? Un dragon ?

Quand il était enfant, les Skraelings lui avaient parlé des reptiles volants qui sillonnaient jadis les cieux. De splendides dragons, vicieux à souhait et capables de tuer une baleine d'un coup de mâchoire…

Mais un dragon serait un peu tape-à-l'œil – et bien trop gros pour la matière première dont il disposait.

Alors, que faire ?

—Gorgrael, dit la voix adorée, interrompant la réflexion du Destructeur.

—Homme Ami! Deux visites en si peu de temps!

Une bénédiction pour l'enfant dont le cœur n'avait jamais cessé de battre dans la poitrine de Gorgrael.

L'Homme Sombre avança, ses traits aussi impossibles à distinguer qu'à l'accoutumée.

—Tu t'apprêtais à recréer? demanda-t-il.

—Oui… Ce sont les restes du Skraebold qui m'a déçu. J'ai pensé à les jeter aux corbeaux, mais…

—… On ne gaspille pas une matière première si précieuse, acheva l'Homme Ami.

—Exactement, approuva Gorgrael.

—Et à quelle créature voudrais-tu donner le jour, Destructeur?

Gorgrael n'en savait rien, et il se sentit un peu honteux d'être pris en défaut.

—Un démon ailé, proposa l'Homme Sombre en glissant ses mains gantées dans les manches de son manteau.

—Oui, une excellente idée…

—Avec l'appétit d'un ogre…

—Oui, oui!

—Et un bec énorme…

—Mais de quel animal s'agit-il, Homme Ami?

L'Homme Sombre inclina la tête et dévisagea son protégé.

—Tu ne vois pas, Gorgrael?

Le Destructeur secoua piteusement la tête.

—Et si j'ajoute des serres de dragon?

—Et des yeux de feu? s'écria Gorgrael, le vague souvenir d'anciens cauchemars remontant à sa mémoire.

—Un monstre qui criera avec la voix du désespoir, oui…

—Un Griffon! lança le Destructeur, fou de joie.

Le Destructeur et son mentor attendaient, chacun d'un côté du monticule de boue. Avaient-ils lancé leur sortilège correctement? Le Griffon devrait pouvoir évoluer sans peine dans le territoire glacé du Destructeur et être aussi efficace sous le climat bien moins rude du sud d'Achar. Car il lui faudrait voler dans les courants d'air chaud, au-dessus du lac Graal, puis s'introduire au cœur même du fief d'Axis. Courageux et loyal, il n'aurait qu'une idée en tête: servir le Destructeur.

—Tu seras mon avant-garde et mon héraut, dit Gorgrael. Ma voix sortira de ta gueule, et les soldats de l'Homme Étoile l'entendront au moment de mourir. La voix du désespoir…

La création du Griffon, pas encore achevée, pouvait mal tourner à n'importe quel moment. Quand on utilisait la Musique Sombre, la Litanie de la Renaissance se révélait délicate à contrôler et terriblement dangereuse. Tandis qu'ils luttaient contre cette Chanson si périlleuse, le pouvoir de la Danse de la Mort avait déferlé dans les veines de Gorgrael et de l'Homme Ami. Et pour l'empêcher de se déchaîner dans leur corps, puis dans la salle, il avait fallu toute la maîtrise de l'Homme Sombre.

Ensemble, le Destructeur et son protecteur avaient chanté jusqu'à ce que la boue se réchauffe et devienne plus ferme sous leurs doigts. Alors que la Litanie touchait à sa fin, Gorgrael, quasiment en transe, avait plongé les mains dans la cheminée, où crépitaient d'énormes flammes, pour en sortir deux morceaux de charbon chauffés au rouge.

Ignorant la douleur et l'odeur de chair brûlée qui lui montait aux narines, le Destructeur avait enfoui les morceaux de charbon dans la masse de boue qui pulsait à présent sourdement.

À cet instant, l'ultime note de la Litanie avait retenti. Puis l'Homme Ami avait tiré le Destructeur en sécurité.

—Maintenant, il ne nous reste plus qu'à attendre, avait-il dit.

La boue noircit, masse indéfinie de matière pas encore vivante et si sombre qu'elle semblait absorber toute la lumière de la salle. Dans ses « entrailles » brillaient deux petits points rouges.

Le monticule commença à grossir, doublant de taille chaque fois qu'un spasme le traversait.

L'Homme Sombre et le Destructeur reculèrent davantage pour ne pas être absorbés par la créature en expansion.

—Quelque chose cloche, souffla Gorgrael. Nous n'avons pas chanté la bonne musique… Ou alors, en ratant des notes. Le pouvoir que nous avons évoqué ne suffira pas !

—Patience, Destructeur ! cria l'Homme Sombre. Pourquoi te montres-tu toujours si impulsif ?

Gorgrael se décomposa, accablé par cette critique. Puis il plissa le front, soudain pensif. Avait-il laissé passer le moment où il aurait enfin pu faire respecter son pouvoir par l'Homme Ami ? ou était-ce encore possible ?

— Oui ! cria l'Homme Sombre. La naissance est pour bientôt !

Ses velléités de révolte oubliées, Gorgrael baissa les yeux sur le tas de boue, à présent de la taille d'un petit rocher. Une membrane noire l'enveloppait. Dessous, quelque chose luttait pour se libérer.

La membrane se déchira, d'abord sur quelques pouces, puis s'ouvrit en deux sur un côté. Une tête oblongue en émergea, ses yeux déjà brillants de férocité.

La créature regarda autour d'elle, cilla comme si la lumière l'éblouissait, ouvrit le bec et cria pour saluer sa propre venue au monde.

Le « nouveau-né » était doté d'une énorme tête d'aigle.

Gorgrael hurla de joie. Son mentor et lui n'avaient pas commis d'erreur.

Avec son bec, la créature acheva de déchirer la membrane et se libéra entièrement en quelques secondes. Elle avança, regarda l'Homme Sombre et le Destructeur avec une intense curiosité puis se coucha aux pieds de Gorgrael, la tête posée sur les pattes avant en signe de soumission.

Le Destructeur s'accroupit et caressa le crâne couvert de plumes marron brillantes du Griffon, qui ferma les yeux et grogna de satisfaction, car il reconnaissait déjà le contact de son maître.

Gorgrael passa les mains sur le corps puissant de sa nouvelle arme vivante. Il suivit le contour de ses ailes, solidement attachées à ses omoplates et couvertes des mêmes plumes brillantes que son crâne. Mais les caractéristiques aviaires s'arrêtaient là. Le reste du corps du Griffon, semblable à celui d'un grand félin, était revêtu d'un pelage couleur fauve assez épais pour résister aux griffes ou aux flèches d'un adversaire. Reposant sur des pattes courtes mais très musclées, il était terminé par une longue queue ornée d'une touffe de poils en couronne.

À chaque caresse de son maître, le superbe monstre contractait ses serres.

L'Homme Sombre semblait satisfait du Griffon… et fier de Gorgrael. Son protégé avait vraiment travaillé dur pour reformer son armée, et il était allé jusqu'à faire montre d'imagination. À l'ouest et au sud de Hsingard, les Skraelings et les vers de glace attendaient de reprendre les hostilités. Dirigés par les Skraebolds, déterminés à ne pas décevoir une nouvelle fois leur maître, ces impitoyables guerriers se révéleraient invincibles.

Très familier de la mort, l'Homme Sombre était impatient d'assister à la série de massacres qui se profilait.

Cette idée seule lui ravissait l'âme.

—Gorgrael, mon ami, dit-il, j'ai ajouté quelques notes de mon cru à la Litanie de la Renaissance. Pendant que nous tentions de plier la Musique Sombre à notre volonté, je lui ai assigné un objectif… eh bien… plus spécifique. Destructeur, ce Griffon est une femelle, et je t'invite à lui tâter le ventre !

Intrigué, Gorgrael obéit, puis, de plus en plus perplexe, leva les yeux sur l'Homme Ami.

—Mon cher enfant, cette bête est grosse ! Dans un jour ou deux, elle mettra bas neuf petites créatures qui lui ressembleront trait pour trait. Ainsi, tu seras déjà à la tête de dix Griffons ! Dans quelques mois, quand les « enfants » auront grandi, tu disposeras d'une meute sans égale en ce monde. Et ce ne sera pas fini, car tes neuf femelles accoucheront d'autres filles aussi fertiles qu'elles.

L'Homme Sombre avait d'abord cru avoir réussi son coup. En principe, la reproduction aurait dû s'arrêter au moment où la neuvième fille mettrait bas. Hélas, il s'était trompé…

—Ta première-née te servira fidèlement, comme un bon chien. (L'Homme Ami recula de quelques pas.) Mais elle sera beaucoup plus dangereuse qu'un simple molosse…

Gorgrael caressa encore un moment sa nouvelle amie. Puis il se releva, se dirigea vers sa chaise et claqua des doigts.

— Au pied! lança-t-il.

Le monstre obéit et vint se coucher devant le fauteuil-trône de son maître.

— Homme Ami, veux-tu t'asseoir un moment avec moi? demanda Gorgrael en désignant un siège, de l'autre côté de la cheminée.

— Un *court* moment, dans ce cas, car je suis attendu ailleurs…

L'Homme Sombre s'assit et agita impatiemment une main pour raviver les flammes.

Où donc est-il attendu? se demanda Gorgrael.

Il n'avait jamais découvert où vivait l'Homme Ami quand il n'était pas avec lui. Adoptait-il une autre apparence, ou disparaissait-il simplement jusqu'au moment où sa présence était de nouveau requise?

— Je ne me volatilise pas, Gorgrael, dit l'Homme Sombre, amusé. Là où je vis, j'ai des missions à accomplir, des chansons à interpréter, des tâches à achever…

— As-tu des nouvelles récentes d'Axis? Sais-tu ce qu'il devient?

— Je ne l'ai pas vu depuis un certain temps, et je n'ai pas entendu parler de lui non plus. On dirait qu'il a disparu de la surface du monde…

— Il serait mort? demanda Gorgrael, soudain angoissé.

Rien ne devait le priver du plaisir de tailler son frère en pièces!

— Non, non, ne t'en fais pas! S'il l'était, je l'aurais senti, et toi aussi… En revanche, j'ai du neuf sur Borneheld et sur Faraday.

— Parle!

— Borneheld est le nouveau monarque d'Achar. On raconte que Priam est mort fou… Avec le couronnement de son mari, Faraday est désormais une reine, mon enfant! Cela n'en fait-il pas un morceau de choix encore plus délectable?

— Royalement délectable, approuva le Destructeur, rêveur.

La femme qui l'attendait au sud, au terme de sa quête, était désormais une reine. Faraday… Une tête couronnée!

27

La Force de Frappe et les Rampants

Les derniers Icarii affectés à Sigholt quittèrent le mont Serre-Pique l'antépénultième jour du mois de FeuilleMorte. Les Crêtes de la Force de Frappe avaient commencé à se transférer un mois plus tôt, et les ultimes Ailes avaient déjà dû atteindre leur destination. Depuis une semaine, chaque matin, de petits groupes d'Envoûteurs prenaient leur envol.

Vagabond des Étoiles et sa mère faisaient partie du dernier contingent.

Campé sur la rampe d'envol, Crête Corbeau les regarda s'éloigner, le cœur serré et l'âme dévastée. Le destin de son peuple ne dépendait plus de lui… Mais était-ce le début d'un long voyage de retour vers Tencendor ou le premier pas vers un désastre qui marquerait la fin de tous les rêves du peuple ailé ? En monarque avisé, Crête Corbeau avait décidé que les Icarii, à part les militaires, ne quitteraient pas Serre-Pique avant qu'Axis ait reconquis Tencendor.

— Par les Étoiles, Axis Soleil Levant, murmura le roi alors que le vent ébouriffait ses plumes noires, affronte Borneheld et Gorgrael, mais ne déçois pas ton peuple ! Tu as promis de nous ramener en Tencendor, et il faudra tenir parole !

Aucun des Icarii qui s'éloignaient du mont Serre-Pique ne sous-estimait l'importance de cet instant. Pour la première fois depuis mille ans, ils volaient vers Tencendor !

Parmi eux, personne ne pensait que le chemin du retour serait facile – il y aurait des pertes, et peut-être même très lourdes. Mais le peuple ailé, sorti de sa léthargie, agissait enfin pour se réapproprier ce qui lui revenait de droit.

Quelques heures après leur départ, les voyageurs rencontrèrent un courant d'air chaud qui les emporta très haut dans l'atmosphère. Un long moment, ils suivirent une trajectoire ascendante, pratiquement sans approcher de leur destination.

La vue était stupéfiante. Vers le sud, les Éperons de Glace mouraient en pente douce pour rejoindre les Terres Désolées. À l'est, ils se fondaient harmonieusement aux premiers bosquets de la forêt d'Avarinheim. Dans cette même direction, mais beaucoup plus loin, l'océan Faiseur de Veuves brillait fièrement sous les caresses du soleil. Alors qu'elle se laissait porter par le courant en tournant doucement sur elle-même, Étoile du Matin aperçut un long serpent d'argent au cœur d'Avarinheim : le fleuve Nordra, père nourricier de la forêt et des plaines nues d'Achar, et, à ce titre, presque aussi vénéré par les Avars que l'Arbre Terre.

Les yeux mi-clos, la grand-mère d'Axis sourit, ravie que les nuages noirs de Gorgrael ne se soient pas accumulés sur la forêt – semblable, à cette hauteur, à un océan au vert profond dont les frondaisons agitées par le vent imitaient à la perfection les vagues. Et bientôt, si Étoile du Matin vivait assez longtemps pour cela, elle verrait des arbres identiques repeupler les plaines qui s'étendaient au-delà de la chaîne de la Forteresse.

Le voyage jusqu'à Sigholt durerait au minimum quatre jours, avec un arrêt, chaque soir, dans les camps préparés par les Avars. Désireux d'aider les Icarii, les Enfants de la Corne s'étaient arrangés pour leur fournir de quoi se restaurer et s'abriter. Tant que Faraday ne serait pas là, il ne fallait rien en attendre de plus. Ensuite, si l'Amie de l'Arbre le leur ordonnait, ils s'engageraient plus activement aux côtés d'Axis.

Alors que le groupe recommençait à voler vers le sud, Étoile du Matin se souvint des soirées où sa mère lui parlait des anciens sites sacrés icarii. Survivrait-elle assez longtemps pour voir de ses yeux le lac des Ronces, Spiredore ou l'île de la Brume et de la Mémoire ? Pour l'heure, elle pouvait toujours l'espérer. Et rien au monde n'était en mesure d'empêcher un être pensant de rêver…

Soucieuse de ne pas distraire les guerriers qui s'affrontaient au milieu, Azhure approcha lentement du cercle de soldats icarii et acharites. La Force de Frappe était presque au complet, et les entraînements avec les hommes de Belial avaient commencé depuis près de trois semaines.

Fidèle à sa parole, Œil Perçant Éperon Court avait placé l'armée icarii sous les ordres de l'ancien second d'Axis. Un geste qu'il ne regrettait pas, car Belial prenait garde, chaque fois qu'une de ses décisions concernait les hommes-oiseaux, d'en parler d'abord avec Œil Perçant et ses chefs de Crête.

Mieux encore, Éperon Court et ses deux seconds – Éperon Voltige Aile Noire et Larges Ailes Hurle Corbeau – avaient été intégrés à l'état-major de Belial, sur un pied d'égalité avec Magariz, Arne et Azhure. Œil Perçant appréciait beaucoup le chef des Haches de Guerre et il se félicitait qu'Axis ait choisi pour second un homme de bien et un stratège doué.

Malgré les avertissements de leur nouveau chef suprême, les Icarii avaient eu un choc en se découvrant si peu doués pour le combat terrestre, dès qu'ils se comparaient aux Rampants. Depuis trois semaines, ils travaillaient avec les soldats humains, et les progrès commençaient à se voir.

Au début, la supériorité des Rampants avait été écrasante, forçant plus d'un Icarii à passer ses nuits à soigner des plaies et des bosses – ou à s'immerger dans les eaux régénératrices du lac de la Vie. Stimulés par leur fierté atavique, les femmes et les hommes ailés avaient assez vite cessé de subir des défaites humiliantes. Depuis peu, certains parvenaient à remporter leurs « duels » face à des Rampants, et le chef d'Aile Plume Pique, plus que tout autre, était parvenu à se gagner le respect des humains.

Dès qu'elle aperçut une brèche dans le cercle de soldats, Azhure l'élargit à coups de coudes et se fraya un chemin jusqu'au premier rang.

Gorge-Chant affrontait un membre de l'unité d'Arne. Originaire d'Aldeni, ce colosse roux nommé Edowes était un vétéran formé à toutes les subtilités du corps à corps. Comme les autres Acharites, il avait vite appris à ne pas prendre à la légère les membres féminins de la Force de Frappe. Face à Gorge-Chant, il ne semblait pas disposé à se montrer très galant…

Depuis que Plume Pique l'avait humiliée devant Azhure et les autres soldats de son Aile, la sœur d'Axis s'efforçait d'être un motif de fierté pour la Force de Frappe. Consciente d'avoir enfin une chance de dominer un partenaire d'entraînement, elle se battait comme une lionne, mais porter le « coup mortel » n'était pas si facile que ça.

Azhure balaya du regard le cercle de spectateurs. Les bras croisés, l'air détendu, Arne suivait le combat avec son impassibilité coutumière. Mais pour qui le connaissait, les mouvements saccadés de la brindille qu'il mâchonnait trahissaient son intérêt pour l'issue de cette joute.

Non loin de l'humain, Plume Pique Chant Fidèle, le chef d'Aile de Gorge-Chant sautait d'un pied sur l'autre, les poings serrés. À l'évidence, il lui fallait mobiliser toute sa volonté pour ne pas voler au secours de la jeune Icarii.

Malgré leur cuirasse d'entraînement spécialement rembourrés, Gorge-Chant et Edowes s'étaient déjà infligé une impressionnante série de tuméfactions diverses. Soudain, touchée au flanc par son adversaire, la sœur d'Axis tomba à genoux, et son bâton sembla vouloir s'échapper de ses doigts gourds.

L'estomac retourné, Azhure s'empêcha de justesse d'intervenir.

Triomphant, Edowes leva son arme pour porter le « coup de grâce ». Mais il avait gravement sous-estimé son adversaire. Ses doigts se refermant sur son arme, Gorge-Chant frappa de bas en haut en y mettant toute sa force.

Droit entre les jambes du pauvre Rampant!

En l'entendant hurler de douleur, tous les spectateurs mâles eurent une moue pleine de compassion. Plus pâle qu'un mort, Edowes lâcha son arme et s'écroula, les doigts crispés sur sa virilité douloureusement outragée.

Une main sur la bouche pour dissimuler son sourire, Azhure croisa le regard triomphant de Gorge-Chant. Fière de sa victoire, elle semblait se ficher comme d'une guigne d'avoir privé l'infortuné Edowes de toutes chances d'honorer – pendant des semaines – la jeune et belle réfugiée de Skarabost dont il venait enfin de faire la conquête.

Plume Pique tapota l'épaule de Gorge-Chant puis lui tendit une main pour l'aider à se relever.

—Je te suis très reconnaissant de n'avoir pas recouru à cette manœuvre quand tu t'entraînais avec moi, dit-il en riant. (Toujours hilare, il se tourna vers Arne.) Tu me dois un cruchon du vin chaud de Reinald! Et crois-moi, je me ferai un plaisir de le vider dès ce soir, au dîner!

Alors que les spectateurs s'éparpillaient, Azhure et Gorge-Chant traversèrent lentement le terrain d'entraînement aménagé sur la berge du lac de la Vie. Un peu plus loin, la forteresse brillait au soleil, car les eaux chaudes du lac tenaient les nuages de Gorgrael à bonne distance de Sigholt et de ses environs.

—Bien joué! dit Azhure. Tu as vu blêmir tous les mâles quand tu as foudroyé la virilité de ce pauvre Edowes?

Encore essoufflée par l'effort, Gorge-Chant eut un rire un peu rauque.

—J'espère ne pas l'avoir… handicapé… de façon permanente.

—Ne t'inquiète pas, il retrouvera ses moyens et engendrera une bande de futurs soldats!

Sa grossesse étant bien avancée, le ventre d'Azhure commençait à tendre sérieusement sa tunique. Bien que Belial lui eût interdit de participer aux corps à corps, elle continuait à s'entraîner avec ses archers – six compagnies, désormais, soit plus de deux cents hommes – et elle sortait encore de temps en temps en patrouille. En fait, elle était revenue la veille d'une mission de surveillance dans la zone nord des collines d'Urqhart. Les Icarii et les Acharites la respectant beaucoup, les commentaires sur son sexe ou son état étaient rarissimes.

Sentant que quelque chose troublait son amie, Gorge-Chant lui passa un bras autour des épaules.

— Que t'arrive-t-il ? demanda-t-elle.

Azhure prit une profonde inspiration et posa les mains sur son ventre.

— Le bébé ne bouge presque pas… La nuit, alors que je sens son poids dans mes entrailles, je me demande s'il est toujours vivant. Il devrait me donner des coups de pied depuis des semaines !

— Tu m'as inquiétée pour rien ! s'écria Gorge-Chant, soulagée. Pourquoi ne m'en as-tu pas parlé plus tôt ? Tu aurais également pu interroger Rivkah.

— Tu sais ce qui se passe ?

— Azhure, ton enfant est à demi icarii. Tous les bébés de ma race dorment dans le ventre de leur mère jusqu'à ce que leur père les réveille. Ton petit se porte comme un charme, et il se développera normalement. Dès son arrivée, Axis le réveillera en chantant, et on raconte que c'est une merveilleuse expérience pour la mère !

Azhure se détendit enfin.

— Je me faisais tant de soucis, soupira-t-elle. Je craignais de lui avoir nui, tu comprends ? Mais j'en suis déjà au cinquième mois ! N'est-ce pas déjà trop tard pour réveiller l'enfant ? Et que se passera-t-il si Axis n'arrive pas avant sa naissance ?

— Du calme, mon amie. Il serait préférable que mon frère soit là avant ton accouchement, mais il est déjà arrivé qu'un enfant naisse sans avoir été réveillé par son père, et ça ne pose aucun problème.

Totalement rassurée, Azhure lâcha son ventre et eut vaguement honte d'avoir trahi sa vulnérabilité. Pour compenser, elle orienta la conversation vers des sujets moins intimes.

— Les Icarii sont-ils satisfaits de leurs quartiers ?

Habitués au luxe de Serre-Pique, les soldats ailés avaient tiré une drôle de tête en découvrant les tentes qui leur étaient affectées.

— Ils dormiraient par terre, enveloppés dans leurs ailes, si ça pouvait les aider à reconquérir Tencendor. Ne t'en fais pas pour ça, tout va bien…

Azhure, Belial et Magariz s'étaient également inquiétés de la réaction des réfugiés de Skarabost face aux Icarii. Mais tout s'était déroulé à merveille. En voyant arriver les hommes-oiseaux, les paysans et les citadins cantonnés au bord du lac dans des tentes rudimentaires avaient simplement pensé qu'ils ne s'étaient pas trompés en répondant à l'appel de la Prophétie. Pour que ces créatures de légende aient quitté leurs montagnes, il fallait que l'Homme Étoile, même s'il n'était pas encore là, soit un héros digne des plus grandes épopées. Curieusement, les mensonges du Sénéchal s'effaçaient très vite de l'esprit des Acharites, dès qu'ils n'y étaient plus exposés…

À Sigholt, tout le monde attendait Axis avec une impatience grandissante. Bien qu'elle fût persuadée d'avoir eu raison de refuser la demande en mariage de Belial, Azhure s'inquiétait de plus en plus pour l'avenir. L'idée qu'Axis lui vole son enfant pour l'offrir à Faraday l'obsédait. Si irrationnelle qu'elle soit – surtout quand on connaissait l'ancien Tranchant d'Acier – cette obsession la poursuivait jusque dans ses rêves.

— Azhure ! cria soudain Gorge-Chant. Regarde, mon père et ma grand-mère arrivent !

L'archère plissa les yeux et sonda le ciel. Mais elle ne vit rien entre les nuages, à part quelques points noirs, très loin au nord.

— Viens ! lança joyeusement la jeune Icarii. (Elle prit son amie par le bras et la tira vers le pont.) Ils vont se poser sur le toit ! Vite !

Averti de l'arrivée imminente des Icarii, Magariz était déjà sur le toit. Entendant un bruit de pas dans son dos, il se retourna et découvrit Rivkah, qui vint se camper à ses côtés.

Ravi, le seigneur sourit. À Carlon, trente-deux ans plus tôt, il avait été frappé par la beauté de cette jeune fille qui débordait de joie de vivre.

Bien entendu, c'était avant que son père l'ait forcée à épouser Searlas, le duc d'Ichtar de l'époque… Aujourd'hui, toujours splendide, Rivkah semblait plus repliée sur elle-même. Comme si sa joie de vivre, toujours présente, avait dû se réfugier dans les profondeurs de son âme.

Comme il est étrange, pensa Magariz, *que nous nous retrouvions dans de telles circonstances…*

Trop occupé, comme elle, d'ailleurs, le seigneur n'avait pas encore eu l'occasion de parler à la princesse depuis son arrivée à Sigholt.

Remarquant qu'il la regardait, Rivkah tapota la main du vétéran, posée sur la pierre grise du parapet.

Magariz sonda de nouveau le ciel. Parmi les Icarii se trouvait l'ancien mari de Rivkah – l'Envoûteur pour lequel elle avait trahi Searlas.

—A-t-il jamais su ? demanda le seigneur, assez bas pour que les Icarii présents sur le toit n'entendent pas.

—Non, répondit la mère d'Axis, sans se méprendre un instant sur le sens de cette question. Searlas ne s'est jamais douté de la vérité…

—Je me suis inquiété pour toi, ma dame…

À ces mots, des larmes perlèrent aux paupières de la princesse.

—Et moi pour toi… (Battant des paupières pour s'éclaircir la vue, Rivkah remarqua qu'Œil Perçant venait d'arriver sur le toit.) Heureusement que c'est le dernier vol, pour l'instant… Encore un peu, et nous n'aurions plus su où les loger. Nous devons déjà tous partager nos appartements…

Fidèle à son prénom, Œil Perçant remarqua immédiatement le trouble de Rivkah. Le mettant sur le compte de la prochaine arrivée de Vagabond des Étoiles, il ne s'en étonna pas. Pour un couple divorcé, il devait être très difficile de se côtoyer avant d'avoir eu le temps de refaire sa vie…

Dès que les hommes-oiseaux furent nettement visibles, le pont lança sa question rituelle. À la grande surprise des Acharites, la voix ne filtrait pas seulement les visiteurs terrestres. Ceux qui venaient des cieux devaient aussi lui montrer patte blanche.

— Qu'arriverait-il si un des Icarii ne passait pas l'épreuve ? avait demandé Belial à Veremund, quelques minutes après l'arrivée des premiers hommes-oiseaux.

— Eh bien, mon ami, si ça se produit… nous verrons !

Mais il n'y avait jamais eu d'incidents de ce genre, et aucun ne se produisit ce jour-là. Vagabond des Étoiles, sa mère et les autres Icarii se posèrent sur le toit de Sigholt, plus excités les uns que les autres par la renaissance du lac et la splendeur retrouvée de la forteresse.

— C'est magnifique ! s'écria Étoile du Matin avant d'embrasser Rivkah.

Depuis que le lac revivait, toutes les collines avaient reverdi, faisant de Sigholt une oasis de végétation au milieu des plaines stériles. Désormais, des broussailles hautes comme un homme et semées de fleurs couvraient toutes les pentes des collines. En quelques mois, le site était redevenu un somptueux jardin.

— Un jour, la totalité de Tencendor sera ainsi, dit Vagabond des Étoiles, les yeux rivés sur son ex-femme.

Quand ils s'embrassèrent sans passion, comme des étrangers, tous les deux ne purent s'empêcher de penser à l'époque où le monde semblait leur appartenir simplement parce qu'ils s'aimaient.

Magariz eut une moue réprobatrice lorsqu'il vit l'Envoûteur prendre la princesse dans ses bras. Se reprenant, il avança pour saluer dignement l'ancien époux de Rivkah. Ainsi, après avoir volé sa jeune femme à Searlas, cet Icarii visiblement imbu de lui-même la laissait à présent partir comme si de rien n'était ?

N'oublie pas, vieil imbécile, que tu n'as pas su la retenir non plus, il y a trente-deux ans. N'accable pas Vagabond des Étoiles pour une erreur que tu as également commise.

Les délicates manières du seigneur, combinées à une évidente sincérité, impressionnèrent beaucoup les Icarii. Comme bien d'autres personnes avant lui, le père d'Axis se demanda pourquoi un homme pareil était si longtemps resté au service de Borneheld.

Alors que Rivkah décrivait aux nouveaux venus les problèmes de logement qui les attendaient à Sigholt, Gorge-Chant fit irruption sur le toit, Azhure à ses côtés.

—Père ! s'écria la jeune Icarii.

Vagabond des Étoiles étreignit sa fille, qui ne lui avait jamais semblé si heureuse depuis la mort de Libre Chute.

—Maintenant, va saluer ta grand-mère, dit-il, le regard braqué sur Azhure.

Depuis leur séparation, il n'avait pas cessé de penser à elle. Et à l'instant où il l'avait revue, le reste du monde avait cessé d'exister pour lui.

—Bienvenue, Vagabond des Étoiles, dit la jeune femme, gênée de sentir peser le regard de l'Envoûteur sur son ventre rond.

Rivkah approcha, prit son ex-mari par le bras et s'écria d'une voix un peu forcée :

—N'est-ce pas merveilleux ? Azhure et Axis vont nous donner notre premier petit-enfant !

—Eh bien, lança Étoile du Matin en se faufilant entre les deux anciens époux, on dirait qu'il s'agit d'un enfant de Beltide. Qu'envisages-tu de faire, mon fils ?

L'Envoûteuse voulut prendre le bras d'Azhure… qui recula comme si un serpent tentait de la toucher. Selon les anciennes traditions des Avars et des Icarii, un enfant de l'Aile et de la Corne conçu pendant Beltide ne devait jamais voir le jour. Trente ans plus tôt, une Avar avait ignoré cette loi, et le fils que lui avait donné Vagabond des Étoiles se nommait aujourd'hui Gorgrael.

—Je ne suis pas une Avar! cria Azhure, déterminée à se battre pour sauver son enfant, si les choses devaient en arriver là. Ne tentez surtout pas de me prendre mon petit!

—N'aie aucune crainte, dit Étoile du Matin. Je voulais seulement…

Elle n'alla pas plus loin. Alerté par le ton de sa maîtresse, un énorme chien jaillit des ombres de la cage d'escalier, bondit sur l'Envoûteuse et referma sa gueule sur son poignet délicat. Ses crocs traversèrent la peau, mais s'arrêtèrent avant de broyer les os.

—Que les Étoiles viennent à mon secours! hurla la grand-mère d'Axis. C'est un Alahunt!

Sicarius inclina légèrement la tête, forçant l'Envoûteuse à tomber à genoux.

—Azhure, cria Vagabond des Étoiles, rappelle ce chien!

La jeune femme hésita puis fit un petit geste. Aussitôt, Sicarius lâcha sa proie et vint se camper aux côtés de sa maîtresse. Mais il recommença à grogner…

—Personne ne fera de mal à mon enfant! lâcha Azhure dans un silence de mort. Personne!

—Je n'en avais pas l'intention, dit Étoile du Matin, sa main blessée serrée contre la poitrine. Cet enfant, en plus d'être le tien, est un Soleil Levant, peut-être un futur Envoûteur, et il sera mon arrière-petit-fils ou petite-fille. Je ne lui nuirai pour rien au monde!

Sans quitter Azhure des yeux, Vagabond des Étoiles aida sa mère à se relever.

—Étoile du Matin et moi ne voulons aucun mal à cet enfant, bien au contraire.

—Je vous crois…, souffla Azhure sans grande conviction. Étoile du Matin, accepte mes excuses pour… l'impulsivité… de Sicarius. (Les deux Icarii firent la grimace en entendant ce nom.) Il voulait me protéger, c'est tout. (La jeune femme avança et examina le poignet de l'Envoûteuse.) Descendons ensemble, que je puisse nettoyer ta plaie et la panser. Dans une semaine, on ne verra plus rien!

Dès que les deux Envoûteurs et l'archère eurent disparu, Magariz, Rivkah et les Icarii présents soupirèrent de soulagement.

— Un bien mauvais accueil pour Étoile du Matin, constata tristement Œil Perçant.

— Si tu savais à quel point Azhure tient à ce bébé, répondit le seigneur, tu te féliciterais qu'elle n'ait pas fait sauter Sicarius à la gorge de l'Envoûteuse…

Sous le regard de Vagabond des Étoiles, assis sur le lit, Azhure soigna le poignet d'Étoile du Matin avec une compétence impressionnante.

L'Envoûteur ne pouvait détourner les yeux du ventre de l'humaine. À l'évidence, elle accoucherait d'un magicien icarii ! Mais si Axis n'arrivait pas à temps, qui chanterait pour l'enfant à naître ?

Vagabond des Étoiles pianota nerveusement sur la couverture. Aussitôt, Sicarius grogna aux pieds de sa maîtresse.

— D'où sont venus ces chiens, Azhure ? demanda l'Envoûteur, pas vraiment rassuré.

— Les Alahunts ? Pendant que je traversais les plaines du Chien Sauvage avec Ogden, Veremund et Rivkah, ils nous ont encerclés. Mais au lieu d'attaquer, ils se sont liés à moi, et depuis, je n'ai pas à me plaindre d'eux.

Les deux Envoûteurs se regardèrent. Les chiens d'Étoile Loup, compagnons de la femme qui portait son arc ?

Repensant à la réaction de Vagabond des Étoiles et d'Axis, la nuit de Beltide, quand ils avaient été irrésistiblement attirés par Azhure, Étoile du Matin se posa des questions de plus en plus troublantes…

28

La Gardienne du Portail

— Personne n'est jamais revenu d'entre les morts! s'écria Orr.

— C'est faux! Étoile Loup l'a fait! M'aideras-tu, ou non?

— Si tu tentes cela, tu risques d'y laisser la vie, car tu ne connais pas les canaux qu'il faut suivre.

— La bague m'aidera. J'ai un but, et elle me montrera la Chanson adaptée.

— Ne t'ai-je pas dit qu'il n'existait pas de Chanson pour *tous* les objectifs? Tu as promis à Libre Chute de le ramener? Quand, et dans quelles circonstances?

Axis raconta au Passeur comment était mort son cousin, frappé dans le dos par Borneheld, sur le toit du fort de Gorken.

— Alors qu'il agonisait dans mes bras, Libre Chute m'a dit de rejoindre Vagabond des Étoiles. Puis il a ajouté des propos très étranges: «Le Passeur te doit une faveur, Axis… Découvre les secrets et les mystères des canaux et ramène-moi chez moi! J'attendrai près du Portail. Jure de me conduire auprès de Gorge-Chant!»

— Gorge-Chant? répéta Orr.

— La cousine de Libre Chute et sa promise. Elle est aussi ma sœur…

— Oui, j'avais oublié: les Soleil Levant sont irrésistiblement attirés les uns par les autres… Et tu as juré?

— Il était mourant, et je me sentais responsable de sa fin…

— As-tu compris de quoi il parlait?

— Non… Je n'avais pas encore rencontré mon père, et mes pouvoirs naissaient à peine. À l'époque, j'ignorais ce qu'étaient le Portail et les canaux. Pour être franc, je ne suis toujours pas sûr de savoir ce que voulait dire mon cousin. Parlait-il du Portail des Étoiles ?

Axis et Orr se tenaient devant une des arches de la grotte, près de celle par laquelle ils étaient entrés.

Le Passeur glissa les mains dans les manches de son manteau et se plongea dans une longue réflexion. Alors qu'Axis allait l'en arracher, Orr releva la tête. Ses yeux naguère violets étaient désormais gris et ternes, comme si son âme l'avait abandonné.

— Libre Chute n'aurait pas dû connaître l'existence du Portail. Aucun Icarii, même les Envoûteurs, ne le devrait ! Et personne d'autre, d'ailleurs. Homme Étoile, dis-moi comment il le savait !

Axis se demanda que répondre. Pourquoi le Charonite était-il si bouleversé ?

— Ce sont les paroles d'un mourant, dit-il en soutenant sans ciller le regard du Passeur. Son âme était peut-être déjà arrivée devant ce « Portail ». En tout cas, c'est la seule explication que je peux te donner…

— Et c'est sûrement la bonne…, soupira Orr. (Lentement, ses yeux reprirent leur couleur habituelle.) Mais tu as juré sans savoir à quoi tu t'engageais, Axis Soleil Levant. (Le Passeur prit son compagnon par le bras et le guida hors de la grotte.) Le Portail est un des secrets les plus redoutables des Charonites, sinon le plus redoutable ! Si je t'y emmène, tu devras me jurer de ne jamais en parler à quiconque, même à tes enfants !

Axis maintint le bac stable pendant que le Passeur y montait.

— Je te le jure, dit-il en embarquant à son tour.

— Oui… (Pour la première fois, Orr releva sa capuche.) Es-tu sûr de vouloir le faire ?

— Oui !

—Dans ce cas, je te conduirai jusqu'au Portail, et Libre Chute t'y attendra peut-être. Mais tu devras convaincre la Gardienne, car elle seule a le pouvoir de libérer une âme des chaînes de la mort. À ma connaissance, elle ne l'a jamais fait! Désormais, parle uniquement quand je te le permettrai, et ne touche à rien!

Le bac se mit en mouvement. Un long moment, ils naviguèrent sur des canaux « ordinaires » aux eaux vertes où se reflétaient les étoiles. Soudain, après qu'ils eurent traversé plusieurs grottes, Axis s'aperçut qu'ils fendaient à présent une onde plus noire que de l'encre où rien ne se reflétait. Les parois et la voûte ayant disparu – ou étant hors de vue –, ils voguaient sur un océan d'obscurité entouré de ténèbres. Sans le clapotis de l'eau, à la proue du bac, Axis se serait demandé s'ils ne s'étaient pas mis à voler.

Une étrange silhouette blanche, sur un flanc du bateau, attira le regard de l'Homme Étoile. Une jeune femme en pleurs, un enfant dans les bras… Dépourvus de substance, ils semblaient flotter quelques pouces au-dessus de l'eau. Un autre spectre les suivait, mais Axis ne put déterminer s'il s'agissait d'un homme ou d'une femme.

—Nous traversons les Fleuves de la Mort, dit Orr. Si tu touches l'eau, tu périras!

Angoissé, Axis posa les mains sur ses genoux. Puis il regarda de nouveau la femme et le bébé.

—Elle est morte en couches, expliqua le Passeur, et elle pleure parce que la vie fut également refusée à son enfant… La nuit de la chute du fort de Gorken et du massacre de la Réunion, des milliers d'âmes descendaient le fleuve. Il y avait des Avars, des Icarii, des Acharites…

Axis attendit la suite, plein d'appréhension.

—Oui, mon enfant, des Skraelings aussi. Dans la mort, nous sommes tous frères… Mais regarde devant toi, Axis Soleil Levant, car nous approchons du Portail!

Axis obéit et vit qu'ils n'étaient plus très loin d'une grande île, légèrement surélevée au milieu. Sur cette petite butte se découpait un rectangle de lumière pure deux fois plus haut et plus large qu'une porte normale.

Le bac accosta, son fond raclant contre les galets de la berge. La femme et le bébé le dépassèrent, en route pour le Portail scintillant.

— Tu dois y aller seul, Axis, dit le Passeur. Près du Portail, tu trouveras la Gardienne. Pose-lui toutes les questions que tu veux, sauf une : ce qu'il y a au-delà du Portail. Sinon, même vivant, tu y seras aspiré.

— Merci, Orr. M'attendras-tu ici ?

— Si tu reviens, je serai là…

Le sol de l'île étant couvert de galets, Axis manqua plusieurs fois perdre l'équilibre. Toujours enveloppé de ténèbres, il ne voyait rien, à part le rectangle de lumière, droit devant lui. La femme et le bébé venaient de l'atteindre. Après une courte pause, ils traversèrent. La lumière pulsa un instant, puis s'apaisa de nouveau. Mais elle semblait toujours… affamée.

Près du sommet de la butte, Axis aperçut une silhouette sombre et maigrelette assise à un bureau, d'un côté du Portail. Quand il fut à quelques pas, la femme cessa de contempler deux grands vases dont émanait une pâle lumière et posa les yeux sur lui.

— J'ai entendu des bruits de pas…

Axis s'arrêta devant le bureau. À la lueur du Portail, il découvrit une femme à la peau blanche très claire et aux grands yeux noirs enfoncés dans leur orbite. Sa longue chevelure aile de corbeau cascadant dans son dos, elle avait de longues mains aussi blanches que son visage.

Axis trouva qu'elle ressemblait un peu à Veremund.

— Je…, commença-t-il. (Il dut se racler la gorge. Devant cette femme, qui ne semblait pas ravie de le voir, parler n'était pas facile.) Je cherche la Gardienne…

Une autre âme s'arrêta devant le Portail, regarda brièvement la femme et traversa. Alors que la lumière pulsait, l'interlocutrice d'Axis prit une petite bille de métal dans un des vases et la laissa tomber dans l'autre, où elle produisit un «clic» à peine audible.

— Je suis la Gardienne, et je tiens les comptes. Es-tu venu pour être enregistré? Pourquoi, puisque tu es vivant?

Elle sourit… et Axis regretta qu'elle ne se soit pas abstenue. Son rictus était aussi engageant que celui d'un cadavre de quatre jours et plus malveillant que celui d'un Skraeling.

— J'ai une requête à vous présenter…

Une autre âme ayant traversé le Portail, la Gardienne fit passer une nouvelle bille métallique d'un vase à l'autre.

— Vraiment? Une requête? C'est très inhabituel, sais-tu? On me demande rarement quelque chose…

Avant qu'Axis ait pu répondre, une longue procession d'âmes s'immobilisa devant le Portail. À mesure qu'elles le traversèrent, la Gardienne jeta des billes dans son vase – un bruit qui tapa rapidement sur les nerfs d'Axis, qui dut faire un effort pour ne pas sauter d'un pied sur l'autre.

— Un incendie dans une taverne, dit la Gardienne quand le défilé fut terminé. Trente-quatre morts…

— Toutes les âmes traversent-elles? demanda Axis.

Que faisait la Gardienne quand un mort refusait d'avancer?

— Non… (Elle désigna un petit tas de billes noires, à droite du bureau. Une cinquantaine, estima Axis…) Les récalcitrantes sont là…

Axis se demanda si Libre Chute était dans cette pile. Puis il en remarqua deux autres, plus petites. Trônant au centre du bureau, la première comptait sept billes qui brillaient comme de minuscules soleils. La seconde, sur la gauche du meuble, était composée d'une trentaine de billes faiblement lumineuses.

— Et celles-là? demanda Axis.

— Celles-là? répéta la Gardienne.

À cet instant précis, Axis s'avisa que c'était la plus belle femme qu'il eût jamais vue.

— Tu les vois?

— Oui. Ces deux piles brillent, peut-être à cause de la lumière du Portail. Ces âmes ont-elles aussi refusé de traverser ?

— Non… (La Gardienne désigna les sept billes.) Ce sont les Très Grands, et ils n'ont pas besoin de moi, ni du Portail. Mais ils attendent d'être au complet, car Chanson et Lune ne sont pas encore là.

Axis plissa le front, puis se souvint des propos du Passeur.

— Les Dieux des Étoiles…

— Oui… Décidément, tu en sais long ! Les billes qui brillent faiblement sont les Moindres… (Elle tendit un bras vers Orr, qui attendait toujours sur son bac, très loin de là.) Eux non plus ne doivent pas traverser mon Portail.

Axis plissa de nouveau le front, étonné par l'amusement visible de la Gardienne autant que par ses propos. Les Moindres ? Que voulait-elle dire ? Il allait le demander, mais la femme fut plus rapide que lui.

— Que viens-tu faire ici ? s'enquit-elle, de nouveau impassible.

Et privée de sa fugitive beauté…

— Je veux ramener Libre Chute Soleil Levant parmi les vivants, dit Axis, conscient du ridicule de sa déclaration. Il a dit qu'il m'attendrait près du Portail. Donc, je pense qu'il est dans le tas de billes noires.

— Tu crois pouvoir arracher quelqu'un au monde des morts ? Comme c'est amusant ! Personne n'en est jamais revenu !

— Si, Étoile Loup !

La Gardienne tressaillit, mais elle se ressaisit aussitôt.

— Il est sorti par un autre Portail, dit-elle d'une voix atone. Et il n'était pas entré par celui-là. Personne ne franchit dans l'autre sens le seuil de *mon* Portail !

Axis regarda le rectangle de lumière. Qu'y avait-il au-delà des portes de la mort ? Le plus grand mystère de tous, et il lui aurait suffi de faire quelques pas pour le percer à jour… Si Étoile Loup était revenu par le Portail des Étoiles, il pouvait peut-être réussir le même exploit ici…

—Si tu en as envie, libre à toi de traverser, Axis Soleil Levant, dit la Gardienne en saisissant une bille. Mais tu ne reviendras jamais sur tes pas…

La main blanche de la femme s'immobilisa au-dessus du deuxième vase.

—Non !

Axis écarta le bras de la Gardienne. À sa grande surprise, il découvrit que sa chair était douce et chaude. Tenait-elle sa vie entre ses doigts ?

—Je ne désire pas traverser…

La Gardienne reposa la bille dans le premier vase.

—Comme tu voudras… À présent, dis-moi pourquoi tu te crois capable de ramener une âme !

Axis raconta à la Gardienne la mort de Libre Chute et lui parla de la promesse que le moribond lui avait arrachée.

—Libre Chute attend sûrement avec les « récalcitrantes ». Libérez-le !

—Mon garçon, soupira la Gardienne, son visage redevenant splendide, ton histoire est très émouvante. Mais ma réponse est « non ! » Les morts ne reviennent pas, un point c'est tout. Maintenant, va-t'en ! Libre Chute Soleil Levant ne retournera pas dans le monde des vivants.

—Bon sang ! explosa Axis, ne comprends-tu rien à rien ? Mon cousin est mort bien avant son heure, lâchement assassiné ! J'ai juré de le sauver, il m'a cru, et il m'attend ici. Je dois tenir ma parole !

Sur la berge, le Passeur s'agita nerveusement.

—Non, non et non !

Axis décida de tenter une dernière fois sa chance.

—Gardienne, je n'ai pas pu le défendre contre Borneheld ! Donne-moi une seconde chance !

Les lèvres de la femme s'arrondirent pour former un « non » tonitruant, mais elle se ravisa au dernier moment.

—Borneheld ? répéta-t-elle, impassible, même si ses mains tremblaient un peu. Le duc d'Ichtar ?

—Oui, le duc d'Ichtar…

—Je n'ai jamais aimé cette lignée de nobles…

La Gardienne renonça à donner le change. Sans dissimuler son trouble, elle garda un long moment le silence, sûrement plongée dans le souvenir du mal que lui avaient fait les ducs d'Ichtar.

—Tu es en position de réparer une injustice, Axis Soleil Levant, dit-elle enfin d'une voix vibrante d'excitation.

—Vous aussi. En libérant Libre Chute !

—Si je le fais, m'aideras-tu à redresser les torts dont j'ai souffert, et mes proches aussi ?

—Que devrai-je faire ?

—Jure d'abord !

Axis n'hésita pas longtemps.

—Je le jure. Que dois-je accomplir pour sauver Libre Chute ?

Le visage de la Gardienne s'altéra jusqu'à avoir l'apparence d'un crâne couvert d'une peau parcheminée et surmonté d'une couronne de cheveux blancs.

—Écoute bien…, croassa-t-elle.

Axis tendit l'oreille.

Quand elle eut fini, il était aussi blême que son interlocutrice.

—Personne ne mérite ça, pas même Borneheld. C'est horrible… De la barbarie !

—Tu as juré ! Veux-tu que je détruise l'âme de Libre Chute, afin qu'il ignore jusqu'à la fin des temps qu'une nouvelle vie l'attendait ?

—Marché conclu, Gardienne ! s'écria Axis, conscient d'être piégé.

—N'oublie pas : les conditions prévues par notre contrat devront être remplies au plus tard un an et un jour après ton retour dans le Monde de la Surface.

—Je m'en souviendrai, Gardienne…

—Je l'espère bien…

—Mais pourquoi m'imposer de telles contraintes ?

—Ce n'est pas négociable, Axis Soleil Levant.

— Et Libre Chute ?

— Tout se passera comme je te l'ai promis, Homme Étoile, mais tu devras remplir ta part du marché. Sinon, la transformation n'ira pas jusqu'à son terme, et il mourra de nouveau.

Soudain, Axis éprouva une envie irrépressible de fuir le Monde Souterrain et de se retrouver chez lui – à l'air libre !

— Je te salue, Gardienne, dit-il. Comme tu le sais, ce n'est hélas pas un adieu, mais un simple au revoir…

Tournant les talons, Axis repartit vers la berge où l'attendait le Passeur.

Son visage redevenu celui d'une magnifique jeune femme, la Gardienne eut un sourire radieux qu'il ne vit pas.

— Au fait, Homme Étoile, lança-t-elle, notre prochaine rencontre aura lieu bien plus tôt que tu le crois !

Alors qu'elle retournait à son éternelle comptabilité, la Gardienne ne put s'empêcher de repenser à Borneheld. Plus encore que Sigholt, elle vomissait les ducs d'Ichtar du premier jusqu'au dernier. Car Zeherah était sa fille…

29

Caelum

A zhure se tourna sur le côté, dans le lit, et espéra ne pas avoir réveillé Rivkah, qui dormait à côté d'elle. Épuisée après une dure journée d'entraînement avec ses archers, elle avait impérativement besoin de repos. Hélas, pas moyen de fermer l'œil ! Cette nuit, le poids du bébé l'empêchait de trouver une position confortable. De plus, malgré les propos réconfortants de Gorge-Chant, Rivkah et Étoile du Matin, Azhure s'inquiétait encore : au sixième mois de la grossesse, l'enfant était toujours très petit et il ne bougeait presque pas.

Renonçant à trouver le sommeil, la jeune femme se leva le plus délicatement possible et, sur la pointe des pieds, avança jusqu'à la porte. Devait-elle prendre une laine ? se demandat-elle. Avec la douceur des nuits de Sigholt, ce n'était pas vraiment indispensable…

Sicarius se leva et suivit sa maîtresse hors de la chambre.

Azhure remonta un couloir désert puis s'engagea dans l'étroit escalier qui conduisait au toit. En général, respirer un peu d'air frais suffisait à la calmer.

Quand elle fut sur le toit, elle soupira de satisfaction puis détacha ses cheveux pour les laisser flotter au gré de la douce brise qui soufflait du lac. Un long bain dans l'eau agréablement tiède l'aurait délassée, mais elle n'avait pas envie de marcher si loin. Une petite promenade ici suffirait… Sicarius gardant l'entrée, elle y serait en parfaite sécurité.

Azhure se pencha au parapet et balaya les environs du regard. Les tentes des réfugiés de Skarabost se dressaient sur la berge nord du lac, et il y en avait désormais des milliers. Jardins potagers ou pas, Sigholt ne parviendrait pas à nourrir toutes ces bouches sans un approvisionnement massif.

La jeune femme prit une longue inspiration et la garda un moment. Des ajoncs couvraient le flanc des collines – partout, même dans le col de Garde-Dure, la vie affirmait ses droits avec une vigueur hors du commun.

— Sigholt sera le cœur du nouveau Tencendor, murmura Azhure, les yeux fermés. Je suis si fière de contribuer à la renaissance de l'ancien monde.

Sans relever les paupières, elle se retourna et s'adossa au parapet.

Quand elle rouvrit les yeux, Axis, debout au milieu du toit, la regardait fixement.

Après avoir fait ses adieux à Orr, qui avait ramené le bac sur le lac aux eaux violettes, Axis s'était immédiatement «transféré». Sentir la puissance de la Danse des Étoiles déferler dans son corps l'avait enivré. Pourtant, la Chanson du Voyage nécessitait un minimum de pouvoir. Qu'éprouverait-il le jour où il saurait contrôler toute l'énergie magique des astres ?

Délaissant les spéculations, si fascinantes fussent-elles, l'ancien Tranchant d'Acier s'était concentré sur sa destination. Combien de temps était-il parti ? Et que trouverait-il à Sigholt ?

Il se sentit aspiré comme si une main invisible le tirait à travers d'incroyables distances. Plus il approchait de son but, et plus il semblait aller vite. Un instant, il redouta de s'écraser sur le toit de la forteresse, tous les os brisés.

Alors que cette idée horrible lui traversait l'esprit, il eut l'impression que son estomac se retournait… puis se retrouva sur ses pieds, le ciel nocturne scintillant d'étoiles au-dessus de sa tête.

Un instant, il crut avoir également voyagé dans le temps. Était-ce Rivkah qu'il voyait devant lui, resplendissante de beauté et de jeunesse ?

Mais la jeune femme enceinte qui se tourna vers lui n'était pas sa mère.

Quand elle releva les paupières, Azhure sursauta en le découvrant devant elle.

Axis ouvrit la bouche, peu sûr de ce qu'il allait dire, mais une voix profonde et musicale l'empêcha de parler.

— Es-tu loyal ? demanda-t-elle.

— Bien entendu, au nom de tous les démons !

Vexé par la réponse agressive de l'Homme Étoile, le pont marmonna des propos peu amènes…

— Azhure, c'est vraiment toi ? souffla Axis.

Il avança d'un pas, s'immobilisa et tendit les bras.

Azhure ne bougea pas, trop surprise pour parler ou marcher vers lui. Elle avait toujours imaginé qu'il traverserait le pont et qu'elle l'attendrait devant les portes, protégée par son uniforme et son statut d'officier de l'armée rebelle. Ensuite, ils auraient pu parler du bébé comme deux adultes responsables, sans gêne ni passion. Au terme de cette conversation, ils auraient sûrement trouvé un compromis acceptable. Libre d'aimer et de former son héritier, Axis aurait eu l'assurance qu'Azhure n'entendait pas se dresser entre Faraday et lui. Elle avait même prévu de lui parler de la demande en mariage de Belial, afin qu'il se sente dégagé de toute obligation…

Mais elle se tenait devant lui les pieds nus et les cheveux défaits, plus vulnérable que jamais dans sa chemise de nuit. Et son amant, bien qu'il semblât épuisé au point de vaciller sur ses jambes, lui tendait les bras comme lors de cette funeste nuit de Beltide.

Que Gorgrael l'emporte ! comme aurait dit Belial. Le sang d'Azhure chantant aussi fort que ce soir-là, elle brûlait d'envie de se jeter dans les bras du père de son enfant… et de l'entendre dire qu'il l'aimait.

Mais il ne l'aimait pas, et cette triste réalité permit à la jeune femme de ne pas céder à ses impulsions.

— Bienvenue à Sigholt, Axis, dit-elle d'une voix qui ne tremblait pas.

Un exploit, avec la tempête émotionnelle qui faisait rage en elle!

Axis resta un instant pétrifié, les bras toujours tendus, puis il avança et enlaça Azhure.

Sicarius se releva, les oreilles frémissantes. Mais il ne fit pas mine d'intervenir, car il sentit que le sang de ces deux êtres les attirait irrésistiblement l'un vers l'autre.

—Azhure, souffla Axis, que t'ai-je fait?

D'une main tremblante, il caressa le ventre de sa compagne et sentit le cœur du bébé battre sous sa paume.

—Ce que tout homme fait à une femme quand il passe une nuit avec elle au bon moment, répondit l'archère avec une nonchalance forcée.

—Azhure, que t'arrive-t-il? Tu sembles si… troublée.

La jeune femme se dégagea de l'étreinte de son amant.

—Moi? lança-t-elle avec un petit rire qui sonnait atrocement faux. Je suis navrée de te compliquer la vie, c'est tout! Mais sois certain que je n'en profiterai pas pour t'attacher à moi. Et si nous reparlions de ces petits tracas demain, quand tu te seras reposé?

«Compliquer la vie»? «Petits tracas»? De quoi parlait-elle donc? se demanda Axis. Croyait-elle ne pas compter pour lui? Mais dans l'état où elle était, mieux valait ne pas la brusquer, car elle risquait de s'enfuir en courant.

—Tu as raison, il vaudrait mieux en reparler plus tard, dans un environnement adapté… Sais-tu si on m'a réservé des quartiers?

—Bien entendu… La suite seigneuriale n'attend que toi! Axis, Belial sera ravi de te revoir, et il a tellement de choses à te raconter!

—Dans ce cas, veux-tu bien me guider jusque chez moi? Demain matin, Belial m'accaparera un bon moment, et j'ai aussi des nouvelles à lui apprendre…

Quand Azhure s'engagea avec lui dans l'escalier, Axis plissa le front, étonné par l'énorme chien qui leur emboîta le pas, mais il ne posa pas de question. Pour dissimuler son trouble, la jeune femme lui raconta une partie de ce qui s'était passé à Sigholt pendant son absence. Il répondit par onomatopées, son regard irrésistiblement attiré par le ventre joliment arrondi de sa compagne.

Azhure allait lui donner un enfant! Aucune autre femme ne lui avait jamais fait ce cadeau! Bientôt, il serait père!

Cette idée tempéra un peu son euphorie. Quoi qu'il arrive, il ne trahirait pas cet enfant, qui connaîtrait son géniteur, n'aurait jamais à douter de son amour et ne serait pas torturé par des cauchemars.

À cette heure tardive, les couloirs étaient déserts, et personne ne vit Azhure et Axis s'arrêter un instant devant la porte de la suite seigneuriale.

—Entre avec moi, j'aurai besoin d'aide pour allumer toutes les lampes! De plus, j'ai quelque chose à te dire…

Ils traversèrent une enfilade de pièces jusqu'au salon principal luxueusement meublé et décoré. Au milieu d'un des murs ornés de riches tentures, une porte ouverte donnait accès à une somptueuse chambre.

Les yeux rivés sur sa maîtresse, le chien se coucha devant l'entrée du salon.

—Azhure? appela Axis.

La jeune femme finit d'allumer une lampe, se retourna et sourit.

—Oui?

—Combien de temps ai-je été absent? Ou préfères-tu que j'essaie de deviner en me fiant à la rondeur de ton ventre?

—Nous sommes au début du mois de l'Os, répondit Azhure, le rouge lui montant aux joues.

—Si tard que ça dans l'année? (Axis soupira et se massa le front.) Et il reste tant à faire…

—Tu as besoin de repos, c'est évident… Il vaut mieux que je te laisse.

Pressée de sortir, Azhure avança vers la porte.

—Attends un peu, s'il te plaît! J'ai quelque chose à te demander…

—Je t'écoute.

—Reste avec moi, je t'en prie…

—C'est impossible! s'écria Azhure.

Comment s'était-elle laissé entraîner dans une situation pareille? C'était stupide…

Axis avança, le regard plongé dans le sien. Elle se raidit, angoissée, mais il passa à côté d'elle, un bras frôlant les siens, alla fermer la porte et revint sur ses pas.

—Et pourquoi donc?

Depuis des mois, Azhure préparait un discours pour ces instants qu'elle savait inévitables. Mais où étaient passés ses arguments à l'irréfutable logique?

—Parce que… que…, bafouilla-t-elle. Eh bien, je suis une simple fille de la campagne, et toi un Envoûteur icarii…

—La «simple fille de la campagne» est restée à Smyrton, et j'ai devant moi la femme qui a su dominer Perce-Sang!

Et celle qui m'a fait voyager parmi les Étoiles, la nuit de Beltide! Si je te reprends dans mes bras, repartirons-nous dans le cosmos?

—Azhure, reste avec moi! Danse avec moi!

—Axis, je suis une humaine, avec une espérance de vie très courte. Tu as des siècles devant toi! Pense à l'échec de tes parents, je t'en prie! Il n'y a pas d'avenir pour nous, et pas d'espoir non plus…

Axis avança d'un pas.

—Azhure, je peux être mort dans moins d'un an! Que valent cinq siècles d'espérance de vie en des temps si périlleux? Enfin, nous ne sommes pas Rivkah et Vagabond des Étoiles! Reste avec moi…

Du bout des doigts, Axis écarta une mèche de cheveux du front de sa compagne. Les yeux fermés, elle inspira à fond et serra les poings, résolue à ignorer la douceur de cette caresse déguisée.

—Faraday…, dit-elle simplement.

Axis lui posa un baiser dans le cou.

—Elle est à des lieues d'ici, et voilà des mois que je ne l'ai plus vue! Reste avec moi…

—Elle t'aime! s'écria Azhure.

Le contact des dents d'Axis, sur sa peau, réveillait en elle des souvenirs qui la rendaient folle de désir.

— Son amour pour moi ne l'a pas empêchée de partager le lit de Borneheld ! Reste avec moi…

— Faraday t'aime, et tu l'aimes aussi !

Axis eut un petit rire, puis il entreprit de défaire les lacets de la chemise de nuit.

— L'amour ? Peux-tu me dire ce que c'est, Azhure ? Reste avec moi… Dansons ensemble !

Il releva la tête de la jeune femme et l'embrassa.

— À quoi rime un discours sur la fidélité alors que tu es devant moi, avec mon enfant dans le ventre ? N'oublie pas que Faraday est une noble habituée aux mœurs de la cour. Elle a accepté la femme qui l'a précédée entre mes bras, et elle t'acceptera aussi. Reste avec moi…

— Ne me demande pas ça !

Axis se pencha et fit glisser la chemise de nuit sur les épaules d'Azhure, puis sur ses seins.

— Pourquoi t'en irais-tu ? Tu es mon amie, mon alliée, ma compagne d'armes ! Ton image me ravit les yeux et hante mon esprit. La mère de mon enfant ! Et une femme qui m'aime – tu ne peux pas le nier ! Me priveras-tu de mon petit ? Lui interdiras-tu de connaître son père ? Tu n'as aucune raison de partir ! Reste avec moi, sens le pouvoir de la Danse des Étoiles couler de mes doigts, de mes mains, de tout mon corps. Sois mon amante adorée !

Azhure capitula. Elle avait lutté de son mieux, mais Axis disait vrai : Faraday était très loin de Sigholt, et elle s'occuperait de ce problème-là quand il le faudrait.

— Oui, je resterai…, souffla-t-elle.

Dans les ombres où il résidait, le prophète éclata d'un rire joyeux.

Étendus côte à côte dans le lit, les yeux grands ouverts, ils refusaient de sombrer dans le sommeil et de gaspiller ainsi une nuit merveilleuse. Lorsque Axis caressa de nouveau son ventre arrondi, Azhure brisa un silence qui avait semblé durer une éternité.

— Le bébé ne bouge presque pas… On m'a dit que tu devais chanter pour le réveiller.

— Ce sera un garçon. Je le sens.

— Vraiment? Un fils?

Azhure sourit et posa une main sur son ventre.

— Quel nom voudrais-tu lui donner? demanda Axis, touché par l'émerveillement de la future mère. Avant que je le réveille, il serait judicieux de le baptiser…

Azhure roula sur le côté pour sonder le regard de son amant.

— Tu me laisserais choisir son prénom? Ne veux-tu pas décider toi-même?

Axis caressa lentement le dos martyrisé de la jeune femme. Après tant de souffrance, d'incertitude, de solitude, elle avait dû porter cet enfant six mois durant sans le soutien de l'homme qui le lui avait donné…

— Dis-moi comment tu voudrais l'appeler…

Azhure n'eut pas besoin de réfléchir longtemps.

— Caelum!

— Pourquoi ce nom?

— Quand j'étais petite, après le départ de ma mère, un forgeron itinérant passait à Smyrton toutes les deux semaines. Un colosse brun nommé Alayne. Il était très gentil avec moi et, pendant des années, il fut mon seul ami. J'adorais entendre ses histoires. Caelum était le héros de celle qu'il préférait raconter. Un nom très adapté à notre fils, parce qu'il signifie…

— Étoile du Paradis, je sais…, murmura Axis.

Dire qu'il avait cru mener une vie solitaire! Ses tourments n'étaient rien, comparés à l'enfance d'Azhure. La sienne avait été illuminée par l'amour et le soutien des frères du Sénéchal, y compris Jayme. Azhure avait dû se contenter des rares visites d'un forgeron qui s'émouvait parfois de sa détresse et la consolait en lui narrant les exploits de héros mythiques.

— Caelum est un nom parfait, douce dame.

— Jure que tu ne me voleras jamais l'enfant pour le confier à Faraday !

Axis se redressa sur les coudes, l'estomac noué. Comment pouvait-elle penser qu'il se comporterait ainsi ?

Soudain, il se souvint des propos de Vagabond des Étoiles, des mois plus tôt, alors qu'ils parlaient des unions entre humaines et hommes-oiseaux :

« Jadis, les Icarii s'emparaient de l'enfant, et ils n'accordaient plus la moindre attention à la mère. »

Azhure redoutait-elle qu'il la traite ainsi ?

— Écoute-moi bien, dit-il, la voix voilée par l'émotion. Je ne te prendrai jamais notre fils ! Tous les deux, nous avons souffert d'être séparés de nos parents. Crois-tu que j'infligerais la même torture à notre enfant ? Azhure, sur tout ce que j'ai de plus cher, je jure de ne jamais te séparer de Caelum ! Et tu dois me croire !

Enfin libérée de sa pire angoisse, la jeune femme prit entre ses mains le visage de l'Homme Étoile, qui posa les mains à plat sur son ventre.

— Réveille-toi, Caelum, dit Axis.

Quand il commença à chanter, Azhure ferma les yeux. Enveloppée par la Chanson de l'Envoûteur, elle sentit Caelum s'éveiller à la conscience. Pour être le plus près possible des paumes de son père, il se retourna et se pressa contre la paroi abdominale de sa mère. Une sensation si délicieuse qu'Azhure aurait été incapable de la décrire avec des mots…

Comment avait-elle pu songer à épouser Belial ? S'éloigner d'Axis lui était impossible, elle aurait dû le savoir ! Après la nuit de Beltide, le lien qui les unissait ne pourrait jamais être défait. Dans l'impossibilité de revenir en arrière, elle ne tenterait plus de nier son amour pour l'Envoûteur qui la serrait contre lui.

Selon Rivkah, aimer un magicien icarii était un piège pour une humaine, car la souffrance l'attendait au bout du chemin. Mais qu'importait la fin de cette histoire, si les quelques mois de bonheur qu'elle connaîtrait à Sigholt, avec Axis et leur enfant, suffisaient à la combler jusqu'à la fin de ses jours?

S'abandonnant à la Chanson, Azhure sentit Caelum répondre à son père à travers son propre corps.

Après un long moment, Axis cessa de chanter, sourit et murmura à l'oreille de sa compagne:

— Un enfant magnifique a grandi dans ton ventre, Azhure. Parle-lui! Il t'aime et voudrait entendre ta voix.

— Lui parler? Je pensais que seul le père en était capable! Pourquoi aurait-il envie de m'écouter?

— Parce qu'il t'aime, répéta Axis. Tu es son héroïne, et il t'écoutera, car il est réveillé!

Azhure laissa glisser ses mains jusqu'à son ventre, et Axis les couvrit avec les siennes. Qu'allait-elle dire? D'abord timidement, puis avec de plus en plus d'assurance et de bonheur, elle parla à son enfant…

30

Et que flotte au vent la bannière!

Morte d'inquiétude, Rivkah courait dans les couloirs de Sigholt. En se réveillant, peu après l'aube, elle avait trouvé vide la place d'Azhure dans le lit qu'elles partageaient. Ses vêtements étant toujours posés sur le dossier d'une chaise, la jeune femme était donc sortie en chemise de nuit. Avait-elle voulu se dégourdir un peu les jambes? Et si cela avait mal tourné? Dans son état, une mauvaise chute pouvait avoir d'horribles conséquences…

La mère d'Axis descendit le couloir principal, en direction de l'escalier qui menait au toit. Passant devant la porte de la suite seigneuriale, elle s'arrêta, prise d'un pressentiment. Tout semblait normal, et pourtant…

Rivkah comprit soudain ce qui l'avait alertée. L'odeur presque imperceptible d'une lampe à huile… Azhure était-elle dans ces appartements? S'était-elle endormie à même le sol, malade ou blessée?

Rivkah entra, traversa quelques pièces et pénétra dans le salon principal. Des lampes y avaient bien brûlé, mais elles étaient éteintes, à présent. Jetant un coup d'œil à la porte ouverte de la chambre, la princesse frissonna. Depuis son retour à Sigholt, elle ne s'était jamais aventurée dans la suite, et des souvenirs désagréables remontaient à sa mémoire.

Searlas est mort depuis longtemps, pensa-t-elle pour se donner du courage.

Avançant vers la chambre, elle vit la chemise de nuit d'Azhure, étalée sur le seuil comme une grande fleur pâle.

Rivkah prit une grande inspiration et entra. Sur le lit, Azhure et Axis dormaient dans les bras l'un de l'autre…

Tu ne t'étais pas enfuie assez loin, ma pauvre amie…, songea la princesse avec une curieuse résignation.

Axis ouvrit un œil et aperçut sa mère dans l'encadrement de la porte. Se dégageant doucement des bras d'Azhure, qui gémit dans son sommeil, il tira le drap sur elle puis se leva et vint étreindre Rivkah.

— Bienvenue à Sigholt, mon fils… Le Passeur t'a-t-il enseigné ses secrets ?

— Il continue à sillonner ses canaux, Rivkah, et il se porte comme un charme. Quelqu'un d'autre sait que je suis ici ?

— Non…

Rivkah se tut et regarda fixement Azhure.

— Ce sera un fils. Un magnifique fils !

— Elle s'inquiétait, sais-tu ? As-tu chanté pour lui ?

— Oui.

— Rivkah, c'est toi ? murmura Azhure.

La princesse s'écarta de son fils, alla s'asseoir au bord du lit et caressa les cheveux de son amie.

— Je serai heureuse, ne t'en fais pas ! dit Azhure, devinant à quoi pensait l'ancienne épouse de Vagabond des Étoiles.

Rivkah se rembrunit. Comme tous les jeunes, ces deux-là pensaient que la vie répondrait à leurs attentes. Ne voyaient-ils pas tous les serments d'amour et les plans d'avenir dont les vestiges gisaient autour d'eux ?

— Azhure, l'heure tourne, et Belial attend tous ses officiers dans la salle des cartes. Tu devrais t'habiller. Si tu veux, j'irai chercher ton uniforme… Axis, ton second sera ravi de te retrouver. Il se désole depuis si longtemps de ton absence…

— Si nous lui faisions une petite surprise, Azhure ? Allons voir comment il s'est occupé de mes hommes, ces huit derniers mois !

— Pendant ce temps, dit Rivkah en se levant, j'irai prévenir ton père et ta grand-mère de ton arrivée.

—Ils sont ici ?

—Depuis quelque temps, oui…

—C'est parfait, parce que je dois leur parler.

Belial tournait comme un lion en cage dans la salle des cartes. Où était donc Azhure ? Depuis plus d'un quart d'heure, Magariz, Arne, Œil Perçant et deux de ses chefs de Crête bavardaient pour tuer le temps. Si la grossesse de la jeune femme la poussait à faire la grasse matinée, il faudrait peut-être…

La porte s'ouvrit pour laisser passer Azhure.

—Tu es en retard, grogna Belial, et je…

—J'ai peur que ce soit ma faute ! lança Axis, qui marchait sur les talons de l'archère.

Belial en resta bouche bée. Puis il courut vers son ami et lui donna l'accolade.

—Axis ! Si tu savais comme je suis content de te revoir ! Huit mois, c'est rudement long !

Quand les deux hommes se furent séparés, Axis se tourna vers Magariz.

—Je te salue, seigneur !

La poignée de main fut virile mais chaleureuse. Pour Axis, Magariz avait passé outre un serment de loyauté, et ce n'était pas rien. Sans Belial et le seigneur, il le savait, son combat aurait cessé avant même d'avoir commencé. Pour cela, il ne leur serait jamais assez reconnaissant…

—Azhure t'a estampillé aussi ? plaisanta-t-il en tapotant le soleil rouge sang que Magariz arborait sur la poitrine.

Il salua ensuite Arne, puis Œil Perçant et ses deux officiers. Avec leur uniforme noir, ils faisaient grande impression. Mais comment se passait l'entraînement de la Force de Frappe ?

Quand il en eut fini avec les « mondanités », Axis fit signe à ses compagnons de prendre place autour de la table. Dès son entrée, il avait été évident qu'il reprenait le commandement.

—Je t'écoute, mon ami, dit-il à Belial.

D'un ton assuré, l'officier informa son chef que la forteresse de Sigholt était sous le contrôle de l'armée rebelle, à présent composée de trois mille Acharites et mille huit cents Icarii.

Axis écouta en silence, se contentant de hocher la tête ou de lever un sourcil interrogateur.

Belial avait fait du très bon travail. Impressionné et reconnaissant, Axis fut également ravi d'apprendre que les Icarii seraient bientôt des combattants aguerris. Et bien entendu, il s'émerveilla de la renaissance du lac de la Vie.

En revanche, le petit discours sur les qualités de guerrière et de chef d'Azhure ne le surprit pas. Voyant les deux amants échanger un regard, Belial passa hâtivement à autre chose. Attirés par la Prophétie, les réfugiés affluaient à Sigholt. Et si ça posait quelques problèmes d'intendance, c'était très encourageant pour la suite.

— Je n'aurais pas pu rêver avoir de meilleurs officiers que vous sept, dit Axis quand son second eut terminé. Merci pour tout ce que vous avez fait ici… et pour moi. Si je finis par triompher, cette victoire sera autant la vôtre que la mienne. Belial, c'est à toi que je dois le plus. Quand le doute me torturait, tu m'as accepté tel que je suis, m'aidant à assumer mon héritage. Puis tu m'as sauvé de Borneheld, et tu as conduit mon armée jusqu'au meilleur fief qu'on puisse espérer. Mon ami, je te remercie de tout mon cœur !

» Maintenant, dites-m'en plus sur la situation. Quel terrain contrôlons-nous ? Où en sont les Skraelings, et que devient Borneheld ?

Magariz prit une carte sur une étagère, la déroula et la posa sur la table.

— Nous contrôlons presque toutes les collines d'Urqhart, à part les zones nord et nord-est, occupées par les Skraelings. Depuis que les Spectres l'ont rasée, nous ne nous sommes pas aventurés près de Hsingard. Mais nous tenons le col de Garde-Dure, et le territoire qui s'étend derrière, jusqu'au fleuve Nordra. De là, nous pouvons aller jusqu'au nord de

Skarabost, mais il y a eu plusieurs escarmouches contre des patrouilles du Ponton-de-Jervois, essentiellement au nord-est de la mer d'Herbe. Nos voies d'approvisionnement, en direction de Skarabost, devraient rester ouvertes tant qu'on ne nous coupe pas l'accès au fleuve.

—Un bon début, approuva Axis. Et la suite?

—Nous sommes menacés par Gorgrael et par Borneheld… Selon les éclaireurs icarii, le Destructeur a reconstitué ses troupes. Après notre combat, devant le fort de Gorken, les Skraelings sont longtemps restés désorganisés et éparpillés un peu partout en Ichtar. Mais Gorgrael les a rassemblés, et nous devons craindre un assaut massif sur le Sud. Le gros de son armée semble se préparer à attaquer le Ponton-de-Jervois. Mais une force plus réduite s'est massée au nord des plaines du Chien Sauvage. Selon nous, le Destructeur s'en prendra à deux cibles, cet hiver : le Ponton-de-Jervois et Sigholt. Il faut espérer que Borneheld tiendra, parce que nous serons certainement très occupés à contenir les Skraelings dans les plaines…

Une très mauvaise nouvelle pour Axis, qui prévoyait une avancée vers le sud d'Achar pendant que Borneheld serait coincé au Ponton-de-Jervois…

Une catastrophe stratégique? Pas vraiment, mais il y avait un autre élément… S'il ne remplissait pas sa part du marché passé avec la Gardienne, Libre Chute ne reviendrait pas à la vie. Et pour ça, il devait être à Carlon avant un an et un jour.

—Et Borneheld? Comment s'en tire-t-il au Ponton-de-Jervois? De quelles forces dispose-t-il?

—Plus de vingt mille hommes, répondit Magariz. Et désormais, c'est un roi qui commande cette armée. Car Priam est mort il y a quelques mois…

—Un roi? s'écria Axis, stupéfait. Je n'ai pas de mal à imaginer comment il s'est frayé un chemin jusqu'au trône…

À présent, son demi-frère serait plus dangereux que jamais.

—Mais où a-t-il trouvé vingt mille soldats?

Magariz parla des chasseurs de Ravensbund et des hommes

que l'ancien duc d'Ichtar avait enrôlés un peu partout en Achar. Puis il mentionna les canaux qu'il avait fait creuser entre les fleuves Azle et Nordra.

Après un long silence, Axis soupira et haussa les épaules.

— Eh bien, Œil Perçant, il faudra que chaque membre de la Force de Frappe vaille cinq adversaires. Par bonheur, Borneheld n'a pas le contrôle de l'air. À moins que mon cher Magariz ait d'autres nouvelles désastreuses en réserve ?

Le seigneur eut un rire qui détendit un peu l'atmosphère.

— Non, Axis, Borneheld est toujours un Rampant ! La Force de Frappe reste un atout de poids !

— Dans ce cas, je ferais bien de lui annoncer mon arrivée. Comme aux autres soldats, d'ailleurs… Dois-je monter sur le toit et crier à m'en casser les cordes vocales ?

— Ce sera inutile, dit Azhure. J'ai une meilleure idée…

En sortant de la salle, Axis découvrit que sa grand-mère et son père l'attendaient dans le couloir. Alors qu'Azhure s'éclipsait, Vagabond des Étoiles leva un sourcil interrogateur.

— Un fils, souffla Axis. Avec des pouvoirs d'Envoûteur…

— Ne t'avais-je pas dit que de puissants magiciens sortiraient de son ventre ?

— Vagabond des Étoiles, je ne la vois pas comme une reproductrice ! Azhure a autant de valeur à mes yeux que l'enfant qu'elle me donnera.

Sur ces mots, Axis tourna les talons et suivit sa compagne.

Toujours amer que l'humaine ait choisi son fils, cette funeste nuit, Vagabond des Étoiles les regarda s'éloigner, puis il leur emboîta le pas en maugréant…

Quand les membres de la maison du Soleil Levant furent réunis sur le toit, en compagnie de quelques officiers, Rivkah tendit un paquet à Azhure.

— Axis, dit l'archère, ces derniers mois, Rivkah et moi avons consacré tout notre temps libre à cet ouvrage. Arne, tu veux bien t'en occuper ?

Visiblement mis dans la confidence, l'officier prit le paquet et se dirigea vers le mât où ne flottait aucune bannière.

— Maintenant que tu es là, ajouta Azhure, faisons en sorte que tout le monde le sache !

Axis regarda Arne déballer un grand drapeau puis le déplier.

— Merci…, souffla-t-il à Azhure.

Quelques minutes plus tard, la bannière d'Axis Soleil Levant – un soleil rouge sang sur fond jaune – battait au vent au sommet de la forteresse de Sigholt.

— Je te rends le commandement, Axis, dit Belial, très solennel. J'ai fait de mon mieux, à présent, à toi de tirer le meilleur de nos forces !

Luttant pour contrôler ses émotions, l'ancien Tranchant d'Acier avança jusqu'au parapet et contempla la vallée. La métamorphose lui coupa le souffle. Avec la renaissance du lac, toutes les collines d'Urqhart avaient retrouvé la splendeur de la vie !

Le regard d'Axis s'attarda sur les camps dressés au bord de l'eau, puis sur les terrains d'exercice où des centaines d'humains et d'Icarii s'entraînaient déjà. Remarquant la bannière qui flottait désormais sur le toit, ces braves levèrent la tête les uns après les autres.

Quand Axis les salua, des vivats retentirent.

— Je suis pressé de me mettre au travail, mes amis, mais il me reste une chose à faire avant de rejoindre mes hommes.

Il émit un bref sifflement et leva les yeux vers le soleil.

— Que fais-tu donc ? demanda Vagabond des Étoiles.

— J'attends mes ailes… Et maintenant, plus un mot !

Tous les regards suivirent celui d'Axis. Avec leur vue hors du commun, les Icarii furent les premiers à apercevoir le point noir qui jaillit hors de l'astre diurne.

Il tombait en vrille du soleil, fuyant son impitoyable fournaise. Heureux de se sentir vivant, il savourait l'ivresse du vol, sans aucun souvenir de sa mort ni de sa vie antérieure. Seuls comptaient le bonheur de fendre l'air et la caresse du soleil sur son dos tandis qu'il fondait vers la boule verte et bleue qui l'attirait irrésistiblement.

Peu à peu, il se souvint que quelqu'un l'attendait à un endroit bien précis. Redressant son vol, il sonda la surface et remarqua aussitôt la forteresse aux murs gris argent qui se dressait au bord d'un lac aux reflets fabuleux.

Criant d'allégresse, il plongea de plus belle.

Sur le toit, tous entendirent le cri de l'aigle. Puis ils le virent piquer vers Axis, qui éclata de rire, tendit le bras gauche et siffla une seconde fois.

Dans un tourbillon de plumes blanches et argent, le rapace se posa sur le bras de son maître, et tous deux durent lutter un moment pour conserver leur équilibre.

Vagabond des Étoiles n'en crut pas ses yeux. Jusque-là, nul n'avait jamais dompté un aigle des neiges. Et celui-là était nettement plus grand que la moyenne de ses congénères.

—Axis ? souffla Étoile du Matin, le regard rivé sur le rapace aux serres, au bec et aux yeux noirs.

—Il sera mes yeux dans le ciel, mes ailes, et ma voix quand il m'en faudra une, déclara l'Homme Étoile, délibérément énigmatique. Un cadeau du Monde Souterrain…

Tous se regardèrent, plus déroutés que jamais…

31

L'histoire d'Étoile Loup

Quand l'aigle se fut perché sur le parapet, Axis annonça qu'il devait parler en privé avec ses parents et sa grand-mère. Avant qu'elle s'éloigne, il caressa brièvement la joue d'Azhure – un geste qui n'échappa à personne.

—Belial, lança-t-il à son second, convoque tous les officiers dans la cour, à midi, afin que je leur parle. Arne, attends un peu, j'ai un mot à te dire…

L'officier s'arrêta, tendit l'oreille puis hocha la tête.

—Quels secrets t'a révélés le Passeur ? demanda Vagabond des Étoiles quand tous les humains, à part Rivkah, eurent quitté le toit.

—Il m'a appris bien des choses, mais j'ai promis de les garder pour moi. La plupart, en tout cas…

—Parce qu'elles sont terrifiantes ?

—Pas du tout, le plus souvent, mais j'ai juré de me taire, et je tiendrai parole. (Axis prit le temps de caresser son aigle, qui ébouriffa ses plumes d'aise lorsqu'il lui flatta le bec.) En revanche, ce que j'ai le droit de dire a de quoi glacer les sangs.

—Parle ! s'écria Étoile du Matin.

—Sur le mont Serre-Pique, tu as émis l'hypothèse, grand-mère, qu'un Envoûteur Soleil Levant m'avait formé ainsi que Gorgrael…

—Exact, dit l'Envoûteuse, soudain frappée par les traits tirés et les yeux cernés de son petit-fils.

—Aujourd'hui, je sais qui il est…

Vagabond des Étoiles et sa mère se raidirent, tendus à craquer.

—Étoile Loup Soleil Levant est revenu. Oui, il a traversé dans l'autre sens le Portail des Étoiles !

Étoile du Matin et son fils, paralysés de stupeur, ne parvinrent même pas à crier de terreur.

Rivkah secoua tristement la tête. Parmi tous les Envoûteurs-Serres, pourquoi avait-il fallu que ce soit celui-là ? Qu'avaient donc fait les Icarii pour mériter un tel châtiment ?

Entendant des pas dans l'escalier, Vagabond des Étoiles et Étoile du Matin s'agitèrent nerveusement.

—J'ai demandé à Arne de nous envoyer les Sentinelles, dit Axis. Nos trois amis sauront peut-être pourquoi Étoile Loup est revenu… et ce qu'il veut.

—Que se passe-t-il ? demanda Ogden dès qu'il émergea sur le toit.

En quelques mots, Axis informa les Sentinelles du retour d'Étoile Loup.

—Étoile Loup ? marmonna Veremund. Comment peux-tu en être sûr ?

Axis raconta son expérience avec l'illusion de statue, dans la grotte du Portail des Étoiles. Sans révéler son véritable nom, il ajouta que le Passeur avait tiré les conclusions qui s'imposaient : le neuvième Envoûteur-Serre était ressorti du Portail des Étoiles !

—Et maintenant, conclut-il, il serait temps qu'on me raconte l'histoire d'Étoile Loup, et qu'on me dise pourquoi il fait trembler tout le monde de peur. Je dois savoir pour quelle raison il est revenu !

—Tout te dire me rendrait malade à vomir, lâcha Étoile du Matin. Veremund, veux-tu t'en charger ?

Le vieillard acquiesça.

—Cette histoire appartient à un monde désormais perdu, Axis. Il y a quarante siècles, Étoile Loup Soleil Levant, un extraordinaire Envoûteur, reçut le torque royal de Tencendor. Imagine qu'il avait seulement quatre-vingt-onze ans !

—Cette succession précoce a alimenté bien des rumeurs, coupa Ogden. Le père d'Étoile Loup avait à peine deux cents ans, et il était en pleine santé. Il aurait dû vivre encore des siècles, mais…

—… Il est tombé du ciel par un bel après-midi, acheva Étoile du Matin à la place de la Sentinelle. Et personne n'est venu réclamer la flèche fichée dans sa poitrine.

—Un meurtre ou un accident ? lança Veremund. Nul ne saurait le dire. Étoile Loup avait un alibi – une réunion avec des chefs de Crête –, mais on murmurait qu'il avait planifié, sinon exécuté lui-même, l'assassinat de son père. À mon avis, c'est la bonne hypothèse…

—Il voulait le trône, dit Jack sans cesser de sonder les collines d'Urqhart, comme s'il espérait encore un miracle. Plus que tout au monde !

—Oui, plus que tout au monde, Jack, marmonna Veremund, agacé qu'on l'interrompe sans cesse. Même tout petit, quand il n'avait pas encore d'ailes, le Portail des Étoiles le fascinait. À l'époque, il était plus accessible, même si seuls le Roi-Serre et ses héritiers pouvaient l'utiliser à leur gré. Étoile Loup passait des heures, parfois des jours, à contempler le cosmos. Une idée l'obsédait. Selon lui, l'univers contenait d'autres mondes habités.

Axis en sursauta de surprise. D'autres mondes habités ? Cette idée ne lui avait jamais traversé l'esprit, mais à présent, elle éveillait sa curiosité.

—Oui, d'autres mondes habités, répéta Veremund. Étoile Loup pensait que tous les soleils avaient au moins une planète en orbite – et peut-être semblable à la nôtre. Quand il admirait le cosmos, il pensait aux multitudes de races qu'il abritait…

—De la folie…, marmonna Vagabond des Étoiles.

—Depuis toujours, cette idée travaillait Étoile Loup, continua Veremund. Devenu le neuvième Envoûteur-Serre, il s'est dit qu'il allait pouvoir l'explorer à fond. Les Icarii évoquaient depuis longtemps la possibilité que quelqu'un puisse traverser le Portail des Étoiles et en revenir. (Le vieillard eut un rire moqueur.) Mais qui aurait été assez fou pour essayer ? Un jour, pendant une Assemblée, Étoile Loup a demandé qu'on l'autorise à envoyer un enfant doté de pouvoirs d'Envoûteur. Selon lui, il était préférable de sacrifier une jeune vie – s'il devait en être ainsi – plutôt qu'un magicien déjà formé…

Un silence horrifié tomba sur le toit de Sigholt. Des millénaires plus tôt, il en avait été de même dans la salle de l'Assemblée…

—Bien entendu, les Icarii refusèrent qu'on sacrifie ainsi un de leurs enfants. (Veremund baissa le ton.) Toujours hanté par son obsession, Étoile Loup ne renonça pas. Il est possible, à ce moment de sa vie, qu'il soit devenu un peu… fou. Il voulait traverser le Portail des Étoiles, mais en ayant l'assurance qu'il reviendrait. Un jour, un Icarii de quatorze ans prit son envol pour une petite excursion et ne revint jamais. Pensant qu'une crampe avait paralysé ses ailes tandis qu'il volait, ses parents le pleurèrent des jours durant. Mais quelques semaines plus tard, un nouvel enfant disparut… Puis encore un autre…

» S'avisant que les trois jeunes avaient des pouvoirs d'Envoûteur, quelqu'un accusa Étoile Loup de meurtre…

Veremund marqua une pause pour reprendre son souffle.

—Avec son arrogance coutumière, Étoile Loup, fort de son pouvoir d'Envoûteur-Serre, répliqua qu'il ne s'agissait pas d'assassinats, mais d'«expériences». Il fallait découvrir les secrets du Portail des Étoiles ! Sinon, tôt ou tard, une armée venue d'un autre monde risquait de le traverser pour envahir Tencendor. Oui, insistait-il, que risquait-il de se passer si des créatures hostiles s'appropriaient avant lui tous les secrets du Portail des Étoiles ?

Axis frémit à cette seule idée. Les méthodes d'Étoile Loup étaient répugnantes, mais ses inquiétudes semblaient beaucoup moins absurdes que Veremund et les autres le laissaient penser…

—À l'en croire, continua le vieillard, un des enfants finirait par revenir… Mes amis, Étoile Loup était un Envoûteur-Serre très puissant. Sans éprouver le moindre remords au sujet de ses trois premières victimes, il présenta à l'Assemblée une liste d'enfants, tous destinés à devenir des Envoûteurs, qu'il proposait d'envoyer à travers le Portail des Étoiles les uns après les autres…

Quand il pensa à son fils, qui grandissait dans le ventre d'Azhure, Axis crut qu'il allait vomir. Qu'aurait-il éprouvé en entendant Étoile Loup prononcer le nom de Caelum en cinquième, sixième ou vingt-sixième position d'une liste de sacrifiés ?

— Comme je l'ai déjà dit, Étoile Loup était un monarque très puissant. Sur le coup, personne n'osa s'opposer à lui. Tous les parents, je suppose, espéraient qu'un des enfants reviendrait avant que le leur soit contraint de tenter l'aventure…

— Je n'en crois pas mes oreilles…, souffla Axis. Ils ont laissé mourir leurs enfants ? Comment est-ce possible ? Et combien y eut-il de victimes ?

— Étoile Loup envoya à la mort deux cent sept enfants de plus…, répondit Veremund. Certains avaient à peine quatre ans, et d'autres quinze ou seize. Il sacrifia sa propre nièce, fille de son frère cadet… Et… (Veremund hésita à révéler cette ultime horreur, sachant combien elle choquerait son auditoire.) Eh bien, il fit basculer dans le Portail des Étoiles sa propre femme, alors qu'elle était enceinte !

Axis devint aussi blanc que son aigle.

— Pourquoi ? s'écria-t-il.

— Parce que le corps de la mère, selon lui, protégerait l'enfant. Étoile Loup savait que son épouse mettrait au monde un Envoûteur formidablement doué. Il espérait que ce «génie», encore à naître, réussirait là où les autres enfants avaient échoué. Ce fut un moment atroce de l'histoire icarii, Axis. Les parents pleuraient toutes les larmes de leur corps, mais ils conduisaient leurs enfants devant le Portail des Étoiles, comme Étoile Loup l'exigeait.

— C'est en partie pour ça que nous maudissons Étoile Loup, dit Étoile du Matin. Parce que nos ancêtres furent trop lâches pour mettre un terme à sa folie, toute une génération d'Envoûteurs fut exterminée…

Veremund reprit la parole, visiblement satisfait d'en arriver à la fin de son histoire.

—L'obsession d'Étoile Loup eut des conséquences terribles pour les Icarii. Plus de deux cents Envoûteurs périrent, et les survivants restèrent traumatisés par cette boucherie. De plus, beaucoup de parents, après la perte d'un ou de plusieurs enfants, se suicidèrent en sautant de hautes falaises sans déployer leurs ailes…

—Étoile Loup perça-t-il le secret du Portail des Étoiles ? demanda Axis. Ces meurtres serviront-ils au moins à quelque chose ?

La voix de l'ancien Tranchant d'Acier s'étrangla. Se pouvait-il que le sang d'un pareil dément coule dans ses veines ?

—Non, répondit Veremund. Aucun enfant ne revint. Étoile Loup passait des heures au bord du Portail des Étoiles à agonir d'injures les innocents qu'il avait envoyés à la mort. Il leur criait d'être courageux et de retraverser, mais ça n'eut jamais d'effet…

—Quelqu'un aurait dû pousser ce fou dans le Portail des Étoiles, marmonna Axis.

—Pour arrêter le massacre, dit Veremund, il fallut que Nuage Brûlant Soleil Levant, le frère cadet d'Étoile Loup, se décide à intervenir. Après avoir entendu sa fille hurler de terreur tandis que l'Envoûteur-Serre la poussait dans le vide, il comprit que cela ne pouvait plus durer. Pendant une Assemblée, il se leva, se plaça derrière son frère et le poignarda. Un seul coup, mais mortel…

—Pour les Soleil Levant, dit Étoile du Matin, c'était le seul moyen de retrouver un peu de dignité… Nuage Brûlant a sauvé sa maison et son peuple. Dès qu'il fut couronné, il mit un terme à la boucherie, mais les cicatrices ne se sont jamais refermées…

—C'est la honte, ajouta Vagabond des Étoiles, qui nous pousse à parler le moins possible d'Étoile Loup.

Étoile du Matin eut une moue dégoûtée.

—La mort de ces enfants ne fut pas le seul crime du neuvième Envoûteur-Serre. Il a nui aux Icarii de bien d'autres façons…

—Par exemple en volant la bague de l'Envoûteuse, précisa Vagabond des Étoiles.

Se sentant un peu coupable, Axis tapota la poche où il avait glissé le bijou.

—Mais le massacre des enfants, insista Étoile du Matin, est l'exaction que les Icarii ne lui pardonneront jamais. Que vaut une antique bague, si précieuse soit-elle, comparée à tant de vies?

—Et aujourd'hui, Étoile Loup est de retour…, dit Axis, accablé. (À présent, la réaction horrifiée du Passeur ne le surprenait plus.) Il a fini par découvrir les secrets du Portail des Étoiles, et il l'a franchi dans l'autre sens. Bien, nous devrons faire avec… Mais pourquoi est-il revenu? Jack, as-tu idée de ses motivations?

Durant l'horrible récit, le faux porcher était resté impassible. Toujours très calme, il tourna vers Axis ses yeux verts d'une limpidité cristalline.

—Non, aucune…, répondit-il.

—Quelqu'un d'autre a une hypothèse? demanda Axis.

Les deux Icarii firent non de la tête, vite imités par Ogden et Veremund.

Axis dévisagea longuement ses compagnons. Pourquoi aurait-il juré que l'un d'eux savait très exactement pour quelle raison Étoile Loup était revenu?

—Dans ce cas, quelqu'un peut-il au moins me dire depuis quand il est dans notre monde?

Une nouvelle fois, tous secouèrent la tête.

—S'il est ici depuis quelque temps, reprit Axis, de plus en plus agacé – car quelqu'un devait bien avoir des bribes d'informations! –, il a sûrement tout fait pour ne pas être démasqué. Les Icarii, et peut-être d'autres races, utilisaient encore le Portail des Étoiles il y a un millier d'années. Veremund, sais-tu depuis quand la tradition interdit de toucher les statues?

Jack répondit à la place du vieillard :

— Trois mille ans…

— Quoi ? Il serait de retour depuis trente siècles ? Quel mal aura-t-il pu faire en trois millénaires ?

— Le plus urgent, marmonna Vagabond des Étoiles, agacé, est de savoir où il est aujourd'hui ! Et quel déguisement il a adopté.

— Comment répondre à cette question ? riposta Axis. Je sais que je ne suis pas Étoile Loup, mais c'est ma seule certitude. Chacun d'entre vous pourrait être son « déguisement » actuel ! Après tout, il doit être un maître dans l'art de se grimer !

— L'un de nous ? s'écria Ogden, indigné. Sais-tu que nous sommes les Sentinelles, jeune impudent ?

Vagabond des Étoiles et sa mère partageaient le courroux du vieil homme… en deux fois plus virulent.

Des dénégations outragées jaillirent de leur gorge, faisant un contre-chant aux hurlements des deux vieillards.

— Du calme ! lança Axis, les mains levées. Si je vous suspectais vraiment, vous me croyez assez bête pour vous le faire savoir ? Il n'en reste pas moins que nul n'est insoupçonnable, et la partie secrète de la Prophétie m'avertit qu'il y a un traître dans mon camp. De qui peut-il s'agir, sinon d'Étoile Loup ? Alors, je répète ma question : où est-il ?

— J'ai peur de le savoir…, souffla Étoile du Matin, effrayée par ses propres conclusions.

— Que veux-tu dire ?

— Perce-Sang, les Alahunts… Le passé d'Étoile Loup remonte à la surface, et tout tourne autour d'une seule personne. Azhure !

— Non ! crièrent en chœur Axis, Rivkah et Vagabond des Étoiles. C'est impossible !

— Réfléchissez ! cracha Étoile du Matin. Ces cicatrices, sur son dos… On dirait que quelqu'un a voulu lui arracher ses ailes d'Icarii…

— Foutaises ! cria Vagabond des Étoiles. Si Étoile Loup peut prendre la forme d'une femme – au point de tomber

311

enceinte – pourquoi risquerait-il de se trahir en arborant de tels stigmates ? Avec ses pouvoirs, les éliminer serait un jeu d'enfant… Mère, c'est toi qui devrais réfléchir !

—L'arc d'Étoile Loup et ses chiens ! insista la grand-mère d'Axis. L'arme et les molosses ont choisi Azhure ! Vous pensez que Sicarius obéirait à quiconque d'autre que son maître ?

Très attentif, Jack dévisageait l'Envoûteuse avec une insistance peu coutumière.

—Tu te trompes, grand-mère ! cria Axis.

—Je ne m'étonne pas que Vagabond des Étoiles et toi défendiez Azhure ! Si j'ai raison, du sang Soleil Levant coule dans ses veines, et cela suffit pour vous rendre aveugles !

Axis et son père se regardèrent, ébranlés. La nuit de Beltide, leur sang avait chanté pour Azhure…

—Non ! explosa Axis, certain que l'Envoûteuse se trompait. Si elle était une Soleil Levant, tu le sentirais aussi, grand-mère !

—Pas nécessairement… L'attirance sexuelle est le lien le plus fort. Surtout si Étoile Loup, désireux d'en tirer parti, fait tout pour en jouer !

—Étoile du Matin, dit Axis, au bord de la fureur, pour prendre l'apparence d'une femme et tomber enceinte, Étoile Loup devrait carrément être un maître de la métamorphose ! Mais crois-tu qu'il aurait besoin d'aller si loin ? De plus, comme Rivkah, Ogden et Veremund peuvent en témoigner, Azhure est incapable de chanter. (La princesse et les deux vieillards hochèrent vigoureusement la tête.) Plus important encore, elle est plus jeune que moi, et elle a grandi à Smyrton. Comment aurait-elle pu venir me former à Carlon, quand j'étais bébé ?

—Il a raison, dit Rivkah, heureuse de pouvoir river le bec à Étoile du Matin, trop souvent encline à jouer les garces sans cœur. Tu oublies que je connais Azhure depuis qu'elle a quatorze ans. Je l'ai vue grandir, imagine-toi ! Elle est mystérieuse, c'est vrai, mais je partage l'opinion de mon fils et de son père : elle ne peut pas être Étoile Loup Soleil Levant !

— Peut-être, lâcha Étoile du Matin, résolue à ne pas capituler, mais il serait judicieux d'envoyer des enquêteurs à Smyrton. Ils s'assureront que les villageois se souviennent de sa naissance et l'ont vue passer de l'enfance à l'âge adulte.

— Si ça peut te rassurer, nous le ferons, dit Axis, mais je suis déjà convaincu. (Il avança, prit le menton de sa grand-mère entre le pouce et l'index et ajouta d'un ton menaçant:) Ne t'avise plus de l'attaquer, Étoile du Matin, ni d'agir contre elle de quelque façon que ce soit! À mes yeux, elle compte plus que bien des gens qui m'entourent. Suis-je assez clair?

Rivkah sourit sous cape. Voilà trente ans qu'elle attendait de voir quelqu'un remettre l'Envoûteuse à sa place!

— Un dernier point me persuade qu'elle ne peut pas être Étoile Loup, dit Axis avant de lâcher sa grand-mère. Aucun homme doté de compassion n'enverrait des enfants à la mort – et encore moins sa propre épouse enceinte! Azhure déborde d'amour pour moi, pour notre enfant et pour tous ceux qu'elle appelle ses «amis». Pourtant, toute sa vie, elle fut rejetée par son entourage. À mes yeux, c'est la preuve qu'elle n'a rien à voir avec le neuvième Envoûteur-Serre! Alors, qu'on lui fiche la paix!

Sur ces mots, et après avoir dévisagé durement le petit groupe d'Icarii et de Sentinelles, l'Homme Étoile tourna les talons et s'en alla.

32

L'HIVER APPROCHE…

Au début du mois du Gel, une horde de Skraelings se massa dans les environs du Ponton-de-Jervois. Soucieux de ne pas gaspiller de vies, Gautier avait cessé depuis quelques semaines d'envoyer des patrouilles vers le nord. Avec son arrogance coutumière, Gorgrael ne faisait rien pour dissimuler son intention de déferler sur Achar en écrasant sur son passage les défenses de Borneheld.

En ce troisième jour du mois du Gel, le nouveau roi d'Achar était plus déterminé que jamais à tenir la position afin de laver l'humiliation subie au fort de Gorken. Revenu la veille de Carlon – où il avait laissé Faraday sous la garde de Timozel, fou de rage d'être écarté du champ de bataille – il avait convoqué tous ses officiers à *La Mouette Harassée,* son quartier général de campagne.

—Voilà mot pour mot ce que m'a déclaré Magariz, dit Nevelon, péniblement conscient du regard noir de Borneheld : « À présent, écoute-moi, parce que j'ai un message pour Borneheld. S'il ne se rallie pas à l'Homme Étoile, il mourra, car seul Axis peut assurer la victoire d'Achar. Et s'il continue à mépriser la Prophétie, elle le taillera en pièces ! Le duc a gagné un royaume dont il ne profitera pas longtemps, parce que Axis viendra bientôt, porté par le pouvoir de la Prophétie ! »

Nevelon se tut, résigné à subir l'ire du roi.

Pourtant, Borneheld n'explosa pas tout de suite, se contentant de dévisager froidement l'officier. Pourquoi Roland avait-il choisi un tel pleutre comme second ?

—Ton avis, Gautier ?

—Sire, Axis doit être vivant… Les propos de Magariz, si déments fussent-ils, étaient pleins d'une assurance qui leur aurait fait défaut s'il avait su que son chef était mort.

Borneheld dut reconnaître que l'argument mettait dans le mille. Jusque-là, il avait espéré que son maudit demi-frère était tombé face aux Skraelings, devant le fort de Gorken. Mais au plus profond de lui-même, apprendre qu'il avait survécu ne l'étonnait pas vraiment.

—De plus, continua Gautier, il doit avoir une armée cantonnée quelque part… Mais qui sait combien de soldats ont survécu, parmi ceux qui l'ont accompagné ? Même le meilleur commandant – et Axis est loin d'être un officier brillant, Majesté – aurait subi de lourdes pertes face aux Skraelings. À mon avis, mille hommes au moins ont dû tomber devant le fort de Gorken.

Borneheld foudroya de nouveau Nevelon du regard.

—Des soldats bien équipés et convenablement nourris, as-tu dit ?

—Oui, Sire. En tout cas, les deux que j'ai vus. Ils semblaient en bonne santé et portaient des uniformes propres et bien coupés.

—Avec un soleil rouge sang sur la poitrine…, souffla Gautier. On dirait qu'Axis a trouvé un nouvel emblème.

Borneheld serra les poings d'agacement. Où était son bâtard de frère ? Depuis deux mois, les éclaireurs envoyés dans les collines d'Urqhart se heurtaient à des détachements de guerriers bien entraînés et lourdement armés. Tous portaient le fameux soleil sur la poitrine…

Et deux ou trois de ces patrouilles étaient commandées par l'archère qui avait transpercé la main de Nevelon !

Désormais, les collines d'Urqhart n'étaient plus sûres pour les hommes du roi. Et les abords du fleuve Nordra, du côté est, devenaient tout aussi dangereux. Axis avait bien une armée, et elle gagnait chaque jour en puissance !

—Où se tapissent ces chiens ? demanda Borneheld.

— Eh bien, Sire, je…, commença Nevelon. (Nerveux, il se racla la gorge.) Majesté, j'y ai réfléchi, et je crois qu'il s'agit de Sigholt. Nos hommes ont abandonné la forteresse parce qu'ils croyaient imminente une attaque des Spectres. Axis s'est certainement installé dans ce fief…

Borneheld sursauta si violemment qu'il renversa le gobelet de vin posé devant lui.

— Sigholt! rugit-il.

Ah, s'il avait tenu l'officier assez lâche pour laisser à l'ennemi une des meilleures places fortes du pays!

— Si son armée est cantonnée à Sigholt, dit le comte Jorge, Axis a la possibilité de vous nuire, Majesté.

Même si Roland et lui étaient tombés en disgrâce – au point de devoir vouvoyer un garçon qu'ils avaient connu haut comme trois pommes –, le vétéran n'hésitait pas à dire ce qu'il pensait quand ça pouvait être utile.

— On raconte que beaucoup de paysans de Skarabost sont venus se joindre à Axis, ajouta-t-il.

— Quoi? s'étrangla Borneheld, l'humeur de plus en plus ombrageuse. Pourquoi se rallient-ils à un traître qui a pactisé avec les Proscrits?

— Majesté, dit Roland, un rien d'hésitation dans la voix, Axis a toujours une… hum… excellente réputation en Achar. Quand il était Tranchant d'Acier, le peuple le vénérait…

Depuis la chute du fort de Gorken, le duc Roland avait littéralement fondu, et de grands replis de peau pendaient sous son menton et ses coudes. Plus conscient que jamais de sa mortalité, depuis quelques mois, il souffrait d'un ulcère à l'estomac qui semblait parfois vouloir le dévorer de l'intérieur.

Borneheld réussit par miracle à ne pas exploser. Quand serait-il enfin débarrassé de son demi-frère? Pourquoi les gens se ralliaient-ils à lui, au lieu d'être fidèles à leur roi? Et pourquoi adoraient-ils ce chien galeux et pas leur souverain?

— Nous devons neutraliser Axis, dit-il. Il faudra attaquer Sigholt!

Dans la salle, tout le monde sursauta, y compris Gautier, Roland et les gardes campés devant la porte. Lancer un assaut sur Sigholt maintenant, alors que les Skraelings menaçaient le Ponton-de-Jervois? De la folie pure!

— Sire, rappela Gautier, très gêné, les hordes de Gorgrael attaqueront bientôt, cela semble évident. De plus, Sigholt est une forteresse très difficile à prendre. Si vous me permettez, j'oserais dire que diviser nos forces en ce moment ne paraît pas très… judicieux.

— Tu préfères laisser Axis s'emparer de Skarabost?

Du regard, Gautier quêta le soutien de Jorge et de Roland.

— Majesté, il sera confronté aux mêmes difficultés que nous, car Gorgrael envisage sûrement de passer aussi par les plaines du Chien Sauvage. Comme nous, il serait malaisé de s'éloigner de son camp retranché, cet hiver. D'autant plus qu'il commande beaucoup moins d'hommes que vous… Sire, il est coincé, et nous le sommes aussi. Il faudrait… Eh bien, je crois judicieux de conclure une trêve jusqu'au printemps…

— Quoi? rugit Borneheld en se levant d'un bond.

— Majesté, veuillez penser, je vous en prie, aux avantages que nous en tirerions. Avant tout, Axis n'a pas plus envie que vous de voir les Skraelings s'enfoncer en Achar. Même si presque tout nous oppose, sa haine des Spectres est bien réelle! Avec lui à Sigholt, notre flanc nord-ouest sera couvert, et ses soldats mourront pour nous protéger. Mais ce n'est pas tout, Sire…

» En signant une trêve, nous nous ferons une meilleure idée de la puissance d'Axis. Qu'en savons-nous, pour l'instant? Qu'il compte dans ses rangs Magariz, une archère brune et une meute de molosses?

— Il a raison! intervint Jorge. Nous n'avons pas assez d'hommes pour attaquer Axis, et encore moins pour défendre les plaines du Chien Sauvage et Skarabost, après une éventuelle victoire. Laissons les rebelles mourir pour nous, Majesté! Une trêve assurera que Skarabost ne tombe pas entre les mains de Gorgrael… ni entre celles d'Axis!

L'idée même de pactiser avec son demi-frère écœurait Borneheld. Mais combattre sur deux fronts, cet hiver, aurait été un suicide!

Il se rassit et s'immergea dans une profonde méditation. La campagne hivernale serait déterminante. S'il perdait le Ponton-de-Jervois, tout serait fichu. Malgré sa haine pour Axis, le nouveau roi d'Achar savait quand il convenait de mettre de l'eau dans son vin. S'il ne pouvait pas écraser les rebelles cet hiver, autant les utiliser pour défendre les plaines du Chien Sauvage. Au fond, la mort du bâtard pouvait attendre jusqu'au printemps suivant…

—Très bien…, dit-il. Gautier, peux-tu te charger des contacts préliminaires avec les forces d'Axis?

—Bien entendu, Majesté! Pour ça, il suffira d'envoyer une patrouille dans la zone sud des collines d'Urqhart. Quand et où voulez-vous rencontrer nos adversaires?

—Jorge, qu'en pensez-vous? demanda Borneheld.

Surpris que son avis intéresse encore le roi, le vétéran réfléchit à toute vitesse.

—Cette affaire doit être réglée avant le début du mois de la Neige, Sire. Soit dans trois semaines et demie… Les derniers jours du mois en cours seraient le moment idéal. Quant au lieu… Eh bien, je pencherais pour les berges du fleuve Nordra, au sud des collines d'Urqhart. Le gué de Gundealga, peut-être… Nous n'avons aucune envie d'être piégés dans les collines, et si Axis doit s'éloigner autant de son fief, il viendra avec une escorte importante. Un excellent moyen de nous faire une idée de sa force réelle…

—Très bien, lâcha Borneheld. Mais si je ne peux pas écraser Axis avant le printemps, il me reste la possibilité d'empêcher des hordes d'imbéciles de le rejoindre. Par la même occasion, je couperai ses voies d'approvisionnement. Nevelon, va me chercher une plume et un rouleau de parchemin. Je dois écrire au comte Burdel d'Arcness pour lui confier une mission qu'il appréciera beaucoup. Messires, si je dois rencontrer Axis, je veux qu'il sache qui se dresse contre lui! Envoyez un messager au frère-maître et dites-lui qu'un membre important de l'ordre du Sénéchal devra être présent lorsque je parlerai à mon bâtard de frère! Un de ses assistants ferait l'affaire et ne lui manquerait pas trop…

Le roi s'adossa à son siège et sourit.

—Au fond, j'ai hâte de voir mon frère, histoire de savoir s'il ressemble désormais à un lézard!

N'ayant pas été convié à la réunion d'état-major, Ho'Demi était resté sous sa tente, dans le camp des chasseurs de Ravensbund. Sa'Kuya, sa femme, avait proposé de lui préparer du *tekawai*, la boisson chaude traditionnelle de leur peuple. Fidèle à un rituel qui remontait à l'aube des temps, elle utilisait une théière et des tasses que des dizaines de générations de femmes s'étaient religieusement transmises.

En s'inclinant légèrement, elle tendit une minuscule tasse à son mari, attentive à orienter vers lui le symbole gravé sur un des côtés.

Un soleil rouge sang!

Avec une sincère gravité, car cette cérémonie n'était pas à prendre à la légère, Ho'Demi saisit la tasse et but une délicate gorgée.

Sa'Kuya servit les quatre autres hommes assis en cercle autour du brasero. Après une gracieuse révérence, elle recula et alla s'asseoir au fond de la tente.

Ho'Demi regarda ses quatre compatriotes. Deux d'entre eux avaient fait partie de la patrouille de Nevelon malmenée par Magariz, et il se réjouissait de pouvoir leur parler de nouveau. Les deux autres étaient des Anciens dont il respectait les avis, mais qu'il consulterait plus tard…

—Izanagi, Inari, dit-il aux guerriers, merci d'avoir accepté si promptement mon invitation…

Bien que Gautier n'eût pas encore reconnu leur valeur, ces deux braves comptaient parmi les plus respectés au sein des forces de Ravensbund. Rompus au protocole, ils baissèrent les yeux et inclinèrent la tête. Être convié sous la tente de Ho'Demi était toujours un honneur…

Un long moment, les cinq hommes savourèrent leur *tekawai* en méditant sur les complications imprévues qu'ils devaient affronter depuis l'attaque éclair contre la patrouille de Nevelon.

Comme son statut l'y autorisait, Ho'Demi parla le premier :

— Perce-Sang et les Alahunts sont de retour, dit-il, et ils ont choisi le camp de ceux qui portent un soleil rouge sang sur la poitrine…

— L'arc et les chiens marchent aux côtés de la femme aux cheveux noirs, précisa Inari. Si son visage n'était pas si nu, elle serait magnifique !

Comme la Prophétie, l'histoire d'Étoile Loup Soleil Levant appartenait depuis des milliers d'années à la tradition orale des chasseurs. Même si les Icarii ne s'en doutaient pas, les hommes et les femmes de Ravensbund en savaient assez long pour reconnaître l'arc et les chiens du neuvième Envoûteur-Serre.

— J'aimerais que Faraday, la femme de Borneheld, et sa compagne, la Sentinelle Yr, soient là pour nous conseiller, dit Ho'Demi. Mais elles sont restées à Carlon, et je devrai prendre seul une décision capitale.

— Ne peux-tu pas attendre un peu ? demanda l'Ancien Tanabata, si vieux et ridé que ses tatouages en avaient perdu leur symétrie.

— Je ne puis ignorer les signes, noble Ancien. Magariz et Azhure arboraient le soleil rouge sang sur leur poitrine !

Les cinq chasseurs baissèrent les yeux sur le symbole identique qui ornait les tasses.

— Azhure détient l'arc d'Étoile Loup, et les chiens de l'Envoûteur lui sont fidèles. Et Magariz semble certain qu'Axis est l'Homme Étoile ! « Axis viendra bientôt, porté par le pouvoir de la Prophétie ! » Ce sont ses propres mots ! Parlait-il vraiment de l'homme qui unira les trois races pour vaincre Gorgrael ?

Ho'Demi s'inquiétait de plus en plus. Parce que son peuple haïssait Gorgrael et ses Spectres, il l'avait mis au service de Borneheld, qui semblait résolu à affronter le Destructeur. Mais la Prophétie passait avant tout, et elle prescrivait aux chasseurs de combattre aux côtés de l'Homme Étoile.

Tout aurait été simple, sans la femme qui maniait l'arc d'Étoile Loup et commandait à ses chiens. Comment ces attributs du neuvième Envoûteur-Serre pouvaient-ils être dans le camp de l'Homme Étoile? Incapable de répondre à cette question, Ho'Demi ne savait que faire. Avec qui devait lutter son peuple? Borneheld, ou un inconnu nommé Axis?

Une heure durant, alors que les tasses refroidissaient entre leurs mains, les cinq chasseurs débattirent de ce qu'ils devaient faire.

Ho'Demi hésitait à s'engager auprès d'Axis à cause de Perce-Sang et des Alahunts. Mais il y avait autre chose… Jusque-là, personne n'avait vu l'Homme Étoile – si c'était bien lui – ni son armée. Et les soldats que les hommes de Gautier avaient affrontés dans les collines d'Urqhart n'étaient jamais très nombreux. Cela dit, ils s'étaient révélés disciplinés et efficaces…

— Une période difficile pour prendre une décision…, soupira Ho'Demi.

— Tu as raison de ne pas te précipiter, dit Hamori, l'autre Ancien présent. Il serait dangereux de lancer trop vite dans l'inconnu les derniers survivants de notre peuple. Car nul ne sait si nos frères restés en Ravensbund sont encore vivants…

Alors qu'il allait répondre, Ho'Demi en fut empêché par un discret raclement de gorge, derrière le rabat de la tente.

— Entrez! lança-t-il.

Un chasseur se glissa sous la tente, inclina la tête puis s'accroupit.

— Chef Ho'Demi, j'ai un message de Gautier pour toi. Il veut te voir demain à l'aube. Le roi entend rencontrer le chef des rebelles dans trois semaines, afin de lui proposer une trêve jusqu'au printemps. Et il voudrait que tu sois présent.

Les yeux brillants, Ho'Demi regarda ses quatre compagnons.

— Mes frères, les dieux ont entendu mes prières, et j'aurai bientôt une réponse à toutes mes questions!

33

LES SERMENTS OUBLIÉS

Se laissant bercer par la douce mélodie de la Danse des Étoiles, Axis regardait les flammes crépiter dans la cheminée. De retour la veille d'une longue patrouille, il était encore épuisé. Sous les ordres d'un des Skraebolds, de petites bandes de Spectres s'infiltraient dans les plaines du Chien Sauvage pour tester les défenses de l'armée rebelle. Bien que peu nombreux, ces Skraelings se montraient très féroces, et le détachement d'Axis avait essuyé d'assez lourdes pertes. Bientôt, il devrait envoyer des forces plus importantes dans les plaines…

Et cette idée le révulsait, car il bouillait de fondre sur le Sud pour arracher Achar aux griffes de Borneheld.

—Roi, ce minable! grogna-t-il avant de boire une gorgée de vin chaud. On doit avoir rarement vu un monarque aussi peu fringant!

Rivkah leva les yeux de sa broderie. Un fils couronné et l'autre qui rêvait de l'être… Sentant qu'elle frissonnait, elle préféra mettre cette réaction sur le compte de la fraîcheur ambiante… Malgré les eaux chaudes du lac de la Vie, l'hiver s'attaquait victorieusement à Sigholt, surtout après le coucher du soleil.

La princesse fit du regard le tour du groupe assis près de la cheminée du grand hall. Avant l'arrivée d'Axis, personne n'avait eu envie d'y séjourner. Depuis qu'il était là, tout avait changé…

L'ancien Tranchant d'Acier avait travaillé d'arrache-pied cinq semaines durant. Sous son influence, Sigholt n'était plus le fief d'une armée rebelle un rien désorganisée, mais le fer de lance d'un royaume durablement unifié. Axis en était le cœur palpitant, et la bannière au soleil rouge sang semblait en permanence flotter au vent au-dessus de sa tête.

Rivkah aurait voulu que ce moment magique dure jusqu'à la fin des temps. Pour la première fois depuis mille ans, les Icarii et les Acharites œuvraient ensemble, et tous se dévouaient corps et âme à son fils.

La princesse dévisagea ses compagnons. À part Vagabond des Étoiles et sa mère, actuellement dans le camp de la Force de Frappe, presque tout le monde était là. Dans un coin, Ogden et Veremund s'extasiaient sur un ouvrage déniché dans la cuisine, sous un seau de farine. À côté d'eux, Reinald somnolait dans un fauteuil – et pourtant, il parvenait à ne pas s'y affaler ! Selon Rivkah, c'était sans doute lui qui avait « rangé » l'ouvrage à ce curieux endroit, sans doute parce qu'il le trouvait ennuyeux à mourir.

Jack aussi était absent, sûrement occupé à arpenter en silence les interminables couloirs de la forteresse. Le pauvre cherchait toujours Zeherah, attentif au moindre indice qui le mettrait sur sa piste.

Rivkah sourit quand ses yeux se posèrent sur Azhure, assise en tailleur aux pieds d'Axis. Bien qu'approchant du terme, la jeune femme continuait à s'entraîner et à chevaucher – mais plus paisiblement, depuis qu'Axis lui avait repris Belaguez. Ce soir, elle passait le temps en bichonnant son arc et ses flèches avec des chiffons enduits de cire. Toutes les cinq minutes, Axis tendait un bras et lui caressait les cheveux. S'inquiétait-il qu'elle n'ait pas renoncé à travailler avec ses archers ? Si c'était le cas, il avait la subtilité de ne pas le montrer. En revanche, il avait arraché à sa compagne une concession de poids : depuis quelques semaines, elle ne participait plus aux patrouilles, car il refusait qu'elle accouche à l'abri d'un buisson, quelque part dans les collines d'Urqhart. Azhure s'était indignée, la dispute avait fait trembler les murs de la forteresse, mais l'opinion d'Axis avait fini par prévaloir.

Près d'Azhure, cinq Alahunts savouraient la douce chaleur des flammes. Les chiens ne laissaient jamais leur maîtresse sans protection, et ceux qui ne se chargeaient pas de sa garde rapprochée étaient toujours dans les environs. Quand elle sortait encore en patrouille, toute la meute l'accompagnait, capable de tuer aussi efficacement et discrètement que les flèches de Perce-Sang.

Rivkah secoua doucement la tête. Si Azhure avait une nature intrinsèquement violente, comme l'en accusaient les Avars, il ne pouvait pas exister meilleur exutoire que de combattre pour Axis.

Belial se reposait dans un fauteuil, ses yeux pleins de mélancolie rivés sur Axis et Azhure. Depuis que la jeune femme s'était installée dans la suite seigneuriale, le second d'Axis avait perdu un peu plus de sa joie de vivre. Même quand il riait, on sentait que quelque chose était brisé dans son cœur.

Au-dessus de sa tête, Rivkah entendit un bruissement d'ailes. L'aigle des neiges passait ses nuits perché sur l'une ou l'autre des poutres apparentes du grand hall. Le jour, il partait chasser dans les collines, filant vers le sud ou l'ouest lorsque son maître lui confiait de mystérieuses missions. Axis éludait toutes les questions qu'on lui posait sur le rapace. L'ayant souvent vu parler à voix basse à l'aigle, quand il venait se poser sur son bras, Rivkah aurait juré qu'il y avait entre l'homme et l'animal un lien très particulier. Hélas, elle ignorait lequel…

Dans un fauteuil, près de la princesse, Magariz récupérait de ses efforts de la journée. Jusque-là, Rivkah avait soigneusement évité de le regarder. Sans lever les yeux de sa broderie, elle décida que l'heure était venue de lui parler :

— Seigneur Magariz…

— Oui, princesse ?

— Le jour de mon arrivée à Sigholt, tu as promis de m'en dire plus sur mon fils aîné. Serais-tu disposé à me parler de Borneheld ?

Axis cessa de contempler les flammes et dévisagea froidement Magariz. Alors qu'Azhure posait son arc, Belial aussi tourna la tête vers le seigneur. Événement rarissime, Ogden et Veremund cessèrent de bavarder…

Mal à l'aise, Magariz interrogea du regard Axis, qui lui fit signe de s'exprimer librement.

—Ne censure surtout pas tes propos à cause de moi, mon ami…

—Eh bien, princesse…

Magariz hésita, de plus en plus gêné. Comment parler de Borneheld à sa mère ?

—Quand j'ai eu terminé mon service dans la garde palatiale, Priam m'a envoyé aux côtés de votre fils, très récemment devenu le duc d'Ichtar. Il y a une dizaine d'années, Borneheld m'a confié le commandement du fort de Gorken, un avant-poste solitaire et ennuyeux à mourir…

—Tu étais dans la garde palatiale à Carlon ? coupa Axis.

Le seigneur eut un petit sourire.

—Les deux dernières années, je l'ai même dirigée ! Pourquoi cette question ? Tu te souviens de moi ?

Axis parvint de justesse à ne pas sursauter de surprise. Magariz avait dû servir à Carlon pendant qu'il était enfant, grandissant sous l'aile bienveillante du Sénéchal. Quand Jayme venait au palais, il l'accompagnait très souvent, jouant dans les couloirs pendant que le frère-maître s'entretenait avec le roi. Magariz avait donc eu l'occasion de le former alors qu'il était petit… Était-il le traître dont parlait la Prophétie ? Étoile Loup se cachait-il sous l'identité de ce vétéran apparemment loyal ?

Axis but une gorgée de vin – un peu trop vite, tant il était troublé. Penser que Magariz puisse être un ennemi le perturbait presque autant que les soupçons qui pesaient sur Azhure.

Se méprenant sur la réaction de son chef, Magariz lui sourit.

—Tu étais un gamin espiègle, mon ami. Un jour, je t'ai surpris aux écuries, occupé à attacher toutes les jambes des chevaux avec une longue pelote de ficelle…

Axis se força à sourire. Si Magariz était bien Étoile Loup, son poste au fort de Gorken lui aurait également permis de retrouver Gorgrael et de le former. Tout concordait…

Arrête ça ! pensa Axis. *Si tu continues à voir un ennemi potentiel en chacun de tes alliés, tu finiras fou à lier !*

Toujours sans se douter des tourments intérieurs de son chef, Magariz tapota gentiment le bras de Rivkah.

—Désolé, princesse… Tu voulais entendre parler de Borneheld, mais j'ai un peu perdu le fil… Voyons, que pourrais-je dire ? Le nouveau roi d'Achar est un homme complexe. Bien que très dur, il s'efforce d'être équitable. Très discipliné et organisé, il a un solide sens du bien et du mal. Quand je l'ai connu, il s'efforçait toujours de faire ce qui lui semblait juste. Il manque d'ouverture d'esprit, c'est vrai, mais qu'espérer d'autre avec l'éducation que lui a donnée Searlas ? Et s'il ne sait pas aimer, c'est parce qu'on ne lui a jamais témoigné d'affection…

Très pâle, Rivkah leva les yeux de sa broderie.

—Sa jalousie pour Axis est maladive, je le concède volontiers. Mais elle n'est pas entièrement sans raison… Princesse, tu as aimé le père d'Axis, pas celui de Borneheld, et il pense que tu l'as abandonné à cause de Vagabond des Étoiles.

Rivkah voulut contester cette affirmation, mais Magariz ne lui en laissa pas l'occasion.

—Pour Borneheld, ta «mort», en donnant le jour au fils d'un amant inconnu, est une forme d'abandon, et il n'en démordra jamais.

Des larmes aux yeux, Rivkah poussa un petit cri de douleur, car elle venait de s'enfoncer l'aiguille dans le gras du pouce. Magariz parlait-il des sentiments de Borneheld… ou de ceux qu'il éprouvait ?

—Borneheld est aussi jaloux du charisme d'Axis, dont il se sait radicalement dépourvu. De plus, il se doute que son demi-frère est un meilleur chef de guerre que lui. L'ennui, c'est que ses aptitudes militaires sont la seule chose dont il peut être *sincèrement* fier… Au fort de Gorken, il a vu Axis gagner chaque jour l'admiration de ses propres soldats, et cette blessure-là fut très profonde. Aujourd'hui, il doit bouillir de rage à l'idée que ce demi-frère qu'il déteste est l'Homme Étoile destiné à sauver Achar.

Conscient d'avoir déjà beaucoup perturbé son auditoire, Magariz se demanda un instant s'il devait aller plus loin.

—Enfin, il y a Faraday, dit-il d'un ton très prudent. (Axis et Azhure se raidirent.) Se doute-t-il qu'elle aime Axis? Si la réponse est positive, sa colère et sa jalousie peuvent lui faire perdre l'esprit…

Regrettant d'avoir tant parlé, Magariz vida d'un trait son gobelet de vin.

—Magariz, demanda Belial, quel est le défaut de la cuirasse de Borneheld, s'il en existe un?

—À part sa haine pour Axis? La rigidité, mon ami. Cet homme est bien trop droit dans ses bottes. Changer d'avis lui est impossible. À ses yeux, les Proscrits resteront toujours des ennemis irréductibles. Confit dans sa tristesse, il est condamné à se sentir abandonné par le monde, qui change sans daigner lui demander son avis…

—Confit dans sa tristesse, Magariz? répéta agressivement Axis. N'embellis-tu pas le portrait? Va demander son opinion à Libre Chute, dont il a transpercé le cœur avec une épée! Tu fus témoin de ce meurtre, et de ton propre aveu, c'est cet infâme forfait qui t'a décidé à épouser ma cause. Borneheld est un assassin! Ne tente pas de le faire passer pour le défenseur mélancolique d'un monde désormais perdu!

—Assez! cria Rivkah. (Elle se leva d'un bond, et sa broderie tomba sur le sol.) Je ne veux plus rien entendre! Et je regrette d'avoir posé la question au seigneur Magariz!

Elle courut vers la porte. Azhure et Axis firent mine de vouloir la retenir, mais Magariz leva un bras pour les en empêcher.

—C'est ma faute, dit-il simplement, avant d'emboîter le pas à la princesse.

Il la rattrapa dans le couloir et lui prit les mains.

—Rivkah, je suis navré… J'aurais dû mieux peser mes propos… S'ils t'ont paru accusateurs, ce n'était pas mon intention. Mais ces trente dernières années furent si…

—Je suis une mauvaise femme, tellement inconstante… Tu as eu raison de me blâmer d'avoir abandonné mon fils… entre autres personnes. Je ne mérite pas mieux !

—Rivkah…

—Tu sais que je n'ai jamais aimé Searlas ?

—Bien sûr…

—Et que je ne voulais pas l'épouser ?

—Oui, mais…

—Ce n'est pas à Searlas que j'ai été infidèle en aimant Vagabond des Étoiles, n'est-ce pas ?

Magariz ne répondit pas.

—C'est toi que j'ai trahi ! Tu ne t'es jamais remarié, mon pauvre ami, et je t'ai trompé deux fois. La première avec le duc d'Ichtar, la seconde avec un Envoûteur icarii. Les deux fils et la fille que j'ai portés auraient dû être les tiens.

—Rivkah, je n'ai jamais attendu que tu restes fidèle à nos vœux. Pas après tout ce qui est arrivé…

La mère d'Axis refoula ses larmes. Il était bien trop tard pour pleurer sur les erreurs commises trente-deux ans plus tôt.

—Comment réagiraient les gens s'ils savaient que tu es mon seul époux légitime, Magariz ?

Voilà, c'était dit !

Pour la première fois depuis des années, le seigneur repensa à cette étrange nuit, à Carlon. Jeune fille impétueuse de quinze ans, Rivkah était entrée en trombe dans la chambre du garçon de dix-sept ans – tout aussi impétueux ! – qu'il était alors. Furieuse que son père, le roi Karel, l'ait promise à Searlas, la princesse lui avait exposé un plan audacieux auquel il avait souscrit. Empruntant des couloirs dérobés et un portail qu'ils savaient peu surveillé, ils avaient gagné un petit foyer de l'Adoration, dans le quartier le plus modeste de Carlon. Le vieux frère du Sénéchal qui y officiait avait accepté de les marier en échange de quelques pièces d'or.

Un peu plus tard, dans la petite chambre sans éclat de Magariz, au fin fond du palais, les deux adolescents avaient perdu ensemble leur virginité.

Le lendemain, sans crier gare, Karel avait envoyé sa fille dans le Nord, où elle devrait épouser Searlas.

Magariz n'avait su que faire. En parlant, il aurait mis leurs deux vies en danger. Et en se taisant, il se priverait à jamais de Rivkah…

Trop jeune pour faire face, il s'était résigné à pleurer son amour perdu… Deux ans plus tard, après avoir appris la « mort » de sa bien-aimée, il s'était enfermé dans sa chambre pour sangloter comme un enfant. Cette unique nuit avec Rivkah, s'était-il juré, suffirait à le combler de bonheur jusqu'à la fin de ses jours.

Quand le bâtard de la princesse était arrivé à Carlon, Magariz avait saisi toutes les occasions de le voir et de jouer avec lui.

Avant de connaître Borneheld, il s'était souvent demandé si le premier fils de Rivkah était de lui. Mais le futur duc était le portrait craché de Searlas. Au fond, le seigneur se réjouissait de n'être pas responsable de la malheureuse enfance de ce garçon piétiné par le destin.

Rivkah dégagea ses mains, le ramenant au présent.

— On ne change pas le passé, mon doux ami, et il est vain de pleurer sur ce qui n'a pas été. Même si nous le voulions, comment prouver que nous nous sommes mariés, après tant d'années ? Mais il nous reste l'avenir… Depuis qu'Azhure a emménagé avec Axis, j'ai souvent froid, seule dans mon lit. Bizarrement, personne n'a demandé à partager mes appartements. Pourtant, la place manque, à Sigholt !

» Noble seigneur Magariz, ma chambre est tout au fond d'un couloir isolé. S'il te prenait l'envie d'y entrer, une de ces nuits, je doute fort que tu trouves la porte fermée…

Sur ces mots, Rivkah tourna les talons et s'en fut.

34

Pourparlers

Dans la salle des cartes de Sigholt, Axis, ses officiers supérieurs, son père et sa grand-mère dévisageaient Arne, dont le teint grisâtre pouvait s'expliquer après une chevauchée de trois jours – ventre à terre, qui plus est!

Quatre jours plus tôt, dans les collines d'Urqhart, un petit groupe de soldats du Ponton-de-Jervois – huit, pour être précis – était entré en contact avec la patrouille que dirigeait l'aide de camp d'Axis. Le chef de ces hommes, Nevelon, avait un message stupéfiant…

— Des pourparlers? répéta Axis. Qu'en penses-tu, Belial?

— Borneheld veut se servir de nous… Sur le front nord-est, il est très faible, et il espère que nous contiendrons les Skraelings dans les plaines du Chien Sauvage.

— Je l'espère aussi, mes amis, soupira Axis. Chaque jour, les Spectres attaquent plus violemment nos patrouilles.

Depuis quelque temps, l'idée que les Skraelings puissent contrôler le col de Garde-Dure et couper les voies d'approvisionnement lui donnait des cauchemars.

Mais pour l'instant, il y avait plus urgent.

— Magariz, tu connais Borneheld mieux que nous tous. Que dis-tu de son initiative?

— Il agit intelligemment, et je ferais pareil dans sa situation. Comme nous, il ne peut pas combattre sur deux fronts. Une trêve évitera que les Skraelings s'infiltrent dans nos lignes pendant que nous combattons les forces du roi.

—J'aurais aimé faire mouvement sur Achar dès cet hiver, soupira Axis, hélas, je sais qu'il faudra attendre le printemps… Mais parler à Borneheld sans pouvoir lui transpercer le cœur avec mon épée ne me dit rien qui vaille.

Il regarda l'aigle des neiges, perché sur le rebord de la fenêtre. Combien de temps allait-il devoir attendre ? Le temps lui coulait entre les doigts, et la Gardienne égrenait impitoyablement les jours…

Axis alla se camper devant la fenêtre et observa le paysage. Des nuages gris dérivaient dans le ciel de Sigholt malgré la chaleur des eaux du lac. Heureux que personne ne puisse voir son visage marqué par l'angoisse, il se mordilla les lèvres. Pourrait-il éviter une atroce guerre civile en affrontant Borneheld en duel, lors de ces pourparlers ? Peut-être, mais si Faraday était absente, il devrait s'interdire de le défier. Car la jeune femme devait assister à la mort du « roi » d'Achar.

—Arne, Nevelon a-t-il parlé de Faraday ? Sais-tu si elle est toujours au Ponton-de-Jervois ?

Un silence de mort tomba sur la salle. Azhure se détourna, les yeux baissés.

Pense-t-il sans cesse à elle ? se demanda-t-elle. *Le soir, quand nous nous endormons dans les bras l'un de l'autre, imagine-t-il que c'est elle qui se blottit contre lui ? Et quand il me caresse, croit-il toucher le corps d'une autre femme ?*

Dans le ventre d'Azhure, Caelum bougea doucement, comme s'il avait senti la détresse de sa mère.

—Nevelon n'a rien dit, répondit enfin Arne, mais Faraday est une reine, désormais. Je doute qu'elle réside au Ponton-de-Jervois.

—Oui, tu as raison… Eh bien, n'en parlons plus ! (Axis regarda Œil Perçant, Belial et Magariz.) Mes amis, Borneheld veut nous rencontrer sur les berges du fleuve Nordra, à mi-chemin entre Sigholt et le Ponton-de-Jervois. Devons-nous y aller et parlementer ? ou est-ce un piège ?

—Axis, répondit Magariz, la Force de Frappe nous confère un gros avantage. Si Borneheld nous tend un piège, les éclaireurs icarii le sauront bien avant que nous risquions d'y tomber. De plus, nous approcherons en traversant des collines, alors qu'il devra progresser en terrain découvert. Quelle mauvaise surprise pourrait-il nous réserver ?

— Magariz, intervint Azhure, pendant qu'Axis sera loin de Sigholt avec une escorte, une force venue du Ponton-de-Jervois pourra passer par le nord et attaquer la forteresse.

Étoile du Matin dévisagea agressivement l'humaine dont le ton catégorique lui tapait sur les nerfs. L'Envoûteuse se méfiait toujours de cette femme. Pour Étoile Loup quel meilleur déguisement rêver que le corps d'une… amazone… dont tous les Soleil Levant mâles étaient fous ?

— Non, dit Axis, je doute que Borneheld puisse procéder ainsi… Les ruines de Hsingard grouillent de Skraelings, et toute armée qui passerait à proximité courrait au massacre. Les autres voies d'accès à Sigholt sont sous notre contrôle, aussi bien terrestre qu'aérien. Pour l'instant, notre fief ne risque rien. Mes amis, je répondrai à l'invitation de mon frère. Il veut sans doute en profiter pour évaluer mes forces, et je me ferai un plaisir d'estimer les siennes.

Axis sourit sans crier gare, et toute la salle en parut comme illuminée.

— Je parierais que les officiers de Borneheld lui sont beaucoup moins loyaux que les miens ! Azhure ?

— Oui ?

— Je te confierai le commandement de Sigholt et du gros de nos troupes. Et…

— Axis, je refuse de rester ici ! Et…

La jeune femme s'interrompit, consciente que sa réaction n'avait pas de sens. Si près du terme, elle n'était pas en état de chevaucher. Et si elle discutait les ordres d'Axis, il n'hésiterait pas à la traiter comme n'importe quel autre officier faisant montre d'insubordination. Qu'elle partage sa couche ne changerait rien à l'affaire…

De toute façon, il ne pense qu'à Faraday !

— Très bien, seigneur Axis, dit-elle, très formaliste.

J'obéirai, mais j'aimerais que mes Alahunts t'accompagnent. Accepte, je t'en prie!

— J'en prendrai huit, si tu y tiens. Les autres resteront avec toi.

Azhure sentit le contact mystérieux du pouvoir de son amant.

Ils te tiendront chaud la nuit et protégeront notre fils pendant que je serai au loin…

— Belial, Magariz, vous viendrez avec moi! Nous devons choisir une escorte, décider d'un itinéraire et définir la stratégie que nous adopterons pendant les pourparlers. Avec un peu de savoir-faire, nous pourrions tirer parti de l'initiative du… roi.

» Étoile du Matin et Vagabond des Étoiles, vous serez sans doute contents de savoir que nos… messagers… sont revenus de Smyrton. Ce qu'ils ont appris confirme mes certitudes. Suis-je assez clair?

Les deux Icarii n'eurent pas besoin d'un dessin. Les enquêteurs envoyés à Smyrton avaient découvert qu'Azhure y était bien née, et qu'elle y avait passé toute sa vie.

Soulagé, Vagabond des Étoiles sourit à son fils. Étoile du Matin, en revanche, ne réagit pas. Pour qu'elle renonce à ses soupçons, il faudrait bien plus que cela!

Grand-mère, si je reviens des pourparlers pour apprendre qu'Azhure a fait une chute fatale dans un escalier, je jure que tu la suivras très vite dans la mort…

L'Envoûteuse blêmit. Personne n'avait le droit de la menacer ainsi! Axis ne cédant pas, son pouvoir refermé sur elle comme un étau, elle dut capituler et hocha docilement la tête.

Axis regarda Sicarius, assis aux pieds d'Azhure.

Assure-toi qu'il ne lui arrive rien pendant mon absence!

Le molosse eut un grognement qui en disait long.

Azhure ne s'en aperçut pas, car une question troublante tournait dans sa tête. Pourquoi Axis avait-il envoyé des « messagers » à Smyrton?

35

CARLON ET... AU-DELÀ

Faraday ouvrit les yeux et se réjouit d'admirer la pâle lumière de l'aube. Depuis que Borneheld était retourné au Ponton-de-Jervois, elle avait retrouvé une bonne partie de sa joie de vivre.

— Tu as eu des songes agréables, douce enfant?

Faraday sourit à Yr. Déjà habillée, la Sentinelle était assise au bord du gigantesque lit de la reine.

— J'ai rêvé d'Axis... Il était près de moi, et il me... il m'aimait. Yr fit mine de s'indigner.

— Les nuits de la reine d'Achar seraient-elles consacrées à son amant?

— Comme les journées, Yr, comme les journées... (Faraday se redressa sur un coude.) Tu crois qu'il rêve aussi de moi? Qu'il se languit de me revoir? (Elle s'ébroua pour chasser Axis de ses pensées, puis s'assit dans le lit.) Première dame de compagnie, quel est mon emploi du temps, aujourd'hui?

La vie d'une reine n'avait rien de vacances perpétuelles. Chaque jour, Faraday devait recevoir des émissaires, flagorner des diplomates, écouter les rapports ennuyeux de diverses missions commerciales et participer à d'assommantes commémorations à la gloire d'alliances ou de traités depuis longtemps oubliés. Sans parler de Jayme et de Moryson, qui ne manquaient pas une occasion de lui rabâcher leurs plans d'avenir pour l'ordre du Sénéchal et la Voie de la Charrue.

Détestant tout particulièrement le premier assistant du frère-maître, elle l'écoutait en pensant à la Mère et à l'extraordinaire beauté du Bosquet Sacré. Parfois, d'humeur espiègle, elle se distrayait en imaginant son interlocuteur affublé d'énormes andouillers!

Comble de malheur, Faraday devait supporter ces corvées en série dans une tenue si lourde et épaisse – et avec une telle quincaillerie de bracelets, de diadèmes et de colliers – qu'elle aurait juré être un chevalier en armure! Sans même parler des chaussures «élégantes» qui lui torturaient les pieds!

Yr sourit. Faraday détestait ses obligations, elle le savait. Pourtant, elle s'en acquittait scrupuleusement. Être reine était un sacerdoce, et elle avait décidé de servir de son mieux le peuple d'Achar. Et si tout le nord du royaume était un champ de bataille, la vie continuait à Carlon comme si de rien n'était, et le respect des traditions y restait toujours aussi fort.

—Ce matin, tu es libre comme l'air, chère enfant, annonça Yr. L'ambassadeur des îles Tumulus, frappé par des troubles intestinaux, est contraint de ne pas sortir du cabinet d'aisance qui jouxte sa chambre. Il s'en excuse platement, si j'ai bien compris ce qu'il m'a dit à travers la porte…

Faraday éclata de rire et se laissa doucement glisser vers un flanc du lit.

—La baronne de Tarantaise, dame Fleurian, s'est réveillée avec un gros bouton sur le menton. Dans cet état, elle a dû décliner ton invitation au petit déjeuner. Pour clore cette liste de catastrophes, le maître de la guilde des bouchers, qui aurait dû venir te voir à onze heures, s'est tranché le pouce hier en préparant le dîner de sa femme. À ce qu'on raconte, le doigt est tombé dans le ragoût de mouton qu'il mitonnait… Selon l'apprenti venu me transmettre les excuses de son maître, le plat a quand même été servi…

Faraday eut du mal à croire en sa bonne fortune. Depuis qu'elle était reine, elle n'avait pas eu un moment à elle. Et voilà qu'elle bénéficiait d'une matinée de liberté?

—Alors, Majesté, que vas-tu faire de tes «vacances»? Lire un peu? Dormir? Dévorer des sucreries? Laisser un courtisan te prouver que le contact d'une main masculine peut être une source de plaisir ?

— Ne badine pas avec ça ! Tu sais que je déteste les sucreries…

Yr rit de bon cœur. Depuis des mois, c'était la première plaisanterie de sa protégée.

— La matinée est à toi, douce enfant. Fais-en ce que tu voudras !

— Yr, je sens que des troubles intestinaux me menacent aussi… Tu devrais prévenir la cour que je ne me montrerai pas avant le déjeuner. Et surtout, ne manque pas d'en avertir Timozel !

Quand Borneheld l'avait informé qu'il resterait à Carlon – près de sa dame, comme un digne champion – le jeune homme, perdant le contrôle de ses nerfs, avait fait un esclandre.

— Je me fiche de ce que montrent tes visions ! avait rugi le roi. Ta place est aux côtés de Faraday.

Bien qu'il fût hors de lui, Timozel avait pris à la lettre les ordres de son seigneur. Dès qu'elle se levait, il ne quittait pas la reine d'un pouce, et il l'avait même menacée de dormir au pied de son lit.

Borneheld redoutait sans doute qu'un beau courtisan profite de la solitude de Faraday pour monter à l'assaut de son cœur. À moins que Timozel ait décidé de jouer à fond son rôle de champion…

Quoi qu'il en soit, il ne lâchait plus Faraday, et son éternelle morosité commençait à taper sérieusement sur les nerfs de la reine.

— Tu vas en profiter pour aller dans le Bosquet Sacré ? demanda Yr, redevenue sérieuse.

— Oui… J'ai plus que jamais besoin de me régénérer et de me laisser submerger par la paix et la joie…

Faraday défit ses longs cheveux, secoua la tête pour les sentir battre dans son dos, puis avança dans la lumière émeraude qui conduisait au Bosquet Sacré. Sa dernière visite remontant à des mois, elle avait presque oublié combien il était bon de s'abandonner au pouvoir de la Mère. L'amour, la paix et la sérénité qui régnaient en ce lieu chasseraient sans nul doute ses incertitudes et ses angoisses.

Autour d'elle, la lumière changea pour dessiner peu à peu des formes et des ombres. Remontant les chemins semés d'herbe qui menaient au cœur du Bosquet, Faraday vit des arbres se matérialiser un peu partout. Au-dessus de sa tête, dans le ciel nocturne, les étoiles dansaient leur éternel ballet…

Comme toujours, la jeune femme regretta de ne pas pouvoir rester à jamais dans ce jardin dont la vue seule l'emplissait d'exaltation…

Quand elle entra dans le Bosquet, une douce brise vint caresser son corps, et elle vit des silhouettes bouger lentement derrière le rideau d'arbres. Le pouvoir de ce lieu hors du temps ne la terrorisait pas, et elle savait n'avoir rien à redouter des yeux qui l'épiaient, luisant dans les ombres. Ici, on ne lui voulait pas de mal. Au contraire, on souhaitait lui donner assez de force pour qu'elle parvienne à trouver l'harmonie malgré sa vie difficile…

Cinq Enfants Sacrés de la Corne sortirent du couvert des arbres. Celui qui avait accueilli la jeune femme lors de sa première visite – son pelage couleur argent était inoubliable – approcha, lui posa les mains sur les épaules et inclina sa tête de cerf pour lui poser un baiser sur la joue.

—Amie de l'Arbre, nous étions fous d'inquiétude. Témoins de ta souffrance, nous l'avons partagée, tu peux me croire…

Faraday en fut émue aux larmes. Savoir que quelqu'un d'autre qu'Yr se souciait d'elle lui mettait déjà du baume au cœur.

—Merci, dit-elle avant de saluer les autres Enfants Sacrés.

Puis elle se tourna de nouveau vers celui qui l'avait embrassée.

—Dans tes visions, as-tu aperçu Axis?

L'Enfant Sacré secoua sa tête surmontée d'énormes andouillers. Entendant les quatre autres chuchoter entre eux puis cesser brusquement, Faraday redouta d'avoir dit quelque chose d'offensant.

—Je l'ai vu quand il était à Avarinheim, répondit l'Enfant Sacré. À part ça, je ne me suis pas intéressé à lui.

—Il va bien ?

—Oui… Cette année, il a fêté Beltide avec les Icarii et les Avars… Désormais, ses pouvoirs d'Envoûteur sont pleinement développés. Amie de l'Arbre, il a demandé aux Avars de se rallier à lui, comme les Icarii, mais ils ont refusé.

—Quoi ?

—Ils t'attendent, et ils ne feront rien tant que tu ne seras pas avec eux… Toi seule peux les convaincre d'épouser la cause d'Axis Soleil Levant. Si c'est ce que tu désires…

Quelle étrange façon de parler ! Bien sûr que je le désire…

—Pense-t-il à moi ? demanda Faraday.

Elle s'en voulut aussitôt d'avoir posé cette question. Mais elle tenait tant à connaître la réponse !

—Tu es présente tous les jours dans son esprit, et il parle souvent de toi à ses amis.

Hélas, ça ne l'empêche pas de te trahir avec son corps, et peut-être même avec son cœur ! pensa l'Enfant Sacré. *Dois-je t'apprendre qu'il a donné à une autre femme le fils qui aurait dû grandir dans ton ventre ? Non, Amie de l'Arbre, je n'en ai pas le courage…*

—Merci, Enfant Sacré. Mais…

Voyant que Faraday hésitait, la créature avança et lui posa de nouveau ses mains sur les épaules.

—Ne crains jamais de me demander quelque chose, Faraday Amie de l'Arbre. Si c'est en mon pouvoir, j'accéderai toujours à tes désirs.

—Enfant Sacré, tu vis dans un monde magique. S'étend-il au-delà de ce bosquet et des arbres qui l'entourent ?

Un des plus jeunes Enfants Sacrés avança.

—Il est aussi grand que ton propre univers, Amie de l'Arbre, et il contient au moins autant de merveilles.

Faraday écarquilla les yeux de surprise.

L'être au pelage argenté recula et fit un large geste de la main.

—Aucun sentier ne t'est interdit, Amie de l'Arbre. Promène-toi librement! Quand tu voudras retourner chez toi, pense à ce bosquet, et tu y reviendras immédiatement. D'ici, tu sauras retrouver le chemin de ton monde…

Sur ces mots, l'Enfant Sacré et ses quatre semblables disparurent.

Faraday resta un long moment dans le Bosquet, les yeux levés vers les étoiles dont la danse la faisait penser à Axis. Ainsi, il était entré en possession de son héritage. Et il pensait toujours à elle!

La jeune femme écarta les bras et dansa en faisant le tour du Bosquet. Comme elle aurait aimé qu'Axis soit avec elle! Mais bientôt, il partagerait peut-être son lit en chair et en os, pas seulement dans ses rêves!

Après un moment, Faraday décida de s'aventurer entre les arbres – et elle s'immobilisa, stupéfaite. Vus de l'intérieur du Bosquet Sacré, ces arbres semblaient serrés les uns contre les autres. Une fois qu'on s'aventurait sous leurs branches protectrices, on s'apercevait qu'ils étaient largement espacés, leur frondaison si haute que les troncs ressemblaient aux colonnes de marbre de quelque antique temple. Comme Azhure la première fois qu'elle s'était promenée dans la forêt d'Avarinheim, Faraday eut le sentiment d'évoluer dans un monde lumineux où elle était entièrement libre de ses mouvements.

Elle cessa d'admirer la frondaison, baissa les yeux et regarda autour d'elle. De magnifiques fleurs poussaient au pied des arbres, et la forêt magique grouillait de créatures que la jeune femme n'aurait pas imaginées dans ses rêves les plus fous. Des hérissons cornus! Des chevaux ailés! Des taureaux au pelage jaune et des oiseaux aux yeux de diamant!

De minuscules dragons multicolores rampaient sur les branches les plus basses et toute une famille de panthères tachetées de bleu et d'orange folâtrait sur les berges d'un cours d'eau. Des dryades et des lutins se poursuivaient entre les arbres tandis que des poissons aux nageoires argentées fendaient l'onde limpide du ruisseau.

À mesure que Faraday avançait, son environnement changeait, même s'il restait toujours aussi merveilleux. Elle vit de fantastiques clairières, d'imposantes chaînes de montagnes, des océans infinis, des jardins extraordinaires, d'immenses cavernes et des dunes plus hautes qu'une forteresse. Ce monde était sans fin – et pourtant tout entier contenu dans la forêt qui enveloppait de son amour l'Amie de l'Arbre.

— Que dois-je faire pour toi ? murmura Faraday, s'adressant à la nature. Oui, que puis-je pour te servir ?

Autour d'elle, la lumière chatoya, et elle se retrouva sans transition dans une minuscule clairière. Au centre, elle découvrit une petite cabane aux murs blancs, au toit en chaume et à la porte rouge. Protégé par une clôture aux piquets blancs, un jardin en fleurs entourait cette adorable maisonnette.

À seconde vue, ce jardin avait quelque chose d'étrange, mais Faraday ne put s'appesantir sur la question, car la porte rouge s'ouvrit pour laisser sortir une femme qui semblait incroyablement âgée.

Vêtue d'un manteau du même rouge que la porte, elle en rabattit la capuche pour révéler son crâne chauve d'un jaune cireux, son front ridé, ses yeux violets brillant d'une antique sagesse – et en même temps juvéniles – et ses mâchoires décharnées.

— Bienvenue dans mon jardin, enfant des arbres, dit-elle en agitant la main. Resteras-tu un moment avec moi ?

Faraday voulut répondre par l'affirmative, mais sa vision se brouilla soudain, et elle eut l'impression de plonger dans un océan de lumière émeraude.

En un clin d'œil, elle fut arrachée au monde magique pour retourner dans l'univers sinistre du palais de Carlon.

— Désolée de t'avoir ramenée si brusquement, dit Yr, mais il sera bientôt midi, et la reine est attendue…

Alors que le pouvoir désertait Faraday, Raum gémit douloureusement. Depuis cinq ou six heures, recroquevillé en position fœtale, il souffrait atrocement.

Les deux Sentinelles avaient raison : il était lié à la magie de Faraday. Mais l'expérience n'avait jamais été si violente. À chaque pas qu'elle faisait dans la forêt, hors du Bosquet Sacré, l'Eubage avait eu le sentiment que son corps menaçait de se déchirer de l'intérieur. À la fin, il avait hurlé comme une bête…

Raum savait pertinemment ce qui lui arrivait. Mais ça n'aurait pas dû être si dévastateur et si pénible.

N'était-il pas trop jeune pour se métamorphoser ? Surtout à un moment où il lui restait tant de choses à faire en ce monde ?

—Faraday, murmura-t-il, où es-tu ? Que fais-tu, et où vas-tu aller ? Faraday !

36

LE GUÉ DE GUNDEALGA

L e rendez-vous était fixé au dernier jour du mois du Gel, sur les berges du fleuve Nordra. En sortant de la vallée des Proscrits, le cours d'eau s'élargissait et ses eaux devenaient moins tumultueuses. Non loin du méandre de Tailem, un cavalier pouvait traverser à gué.

Axis dressa son camp à l'abri de la colline d'Urqhart la plus méridionale, à moins d'une demi-lieue du gué de Gundealga. Un millier de soldats montés l'accompagnaient : des hommes d'épée et trois compagnies d'archers formées par Azhure. Deux Crêtes de la Force de Frappe participaient également à l'expédition. Si le gros de son armée était resté à Sigholt, quelques unités patrouillaient dans le col de Garde-Dure et au cœur des collines.

L'ancien Tranchant d'Acier avait amené juste assez d'hommes pour impressionner Borneheld sans lui permettre d'évaluer ses forces avec précision. La colonne de cavaliers et quelques centaines d'Icarii volants donneraient sans nul doute de quoi méditer au nouveau roi d'Achar. Car les pourparlers, dans des situations tendues, étaient une joute au moins aussi psychologique que verbale.

Axis tourna la tête vers Belial, qui approchait de lui dans la pénombre.

— Borneheld ne doit plus être très loin… Comment te sens-tu, Axis ?

— Aussi mal que si j'attendais dans l'antichambre d'un arracheur de dents… M'asseoir à une table de négociations avec mon frère ne m'enthousiasme pas, et j'ai peur d'avoir du mal à me montrer aimable.

Belial sourit. Axis bouillait d'affronter son demi-frère en duel, il le savait. Demain, les deux hommes échangeraient sans doute fort peu de phrases courtoises…

— Les éclaireurs icarii sont revenus, annonça Belial.

— Et que disent-ils ?

— Borneheld a dressé son campement au sud, à la même distance du gué que nous. S'il part aussi à l'aube, la rencontre devrait avoir lieu autour de dix heures.

— Ces détails-là ne m'intéressent pas ! Combien d'hommes a-t-il avec lui ?

— Environ cinq mille… Tous montés, avec une majorité d'hommes d'épée et quelques unités d'archers.

— Les éclaireurs se sont fait repérer ?

— Non, mon ami. Avec leurs ailes et leur uniforme noirs, ils sont quasiment invisibles, la nuit. Demain, Borneheld aura une sacrée surprise !

Frappante illustration des propos de Belial, Œil Perçant se posa soudain entre les deux hommes, jaillissant du ciel nocturne comme un diable de sa boîte. La surprise d'Axis, au moins égale à celle de son second, en disait long sur son état de nerfs.

— Chef de Force, dit Œil Perçant, Azhure t'a envoyé deux messagers icarii. Ils t'attendent devant ta tente.

Azhure ? Sans se consulter, Axis et Belial coururent jusqu'au petit pavillon de commandement.

Puis ils invitèrent les deux messagers à entrer avec eux.

— J'écoute ! lâcha simplement Axis.

L'air épuisé, la chef d'Aile Vole Plume Aile Brillante salua son supérieur.

— J'apporte deux nouvelles, dit-elle, et aucune n'est bonne. Six jours après votre départ, une patrouille est revenue de l'est des collines d'Urqhart. Chef de Force, les Skraelings massés à la lisière des plaines du Chien Sauvage ont commencé à faire mouvement vers le sud. Azhure a envoyé des cavaliers et six Crêtes de l'autre côté de Garde-Dure, afin de les contenir…

— Elle n'y est pas allée aussi, j'espère ?

— Non, elle a conscience d'être trop près du terme pour pouvoir se battre. Elle a confié le commandement de ces forces à Arne.

Axis soupira de soulagement. Cela étant, la nouvelle était désastreuse, car elle lui lierait les mains pendant les pourparlers. Désormais, il aurait autant besoin d'une trêve que Borneheld. Occupé à affronter les Skraelings, aucun des deux camps ne pourrait s'offrir le luxe d'ouvrir un second front. En un sens, mieux valait le savoir maintenant, qu'après la rencontre avec le roi…

Essoufflé d'avoir couru, Magariz entra sous la tente. En quelques mots, Belial l'informa des derniers développements.

— L'un de nous ne devrait-il pas aller rejoindre Arne ? demanda le seigneur. La bataille risque d'être sanglante.

Axis réfléchit un instant.

— Arne aura assez d'officiers compétents pour le soutenir, sans compter les chefs de Crête que nous avons laissés à Sigholt. Dès que nous en aurons fini avec les négociations, nous partirons pour Garde-Dure, et les Icarii y seront en à peine vingt-quatre heures. Et l'autre nouvelle, Vole Plume ?

— Un nouveau groupe de paysans est arrivé de Skarabost. Ces malheureux étaient épuisés, crottés… et terrorisés. Ils ont fui leur pays parce qu'on y murmure qu'un certain comte… Burnel…

— Burdel, rectifia Axis, le comte d'Arcness.

— C'est ça, oui. Cet homme a déferlé sur le sud de Skarabost avec une armée impressionnante, et il cloue au pilori, ou sur la croix, tous ceux qui osent faire allusion à la Prophétie du Destructeur. On prétend qu'il a brûlé vifs tous les habitants d'un village prêts à se rallier à l'Homme Étoile. Là-bas, prononcer ton nom suffit pour être exécuté. Et tous ceux qui parlent en bien des Proscrits subissent le même sort. Burdel massacre sans pitié les hommes et les femmes qui veulent te rejoindre à Sigholt. Il sème la terreur en Skarabost, chef de Force.

Axis blêmit. Le comte n'agissait sûrement pas de son propre chef. Il exécutait les ordres de Borneheld, avec l'assentiment de l'ordre du Sénéchal.

— Les maudits chiens !

— Que pouvons-nous faire ? demanda Belial.

— Rien ! L'attaque des Skraelings nous interdit de quitter Sigholt, mon ami. Et je parierai que Borneheld et Burdel le savent. Qu'ils crèvent en enfer !

Axis se força au calme et posa une dernière question à Vole Plume :

— Azhure va bien ?

Depuis leur séparation, elle lui manquait tellement qu'il ne prenait même plus plaisir à entendre la mélodie de la Danse des Étoiles.

Monté sur son étalon bai, Borneheld plissa les yeux pour ne pas être ébloui par le soleil. Parti à l'aube avec son escorte, il attendait au sommet d'une petite butte, à moins de cent pas du gué de Gundealga. Où était Axis ? Vivait-il encore ? Et où se cachait son armée rebelle ?

Cinq cavaliers se tenaient immédiatement derrière le roi. Plus loin, les cinq mille hommes qu'il avait amenés guettaient l'ordre d'avancer.

Sur les cinq cavaliers, seuls Ho'Demi et Moryson semblaient détendus. Très nerveux, Gilbert dissimulait mal ses angoisses, Gautier était agité et le duc Roland grimaçait sans cesse, torturé par son ulcère à l'estomac.

Entendant un cri, derrière eux, les cinq hommes sursautèrent, et Borneheld, agacé, fit volter son cheval.

— Que se…, commença-t-il.

Puis il leva les yeux vers le point, dans le ciel, qu'un soldat du premier rang désignait en beuglant.

D'abord ébloui, le roi vit ce qui excitait tant cet homme.

Très haut au-dessus de leurs têtes, des centaines de créatures ailées noires tournaient lentement en rond. Les semblables de la vermine venue parlementer avec Axis sur le toit du fort de Gorken !

Comme tout le monde, Ho'Demi leva les yeux. Bien qu'il n'en ait jamais rencontré, il reconnut immédiatement les Icarii, car il en avait parfois vu voler à la lisière des plaines de Ravensbund, près des contreforts des Éperons de Glace.

Les hommes-oiseaux luttaient aux côtés d'Axis?

Ho'Demi baissa la tête et échangea un regard avec Inari et Izanagi, placés derrière lui, au premier rang de la colonne. Pour que les Icarii se soient ralliés à lui, Axis devait être très puissant! Un étrange nœud dans l'estomac, le chef des chasseurs se demanda s'il n'allait pas bientôt voir l'Homme Étoile en personne!

Le teint grisâtre, Gilbert marmonna dans sa barbe. Une nouvelle fois, les Proscrits survolaient Achar! Pour ce crime, il espérait qu'Artor condamnerait Axis à croupir jusqu'à la fin des temps dans les fosses grouillantes de vers de l'Après-Vie!

Nous aurions dû agir plus tôt…, pensa l'assistant de Jayme. *Qui sait quels dégâts aura fait Priam, avec son obsession pour la Prophétie?*

Sûrement aussi surpris que les autres par l'arrivée des Icarii, Moryson dissimulait ses sentiments sous un masque d'indifférence.

Quand il regarda de nouveau devant lui, Ho'Demi en resta bouche bée. Sur l'autre rive du fleuve, un millier de cavaliers approchaient du gué. Au centre de la colonne, une magnifique bannière battait au vent. Sur son fond jaune resplendissait un glorieux soleil rouge sang!

—Borneheld! lança le chef des chasseurs.

Le roi suivit le regard de Ho'Demi, puis beugla un ordre à ses troupes.

En face, deux cavaliers traversaient déjà le fleuve dans des gerbes d'éclaboussures.

Borneheld plissa les yeux pour tenter de les identifier. En uniforme noir, ils chevauchaient des étalons de la même couleur.

Un accoutrement qui sied à des démons! pensa le roi.

346

Non sans réticence, il écarta la main de la garde de son épée. Dans son dos, il entendit ses soldats dégainer leurs armes.

Borneheld talonna sa monture et fit signe à ses cinq adjoints de le suivre. Alors que les deux cavaliers sortaient du fleuve, il les reconnut enfin et eut une moue dégoûtée. Ainsi, les lieutenants d'Axis avaient survécu à la chute du fort de Gorken. Mais où était le maudit bâtard ?

Belial et Magariz tirèrent sur les rênes de leurs montures quand ils furent à une dizaine de pas du roi, lui-même à l'arrêt. Sur leur poitrine, le roi d'Achar vit qu'ils arboraient le même soleil rouge sang que celui de la bannière.

— Borneheld, dit Belial sans se soucier du protocole, tu nous as envoyé un message, et nous sommes venus. Que veux-tu ?

— Où est mon bâtard de frère ? Serait-il mort devant le fort de Gorken ? Magariz, je suis ravi de voir que tu t'en es tiré, parce que te tuer de mes mains sera un plaisir.

— J'en aurais volontiers autant à ton service, hélas, quelqu'un d'autre tient à te transpercer le cœur !

Au-dessus des trois hommes, très haut dans le ciel, un aigle blanc solitaire cria de rage.

— Assez de provocations, Borneheld ! lâcha Belial. Tu veux parlementer, ai-je cru comprendre. Plus tu restes ici, et mieux les Skraelings pourront miner tes défenses, au Ponton-de-Jervois. À mon avis, tu ne peux pas te permettre d'y perdre autant d'hommes qu'à Gorken…

Borneheld eut un rictus mauvais. Lors de ce siège, il n'avait pas perdu un soldat, car tout était la faute d'Axis et des deux félons qui osaient parader devant lui.

— Si Axis est vivant, je négocierai avec lui. Pas avec ses larbins…

— Mon chef, dit Belial, ne se montrera pas tant que je n'aurai pas la certitude que tu ne lui tends pas un piège. Pourquoi tes hommes ont-ils dégainé leurs épées ? As-tu remarqué que Magariz et moi n'en portons pas ? Je comprends qu'il te faille sentir derrière toi cinq mille soldats armés pour faire face à deux cavaliers aux mains vides. Mais prends ton courage à deux mains, je t'en conjure! Je n'ai pas l'intention de te sauter dessus pour te forcer à combattre dans la boue!

Borneheld s'empourpra sous l'insulte.

—Gautier, ordonne aux soldats de rengainer leurs armes et de reculer de deux cents pas. Mon couard de frère se sentira peut-être un peu rassuré… (Il leva les yeux au ciel.) Et ces lézards volants, là-haut? Puisque je fais montre de courtoisie, me rendra-t-on la pareille?

Belial fit un signe aux Icarii, qui infléchirent leur vol et se laissèrent dériver en direction de la plus proche colline. Deux d'entre eux, cependant, piquèrent vers le gué.

—Qu'est-ce que ça signifie? grogna Borneheld, très nerveux.

—Un simple souci d'équilibrer les forces, répondit Belial. Un cinquième adjoint d'Axis va d'ailleurs nous rejoindre…

De fait, une créature volante aux ailes argentées venait de décoller derrière la ligne de cavaliers, et elle se dirigeait vers eux.

Quelques secondes plus tard, deux Icarii en uniforme noir – un mâle et une femelle – se posèrent près de Belial et de Magariz. Une minute après, le mâle argenté atterrit à son tour.

Avant que Borneheld ait pu lancer une saillie, Gautier se porta à son niveau en criant:

—Sire, regardez!

De l'autre côté du fleuve, les cavaliers venaient de s'écarter pour laisser passer un homme monté sur un étalon gris. C'était Axis, impressionnant dans sa tunique couleur or parée d'un grand soleil rouge sang.

Deux molosses à sa suite, il lança Belaguez au galop et disparut un instant derrière le rideau d'éclaboussures que soulevaient les jambes puissantes de l'étalon.

Il redevint visible quelques secondes plus tard, comme si son destrier avait volé plutôt que couru.

Un jour, pensa Borneheld, *cet étalon sera à moi, j'en fais le serment!*

Derrière Axis, les molosses s'étaient joués de l'eau avec autant de facilité que Belaguez. Et dans le ciel, l'aigle blanc décrivait de grands cercles rageurs.

Le cœur de Ho'Demi bondit de joie dans sa poitrine. L'homme qui traversait le fleuve était un roi, cela ne faisait pas de doute. Les Alahunts le servaient, comme l'aigle qui évoluait dans le ciel. Pour ce grand chef de guerre dont les forces chevauchaient sous un soleil rouge sang, les Icarii avaient teint leurs ailes en noir.

Axis était l'Homme Étoile, nul n'aurait pu le nier!

—Borneheld, dit-il en tirant sur les rênes de Belaguez, viens-tu te rallier à ma cause, comme l'exige la Prophétie? Je vois que tu portes la couronne d'Achar. Il est donc en ton pouvoir d'épargner au royaume une guerre civile qui le dévastera. Combattras-tu sous ma bannière pour repousser Gorgrael et contribuer à la renaissance de Tencendor?

Borneheld ricana, mais il était intimidé. Axis rayonnait comme un soleil, et son pouvoir semblait aussi… brûlant que celui de l'astre du jour.

Je suis le roi! pensa-t-il pour s'arracher à son apathie. *Un souverain légitime et désigné par le droit du sang! Ici, c'est moi qui incarne le pouvoir, pas ce misérable pantin!*

Mais alors même qu'il tentait de se stimuler, son vieux complexe d'infériorité revint en force. Pourquoi Artor avait-il donné toutes les qualités requises à Axis, alors que c'était lui, le dépositaire du sang royal?

Avant que Borneheld ait pu répondre, Axis fit avancer sa monture et vint se camper devant ses cinq adjoints.

—Gautier…, lâcha-t-il simplement sans s'arrêter devant l'officier. (En revanche, il s'immobilisa devant Roland le Marcheur.) Duc d'Aldeni…

Axis ne put dissimuler son désarroi. Ayant toujours apprécié et respecté le duc, il était terrifié par le spectre au teint grisâtre et aux yeux hagards qu'il découvrait. Très ému, il tendit la main au malade.

Derrière lui, Borneheld grogna de rage.

— Pardonne-moi, Axis, mais je ne puis te serrer la main…

Axis laissa retomber son bras.

— J'espère que tu as trouvé la paix, mon ami, souffla Axis avant de talonner Belaguez. (Il s'arrêta devant le second assistant de Jayme.) Frère Gilbert, avec toutes ces chevauchées au grand air, j'aurais cru que ton teint serait moins maladif. Faut-il supposer que la vilenie de tes pensées empoisonne ta peau ?

Le frère grimaça mais ne répondit pas.

Axis continua de passer en revue cet étrange groupe de larbins du roi.

Le cavalier suivant était un chasseur de Ravensbund qu'il ne connaissait pas. Un chef, à voir ses tatouages. Pour lui parler, il préféra recourir à son pouvoir.

— *Qui es-tu ?*

— Ho'Demi, le chef suprême des chasseurs de Ravensbund.

— *Et tu t'es rangé dans le camp de Borneheld ?*

Cette fois, à la grande surprise d'Axis, l'homme répondit par la pensée :

— *Comme mon peuple, je vis pour servir la Prophétie. Es-tu l'Homme Étoile ?*

Déconcerté, Axis dévisagea l'étrange « barbare ».

— *Oui. Mais si tu es fidèle à la Prophétie, pourquoi avoir choisi Borneheld ?*

— *Jusqu'à ce jour, j'ignorais où tu étais, Homme Étoile, et qui tu étais ! Je retournerai au Ponton-de-Jervois, et je reviendrai vers toi avec tout mon peuple.*

Axis eut un regard appuyé.

— *Sois prudent, dans ce cas… Si Borneheld se doute que tu envisages de changer d'allégeance…*

— *Je sais… Ne t'inquiète pas, il ne soupçonnera rien.*

— *Alors, bienvenue, chef Ho'Demi !*

Pour tous les autres, Axis et le chasseur se défiaient du regard – un comportement plutôt curieux.

Puis Axis baissa les yeux, comme si la sauvagerie de son

vis-à-vis le déroutait, et fit avancer Belaguez jusqu'au dernier cavalier.

—Moryson…

L'ancien Tranchant d'Acier hésita. Devant lui se tenait un homme qu'il avait presque autant aimé que Jayme. Aujourd'hui, il méprisait ces deux chiens et redoutait leur félonie…

—Axis, dit Moryson, j'ai un message du frère-maître pour toi.

Un message? À l'évidence, il ne devait pas s'agir de propos pleins d'amour et de compréhension.

—Axis, Jayme m'a chargé de te dire que tu étais chassé de la divine maison d'Artor, qui ne t'accordera plus sa protection. L'ordre du Sénéchal t'a excommunié. Si tu ne te repens pas de tes péchés, sache que ton âme est condamnée à errer jusqu'à la fin des temps dans les ténèbres. Renonce sur-le-champ à ton alliance impie avec les Proscrits, et le Laboureur acceptera peut-être de te pardonner.

—Moryson, Artor est le dieu du mensonge et de la manipulation. Le Sénéchal se sert de sa trompeuse liturgie pour contrôler le cœur et l'esprit du malheureux peuple d'Achar. En réponse à son message, informe Jayme que Rivkah est vivante. Un jour prochain, je lui livrerai le frère-maître – et toi! – pour qu'elle se venge de la façon qui lui plaira. Votre tentative d'assassinat a échoué, Moryson. Ma mère est vivante!

—Quoi? rugit Borneheld. Ma mère n'est pas morte? Moryson, de quoi parle-t-il? Quelle tentative d'assassinat?

—Il ment, noble roi! Ne l'écoute pas! Ta mère a rendu l'âme en donnant la vie à ce bâtard!

Axis fit pivoter son cheval pour être de nouveau face à son demi-frère.

—Elle a survécu, Borneheld, et eu un autre enfant. Permets-moi de te présenter ta demi-sœur, Gorge-Chant.

Révulsé, le roi regarda la créature que désignait Axis. Sa sœur, cette vermine ailée aux yeux violets et au visage étroit?

—Je n'ai rien à voir avec toi! cracha-t-il à la Proscrite.

—Crois-moi, Rampant, j'aimerais que tu aies raison! Tu as tué mon bien-aimé, Borneheld, et mon frère a juré de te faire payer ce crime. J'espère qu'il ne tardera pas trop à te transpercer le cœur!

—Les Icarii ont le sang chaud, expliqua Axis, et ils sont très vindicatifs. Si je ne t'étripe pas assez vite, elle est capable de s'introduire dans ta chambre, une de ces nuits. J'espère que tes gardes observent aussi le ciel, quand ils veillent sur ton sommeil…

» Puisque nous en sommes aux présentations, voici Œil Perçant Éperon Court, le chef de la Force de Frappe – sous mon autorité. Ce sont ses guerriers qui t'ont accueilli ce matin dans le ciel, mon frère!

Sentant que le contrôle des pourparlers lui échappait, Borneheld tenta de reprendre les choses en main.

—Axis…, grogna-t-il, menaçant.

Mais l'Homme Étoile continua comme s'il n'avait rien entendu.

—Tu connais déjà Belial, et il est inutile de te présenter Magariz, même si je crois que tu ne l'as jamais estimé à sa juste valeur. Cet homme a un sens de l'honneur et de la justice dont tu aurais pu t'inspirer, si tu n'étais pas aveugle!

» Enfin, très cher frère, voici mon père, Vagabond des Étoiles. Mais tu te souviens peut-être de lui? Au fond, tu étais là, m'a-t-il dit, quand il a séduit notre mère sur le toit de Sigholt. Bien entendu, tu étais encore un bébé…

Borneheld manqua s'en étrangler de dégoût. Sa mère s'était laissé toucher par cette vermine volante? Non, le lézard avait dû la violer, il en aurait mis sa tête à couper.

—Tu étais déjà très agité et franchement casse-pieds, dit l'Envoûteur.

À cet instant, Borneheld s'avisa, horrifié, qu'Axis avait les mêmes yeux que son géniteur. Et des traits étonnamment semblables…

—Je ne m'étonne pas que grandir ne t'ait pas arrangé, continua Vagabond des Étoiles. Axis, j'en ai assez de tout ça! Nous parlerons plus tard…

L'Icarii déploya ses ailes et s'envola.

—J'avoue que ça commence aussi à me lasser… Borneheld, j'ai cru comprendre que tu devras affronter les Skraelings, cet hiver. Étant un homme raisonnable, je veux bien consentir à attendre le printemps pour t'infliger une défaite humiliante.

L'ironie d'Axis fit basculer son frère dans une colère noire.

—J'ai assez d'hommes pour t'écrabouiller et raser Sigholt tout en contenant les Skraelings! cria-t-il, un poing brandi vers l'ancien Tranchant d'Acier.

Très inquiets, Belial et Roland demandèrent à leurs chefs de leur accorder un court entretien en privé.

Insensible à toute cette agitation, Moryson étudia longuement les deux chiens assis un peu à l'écart. Sans s'alarmer outre mesure, il nota qu'ils le regardaient fixement.

Axis s'en voulut de son impétuosité quand Belial lui rappela que Sigholt – non, en fait, Achar tout entier – ne survivrait pas s'il guerroyait contre son frère avant d'avoir repoussé les Skraelings. Dans ce contexte, avoir provoqué Borneheld était de la folie.

Face à ce demi-frère qu'il détestait, l'ancien Tranchant d'Acier n'avait pas pu résister à la tentation de planter ses banderilles.

De leur côté, Roland et Gautier tinrent un discours équivalent à Borneheld.

Quand les deux hommes furent de nouveau face à face, Axis prit les devants.

—Borneheld, nos différends devront attendre jusqu'au printemps…

À contrecœur, le fils aîné de Rivkah abonda dans ce sens.

—En hiver, l'avantage est dans le camp de Gorgrael… Axis, nous voulons tous les deux la même chose: Achar. Et nous refusons que le royaume tombe entre les mains du Destructeur. Jusqu'au printemps, je ne t'écraserai pas. Profite de la mauvaise saison pour te préparer.

Axis parvint à ne pas exploser.

—Nous concluons une trêve hivernale, mon frère, afin de lutter plus efficacement contre les Spectres?

— Jusqu'au mois du Dégel, oui. Au printemps, j'aurai vaincu Gorgrael, et ton tour viendra, Axis!

Les deux hommes échangèrent une poignée de main qui s'éternisa. Même si leurs os craquèrent, tant ils serraient fort, ils ne tressaillirent pas.

— Une trêve jusqu'au mois du Dégel, Borneheld, tu as ma parole!

— Une trêve jusqu'au mois du Dégel, Axis! C'est un roi qui s'y engage!

— Burdel sème la terreur au sud de Skarabost, dit Axis sans lâcher la main de son frère. Ordonne-lui de cesser!

— Je suis le roi, Axis, et pas toi… Le comte rétablit l'ordre dans une province qui s'est révoltée. Ce qu'il fait en Skarabost ne te regarde pas.

Sur ces mots, Borneheld rompit la poignée de main.

— Il tue des innocents, insista Axis, et ça me concerne! Auras-tu l'obligeance d'informer Burdel que je le tiendrai pour personnellement responsable de chaque mort, de chaque ferme brûlée et de chaque poulet réquisitionné? Quant à la royauté… Eh bien, ta soudaine accession au trône m'a surpris, Borneheld! La dernière fois que je l'ai vu, Priam se portait comme un charme.

Une ombre voila un instant le regard de Borneheld.

Il y a bien anguille sous roche, pensa Axis. *Mais la justice peut attendre un peu, et tu paieras aussi pour ce crime-là, mon frère!*

— Rendez-vous au printemps, Majesté! (Axis se tourna de nouveau vers les compagnons du roi.) Roland, je te salue bien bas… Moryson et Gilbert, quand la trêve sera terminée, je viendrai pour Borneheld, mais je n'oublierai pas le Sénéchal!

Gilbert eut un rictus qui ne convainquit personne. Moryson ne broncha pas, l'air de s'ennuyer à mourir.

Axis chercha le regard de Ho'Demi.

— J'espère ne pas devoir attendre jusqu'au printemps pour te voir arriver avec ton peuple.

— Dès les premières neiges, guette notre venue, Homme Étoile.

Axis fit volter Belaguez et siffla pour appeler les chiens.

— Je vous salue, messires ! lança-t-il avant de galoper vers le fleuve.

Tandis qu'Œil Perçant et Gorge-Chant s'envolaient, Belial et Magariz suivirent leur chef sans jeter un regard en arrière.

37

Le solstice d'hiver

Toujours aussi fatigué et glacé qu'au moment où il s'était couché, Axis lutta pour s'extirper de son lit de fortune. S'asseyant au bord, il prit le bol de bouillon de légumes que lui tendait Belial.

Cette campagne contre les Skraelings lui semblait décidément interminable.

Alerté par le message d'Azhure, il n'était pas retourné à Sigholt après les pourparlers, mais avait guidé ses mille Acharites et ses deux Crêtes icarii jusqu'au col de Garde-Dure, puis dans les plaines du Chien Sauvage.

Un voyage en enfer…

Les Spectres ayant pénétré très loin dans les plaines, la force envoyée par Azhure avait dû tenir seule pendant près d'une semaine avant l'arrivée des renforts. Depuis, les deux groupes luttaient rageusement, contraignant les Skraelings à reculer. Mais ces démons ne cédaient pas facilement du terrain, et la bataille durait maintenant depuis près d'un mois.

Pour la protection de Sigholt, il restait une compagnie d'archers et cent hommes d'épée. Toute la Force de Frappe était avec Axis, et en matière de baptême du feu, les Icarii avaient été gâtés !

Heureusement, ils s'en sortaient plus qu'honorablement.

Sans doute parce qu'il sous-estimait l'opposition, Gorgrael avait envoyé sur ce front un seul Skraebold qui restait prudemment à l'arrière. De plus, aucun ver de glace ne participait à l'attaque.

Personne ne leur disputant la maîtrise de l'air, les Icarii faisaient pleuvoir la mort sur leurs adversaires. Mais ils devaient rester prudents, car les nuages bas les obligeaient à voler très près du sol – parfois à la limite du rase-mottes –, et les Skraelings étaient assez lestes pour sauter en hauteur et saisir un homme-oiseau imprudent par le bout de ses ailes. Une dizaine d'Icarii avaient fini ainsi…

Malgré leur compétence et leur courage, le bilan des hommes d'épée acharites était beaucoup moins brillant. Sans les hommes-oiseaux, face à une telle horde d'ennemis, ils auraient sans doute subi des pertes aussi lourdes qu'au fort de Gorken. Cela dit, Arne s'était battu comme un lion, et depuis l'arrivée des renforts, l'avantage changeait lentement de camp.

Les archers montés d'Azhure s'étaient révélés presque aussi utiles que les Icarii, surtout quand il s'agissait de compenser la soudaine faiblesse d'une zone du front. Capables de tirer chacun douze flèches à la minute, ils expédiaient sur les Skraelings près de deux mille projectiles en soixante secondes – et tous d'une diabolique précision. Le plus dur, pour eux, avait été de récupérer assez de flèches pendant la nuit pour recommencer le lendemain. Moins abruti qu'on aurait pu l'espérer, le Skraebold avait ordonné à ses Spectres d'en ramasser le plus possible quand ils battaient en retraite. En conséquence, des corps à corps impitoyables avaient eu lieu pour la possession de ces précieux projectiles…

Au fort de Gorken, les Skraelings avaient montré qu'ils ne connaissaient pas la peur – au moins tant que le plan se déroulait comme prévu. Dès qu'une manœuvre tactique les surprenait, ils avaient tendance à tourner les talons, désorientés et apeurés.

Ceux-là étaient beaucoup plus braves, déterminés et disciplinés. Avec le temps, redoutait Axis, Gorgrael finirait par rendre ses créatures invincibles.

Pour l'instant, on pouvait encore les tuer. Cela dit, cette petite force – à l'échelle de Gorgrael – ne préjugeait pas de ce que Borneheld devait affronter. Car le Ponton-de-Jervois restait sans nul doute l'objectif prioritaire du Destructeur.

Un peu réchauffé, Axis rendit le bol à Belial. Les deux hommes prenaient un peu de repos dans une tente à la toile bien trop fine dressée au milieu d'un camp improvisé, dans la partie est des collines d'Urqhart, à environ cinq lieues de l'entrée du col de Garde-Dure.

— À ton avis, demanda Axis à son second, comment Gorgrael comptait-il faire traverser le fleuve à ses Spectres, s'ils étaient arrivés jusque-là ? Tu crois que le Skraebold a une bourse remplie de pièces, histoire de leur payer une petite croisière en bac ?

Cette idée fit sourire Belial, mais il se rembrunit très vite.

— Les « bonnes gens » de Smyrton auraient découvert qu'on peut faire de bien pires rencontres, la nuit, que quelques Proscrits…

À vrai dire, le sort de ces villageois antipathiques n'empêchait pas les deux hommes de dormir. Beaucoup de réfugiés de Skarabost en route pour Sigholt traversaient le fleuve à Smyrton, qui proposait un service de bacs. Fidèles à leur stupidité, les villageois tentaient de les décourager de gagner une forteresse qui grouillait de Proscrits assoiffés de sang acharite.

Pour une mystérieuse raison, Smyrton restait un fief du Sénéchal, et ses habitants rejetaient en bloc la Prophétie. Bref, rien n'avait changé depuis la visite d'Axis à cette peu avenante communauté, un an plus tôt.

Tant de choses sont arrivées depuis…, pensa l'ancien Tranchant d'Acier. *La jeune femme qui me dévisageait outrageusement dans le hall des Lunes est devenue reine… Naguère, j'étais persuadé de l'aimer, mais ce sentiment était-il moitié aussi fort que celui qui me lie à Azhure ? Par les Étoiles, que ferai-je quand je reverrai Faraday ? Que lui dirai-je lorsque nous serons de nouveau face à face ?*

Axis se força à chasser la jeune femme de ses pensées. Ce problème-là ne se poserait pas à lui avant des mois…

À présent qu'ils avaient réussi à contenir les Skraelings,

pouvait-il trouver un prétexte pour retourner un jour ou deux à Sigholt ? Il brûlait d'envie de serrer Azhure dans ses bras, de lui parler, de la laisser apaiser ses doutes et ses angoisses…

Contre les Skraelings, ses pouvoirs avaient été moins efficaces qu'il l'espérait. La bague lui montrait des Chansons capables de tuer ou de mutiler, mais la plupart étaient si puissantes – et brûlaient tellement de pouvoir puisé dans la Danse des Étoiles – qu'il aurait risqué sa vie en les utilisant. Orr l'avait prévenu qu'il n'était pas encore assez expérimenté pour recourir à certaines Chansons. À présent, il savait pourquoi… Une mélodie qui tuait à peine cinquante Skraelings le vidait tant de ses forces qu'il ne pouvait plus rien faire pendant des heures. S'il était un jour contraint de recourir à ses armes magiques les plus redoutables, il ne donnait pas cher de sa peau.

Pour ne pas s'épuiser, il s'était limité à invoquer la Danse des Étoiles dans les situations très compromises. Par exemple quand les Skraelings avaient réussi une percée, ou lorsqu'une partie de ses forces, s'étant trop avancée, risquait d'être coupée du gros de l'armée.

— Nos lignes vont-elles tenir, Belial ? demanda-t-il.

Son second était occupé à nettoyer et à huiler son épée. Un signe encourageant… Au début des combats, ils n'avaient jamais eu le temps de s'occuper ainsi de leurs armes…

— Probablement, mon ami, répondit Belial sans relever les yeux de sa tâche. Je doute que Gorgrael envoie des renforts à ces Skraelings-là. Pour lui, ce front est secondaire. Une victoire le réjouirait, mais un échec ne lui brisera pas le cœur. Il veut prendre le Ponton-de-Jervois, ne perds pas ça de vue ! Et si nos adversaires ne reçoivent pas de renforts, je te garantis que nous finirons par vaincre !

Un long silence suivit. Alors qu'Axis pensait à l'assaut du Destructeur sur le Ponton-de-Jervois, Belial essayait de trouver une manœuvre tactique brillante pour expulser son chef du lit et s'y allonger un peu…

— Tu crois que Gorgrael sait que je suis ici ? demanda enfin Axis.

— Certainement, puisque tu as parfois utilisé ta magie contre ses créatures. Le Skraebold a dû faire le rapprochement et envoyer un message à son chef.

Le « parfois » était-il une subtile critique ? s'inquiéta Axis. Il avait conscience que ses pouvoirs d'Envoûteur n'avaient jusque-là pas servi à grand-chose…

Belial vit que ses propos avaient éveillé l'intérêt de son chef. Se méprenant sur le sens de cette réaction, il continua :

— Si Gorgrael sait que tu es là, ça ne doit pas occuper beaucoup ses pensées…

— Que veux-tu dire ?

Au nom de quoi le Destructeur se serait-il fichu de ce que faisait l'Homme Étoile ? À savoir le seul adversaire qui pouvait le vaincre !

— Axis…, soupira Belial. (Épuisé, il fixait intensément le lit, mais son supérieur ne semblait pas capter le message.) Pour menacer le Destructeur, à cette heure, tu devrais être en train d'assiéger la forteresse où il se tapit, s'il en a une. Son but est de conquérir Achar avant que tu aies unifié les trois races. En ce moment, il sait qu'il n'a pas grand-chose à craindre de toi.

— Avec un second de ton acabit, mon ami, je ne risque pas d'avoir la tête qui enfle ! Tu réussis toujours à me remettre les pieds sur terre, quand j'ai tendance à m'envoler…

— Dans le même ordre d'idée, puis-je te rappeler que tu monopolises le lit alors que c'est mon tour de dormir ? Serais-tu assez bon pour…

Belial s'interrompit, surpris par le cri que venait de pousser Axis.

— Vagabond des Étoiles, grogna-t-il en se prenant la tête entre les mains, pas si fort ! Je t'entends ! Calme-toi un peu !

Oubliant le lit, Belial regarda son chef communiquer mentalement avec Vagabond des Étoiles. L'Envoûteur était retourné à Sigholt après les pourparlers… Que se passait-il là-bas ? Une attaque surprise ? ou… Au nom de la Mère, était-ce Azhure ? Fou d'inquiétude, l'officier se recroquevilla sur sa chaise.

Axis se leva d'un bond, mortellement pâle sous la couche de crasse qui lui maculait les joues.

— Belial, le lit est à toi ! Si je m'en vais, pourras-tu contenir les Skraelings ?

— Que se passe-t-il à Sigholt ?

— Azhure va accoucher !

— Mais c'est trop tôt ! Elle en est à peine au huitième mois !

— Je sais, je sais… Belial, tiendras-tu sans moi ? Il te restera Magariz, Arne, Œil Perçant et la Force de Frappe…

— Oui, ça ira ! Mais tu n'arriveras pas avant des jours, même en galopant ventre à terre. Comment pourrais-tu être sur place assez vite pour…

— J'ai un moyen plus rapide de voyager. Occupe-toi de Belaguez !

Une mélodie flotta dans l'air. Quelques instants plus tard, sous le regard stupéfait de son ami, Axis se volatilisa.

— Pourquoi dois-je toujours me charger de ce foutu canasson ? maugréa Belial.

Il se laissa tomber sur le lit, bien trop inquiet pour songer encore à dormir.

Pourvu qu'il ne soit rien arrivé à Azhure !

Comme de juste, Azhure avait senti les premières contractions alors qu'elle revenait d'une petite promenade matinale. À quelques centaines de pas de la forteresse, elle avait crié de douleur, les mains plaquées sur son ventre. Inquiet, le pont s'était tellement égosillé que toute la garnison, réveillée en sursaut, avait couru dehors. Les cheveux encore en bataille, bouclant leur ceinturon d'armes en marchant, tous les défenseurs avaient déboulé, certains que Sigholt subissait une attaque massive.

Un rien embarrassée, Azhure, avec un pâle sourire, avait dignement – enfin, autant que possible – marché jusqu'à la suite seigneuriale. Une bonne moitié des hommes l'avaient suivie, juste au cas où…

À présent, assise dans un fauteuil, Rivkah regardait son

amie, au tout début du travail, faire lentement les cent pas dans la chambre, Sicarius sur les talons. Les autres Alahunts étaient consignés dans la cuisine. Quant à Vagabond des Étoiles et sa mère, ils attendaient impatiemment dans le couloir.

Le déclenchement précoce du travail n'était pas un problème en soi. Au fond, les naissances avant terme étaient monnaie courante. L'absence d'Axis, en revanche, risquait d'être catastrophique. Quand ils venaient au monde, les bébés icarii avaient besoin qu'un de leurs parents au moins – également icarii, bien entendu – soit là pour leur parler. Plus conscients et sensibles que les nouveau-nés humains, ils s'effrayaient de sentir la matrice maternelle se contracter de plus en plus violemment autour d'eux, et la douleur de leur génitrice – voire son angoisse – les terrorisait.

Un Icarii devait les rassurer et les convaincre de ne pas résister à la force qui tentait de les expulser de leur doux cocon liquide. Sinon, ils luttaient contre ce qu'ils percevaient comme une agression, et les choses pouvaient très mal tourner.

Rivkah frissonna en se rappelant la naissance d'Axis, si difficile parce que Vagabond des Étoiles n'avait pas pu y assister. Terrifié par la souffrance de sa mère, le bébé s'était tellement débattu qu'il avait failli la tuer…

Il n'était pas question qu'Azhure traverse cette épreuve ! Mais combien de temps faudrait-il à Axis pour arriver ? En l'attendant, la pauvre petite devrait subir un véritable calvaire.

En principe, Vagabond des Étoiles ou sa mère auraient pu se substituer au père absent. Azhure ne leur ayant jamais permis de s'adresser à Caelum, il ne leur ferait pas confiance d'emblée. Bref, quand une relation convenable serait établie, en supposant qu'Azhure s'y résigne, il serait beaucoup trop tard pour qu'elle soit utile.

Se mordillant les lèvres, Rivkah regarda son amie marcher dans la chambre, les mains sur les reins pour soutenir sa colonne vertébrale. Elle se sentait de plus en plus mal – et Caelum aussi, sans nul doute –, mais ce n'était rien comparé à ce qui l'attendait. Hélas, chaque fois que la princesse avait mentionné le nom d'Étoile du Matin ou de son fils, la future mère avait hurlé qu'elle refusait de les voir.

Soudain, la porte s'ouvrit, et Axis entra en trombe.

Il courut vers Azhure et la prit dans ses bras. Tandis que le couple s'étreignait, rires et sanglots mêlés, Rivkah sentit des larmes de soulagement rouler sur ses joues. Après les avoir essuyées d'un revers de la main, elle se leva, alla enlacer Axis, lui tapota tendrement le dos et écarta de son front des mèches de cheveux bien trop longues.

—J'ai appris que le travail avait commencé… Mais…

Axis regarda sa mère, en quête d'une explication. Pourquoi Azhure n'était-elle pas déjà couchée, inspirant et expirant à fond pour aider le bébé à naître?

Les deux femmes rirent de sa perplexité.

—Les choses ne vont pas si vite, mon fils, dit Rivkah. Azhure en est au début de son accouchement…

Toujours souriante, elle entreprit de donner à Axis un petit cours sur la naissance des bébés icarii…

Onze heures plus tard, alors que l'aube pointait à peine, plus personne n'avait envie de sourire. Assise dans son lit, les yeux clos, des mèches de cheveux trempées collées au front, Azhure attendait que la contraction suivante lui déchire les entrailles. Les mains sur son ventre, Axis lui murmurait des encouragements à l'oreille. Caelum était à présent aussi effrayé que sa mère, et son père n'avait aucun autre moyen de les rassurer.

Il embrassa sa compagne sur la joue, lui répéta qu'il était avec elle de tout cœur, puis se concentra sur l'enfant.

Caelum, je sais que tu as peur, mais tu ne dois pas lutter contre ta mère. Bientôt, tu seras venu au monde, et tout cela sera fini…

Angoisse… Douleur…, voilà tout ce que le bébé communiquait à son père. Deux réalités qui occultaient toutes les autres.

Axis leva les yeux et croisa le regard de Rivkah, qui tenta de le réconforter.

— Tout se passe à merveille, mon fils. Le bébé est bien positionné, et Azhure tient très bien le coup.

La future mère n'ayant plus la force de protester, Étoile du Matin avait fini par se glisser dans la chambre. Rivkah ne s'en plaignait pas, car elle aurait besoin d'aide, et l'Envoûteuse était une sage-femme expérimentée.

— Azhure fait ce qu'il faut, dit-elle, et toi aussi, mon petit-fils.

— Caelum est terrorisé, souffla Axis, glacé par le souvenir des tourments de Rivkah.

Avait-il éprouvé la même panique que son fils? Sans nul doute…

Prise d'une nouvelle contraction, Azhure cria, et Axis se raidit en «entendant» le bébé gémir d'angoisse.

Il caressa de nouveau le ventre de la jeune femme. Caelum le sentait, et ce contact semblait l'apaiser un peu.

Caelum, tu ne dois pas résister! Tu vas naître, et ta mère lutte pour t'aider. Fais ce qu'elle te demande. Aie confiance en elle!

Confiance! Ce mot ayant pénétré dans sa conscience, l'enfant le répéta comme un mantra. *Confiance!*

— Oui, confiance, murmura Azhure en prenant la main d'Axis.

Elle hurla de nouveau, mise à la torture par une nouvelle contraction.

— Il vient, Azhure! dit Rivkah en massant lentement les jambes de son amie. Il faut que tu pousses, maintenant! Sers-toi de la douleur comme d'une source d'énergie!

Le bébé s'était tu. Mort d'inquiétude, Axis prit les mains d'Azhure entre les siennes.

Il doit y avoir un meilleur moyen que cette séance de torture! pensa-t-il, désespéré.

Mais sa bague refusait de lui montrer une Chanson qui aurait facilité les choses, et Azhure s'accrochait à ses mains comme si sa vie en dépendait.

Les sangs glacés, Axis se souvint des nombreux Haches de Guerre qui étaient jadis venus frapper à sa porte, ravagés par le désespoir. Pouvait-il leur accorder quelques jours de permission, afin qu'ils organisent les funérailles de leur épouse morte en couches et s'occupent de l'avenir des orphelins qu'elle laissait?

Non, Azhure ne va pas mourir ainsi! Elle doit vivre!

—Pousse encore! lança Rivkah.

Étoile du Matin dit quelque chose qu'Axis ne comprit pas, car sa grand-mère aurait tout aussi bien pu être à des centaines de lieues de là. Il ne voyait plus qu'Azhure, les yeux écarquillés de douleur… et peut-être d'émerveillement, car elle sentait le bébé bouger en elle.

—Pousse! ordonna Rivkah.

Paniqué, Axis serra Azhure contre lui, aussi étroitement qu'il le pouvait dans ces circonstances.

—Reste avec moi! implora-t-il. Surtout, ne me quitte pas! Que ferais-je sans toi? Reste avec moi…

—La tête vient, annonça Rivkah, très calme. Axis, c'est presque terminé. Encore deux contractions, et tu pourras prendre ton fils dans tes bras!

—Tu l'entends, Azhure? Notre enfant naîtra bientôt! Ton combat est presque fini.

La jeune femme poussa encore deux fois, puis soupira de soulagement.

—Rivkah? demanda-t-elle d'une voix tremblante en essayant de se relever.

Axis lui glissa une main dans le dos, la releva et la cala contre sa poitrine. Puis il regarda la princesse, aussi anxieux qu'Azhure.

Le premier rayon de soleil de la journée filtra de la fenêtre et vint caresser le front de la jeune mère, qui battit des paupières pour ne pas être éblouie.

Rivkah était en train de nettoyer le visage du bébé, en insistant sur sa bouche et son nez. Quand elle eut fini, elle sourit puis posa le nourrisson sur le ventre d'Azhure. Toujours relié à sa mère par le cordon ombilical, Caelum bougea doucement et ouvrit les yeux. Enfin, sa petite bouche s'arrondit, comme s'il avait voulu exprimer de l'émerveillement… ou de la surprise.

— Regarde quel bel enfant nous avons fait, murmura Axis. Azhure, merci de ce merveilleux cadeau.

Se penchant, Axis embrassa sa compagne sur le front puis sur la joue.

— La conception était beaucoup plus amusante que l'accouchement…, plaisanta Azhure, les yeux baissés sur l'enfant. Axis, il est si petit !

Rivkah noua le cordon puis le coupa.

— Laissons-leur quelques minutes d'intimité, dit-elle en entraînant Étoile du Matin loin du lit. Tu auras tout le temps de voir ton arrière-petit-fils pendant qu'il grandira.

Azhure posa le bébé entre ses seins et eut un rire ravi quand il commença à téter.

— Tu crois toujours qu'elle est Étoile Loup ? demanda Rivkah à l'Envoûteuse.

Les yeux rivés sur le jeune couple, Étoile du Matin ne répondit pas tout de suite.

— En tout cas, elle n'est pas ce qu'elle semble être, dit-elle enfin.

Assis au bord du lit, Axis berçait le bébé sous le regard plein de fierté d'Azhure, qui luttait de toutes ses forces pour ne pas s'endormir. Pendant que Rivkah et Étoile du Matin s'occupaient de la mère, il avait chanté pour l'enfant. À présent, Azhure, propre comme un sou neuf, était confortablement installée. De sa vie, elle ne s'était jamais sentie aussi épuisée…

Vagabond des Étoiles venait enfin d'être autorisé à entrer.

— Ne t'endors surtout pas, souffla Rivkah à son amie. Il est très rare de voir trois générations d'Envoûteurs accueillir ensemble le premier représentant de la quatrième…

Vagabond des Étoiles tomba en admiration devant l'enfant. Après avoir demandé la permission aux parents, il le prit dans ses bras, le berça et chanta pour lui. Toujours éveillé, Caelum regarda son grand-père avec des yeux ronds.

— Les bébés icarii y voient quelques minutes après la naissance, expliqua Rivkah à Azhure. Dès à présent, il va mémoriser des visages et apprendre à les reconnaître.

Vagabond des Étoiles sourit au nourrisson. Puis il leva les yeux sur sa mère.

— Il est splendide, dit-il, émerveillé. Qui croirait qu'il est à demi humain ? Son sang Soleil Levant chante si fort…

Axis et Étoile du Matin échangèrent un long regard…

— Comme pour Gorge-Chant ! s'exclama Rivkah. Tu te souviens, Étoile du Matin ? Quand elle est née, il a dit exactement la même chose.

Mais tout le monde, à part Azhure, avait deviné ce que pensait l'Envoûteuse, depuis la déclaration de son fils. Si Azhure était Étoile Loup, le sang Soleil Levant dominait chez l'enfant !

— Axis, dit Vagabond des Étoiles pour briser un lourd silence, quel nom vas-tu lui donner ?

— Azhure a déjà choisi…

Étoile du Matin et son fils ne cachèrent pas leur surprise.

— Caelum, murmura Azhure. Il s'appellera Caelum…

— Impossible ! s'écria Étoile du Matin. C'est un Envoûteur ! Il faut que le mot « Étoile » figure dans son nom.

— Je suis aussi un Envoûteur, intervint Axis, et je ne me nomme pas Étoile pour autant. Azhure a choisi Caelum, et je trouve que c'est très joli. Et très adapté, si on y réfléchit un peu… Le monde change, grand-mère, et les traditions évoluent au fil des siècles. Caelum, bienvenue dans la maison du Soleil Levant !

Étoile du Matin baissa les yeux et renonça à protester. Mais à sa raideur, il parut évident qu'elle était mécontente.

Pourtant, elle se pencha sur le bébé blotti dans les bras de Vagabond des Étoiles et l'embrassa sur le front.

— Caelum, bienvenue dans la maison du Soleil Levant ! Je suis Étoile du Matin, ton arrière-grand-mère. Chante bien et vole haut, mon enfant, et puisse ton père reconquérir Tencendor pour toi.

À son tour, Vagabond des Étoiles se pencha sur l'enfant.

—Caelum, bienvenue dans la maison du Soleil Levant ! Je suis Vagabond des Étoiles, ton grand-père. Chante bien et vole haut, mon enfant, et puisses-tu toujours entendre la musique de la Danse des Étoiles.

L'Envoûteur tendit le bébé à Rivkah.

—Caelum, bienvenue dans ce monde pourtant dévasté par la violence. Je suis Rivkah, ta grand-mère paternelle. N'oublie jamais que mon sang coule aussi dans tes veines. À cause de lui, tu es le dépositaire de l'héritage et des espoirs d'un peuple qui ne volera jamais haut et ne chantera jamais bien. Mais qui sait aimer et protéger, peut-être grâce à ces lacunes…

La princesse donna l'enfant à Axis. Puis elle se redressa, bomba le torse et défia du regard Vagabond des Étoiles et sa mère.

—Bienvenue, Caelum Azhureson Soleil Levant. Je suis ton père, Axis Rivkahson Soleil Levant. Sache que je t'aime déjà, et garde en mémoire les paroles de ta grand-mère. Ce qu'il y a d'humain en toi, et surtout la compassion, te sera souvent plus utile que tes pouvoirs d'Envoûteur.

» Caelum Azhureson Soleil Levant, bienvenue dans mon cœur, que tu sais plein d'amour pour toi. N'oublie jamais que tu es né à la fin de la nuit du solstice d'hiver, et que tu as respiré pour la première fois alors que le soleil pointait à l'horizon. Tu es un véritable fils du soleil, mon petit. Que ta vie soit longue et brillante !

Un silence stupéfait suivit cette déclaration. Personne ne s'était avisé qu'Azhure avait lutté toute la nuit du solstice d'hiver, et connu la délivrance alors que le soleil se levait…

Vagabond des Étoiles marmonna dans sa barbe. Comment avait-il pu oublier la Réunion ? Dans le bosquet de l'Arbre Terre, tout s'était-il bien déroulé ? Depuis qu'il était assez fort pour voler jusqu'à la forêt, soit après son quatorzième anniversaire, il n'avait jamais manqué la cérémonie. Deux semaines plus tôt, il avait envoyé à Avarinheim la majorité des

Envoûteurs, afin qu'ils préparent les rituels, puis tout cela lui était sorti de l'esprit. Avec un peu de chance, Azhure, sans le savoir, aurait accompli un «rituel de substitution» qui serait suffisant. Car l'enfant et le soleil étaient «nés» exactement à la même seconde. Cela signifiait-il que Caelum était le fils des dieux?

— Regardez bien cet enfant, dit Axis en écartant doucement une mèche de cheveux du front d'Azhure. Il fut conçu la nuit de Beltide, et à la fin de celle du solstice d'hiver, il est sorti du ventre d'une mère hors du commun…

Quand il vit Azhure sourire, Vagabond des Étoiles comprit enfin qu'il avait très peu de chances de voler un jour le cœur de la jeune femme à son fils.

— Ta première fille sera à moi, murmura-t-il trop bas pour qu'on l'entende. Car elle sera sûrement aussi «hors du commun» que toi…

Mais conquérir la fille le consolerait-il vraiment d'avoir laissé échapper la mère?

38

LA PÉPINIÈRE

Faraday était parvenue à se dégager de toutes obligations « royales » – ou presque – pendant la troisième semaine du mois de la Neige. À vrai dire, ça n'avait pas été très difficile, car la guerre qui se déroulait au nord douchait bien des enthousiasmes en ville comme au palais. Qui n'avait pas un fils, un frère ou un mari parmi les soldats engagés dans ce terrible conflit ?

En Achar, personne ne célébra le solstice d'hiver, à part Faraday et Yr, dans l'intimité des appartements de la reine.

De plus en plus proches l'une de l'autre, les deux femmes ne se quittaient plus, et chacune comptait sur sa compagne pour l'aider à ne pas désespérer. Piégées à Carlon, manipulées par la Prophétie… En réalité, il y aurait eu largement de quoi baisser les bras.

Depuis quelque temps, Yr dormait avec sa protégée. Et bien que le lit fût assez immense – près de douze pieds de large – pour que deux personnes puissent s'y sentir étrangères l'une à l'autre, Faraday et son amie en profitaient pour se rapprocher encore. Alors que sa vie lui semblait à jamais coincée dans une impasse, la reine trouvait en sa compagne un être dont les réserves de compassion, d'amour et de tendresse semblaient inépuisables.

Faraday prit un banal gobelet, but une gorgée d'eau et pensa à la coupe royale dont Borneheld n'avait jamais voulu se servir. Un tel objet, prétendait-il, était bien trop clinquant pour un guerrier.

La répugnance du nouveau roi à utiliser la coupe confirmait les soupçons de Faraday au sujet du décès de Priam. Et Borneheld, en confiant la relique à Jayme et Moryson – prétendument pour qu'ils la gardent en sécurité – les avait désignés comme ses complices.

L'arme du crime était bien trop subtile pour l'ancien duc d'Ichtar. Quelqu'un d'autre devait avoir eu l'idée, puis s'être chargé d'ensorceler la coupe.

La magie noire était responsable de la mort de Priam, c'était certain ! Mais qui avait frappé ? Et comment ?

Faraday soupira et posa le gobelet.

—Yr, tu penses pouvoir tenir Timozel à distance jusqu'au début de l'après-midi ? Je voudrais retourner dans le Bosquet Sacré.

—Je lui raconterai que tu dors, histoire de prendre des forces pour les fêtes de fin d'année.

Faraday alla sortir sa coupe de bois magique du coffre où elle la dissimulait.

—Mon amie, sais-tu pourquoi Timozel a autant changé ? C'était un charmant garçon, et le voilà devenu une brute maussade…

—Douce enfant, j'ai réfléchi en vain à cette question. Il y a peut-être dans son âme un acide qui corrode inexorablement son cœur et son esprit… Pour être franche, je n'ai pas la moindre idée de ce qui lui est arrivé…

—Je l'ai entendu parler de « visions » à Borneheld. Il ne t'a jamais rien dit à ce sujet ?

—Pas un mot… Des visions qui lui viennent de qui ? Ne les a-t-il pas partagées avec toi ?

—Non… (Faraday soupira puis entreprit de préparer la coupe pour qu'elle la lie au pouvoir de la Mère.) Nous ne sommes plus très proches, tu sais… Seul Borneheld compte pour lui !

Bien qu'il fût le champion de la reine, Timozel prenait systématiquement le parti du roi. Si déplaisant que ce soit, Faraday répugnait encore à le libérer de son serment de fidélité. Au fond, il avait peut-être besoin de son aide, et il suffisait d'attendre que le bon moment se présente…

Pour l'heure, le pouvoir de la Mère et du Bosquet Sacré appelait Faraday, et à ces moments-là, rien d'autre n'avait d'importance.

Dès qu'elle eut salué les Enfants Sacrés de la Corne, Faraday sortit du Bosquet et s'aventura dans la forêt magique.

Pressée de retrouver la charmante cabane dont elle avait dû s'éloigner trop vite, la fois précédente, elle passa beaucoup moins de temps à admirer les évolutions des créatures de légende qui folâtraient entre les arbres. Sentant son désir, la forêt l'aida à atteindre très vite sa destination.

Tout était comme dans son souvenir : la clairière, la clôture aux piquets blancs, la maisonnette… Alors que Faraday tentait de mieux observer le jardin, la porte rouge s'ouvrit et la même vieille dame en sortit, toujours vêtue de son manteau rouge à la capuche rabattue.

Ses yeux d'enfant brillant de vitalité et de joie, elle tendit vers sa visiteuse ses mains tavelées par l'âge.

— Bienvenue dans mon jardin, enfant des arbres. Resteras-tu un moment avec moi ?

— Avec plaisir… Merci de m'inviter, Mère.

— Oh, non, non, non ! dit la vieille femme en venant ouvrir le petit portail qui donnait accès à son royaume. Je ne suis pas la Mère, petite ! Mais elle me laisse ce bout de terrain où bichonner mes jeunes plants, et comme eux, je lui en suis très reconnaissante.

Faraday franchit le portail et le referma derrière elle.

— Alors, comment dois-je t'appeler ?

— Eh bien, Ur conviendra parfaitement… Et maintenant, veux-tu admirer de plus près mon jardin ?

Faraday regarda attentivement et vit assez vite ce que ce jardin avait d'extraordinaire.

— C'est une pépinière ! s'exclama-t-elle.

— Tu es une bonne fille ! Une très bonne fille ! s'écria Ur.

La voyant vaciller sur ses jambes, Faraday la prit par une épaule, histoire de l'empêcher de tomber.

Dans le jardin de sa nouvelle amie, les plantes n'étaient pas enracinées dans le sol, mais dans des milliers de pots en terre cuite pleins d'un terreau gras et riche à souhait.

—Je m'occupe de tous les végétaux qui me font confiance, dit Ur, énigmatique.

Faraday comprit que ces jeunes plants étaient bien plus importants qu'on aurait pu le croire.

—Raconte-moi, dit-elle. Je veux tout savoir!

Ur désigna un banc caressé par le soleil. Faraday l'aida à s'y asseoir, puis elle prit place à côté d'elle. À aucun moment, elle ne s'étonna que l'astre du jour brille de tous ses feux alors que des milliers d'étoiles dansaient dans le ciel.

—Il y a tant de choses mystérieuses dans la Prophétie, dit Ur. Mes jeunes plants sont du nombre… Si tu veux mon avis, le prophète lui-même ne savait pas de quoi il parlait quand il évoquait *« Le chant des âmes millénaires / Longtemps retenues en enfance »*!

Ur marqua une pause et regarda tendrement ses végétaux.

—Tous ces plants deviendront un jour de grands arbres dans les forêts de Tencendor, quand elles couvriront de nouveau la terre! Faraday Amie de l'Arbre, tu sais qu'elles ont été rasées par les haches des adorateurs du Laboureur? Une bande de pantins imbéciles dont le Sénéchal tire les ficelles!

—Oui, répondit la jeune femme, un peu honteuse d'appartenir à la même race que les «pantins».

—De nos jours, continua Ur, la forêt d'Avarinheim est minuscule, comparée à ce qu'elle fut jadis. Mais si tu réussis, elle renaîtra et couvrira Tencendor, qui ressemblera alors aux bois magiques que tu vois autour de toi…

» C'est ici, mon enfant, qu'attendent les jeunes plants qui redonneront vie à l'immense océan de verdure que fut jadis Tencendor. Mais recréer les forêts n'est pas leur unique mission. Car eux seuls peuvent débarrasser définitivement Tencendor de la vermine de Gorgrael. Et c'est toi, Faraday, qui devras les replanter. Parce que personne d'autre ne pourrait les conduire hors du Bosquet Sacré!

Des larmes perlèrent aux paupières de la jeune femme. Ces derniers mois, rongée par l'amertume, elle avait eu le sentiment que la Prophétie la confinait à un rôle qui lui vaudrait uniquement de souffrir, piégée dans des ténèbres qui semblaient vouloir s'étendre à l'infini. À présent, elle mesurait sa chance! Son destin serait de réveiller les antiques forêts – en d'autres termes, de réensemencer Achar!

—Merci, souffla-t-elle en prenant la main de la vieille femme.

—Pas d'attendrissement, grogna Ur. Il te reste d'autres choses à découvrir, plus belles encore.

Elle se pencha en avant, toutes ses articulations craquant en chœur, et ramassa un des pots. Le jeune plant qu'il contenait venait à peine de percer le terreau, et il semblait terriblement fragile.

—Prends-le, dit Ur.

La terre cuite étant étrangement chaude, Faraday sentit ses doigts picoter. Le végétal était si jeune qu'elle voyait sur ses feuilles presque transparentes le réseau de nervures – tels de minuscules vaisseaux sanguins – qui frémissait de vie et… d'espoir, aurait-elle juré.

—Cette plante s'appelle Mirbolt, révéla Ur.

—Mirbolt… Ont-elles toutes un nom?

—Oui, et tu devras les apprendre jusqu'au dernier!

—Quoi?

Cette pauvre femme n'a plus toute sa tête… Comment veut-elle que je mémorise le nom de milliers de végétaux?

—Faraday, as-tu remarqué que tous les Enfants Sacrés sont des hommes?

—Euh… oui…

—Pourtant, les Avars ont des Eubages des deux sexes. Où vont les femmes Eubages quand elles meurent, mon enfant? ou plus exactement, quand elles se métamorphosent?

—Oh! s'exclama Faraday.

Comprenant qu'elle tenait la vie d'une Eubage entre ses mains, elle… faillit la laisser tomber.

—Mirbolt est morte dans le bosquet de l'Arbre Terre, il y a un an, lors de l'attaque des Skraelings. Métamorphosée depuis peu, elle attend – avec quarante-deux mille de ses sœurs – le moment de retourner en Tencendor pour ressusciter la forêt. Je viens de te révéler un secret connu des seules Eubages femmes. Raum lui-même ignore l'existence de ma pépinière.

—Quarante-deux mille…, répéta Faraday.

—Les Eubages féminins se transforment depuis plus de quinze mille ans, mon amie. Comme leurs homologues masculins, qui deviennent des Enfants Sacrés, ou les créatures fabuleuses que tu as vues dans cette forêt. Les Avars sont la race la plus ancienne de Tencendor, et voilà longtemps que leurs Eubages se métamorphosent !

—Et je devrai mémoriser tous ces noms ?

—C'est obligatoire, Faraday. Transférer mes plants sera impossible si tu ne sais pas comment ils s'appellent. Mais ne te décourage pas… En si peu de temps, tu connais déjà un nom ! Mirbolt…

Dans son refuge fait de branches mortes et de broussailles, Raum gémit de douleur. Ses os se modifiaient déjà, et il devrait bientôt quitter son peuple. Mais sa métamorphose, il le savait, n'était pas normale…

Faraday détenait la clé de la réussite de sa transformation. Il devait la trouver !

—Faraday, souffla-t-il.

Puis il hurla, car ses os recommençaient à le torturer.

Faraday tira sur sa jupe et se tourna vers Yr.

—Je suis présentable ?

—Parfaite ! Maintenant, cours au hall des Lunes présider l'audience royale. C'est la dernière avant les fêtes de fin d'année.

—La Mère en soit remerciée !

Faraday se recoiffa distraitement. Après ce qu'elle venait d'apprendre, les simagrées de la cour lui semblaient encore plus absurdes.

— Timozel attend dehors pour t'escorter, annonça Yr.

— Et que feras-tu de ton après-midi de liberté ?

— Je vais aller sur ton balcon privé, pour regarder la garde palatiale s'entraîner. C'est un spectacle… stimulant.

Faraday sourit. Connaissant Yr, après la fin de l'exercice, elle s'arrangerait pour attirer un beau soldat dans les écuries et lui offrir un repos du guerrier bien mérité.

Faisant un clin d'œil à son amie, la reine sortit de sa chambre et referma doucement la porte derrière elle.

39

Les Skraelings
et les Skraebolds

Deux nuits après le solstice d'hiver, une horde de Skraelings déferla sur le Ponton-de-Jervois.

Sans les canaux, pensa Ho'Demi, terré dans une tranchée boueuse, *Borneheld et tous nos hommes seraient déjà dans le ventre des Spectres.*

— Ils vont repasser à l'assaut, dit Inari, accroupi près de son chef. La brume tourbillonne…

Ho'Demi ne répondit pas. Malgré son incontestable courage, chaque assaut des Skraelings lui glaçait les sangs. Mal à l'aise, il regarda les hommes en position dans la tranchée, sur sa droite et sa gauche. Après six jours de combat, les soldats les moins expérimentés – ou les plus faibles – étaient déjà tombés. Les paysans enrôlés de force par Borneheld n'avaient pas servi à grand-chose. Mais les rares survivants s'étaient considérablement endurcis, et c'était déjà ça de gagné.

Le régiment de Ho'Demi ne comptait pas que des chasseurs de Ravensbund. Il y avait aussi des Acharites, et quelques unités de mercenaires coroléiens. Car le roi d'Achar en avait engagé des milliers pour renforcer ses défenses.

Ho'Demi fit un signe de tête approbateur à l'officier qui commandait ces soldats – sous sa haute autorité, bien entendu. Les Coroléiens savaient tuer proprement et en silence. Deux qualités qu'il appréciait au plus haut point.

Entendant un bruissement, derrière lui, Ho'Demi frissonna. Les Skraelings avaient-ils réussi à les encercler ?

Mais ce n'était que Borneheld. Sautant dans la tranchée, il sonda la brume un moment.

—C'est pour bientôt, dit-il simplement.

Oui, pour très bientôt! pensa Ho'Demi.

Depuis le début des hostilités, il en était venu – non sans réticence – à respecter le roi d'Achar. Couronne ou pas, il n'hésitait pas à se battre aux côtés de ses troupes. Hélas, pour les stimuler, il recourait volontiers à la violence, verbale comme physique, là où des encouragements auraient suffi.

Gautier était encore plus dur, et les soldats blêmissaient quand il venait en inspection.

—Là! cria Inari, un bras tendu.

Ho'Demi aperçut les Skraelings, au cœur du brouillard, et il fit signe à ses hommes de se tenir prêts.

La gueule ouverte et les yeux brillant d'extase sanguinaire, les monstres déboulèrent sur la tranchée. Ho'Demi embrocha le premier avec sa pique, mais un autre prit aussitôt sa place. À côté du chef des chasseurs, Borneheld saisit un Skraeling par ses lambeaux de cheveux, le força à incliner la tête puis le décapita.

Après vingt minutes d'une effroyable mêlée presque silencieuse, n'étaient les murmures des monstres et les cris d'agonie des défenseurs, Ho'Demi embrocha un Spectre qui voulait lui sauter à la gorge, puis il regarda devant lui et constata qu'aucun nouvel adversaire ne se présentait.

À deux pas de là, Borneheld affrontait un énorme Skraeling qui lui donnait du fil à retordre. Ho'Demi prit à pleine main les cheveux du monstre et tira, offrant au roi d'Achar l'occasion de lui transpercer un œil avec sa lame.

Du sang éclaboussa les deux hommes.

Après avoir remercié le chasseur d'un signe de tête, Borneheld étudia le terrain.

—Ils battent en retraite, annonça-t-il.

Épuisé par une longue journée de combat, Ho'Demi soupira de soulagement. Pendant des mois, les soldats avaient râlé ferme en creusant ce qu'ils appelaient les «foutus canaux».

Aujourd'hui, tous se félicitaient qu'ils soient là. Grâce à eux, les Skraelings ne pouvaient pas attaquer en masse, comme ils l'avaient fait au fort de Gorken. Contraints de se diviser, ils montaient à l'assaut par petits groupes, facilitant la tâche des défenseurs.

Mais ils restaient féroces et vicieux. S'ils parvenaient à traverser les canaux, Ho'Demi doutait que les forces de Borneheld puissent les empêcher de s'enfoncer en Achar.

À l'ouest, des centaines de pas plus loin, montèrent des cris de guerre. Borneheld sortit péniblement de la tranchée et sonda la zone.

—Inari, dit Ho'Demi, je veux parler aux Anciens, cette nuit. Tu pourras te passer de moi ?

—En ton absence, je tuerai deux fois plus de monstres, voilà tout !

—Assure-toi que les hommes aient à manger. En cinq heures, ils ont dû repousser cinq attaques.

Sur cet ultime conseil, Ho'Demi fila vers l'arrière.

Dans la tranchée, les soldats se laissèrent lourdement tomber dans la boue. Après s'être restaurés, ils prirent le temps de prier. Les chasseurs invoquèrent les dieux des glaces, les Coroléiens implorèrent le soutien des divinités de bronze accrochées à leur ceinture, et les Acharites demandèrent à Artor de veiller sur eux.

Enfin, certains Acharites… Car beaucoup murmurèrent plutôt le nom d'Axis. Informés qu'il était vivant par leurs camarades présents au gué de Gundealga, ils savaient que l'Homme Étoile écrasait de toute sa gloire – et de sa majesté ! – le guerrier courageux mais sans charisme qui portait la couronne d'Achar. Quant aux Proscrits, effectivement effrayants, ils n'avaient pas esquissé un geste hostile, alors que faire pleuvoir la mort sur les Acharites eût été un jeu d'enfant pour eux.

Dans les rangs de l'armée royale, la Prophétie recommençait à se répandre comme une traînée de poudre…

Quand Sa'Kuya eut servi du *tekawai* aux Anciens et aux guerriers, elle s'assit à côté de Ho'Demi, qui déclara ouvert le Conseil des chasseurs.

Après avoir prononcé les paroles rituelles obligatoires, il dit ce qu'il avait sur le cœur :

— Vous savez tous que j'ai parlé avec l'Homme Étoile, il y a un mois… Depuis, je me débats contre un terrible cas de conscience. Mon âme et mon cœur brûlent de rejoindre Axis Soleil Levant, mais ma raison s'y oppose, car cela reviendrait à livrer le Ponton-de-Jervois – puis Achar – à Gorgrael !

— C'est exact, dit l'Ancien Tanabata. Pour être franc, je suis soulagé que cette décision dépende de ta seule autorité. L'as-tu déjà prise ?

— Oui. J'ai juré fidélité à l'Homme Étoile, mais je me suis aussi engagé à combattre Gorgrael. Nous resterons ici jusqu'à ce que Borneheld puisse tenir sans notre soutien.

Les Anciens et les conseillers approuvèrent du chef. C'était ce qu'ils espéraient…

— Au gué de Gundealga, ajouta Ho'Demi, j'ai dit à Axis Soleil Levant que nous le rejoindrions au moment des premières neiges. Voilà trois semaines que le sol est blanc, et il risque de penser que nous l'avons trahi.

— Il doit être très occupé à se battre, dit Hamori.

— Sans doute, mais Sa'Kuya va partir pour Sigholt afin de lui dire ce qui se passe.

Encore une fois, cette initiative reçut l'approbation de tous.

— Ces prochaines semaines, de petits groupes de femmes et d'enfants gagneront la forteresse. Borneheld et Gautier ne remarqueront pas leur départ…

Personne ne s'inquiéta pour la sécurité de ces expéditions. Les femmes de Ravensbund savaient se battre aussi bien que les hommes. De plus, malgré leurs clochettes, tous les chasseurs pouvaient se déplacer en silence quand il le fallait. Et il n'y avait pas meilleurs qu'eux pour se fondre dans un paysage.

— Dès que les combats deviendront moins violents, ou si Borneheld reçoit de nouveaux renforts coroléiens, nous irons tous à Sigholt.

— Le roi d'Achar ne nous laissera jamais partir, dit un guerrier.

— C'est vrai, mais avant le printemps, nous ne devrons plus être ici. Je ne resterai pas l'allié de Borneheld quand il affrontera l'Homme Étoile.

Toute l'assistance parut soulagée.

— Je m'en irai cette nuit, annonça Sa'Kuya, et j'espère être à Sigholt en moins de deux semaines. Parmi vos femmes et vos enfants, qui m'accompagnera ?

Axis repartit pour le front quatre jours après la naissance de Caelum. S'en aller lui déplaisait, mais on avait besoin de lui là-bas. En outre, Azhure et l'enfant se portaient à merveille.

Ne pouvant pas utiliser la Chanson du Voyage, il partit à cheval avec une petite unité de renforts. Habitué depuis des années à Belaguez, il s'agaça des réactions lentes et pataudes de sa monture. Au fil des ans, Belaguez et lui étaient devenus de véritables partenaires, et cette relation si particulière lui manquait.

Au prix d'une chevauchée éprouvante, Axis et ses hommes atteignirent le camp de fortune en quatre jours. Avertis de la venue au monde de Caelum par un éclaireur icarii, Belial et Magariz accoururent aussitôt sous la tente de leur chef pour le féliciter. Intarissable sur le sujet, Axis leur vanta jusqu'à plus soif la beauté, l'intelligence, la vigueur et la vitalité de son fils. Et il lui fallut un long moment pour s'aviser que son auditoire s'ennuyait ferme.

— Bref, il est très bien, conclut-il, se souvenant qu'il avait souvent tempêté intérieurement contre les nouveaux pères qui l'accablaient de discours enthousiastes sur leur progéniture.

Sur ces entrefaites, Œil Perçant entra sous la tente et y alla aussi de ses félicitations.

— Merci à toi, mon ami, mais assez parlé de femmes et d'enfants ! Où en sont les Skraelings ? Le Skraebold les a-t-il poussés à se montrer plus agressifs ?

— Nous les avons contenus sur cette ligne, dit Belial. (Il passa un index en travers d'une carte des plaines du Chien

Sauvage.) Cette année, Gorgrael semble avoir réussi à motiver ses Spectres. Le Skraebold est un assez bon stratège, et il a su repérer puis harceler nos points faibles. Il y a deux nuits, les monstres ont failli réussir une percée. Leur officier a tiré les leçons de ses défaites, et il ne lance plus d'assaut massif suicidaire…

Axis se rembrunit. L'année précédente, les Skraebolds étaient déjà redoutables, et l'un d'entre eux avait failli le tuer. Mais ils manquaient de pouvoir de concentration et ils se dispersaient volontiers. Les trois qui avaient dirigé l'attaque contre le bosquet de l'Arbre Terre s'étaient montrés incapables de pousser leur avantage jusqu'au bout, et l'affaire avait très mal fini pour eux. À Gorken, les deux autres Skraebolds avaient certes pris la ville et la place forte, mais ils s'étaient laissé abuser par la sortie des Haches de Guerre, laissant ainsi fuir Borneheld avec le gros de la garnison…

— Et comment s'en sort-il contre les Icarii, ce bon stratège ?

— Il a eu l'idée d'ordonner à ses monstres de récupérer les flèches sur le sol et dans les cadavres, répondit Œil Perçant. Et il leur a appris à sauter sur les Icarii qui volent trop bas. Cela dit, on le voit rarement. Tu crois qu'il a peur de la Force de Frappe ?

— J'en doute, mais il se montre prudent. Avec les pouvoirs transmis par Gorgrael, il sortirait victorieux d'un combat contre nos guerriers volants, même s'ils étaient accompagnés d'un Envoûteur. Belial, ton avis sur ce Skraebold ?

— Il est l'âme de cette attaque. Sans lui, il ne nous faudrait pas longtemps pour nettoyer les plaines. Les Skraelings sont plus braves et plus disciplinés, cette année, mais ils restent encore incapables de s'organiser seuls.

— Pourtant, dit Axis, je doute que Gorgrael envisage vraiment de percer ici… Il nous tient occupés…

— … Pendant que le gros de ses forces attaque le Ponton-de-Jervois, acheva Belial.

— Exactement ! Et pour le moment, son plan fonctionne. Si rien ne change, il nous faudra encore des semaines pour en finir avec les Skraelings… Gorgrael prévoit de lancer une nouvelle arme contre le Ponton-de-Jervois, et il préfère que la Force de Frappe et moi ne nous en mêlions pas.

» Belial, je partage ton analyse. Le Skraebold est la clé de notre victoire ! Tuons-le, et nous en aurons terminé avec cette affaire !

» L'un de vous sait-il où est son quartier général ?

Œil Perçant désigna un point, sur la carte.

— Cette crête domine le champ de bataille et elle est relativement isolée. À sa place, je dirigerais les opérations de là. Tu veux que j'envoie des éclaireurs ?

— Non. J'ai une meilleure idée…

L'aigle survolait les plaines, ses yeux noirs repérant jusqu'au plus minuscule caillou.

Des centaines de pieds plus bas, assis seul sur une petite butte, Axis ne sentait pas le vent glacial qui lui fouettait le visage, ni les pierres qui lui meurtrissaient les fesses. Voyant à travers les yeux du rapace, il le dirigeait mentalement.

Vers l'ouest, pensa-t-il.

L'aigle obéit aussitôt.

Ces dernières semaines, il avait passé beaucoup de temps à observer la créature volante. Il la trouvait très laide – plus encore qu'un vautour ! –, avec sa peau parcheminée de lézard, ses yeux couleur argent et son bec énorme. Bien qu'elle eût des ailes, comme lui, elle ne lui inspirait aucune sympathie, et ses évolutions dans le ciel ne l'emplissaient d'aucun plaisir.

Mais son ami humain désirait savoir où nichait le Skraebold, et il ne pouvait rien lui refuser…

Assis sur un rocher, au sommet de la crête qu'Œil Perçant avait signalée à Axis, le Skraebold observait les plaines du Chien Sauvage. Le corps dissimulé sous ses ailes grises, il savait être invisible pour tout observateur éventuel, qui le confondrait avec la roche.

Jusque-là, le Skraebold était très fier de lui. Gorgrael l'avait chargé de détourner l'attention d'Axis du Ponton-de-Jervois, et le plan fonctionnait parfaitement. Disposant de milliers de Skraelings, il évitait les assauts massifs – par souci d'économie – et harcelait très intelligemment les points faibles adverses. Sans la Force de Frappe, cette tactique lui aurait sans doute permis de réussir une percée décisive. Mais les archers volants étaient trop précis, et des centaines de Spectres étaient tombés, un œil proprement transpercé. Pour être franc, les archers montés ne s'en tiraient pas mal non plus…

Du coup, malgré le succès de sa mission, le Skraebold avait développé une haine farouche des flèches. Ses Skraelings ayant l'ordre de lui rapporter toutes celles qu'ils trouvaient, des milliers gisaient au fond d'une crevasse, à ses pieds.

Mais les projectiles empennés n'étaient pas son seul souci. Où se cachait Axis Soleil Levant ? Depuis une semaine, il ne l'avait plus aperçu. Pourtant, il ne devait pas avoir quitté le camp, puisque son étalon était toujours attaché avec les autres chevaux. Alors, que fichait-il, lui qui guerroyait d'habitude en première ligne, comme un vulgaire soldat du rang ?

Le Skraebold aperçut l'aigle qui tournait au-dessus de lui. Ayant d'autres soucis, il lui accorda à peine un regard…

… et sursauta quand il le vit se poser sur un rocher, à dix pas de lui.

—Skraebold, dit-il avec la voix d'Axis Soleil Levant, je te salue bien bas. Tu es un adversaire de valeur.

Soufflé, le sbire de Gorgrael n'esquissa pas un geste.

—Mes forces ne peuvent pas t'attaquer, nous sommes à court de flèches, et j'ai été gravement blessé lors d'un assaut de tes Skraelings…

La voix trembla, comme si son véritable propriétaire avait du mal à respirer.

Il a été touché ! pensa le Skraebold. *Voilà pourquoi je ne le voyais plus…*

—Je suis fatigué de cette guerre de position, continua l'aigle. Pourquoi n'en finirions-nous pas une bonne fois pour toutes ?

Le Skraebold tendit le cou, les yeux brillant d'intérêt.

Prudent, l'aigle sauta sur un rocher moins accessible.

— Je te propose un duel. Un contre un, à la loyale…

Le Skraebold tenta de réfléchir. Gorgrael détestait qu'on désobéisse à ses ordres. Pour avoir attaqué Vagabond des Étoiles, le soir de l'avant-dernier solstice d'hiver, OmbrePeur avait été durement puni.

— Le vainqueur dominera le territoire, ajouta l'aigle. Quant au vaincu, eh bien… il aura tout perdu.

Mais le Destructeur sera sûrement content si je lui rapporte le cadavre de son frère…

— Un contre un, vraiment ? Sans flèches et sans ruse ?

— Je t'en donne ma parole, dit la voix d'Axis, de plus en plus tremblante.

Affronter un blessé n'était-il pas synonyme d'une victoire assurée ? Si le Skraebold tuait Axis et réussissait à atteindre le fleuve Nordra, ce serait un triomphe. Ses trois frères survivants et lui étaient en disgrâce depuis le désastre de la plaine de Gorken. Un pareil succès pouvait convaincre le Destructeur que les Griffons n'étaient pas si formidables que ça, après tout…

Le Skraebold se jeta sur l'aigle des neiges.

Bien qu'il fût affaibli, le rapace parvint à éviter l'attaque et s'envola. Comme prévu, son adversaire le poursuivit.

Dans les plaines, les humains et les Skraelings levèrent la tête pour observer le combat.

Informés de la tactique d'Axis, les Icarii s'étaient postés sur les flancs des collines environnantes.

Parvenant toujours à esquiver ses attaques, l'aigle entraîna le Skraebold très haut dans le ciel. Un long moment – angoissant pour les spectateurs des deux camps – ils disparurent au-dessus des nuages.

Puis l'aigle revint. Visiblement à bout de forces, il partit en vrille, incapable de redresser son vol. Le Skraebold réapparut aussi, mais lui contrôlait parfaitement sa descente en piqué.

L'aigle tombait comme une pierre vers un homme qui se tenait à l'écart des combats.

Axis !

Au dernier moment, l'aigle blanc parvint à battre des ailes. Volant à l'horizontale, mais beaucoup trop vite, il fondit sur l'Homme Étoile, se posa sur son bras et faillit le faire tomber.

Le Skraebold plongea sur sa proie. Ivre de se gorger du sang d'Axis, il ouvrit le bec pour lui déchirer les entrailles…

… et percuta le sol à une vitesse folle.

L'humain était une illusion ! Un piège !

Sonné, mais conscient qu'il était fichu s'il restait à terre, le Skraebold se releva, son aile gauche brisée pendant lamentablement dans son dos.

L'aigle toujours sur le bras, le véritable Axis se tenait à cinq pas de lui. Alors que le Skraebold battait des paupières, désorienté, il ordonna à son rapace de s'envoler puis éclata de rire.

—Tu as aimé mon petit mirage ? lança-t-il. C'est que j'ai de nouveaux talents, vois-tu…

Le Skraebold secoua la tête pour s'éclaircir les idées. La douleur qui lui déchira l'épaule lui arracha un cri de rage. En plus de tout, il s'était brisé une aile !

—On s'est fait mal ? demanda Axis en avançant d'un pas.

Le sbire du Destructeur recula, pas assez idiot pour affronter dans son état un homme en pleine forme. Puisant dans le pouvoir que lui avait confié son maître, il se prépara à une dématérialisation fort judicieuse.

Mais Axis s'y attendait et il entonna la Chanson de la Confusion. L'esprit aussitôt embrumé, le Skraebold ne parvint pas à invoquer son pouvoir. Fou de colère, il se jeta sur l'humain qui semblait être la cause de sa déconfiture.

Mais son corps aussi était pris au piège. Trop lente, son attaque fut aisément esquivée.

Dégainant une épée, Axis la lui enfonça sous l'aisselle droite. Avec des hurlements de douleur, le monstre se dégagea et tenta de s'écarter de son bourreau.

—Tu saignes, constata l'humain. Et ton fluide vital est aussi rouge que celui des Skraelings.

Sa lucidité vaguement revenue, sans doute à cause de la douleur, le Skraebold décida de ruser. Faisant mine d'être mortellement touché, il eut un soupir sinistre, plaqua les mains sur sa plaie et s'écroula comme s'il lui restait quelques secondes à vivre.

Axis fit semblant d'être tombé dans le panneau. Baissant apparemment sa garde, il avança vers le monstre, un sourire triomphant sur les lèvres.

Quand il fut à portée, le Skraebold lui sauta dessus.

Une attaque trop pataude pour les réflexes d'un ancien Tranchant d'Acier! Après une esquive élégante, Axis enfonça sa lame dans le ventre du monstre. Gravement blessé, cette fois, le Skraebold parvint quand même à lancer son bras indemne et ses serres transpercèrent le dos de la tunique noire de l'humain.

Les dents serrées pour bloquer la douleur, Axis enfonça dans l'œil du monstre le poignard qu'il venait de dégainer de la main gauche. Puis il plaqua une botte contre le ventre du vaincu et dégagea son épée tout en la faisant osciller de bas en haut.

Le Skraebold tomba sur le dos, son œil indemne brillant d'indignation rivé sur Axis.

—Tu as triché…, gargouilla-t-il avant de rendre le dernier soupir.

Axis s'étonnait toujours de la facilité de sa victoire quand il entendit un roulement de sabots derrière lui.

—Axis! cria une voix familière.

C'était Belial, perché sur un destrier et tenant Belaguez par la bride.

—Regarde! cria l'officier tandis que les deux chevaux, les oreilles aplaties, hennissaient de dégoût à la vue du monstre mort.

Une odeur nauséabonde montait de la charogne, déjà en train de se désintégrer.

—Il retourne vers son maître, dit Axis, soudain très las. Gorgrael fera ce qu'il voudra de ses restes…

Épuisé, l'ancien Tranchant d'Acier se hissa sur la selle de Belaguez un instant avant que ses jambes refusent de le porter.

Belial vit les déchirures et le sang, dans le dos de son ami. Mais sa terrible fatigue l'inquiéta beaucoup plus…

Le lendemain matin, de rares Skraelings rôdaient encore dans les plaines du Chien Sauvage. Obéissant aux ordres reçus dès le début de la campagne, au cas où elle tournerait mal, les autres avaient battu en retraite vers les Éperons de Glace. De là, ils rejoindraient leurs camarades lancés à l'assaut du Ponton-de-Jervois…

Quand un nouveau monticule de boue se matérialisa sur le sol glacé de son fief, Gorgrael ne fut pas surpris, et encore moins accablé. Avec tout ce qu'Axis avait appris, ces derniers temps, il ne s'était jamais imaginé qu'un de ses Skraebolds parviendrait à lui tenir tête. Et la mort de celui-là lui procurait ce dont il avait vitalement besoin.

De la matière première !

Ses premières femelles Griffons approchaient de la maturité. Dès que la prochaine génération serait née, il les lancerait à l'assaut du Ponton-de-Jervois…

Et maintenant, il avait de quoi en fabriquer d'autres !

Laissant une seule unité en arrière – avec l'assurance qu'elle serait relevée très vite –, Axis se retira des plaines du Chien Sauvage. Prudent à l'extrême, il y laissa également une Aile de la Force de Frappe qui donnerait très vite l'alarme si Gorgrael décidait de repasser à l'assaut.

Une éventualité qui semblait très improbable.

Alors que les autres Icarii volaient déjà vers Sigholt, Axis conduisit ses hommes jusqu'à l'entrée du col de Garde-Dure. Après avoir glorieusement combattu, les huit Alahunts et les archers d'Azhure s'en retournaient vers leur maîtresse.

Comme moi, pensa Axis. *Oui, comme moi…*

Devant Garde-Dure, la colonne rencontra une cinquantaine d'hommes, de femmes et d'enfants venus de Skarabost. Dans un état pitoyable après un long et pénible voyage, ces braves gens forcèrent l'admiration d'Axis. Quelle foi il fallait avoir pour voyager vers le nord alors que le froid devenait à chaque pas de plus en plus mordant !

Le chef de ces téméraires – un marchand replet et grisonnant nommé Dru-Beorh – ne se tint plus de joie quand il apprit que l'homme aux cheveux couleur de blé mûr qui s'adressait à lui était Axis en personne.

— Noble seigneur, s'exclama-t-il en se jetant dans la poussière devant Belaguez, vous rencontrer est un fabuleux privilège ! Pour me rallier à votre cause, j'ai quitté Nor, ma chère patrie !

Comme Belial et Magariz, derrière lui, Axis ne cacha pas son étonnement. La Prophétie avait déjà atteint une terre si lointaine ?

— Et je vous ai apporté un cadeau, seigneur, dont vous ferez ce qui vous chantera. (Dru-Beorh tendit un bras vers la queue de sa misérable colonne de réfugiés.) Regardez !

Axis obéit et sursauta de surprise.

En un éclair, il sut très exactement ce qu'il ferait de ce présent.

40

DÉSESPOIR! DÉSESPOIR!

—Azhure!

Reconnaissant la voix d'Axis, la jeune femme se retourna et essuya la sueur qui ruisselait sur son front. Deux semaines plus tôt, elle avait repris l'entraînement. Et ce matin-là, elle tirait à l'arc sur le terrain d'exercice, tout près de la forteresse.

—Que se passe-t-il? demanda-t-elle, aussitôt inquiète pour Caelum, maintenant âgé d'un mois.

Elle l'avait laissé dans la suite seigneuriale, sous la surveillance de sa grand-mère et de Sicarius.

—Du calme, tout va bien… Je suis simplement venu voir tirer la chef de mes archers. Dis-moi, Azhure, te sens-tu en pleine forme? Prête à tout ce que l'Homme Étoile pourrait te demander?

—Tout serait parfait, si je disposais d'un bon étalon! Pour l'instant, je me traîne derrière mes hommes, montée sur un canasson qui devrait profiter d'une paisible retraite depuis au moins cinq ans! Si ça continue, j'emprunterai un baudet à Ogden ou Veremund!

Axis n'en crut pas ses oreilles. Elle n'aurait pas pu lui tendre davantage la perche!

—Bien entendu, tu penses que je devrais te rendre Belaguez, dit-il d'un ton aussi peu amène que celui de sa compagne.

Azhure arma son arc, bloqua sa respiration et lâcha une flèche qui alla se ficher au centre de la cible d'osier.

—Tu as quelque chose à redire sur ma façon de traiter ton étalon? Si c'est le cas, tu aurais pu m'en parler plus tôt.

— Je n'ai pas de critiques, rassure-toi… Avec Belaguez, tu t'en es très bien tirée. Encore aujourd'hui, quand j'entre dans sa stalle, je me demande s'il me donne des coups de naseaux par amour ou pour sentir ton parfum. À vrai dire, je suis tellement impressionné par tes talents de cavalière que j'ai décidé de t'offrir un destrier. Tourne donc la tête vers les portes de la forteresse…

Azhure reconnut l'homme bedonnant aux cheveux gris qui sortait des ombres de l'entrée. C'était Dru-Beorh, un des réfugiés qu'Axis avait ramenés avec lui en revenant des plaines du Chien Sauvage.

Tenant par la bride un superbe étalon alezan coroléien, il traversa le pont et se dirigea vers l'archère et son compagnon.

Axis prit l'arc et le carquois d'Azhure et les posa délicatement sur le sol.

— Ce cheval te plaît? demanda-t-il. Il est parfaitement dressé, mais très jeune, donc il s'habituera sans difficulté à un nouveau maître. Comme il manque un peu d'entraînement, il risque de te secouer, les premiers jours.

L'émerveillement d'Azhure combla Axis de joie. Prenant la jeune femme par le bras, il la guida vers le destrier.

— C'est un cadeau très insuffisant pour te remercier de m'avoir donné Caelum… Mais rien de ce que je pourrais t'offrir ne serait assez beau pour ça… Flatte-lui l'encolure, s'il te plaît. Tu crois que tu l'aimeras?

Azhure tendit une main et caressa le destrier. Sa robe couleur bronze était d'une incroyable douceur.

— Il est magnifique, Axis!

Dru-Beorh en rosit d'embarras. Il ne se formalisait pas le moins du monde que le seigneur Axis ait décidé d'offrir le cheval à la superbe archère dont il avait déjà entendu vanter le courage et les exploits. Mais cela l'intimidait beaucoup…

— Il s'appelle Venator, ma dame, dit-il. En coroléien, ça veut dire «Celui qui Chasse»…

— Venator, répéta Azhure. Quel joli nom! Et c'est vous qui l'avez offert à Axis.

Oubliant sa gêne, Dru-Beorh expliqua qu'il avait reçu le cheval en paiement d'une dette. Le noble norien qui lui avait cédé l'étalon venait juste de l'acheter à un détachement coroléien qui traversait Nor.

— Des soldats coroléiens en Nor ? demanda Axis, soudain inquiet. Combien étaient-ils, et où allaient-ils ?

Le marchand sentit que l'humeur était désormais à la gravité.

— Ces derniers mois, beaucoup de soldats coroléiens ont traversé Nor puis embarqué sur des bateaux pour rejoindre le Ponton-de-Jervois. Combien, je ne saurais le dire, mais il s'agit au minimum de plusieurs dizaines d'unités.

Axis échangea un regard angoissé avec Azhure, puis il se tourna vers le marchand.

— Merci de nous avoir amené le cheval, Dru-Beorh.

Conscient que sa présence n'était plus souhaitée, l'homme s'inclina et s'en retourna vers la forteresse avec le destrier.

— Borneheld dispose de guerriers coroléiens ? demanda Azhure.

— On dirait bien que oui… A-t-il conclu un traité avec Coroleas ? Voire une alliance militaire ?

Il n'y avait pas besoin d'en dire plus. Si Borneheld avait le soutien militaire de l'empire, les rebelles n'auraient aucune chance de vaincre.

— Axis…, murmura soudain Azhure d'une voix blanche.

Alarmé, Axis s'arracha à ses sombres méditations et suivit le regard de sa compagne. Sur la route qui venait de Garde-Dure une colonne de femmes et d'enfants – des centaines ! – avançait lentement.

Azhure n'avait jamais vu de pareilles gens. De loin, avec leur visage tatoué, on eût dit que les réfugiés avaient la peau bleue. Leurs cheveux noirs huilés et nattés, ces visiteurs montaient de minuscules chevaux à longs poils extraordinairement laids. Et des myriades de clochettes tintinnabulaient pour annoncer leur arrivée.

— Des chasseurs de Ravensbund ! s'écria Axis.

Azhure se demanda pourquoi il semblait si content.

Le lendemain, quand Sa'Kuya fut assez reposée, Axis l'invita à la réunion d'état-major quotidienne, dans la salle des cartes.

L'épouse de Ho'Demi avait voyagé trois semaines durant pour conduire ses compagnes et leurs enfants jusqu'à Sigholt. Après avoir quitté discrètement le Ponton-de-Jervois, la colonne n'avait rencontré aucune patrouille loyaliste au sud du fleuve.

—Nous avons traversé au gué de Gundealga, Axis, là où tu as rencontré mon mari. Ensuite, nous sommes passés par le sud des collines d'Urqhart, pour gagner l'entrée de Garde-Dure. (Sa'Kuya regarda Magariz et Œil Perçant.) Nous avons vu deux patrouilles montées, et cinq éclaireurs volants. Mais sans nous faire repérer…

—Dans ce cas, dit Axis, je suis ravi que vous veniez en amis, et pas pour nous égorger dans notre sommeil.

Pas content du tout, il foudroya du regard ses deux officiers.

—Si nous étions là pour ça, renchérit Sa'Kuya, vous seriez tous morts…

—Ton mari m'a dit qu'il serait ici avec les premières neiges, rappela Axis, désireux de passer à autre chose. Même si Sigholt et ses environs ont été épargnés, je sais que tout le nord d'Achar est plus blanc qu'un ours des glaces. Où est Ho'Demi ?

Et pourquoi a-t-il pu parler par l'esprit avec moi ? Qui est-il donc ?

Sa'Kuya exposa le dilemme de son époux.

—Il brûlait de te rejoindre, mais s'il l'avait fait, le Ponton-de-Jervois serait tombé, et personne ne voudrait que ça arrive.

—Sa'Kuya, intervint Belial, mes espions m'ont rapporté que ton mari avait amené onze mille guerriers au Ponton-de-Jervois. Est-ce exact ?

—Onze mille, oui, moins ceux qui, depuis, sont tombés face aux Skraelings. Plus environ dix mille femmes et enfants.

Axis et son second échangèrent un regard inquiet. Vingt mille personnes ? Où donc les installeraient-ils ?

—Azhure, dit l'ancien Tranchant d'Acier, t'es-tu occupée de loger la colonne arrivée hier ?

La jeune femme hocha la tête, comprenant très bien le sens caché de cette question. Onze mille guerriers de plus seraient les bienvenus, mais comment nourriraient-ils autant de bouches supplémentaires, sans même parler des familles de ces hommes ?

—Sa'Kuya, reprit Axis, on dit que des forces coroléiennes se sont jointes à Borneheld. Que sais-tu à ce sujet ? Le roi d'Achar a-t-il signé une alliance avec l'empire ?

—Non, malgré tous ses efforts, il n'y est pas parvenu. Ce sont simplement des mercenaires… Trois ou quatre mille, pour le moment, mais d'autres sont attendus.

Axis soupira de soulagement.

—Ces mercenaires se font payer très cher, dit Magariz. Pour les avoir, Borneheld a dû vider ses caisses…

—Sa'Kuya, demanda Axis, parle-moi des attaques sur le Ponton-de-Jervois et des défenses de Borneheld.

—Les Skraelings sont féroces, Axis. Sans les canaux, qui les forcent à se diviser, ils seraient déjà victorieux. Gorgrael a lancé des centaines de milliers de Spectres dans cette bataille. En vain, pour le moment.

—A-t-il utilisé ses vers de glace ?

—Pas encore…

Axis regarda sombrement Magariz et Belial. Quand les vers géants s'en mêleraient, les défenses aquatiques ne tiendraient plus, car ils pourraient « cracher » leurs cargaisons de Skraelings au-delà des canaux.

—Sa'Kuya, quand Ho'Demi me rejoindra-t-il ?

—Au début du printemps, noble seigneur. (Ayant entendu Dru-Beorh utiliser ce titre, la chasseuse avait décidé de l'adopter.) S'il veut te combattre, Borneheld devra se passer du soutien des guerriers de Ravensbund.

—Tu m'en vois ravi…, commença Axis.

Il ne finit pas sa phrase, car les cris du pont l'en empêchèrent.

—Sur le toit ! Désespoir ! Désespoir !

Voyant que tous ses compagnons se levaient dans un parfait désordre, Axis prit les choses en main.

— Du calme ! Belial et Œil Perçant, vous venez avec moi. Azhure, envoie quelqu'un chercher tes archers. Magariz et Arne, que tous les hommes prennent leur poste !

Axis avait depuis longtemps établi un plan de défense. À présent, il semblait devoir être mis à l'épreuve de la réalité.

— Désespoir ! Désespoir ! cria de nouveau le pont. Sur le toit !

— Il ne peut pas s'agir d'une attaque, dit Azhure alors qu'elle gravissait l'escalier derrière Axis, une flèche déjà encochée sur Perce-Sang. Sinon, pourquoi le pont nous dirait-il d'aller sur le toit ?

— Tu as peut-être raison, mais il ne nous invite sûrement pas à venir admirer la vue. Il se passe quelque chose de grave, c'est évident !

Plume Pique Chant Fidèle, moribond, parvenait quand même à se laisser tomber relativement lentement vers le toit de Sigholt. Gorge-Chant volait à ses côtés, l'encourageant à tenir. Près d'eux, ses ailes touchant presque celles de la jeune femme, l'aigle blanc planait majestueusement.

Les autres membres de l'Aile étaient morts.

Quand du sang tomba en pluie autour d'eux, les quelques défenseurs qui attendaient sur le toit de la forteresse comprirent que Plume Pique était gravement blessé. Aussitôt, Œil Perçant prit son envol pour aller le soutenir.

— Plume Pique et Gorge-Chant…, murmura Azhure en baissant son arc.

Ses deux amis les plus proches parmi les Icarii…

Un groupe d'archers déboula sur le toit, suivi par Vagabond des Étoiles et les trois Sentinelles.

Plume Pique perdit conscience à une centaine de pieds du sol. Malgré leurs efforts, Œil Perçant et Gorge-Chant ne purent pas ralentir sa chute. Il s'écrasa sur le toit, pantin désarticulé gisant dans une mare de sang.

Azhure faillit vomir d'horreur. Le ventre du pauvre Icarii était lacéré, et ses intestins à nu brillaient sombrement au soleil. Son bras gauche en bouillie ne tenait plus à son épaule que par quelques tendons.

Axis s'agenouilla près de Plume Pique. Au fil du temps, le chef d'Aile était devenu son ami…

Dès que Gorge-Chant se fut posée, Azhure courut à sa rencontre. Elle aussi avait été attaquée. Une joue entaillée, elle avait les mains et les bras couverts de coupures. Mais sa vie ne semblait pas en danger.

Axis était résolu à ne pas perdre Plume Pique comme il avait perdu Libre Chute. Cette fois, il n'échouerait pas ! Prenant l'homme-oiseau dans ses bras, il lui écarta largement les ailes.

Vagabond des Étoiles voulut intervenir, mais Veremund le retint par un bras.

— Regarde agir ton fils, Envoûteur !

Très calmes, les trois Sentinelles forcèrent tout le monde, à part Axis et Gorge-Chant, à s'éloigner du blessé.

— Ouvre grands les yeux, adorable mère, souffla Ogden à l'oreille d'Azhure. Il faut croire en Axis !

Plus que tous les autres, et pour cause, Vagabond des Étoiles apprécia à sa juste valeur la puissance de la Litanie de la Renaissance qu'entonna son fils. Cette Chanson était si complexe et exigeait tant de pouvoir de la Danse des Étoiles que fort peu d'Envoûteurs, dans l'histoire, avaient su la maîtriser.

En chantant, Axis passait les mains sur le corps de Plume Pique pour essuyer le sang.

Belial et Magariz se regardèrent. Ils avaient vu Faraday guérir leur chef, mais ça n'avait aucun rapport avec le miracle dont ils étaient témoins. Faraday avait lutté, les mains dans le corps du mourant pour convaincre ses chairs et ses vaisseaux sanguins de se régénérer. Par la grâce d'une étrange mélodie un peu monotone – et d'une imposition des mains tout en douceur –, Axis obtenait le même résultat sans efforts apparents. Quand ses paumes s'attardèrent sur le ventre de Plume

Pique, il chanta simplement un peu plus fort. Et lorsqu'il les retira, l'abdomen de l'Icarii ne portait plus une égratignure !

En un clin d'œil, son bras gauche se reconstitua et se ressouda à son épaule.

Quand Axis se fut occupé du visage de son ami, il cessa de chanter.

Plume Pique ouvrit les yeux et croisa le regard de son sauveur.

— Joyeux retour dans le monde ! dit simplement Axis.

À côté de lui, Gorge-Chant éclata en sanglots. Azhure vint s'agenouiller près d'elle et la prit dans ses bras.

— Tout va bien, tout va bien, murmura-t-elle.

Pleure-t-elle sur Plume Pique, sur elle-même… ou sur Libre Chute ?

— Gorge-Chant, dit Axis, où sont les autres membres de ton Aile ?

Trois jours plus tôt, il les avait envoyés en mission de reconnaissance au-dessus de Hsingard et du Ponton-de-Jervois.

— Ils sont morts, répondit la jeune Icarii.

— Qui vous a attaqués, ma sœur ?

— Des Griffons…

— Désespoir ! Désespoir ! cria le pont, des centaines de pieds plus bas.

— Oui, Axis, des Griffons…

41

Les souvenirs de Gorge-Chant

Après sa résurrection, Plume Pique n'avait quasiment aucun souvenir de l'attaque. Il se rappelait vaguement avoir conduit son Aile en reconnaissance au-dessus d'Ichtar, et rien de plus. À présent, debout dans la chambre de Rivkah, il se concentrait pour arracher à sa mémoire des images ou des émotions susceptibles d'aider Gorge-Chant à reconstituer le drame.

Assise au bord du lit, en face d'Axis, Rivkah tenait la main de sa fille. Malgré toutes les épreuves qu'elle avait subies, la princesse était parvenue à se convaincre que Gorge-Chant mènerait la vie heureuse et paisible qui lui avait été refusée. Après avoir perdu Libre Chute, la pauvre enfant gisait sur un lit, couverte de plaies et épuisée! Par bonheur, ses jours n'étaient pas en danger, et elle se remettrait totalement de ses blessures. Mais qu'en serait-il de son âme, mortellement frappée?

Des Griffons… Rivkah frémit et fit du regard le tour de la pièce. Azhure était debout à côté d'Axis, une main sur son épaule. Alors qu'il avait pu rendre la vie à Plume Pique, l'Homme Étoile s'était révélé incapable de guérir sa sœur – un des paradoxes du pouvoir de la Danse des Étoiles.

Dans un coin de la chambre, une guérisseuse icarii remballait ses herbes et ses potions. Très réputée pour sa sagesse, sa patience, son bon sens et sa science des thérapies naturelles, elle avait fait de son mieux pour Gorge-Chant. À présent, la jeune Icarii devait s'accrocher à la vie et trouver la force de guérir.

Magariz se tenait près de la porte. Quand son regard croisa celui de Rivkah, il brillait de compassion…

Sentant une main se poser sur son épaule, la princesse devina que c'était celle de Vagabond des Étoiles. Étoile du Matin était derrière lui, avec les trois Sentinelles, Belial et Œil Perçant. Un Alahunt s'était couché au pied du lit, et par la fenêtre entrouverte, on entendait les cris de l'aigle blanc qui décrivait des cercles serrés dans le ciel.

—Gorge-Chant…, souffla Axis.

Il répugnait à déranger sa sœur, mais il devait absolument savoir ! L'Aile de Plume Pique était une des meilleures de la Force de Frappe. En s'entraînant avec eux, Axis avait éprouvé du respect pour tous ses membres – des guerriers auxquels il aurait confié sa vie sans hésiter. Mais un ennemi inconnu les avait attaqués. Dix soldats étaient morts. Plume Pique gravement touché, Gorge-Chant avait à peine eu la force de l'aider à rentrer au bercail.

Des Griffons, avait dit sa sœur… Mais qu'est-ce que c'était ? Et pourquoi tous les Icarii présents avaient-ils blêmi en entendant ce nom ?

Axis prit la main glacée de Gorge-Chant et la pressa tendrement.

—Je t'en prie, nous devons savoir ce qui est arrivé…

La jeune Icarii ouvrit les yeux, balaya la pièce du regard et sourit à Plume Pique.

—Tu es sain et sauf…, murmura-t-elle. J'ai eu si peur de te perdre à jamais.

—Eh bien, comme tu vois, il me reste une vie à vivre !

Malgré le laconisme de cette déclaration, Gorge-Chant parut ravie.

—Axis, dit-elle, merci de tout cœur ! Pour le ramener, j'ai lutté pendant des heures. S'il était mort si près du but, je ne m'en serais pas remise.

Axis lâcha la main de sa sœur et lui caressa le front.

—Ce n'est pas moi qui l'ai sauvé, Gorge-Chant. Sans toi, il n'aurait pas survécu…

Des larmes perlèrent aux paupières de la jeune Icarii. Personne ne saurait jamais ce qu'elle avait traversé pour ramener le chef d'Aile à Sigholt. Voler près de lui en l'implorant de ne pas mourir, de battre des ailes, d'oublier les horreurs qu'ils venaient de vivre... Et tout le long du chemin, voir la vie s'écouler par ses blessures...

—Gorge-Chant, partage tes souvenirs avec nous! supplia Axis.

—Après trois jours de vol, nous étions sur le chemin du retour... Axis, des centaines de milliers de Skraelings sont massés autour du Ponton-de-Jervois. Jusque-là, les défenses ont tenu, mais...

—Plus tard, ma sœur! Dis-nous d'abord qui vous a attaqués!

—Nous volions vers Sigholt, entre Hsingard et l'ouest des collines d'Urqhart. En principe, il y a peu de Skraelings dans cette zone, et pas de risque d'être pris pour cibles par des archers. C'était à l'aube... Hier, je crois?

—Oui, Gorge-Chant, vous êtes arrivés hier, en fin de matinée.

—À l'aube, oui... Le plus beau moment de la journée. Et le plus dangereux...

Axis avait souvent répété aux Icarii que l'aube et le crépuscule étaient les heures de la journée les plus périlleuses pour des guerriers volants. Mais d'où avait-il tenu cette information?

—Nous étions presque aveuglés par le soleil levant, et l'attaque est venue du nord-est. Les Griffons avaient dû nous voir de loin... Ils ont certainement volé au-dessus de nous, guettant le moment où nous serions éblouis. Sur le coup, je n'ai pas identifié nos adversaires. Mais en réfléchissant, alors que nous tentions de rallier Sigholt, j'ai compris.

Azhure se demanda pourquoi les Icarii et les Sentinelles se décomposaient de seconde en seconde. Qu'étaient donc les Griffons? Et pourquoi le pont avait-il donné l'alarme en criant «désespoir»?

—Ils nous ont fondu dessus, continua Gorge-Chant, les yeux rivés au plafond et tous les muscles tétanisés. Dissimulés par le soleil, ils nous sont littéralement tombés sur le dos. J'ai pu m'écarter, et mon adversaire est parti en vrille. Mais d'autres n'ont pas eu cette chance… Axis, au début, il y avait huit Griffons, peut-être neuf… Ils ont… ils se sont accrochés au dos de mes camarades, glissant les bras sous leurs ailes et… et… (Elle ravala un sanglot.) Quand ils sont sur une proie, il est impossible de les déloger ! Ils ont éventré mes amis les uns après les autres !

— Comment avez-vous réussi à fuir, Plume Pique et toi ?

— Un coup de chance… J'ai pu sauter sur le dos du Griffon qui lacérait l'abdomen de Plume Pique, et je lui ai crevé les yeux avec mes ongles…

Axis frémit intérieurement. Une atroce mêlée, en plein ciel, avec la mort assurée pour les perdants…

— C'est la seule idée qui m'est venue à l'esprit, souffla Gorge-Chant, rongée par la culpabilité. Si j'avais pris une flèche dans mon carquois, j'aurais pu tuer le Griffon avant qu'il ait fait trop de mal à Plume Pique !

— Tu as sauvé ton chef d'Aile, dit Axis, et ce au péril de ta vie. Puis tu l'as ramené à Sigholt. Tu n'as rien à te reprocher !

— Le Griffon est tombé du dos de Plume Pique, m'entraînant avec lui. Heureusement, j'ai pu me dégager avant que nous nous écrasions sur le sol… Le monstre aussi a pu redresser son vol à la dernière seconde.

— Les Griffons ne vous ont pas poursuivis ?

— Non… Dix des nôtres étaient morts, Plume Pique semblait fichu et j'étais mal en point… Ils n'ont pas pris la peine de nous achever et ils ont filé vers le sud, en direction du Ponton-de-Jervois.

— Merci, Gorge-Chant, dit Axis. Revivre des moments pareils doit être atroce, mais j'ai peur que nous ayons à affronter de pires horreurs, dans les mois et les années à venir…

Il regarda Vagabond des Étoiles et Étoile du Matin, plus dévastés l'un que l'autre.

— Que sont les Griffons ? demanda-t-il à son père.

— Personne n'en a vu depuis plus de six mille ans, répondit

Veremund à la place de l'Envoûteur. Mais les Icarii ne les ont jamais oubliés. Gorge-Chant, décris-nous ces monstres !

— Ils ont un corps de félin, mais ailé, une tête d'aigle, un bec capable de transpercer n'importe quelle cuirasse, des serres mortelles… et des yeux rouges brillants…

— Des serres de dragon ! lâcha Ogden.

— Des yeux de feu ! ajouta Jack.

— Et des cris…, murmura Gorge-Chant.

— … poussés avec la voix du désespoir, acheva Vagabond des Étoiles.

Une nouvelle fois, sa fille éclata en sanglots.

— Étoile du Matin, dit Veremund, raconte à ton petit-fils l'histoire des Griffons.

— Ces monstres sillonnaient jadis le ciel, comme les Icarii. Des chasseurs intelligents, vifs, sans pitié… et pleins de haine, en particulier pour les hommes-oiseaux. À cette époque, malgré notre amour du vol, nous avions sans cesse peur. Partout dans les airs, les Griffons pouvaient nous attaquer ! Un jour, nos ancêtres décidèrent de réagir.

Œil Perçant prit le relais.

— C'est à ce moment-là, il y a six mille cinq cents ans, que fut créée la Force de Frappe. Plus courageux et féroces qu'aujourd'hui, les Icarii réussirent à débarrasser Tencendor des Griffons. Nous les avons anéantis, Axis ! Les adultes, les jeunes, tous ! Nous avons rasé leurs cachettes et détruit leurs nids ! Jusqu'à hier, nous étions sûrs de les avoir chassés des cieux et de l'esprit des Icarii – non, de tous les habitants de Tencendor ! Une grossière erreur…

— Gorgrael leur a redonné vie…, commença Axis.

Il s'interrompit, terrifié. Pour cela, le Destructeur avait-il aussi recouru à la Litanie de la Renaissance ? Celle qu'il utilisait lui-même, mais sous une forme pervertie ?

— Gorgrael est très puissant, souffla Ogden, accablé. Oui, très puissant…

— Œil Perçant, il doit bien y avoir un moyen de les combattre ! Je refuse de perdre la Force de Frappe face à ces monstres !

—Eh bien, tout dépendra de…

Le chef de Crête hésita à continuer.

—De quoi, bon sang?

—Du nombre de Griffons qui sont revenus à la vie.

—Combien de ces créatures peut affronter une Aile sans risquer la déroute?

—Moins de huit ou neuf, dirait-on… Cela dit, l'Aile de Plume Pique ne s'attendait pas à une attaque de ce type. Désormais, nous aurons plus de chances de résister. Mais si je me souviens bien des vieilles légendes, les Griffons n'attaquent jamais quand ils se sentent inférieurs à l'adversaire. Nos Ailes seront vulnérables, sans parler de tout éclaireur isolé…

—Tant que nous n'en saurons pas plus sur le nombre de Griffons, dit Axis, il n'y aura plus de patrouille de moins d'une Crête entière! J'irai demander au pont s'il peut protéger Sigholt d'une attaque aérienne. Magariz, Belial, doublez la garde! La moitié des sentinelles surveilleront le ciel. Je n'ai aucune envie de finir éventré par un Griffon!

—Et le Ponton-de-Jervois? intervint Azhure. Allons-nous aider Borneheld face à cette nouvelle menace?

Le teint cendreux, Axis répondit après une longue réflexion.

—J'ai peur que nous n'ayons pas le choix, si nous voulons garder Gorgrael hors d'Achar. Malheureusement, il ne sera pas question d'assister les bras ballants à la chute du bastion de mon frère…

Le soir, Axis et Azhure s'assirent devant la cheminée de leur chambre, Caelum étendu sur une épaisse fourrure où il se régalait de s'ébattre, nu comme un ver.

Troublée, la jeune femme demanda à son compagnon si l'idée de voler au secours de Borneheld lui déplaisait.

—Elle me répugne, tu veux dire! Si un autre homme commandait au Ponton-de-Jervois, je n'aurais pas l'ombre d'une hésitation. Mais là… (Axis se pencha et prit Caelum dans ses bras.) Tu sais, j'oublie souvent que Borneheld et moi combattons pour la même cause : éviter qu'un magnifique pays et ses habitants tombent entre les griffes de Gorgrael.

Émue, Azhure regarda le bébé se blottir contre la poitrine de son père. Adorant Axis, Caelum se désolait les jours où, trop pris par sa mission, il ne parvenait pas à passer un peu de temps avec lui. Bien qu'il eût certains des traits frappants de sa mère – des cheveux bouclés très noirs, une peau pâle et des yeux bleus –, l'enfant était incontestablement icarii. En secret, la jeune femme espérait lui avoir légué autre chose que quelques caractéristiques physiques…

— Prends-le, dit soudain Axis, il a faim…

Stupéfaite comme toujours par la communication entre le nourrisson et son père, Azhure prit Caelum, déboutonna sa tunique et le cala contre son sein. Au moins, il y avait certaines choses qu'Axis ne pouvait pas faire à sa place.

Un moment, l'Homme Étoile regarda la mère et l'enfant en se laissant bercer par la douce mélodie de la Danse des Étoiles qui les enveloppait tendrement. Puis il reprit la conversation comme si rien ne l'avait interrompue.

— Au fond, Borneheld et moi ne luttons peut-être pas pour la même cause. Il entend défendre les Acharites et Achar, afin d'assurer la survie de l'univers tel qu'il l'a toujours connu. Moi, je lutte pour trois peuples et pour la renaissance d'un ancien monde… Pourtant, nous affrontons tous les deux Gorgrael !

— Axis, veux-tu vraiment ressusciter un ancien monde, ou en créer un nouveau ?

— Eh bien… Tu as raison, c'est la deuxième possibilité… Tencendor n'était pas la glorieuse et mythique terre dont parlent les Icarii. Je veux sa renaissance, mais à condition que toutes les races y soient libres et heureuses.

Alors que Caelum tétait joyeusement sa mère, les Griffons attaquèrent le Ponton-de-Jervois. Et rien de ce que les défenseurs avaient déjà subi ne pouvait se comparer à la violence de cet assaut.

Borneheld inspectait le front quand le cauchemar commença. Par un incroyable coup de chance, les Griffons choisirent de s'en prendre à Nevelon, qui chevauchait juste derrière lui.

Le roi d'Achar parvint à maîtriser son cheval, bien qu'il fût mort de terreur. Ensuite, les yeux écarquillés, il regarda le pauvre officier, arraché de sa selle, disparaître dans le ciel nocturne.

— Par les gonades d'Artor! blasphéma-t-il quand de grosses gouttes de sang s'écrasèrent sur son visage tourné vers le ciel. Les Proscrits ont rompu la trêve!

— Non, dit Ho'Demi, en talonnant son horrible cheval, que l'attaque venue du ciel n'avait pas le moins du monde perturbé. C'est plus grave que ça. Oui, bien plus grave!

42

AU MILIEU D'UN HIVER LUGUBRE...

H o'Demi lança au petit trot son cheval aux longs poils jaunâtres. Le plus qu'il pouvait lui demander dans la gadoue du champ de bataille.

Le chef des chasseurs s'en retournait vers son camp. Une heure après l'aube, le rythme des attaques faiblissait, car les monstres de Gorgrael marquaient toujours une pause le matin. Après trois jours entiers sans une minute de repos, Ho'Demi rêvait de s'allonger sur sa couche de fourrure.

Il leva les yeux vers le ciel, où de lourds nuages gris chargés de neige et de glace s'accumulaient, poussés par le vent du nord. Avant même la fin du mois du Gel, le Destructeur s'était arrangé pour qu'il neige sur le sud d'Achar et les défenses du Ponton-de-Jervois. Sur un terrain verglacé, les hommes de Borneheld devaient guerroyer dans des conditions épouvantables. À force d'être piétinées, la neige et la glace se transformaient en une boue noirâtre où les hommes et les bêtes s'enfonçaient. Chaque soir, il fallait que les soldats se nettoient et se sèchent les pieds, puis s'occupent des sabots de leurs montures. Sinon, avec la température en chute libre, la boue gelait à même la chair. Ces soins étant difficiles à mettre en application face à des ennemis qui attaquaient aussi de nuit, le gel et la gangrène faisaient dans les rangs des défenseurs presque autant de ravages que les Skraelings.

De plus, la neige et la glace avaient une autre utilité – bien plus redoutable – qu'imposer aux humains des conditions climatiques éprouvantes. Conscient que les «défenses liquides» ralentissaient et désorganisaient ses forces, Gorgrael faisait tout pour qu'il gèle. La nuit, des soldats qui manquaient cruellement sur le front devaient passer leur temps à briser la glace qui se formait à la surface des canaux. À trois occasions, ces dernières semaines, ils n'avaient pas été assez rapides, et des Skraelings avaient pu traverser. Avant qu'on coupe de nouveau la route à leurs camarades, ces agresseurs avaient fait des centaines de victimes parmi les défenseurs.

Son cheval patinant dans la gadoue, Ho'Demi se pencha et lui flatta l'encolure. Dès qu'il eut repris son équilibre, le brave animal repartit d'un pas mal assuré.

Le chef des chasseurs captait les échos d'une féroce bataille, à quelque cinq cents pas de lui. Trop fatigué, il fit comme s'il n'avait rien entendu. Le combat pour le Ponton-de-Jervois – et donc pour Achar! – durait depuis un mois et demi. Mais ces trois dernières semaines, les Skraelings faisaient montre d'une agressivité redoublée. Sans une minute de répit, les hommes de Ho'Demi enfonçaient des épées, des couteaux, des piques et même des broches de cuisine dans les yeux des monstres qui déferlaient sur leurs tranchées.

Depuis le siège du fort de Gorken, un an plus tôt, les Skraelings avaient évolué. Gagnant en substance, ils étaient désormais plus «en chair», et une carapace chitineuse protégeait leurs membres et leur visage. Parallèlement à cette métamorphose physique, ils étaient devenus plus courageux, plus déterminés… et hélas plus intelligents.

Ho'Demi espéra qu'Inari pourrait tenir les vers de glace loin de sa ligne de défense. Une semaine plus tôt, ces créatures que les survivants de Gorken regardaient avec horreur avaient surgi de la brume, leurs énormes corps remplis jusqu'à la gueule de Skraelings. À Gorken, en vomissant leurs passagers de l'autre côté du mur d'enceinte, ils avaient permis la victoire de Gorgrael. Ici, leur intervention était tout aussi dévastatrice. Bien qu'ils fussent chargés à bloc de Spectres, les vers glissaient sans peine sur la glace, et l'eau, sur laquelle ils flottaient, ne les effrayait pas le moins du monde.

Bien plus difficiles à tuer que les Skraelings, ils profitaient de leur taille impressionnante – parfois près de deux cents pieds de haut – pour garder leur énorme gueule hors de portée des épées et des piques des défenseurs. En réalité, seuls des archers pouvaient les arrêter, à condition d'être assez bons pour leur planter une flèche dans l'œil.

Hélas, beaucoup d'archers étaient tombés depuis le début des hostilités, et il n'en restait plus assez pour couvrir tout le front.

Ho'Demi ne se faisait plus d'illusions : tôt ou tard, les défenses céderaient. Les vers de glace se jouaient des canaux, vomissant chaque jour plus de Skraelings au milieu des lignes de Borneheld, qui n'avait déjà plus assez de soldats pour colmater toutes les brèches. Le roi d'Achar se battait aussi férocement que ses hommes et il ne prenait pas plus de repos qu'eux. Un comportement qui forçait le respect… Cela dit, le rythme de la relève – quatre jours de combat contre un passé à l'arrière – épuisait les soldats. Que se passerait-il quand ils s'endormiraient debout, appuyés à leurs lances ou à leurs piques ?

Au moins, les femmes et les enfants de Ravensbund étaient en sécurité à Sigholt. La discrète évacuation avait eu lieu de nuit, par groupes de quelques centaines, pendant que le combat pour les canaux occupait tous les défenseurs. Si aucun des chasseurs ne devait survivre, au moins, leurs familles ne risquaient plus rien. Pour le moment, en tout cas…

Ho'Demi avait également envoyé quelques-uns de ses guerriers à Sigholt. Trop peu, à son goût, mais il n'y avait pas moyen de faire autrement. Si son armée entière quittait le Ponton-de-Jervois, Borneheld serait fichu. Et ce désastre, au bout du compte, nuirait aussi à Axis.

De plus en plus impatient, Ho'Demi guettait le jour où il pourrait quitter la position.

Très haut dans le ciel, presque invisible sur le fond de nuages, un aigle des neiges décrivait des cercles serrés au-dessus du cavalier solitaire. Quand il le vit s'affaisser sur l'encolure de son cheval, le rapace plaqua les ailes contre ses flancs et plongea.

Ho'Demi, réveille-toi ! Et tend le bras gauche !

Le chef des chasseurs se redressa si vite sur sa selle qu'il faillit vider les étriers.

Ton bras gauche, tends-le !

Ho'Demi obéit. Presque aussitôt, un aigle blanc vint se poser sur son avant-bras. Déséquilibré par le poids, il manqua de nouveau tomber, mais se rétablit de justesse.

— Et si j'étais un Griffon, Ho'Demi ? lança l'aigle avec la voix d'Axis. Dans ton état, tu ne devrais pas chevaucher seul.

Le chasseur se tortilla sur sa selle pour trouver une position plus confortable, car le rapace pesait son poids.

— Si un Griffon m'avait arraché de ma monture, seigneur Axis, il ferait un bien triste festin avec ma chair fatiguée et durcie par le froid. De plus, Gorgrael évite de lâcher ses monstres ailés en plein jour, où ils font de trop belles cibles pour nos flèches.

Depuis le premier assaut, qui avait coûté la vie à Nevelon et à plusieurs soldats, tous les défenseurs gardaient en permanence un œil sur le ciel. Surtout la nuit ! Car les Griffons, même s'ils n'attaquaient pas souvent, étaient mortellement efficaces, et ils se concentraient désormais sur les officiers, vitaux pour la survie de leurs hommes.

— Les défenses tiennent ? demanda l'aigle.

Le cheval de Ho'Demi ayant dérapé, le rapace battit des ailes pour ne pas tomber, obligeant le chasseur à s'incliner afin de ne pas être frappé au visage.

— C'est limite, seigneur… Les vers de glace se sont mis de la partie, et ils menacent de percer des brèches un peu partout. Ils flottent sur les canaux et crachent des hordes de monstres…

— Inutile de m'en parler, mon ami, car je les ai vus à l'œuvre…

— Gorgrael attaque aussi Sigholt ?

— Non. Il a tenté une percée par les plaines du Chien Sauvage, mais nous avons réussi à le repousser et à tuer son Skraebold. La forteresse est indemne, les collines d'Urqhart sont sûres, mais nous avons perdu une Aile de la Force de Frappe. Les Griffons…

— Ils ont eu Nevelon, dit Ho'Demi en tirant sur les rênes de son cheval, car il entrait dans le camp.

— J'aimais beaucoup cet homme, souffla Axis. Avant cette guerre, nous avons passé bien des moments agréables ensemble… (L'aigle inclina la tête pour croiser le regard de Ho'Demi.) Mon ami, combien de Coroléiens combattent avec Borneheld ?

— Environ six mille, seigneur. Et d'autres attendent d'embarquer à Nordmuth, pour venir les rejoindre.

— Des mercenaires ? Ou l'empereur a-t-il décidé d'aider le roi d'Achar ?

— Des mercenaires, seigneur… Borneheld tente de forcer une alliance officielle, mais l'empereur hésite toujours.

— Avec ces renforts, les défenses ont du mal à tenir ? Mon demi-frère doit avoir dans les trente mille hommes…

— Le front est très étendu, seigneur, et il y a tant de Skraelings… Pour un que nous tuons, deux ou trois apparaissent…

L'aigle se tut pendant que Ho'Demi s'enfonçait dans le camp pratiquement désert où les clochettes des tentes tintinnabulaient au gré du vent.

— Je suis venu te parler pour une raison très précise, dit enfin l'aigle. Je vais envoyer de l'aide, mon ami – pas à Borneheld, mais à Achar !

Ho'Demi eut un sourire cynique. Axis coupait les cheveux en quatre, dans le cas présent… Mais il ne laisserait pas ses rancœurs personnelles prendre le dessus, et c'était déjà ça…

— Il ne s'agira pas de cavaliers, précisa l'aigle. Je me méfie trop de Borneheld pour envoyer des unités qui auraient besoin de plusieurs jours pour retourner à Sigholt, en cas d'attaque. De plus, des soldats traditionnels feraient peu de différence, au point où en sont les choses.

— Les Icarii ? avança Ho'Demi.

— La Force de Frappe, oui… Mais ils attaqueront les

lignes arrière des Skraelings. Pour cette tactique, j'ai deux excellentes raisons…

Ho'Demi fit arrêter son cheval devant sa tente et mit pied à terre – très doucement, pour ne pas déséquilibrer l'aigle.

— J'en devine une, seigneur. S'ils survolaient le Ponton-de-Jervois, tu as peur que Borneheld ne résiste pas à l'envie de les faire cribler de flèches par ses archers.

— Et tu penses que j'ai tort ?

— Non… Il croit que toutes les créatures volantes sont des ennemis. Pour lui, il n'y a pas de différence entre les Griffons, les Skraebolds et les Icarii. De la vermine, et des cibles parfaites pour ses flèches !

— La deuxième raison est très simple, mon ami. La meilleure façon de vous aider est de tarir le flot de monstres qui déferlent sur le Ponton-de-Jervois. La Force de Frappe est très efficace. Elle m'a aidé à remporter la victoire dans les plaines du Chien Sauvage. Ici, elle peut renverser la situation… Ho'Demi, ne perds pas courage, car les Icarii arriveront bientôt. Dis à tous ceux qui voudront bien t'écouter que les hommes-oiseaux vont se battre pour Achar, comme ils le firent il y a des millénaires. Chaque fois que tu le pourras, répète que seule l'union des trois races nous sauvera du Destructeur. Parle de la Prophétie et sers-la de ton mieux, puisque tu affirmes être né pour cela…

— Tous les chasseurs de Ravensbund, hommes, femmes ou enfants vivent pour elle, seigneur. Je ferai tout ce qui est en mon pouvoir…

— Si nous parvenons à briser l'assaut sur le Ponton-de-Jervois, tu seras en mesure de me rejoindre plus vite. Ho'Demi, n'oublie pas que j'ai besoin de toi !

L'aigle s'envola sans crier gare, et Ho'Demi, déséquilibré, vacilla sur sa selle.

— À bientôt, Axis Soleil Levant !

— À Bientôt, chef Ho'Demi !

Alors que le rapace disparaissait dans le ciel, Ho'Demi dessella son cheval, le bouchonna rapidement et lui donna de l'avoine. Puis il entra sous sa tente, se laissa tomber sur ses fourrures et s'endormit comme une masse.

Penché à une fenêtre de *La Mouette Harassée*, Borneheld observait un groupe de soldats apparemment très agités. Intrigué, il ordonna à Gautier d'aller chercher leur sergent, histoire d'en savoir plus long…

— Des créatures volantes ! s'écria le sous-officier, trop terrifié pour en dire plus.

Très inquiets, Borneheld et son second sortirent de l'auberge, sautèrent sur leurs montures et galopèrent jusqu'à un endroit où la vue sur le ciel était parfaitement dégagée. De là, ils aperçurent des silhouettes noires ailées, très loin au nord. À l'évidence, elles attaquaient les Skraelings…

— Qui sont ces êtres ? demanda Gautier, une main en visière pour ne pas être ébloui par le soleil, qui perçait à travers les nuages.

— Des Icarii, répondit Ho'Demi dans le dos des deux hommes, qui se retournèrent vivement sur leurs selles. La Force de Frappe venue du mont Serre-Pique… Au gué de Gundealga, ces guerriers accompagnaient Axis…

— Des Proscrits ! cracha Borneheld. De la vermine mille fois maudite par Artor !

— Il semble qu'Axis les ait envoyés pour nous aider, souligna Ho'Demi. (Prudent, il préférait éviter de parler du « seigneur » Axis devant Borneheld.) Regardez, ils sont plus de cinq cents, et ils criblent les Skraelings de flèches. Les Icarii sont de très bons archers…

Borneheld foudroya le chasseur du regard puis leva de nouveau les yeux au ciel. Même s'il répugnait à l'admettre, il semblait bien, effectivement, que les lézards volants s'en prenaient aux Skraelings.

— Et selon toi, chef Ho'Demi, demanda Gautier, quand Axis décidera-t-il de les retourner contre nous ?

— Une trêve a été signée, et Axis est un homme d'honneur. Il tiendra ses engagements… comme le roi Borneheld et toi.

Le souverain d'Achar fit volter son cheval et repartit vers la ville.

— Gautier, dit aux hommes de ne pas regarder la vermine ! Ho'Demi, cet ordre vaut aussi pour tes chasseurs ! Interdiction d'observer les Proscrits et d'en parler ! Pour moi, ils ne sont pas ici !

L'ordre de Borneheld n'eut aucun effet. Car à l'instant même où il le lançait, tous les défenseurs y avaient contrevenu sans le savoir.

Posté dans une tranchée avec une dizaine de Coroléiens et des Acharites, Inari se demandait depuis une heure pourquoi le flot de Spectres semblait se tarir. À présent, il connaissait la réponse…

Alors que les Acharites, terrorisés, murmuraient entre eux, les Coroléiens ne cachèrent pas leur curiosité.

— Qui sont-ils ? demanda leur lieutenant.

Prudent, Inari ne répondit pas.

— En tout cas, ils sont rudement bons ! insista l'officier. Tu as vu la précision de leurs flèches ?

Il baissa les yeux sur Inari, le seul homme aux alentours qui ne paraissait pas étonné.

— Qui sont-ils ? répéta-t-il.

— Des membres de la Force de Frappe icarii… C'est l'Homme Étoile qui nous les envoie pour sauver Achar.

— Tu veux parler d'Axis ? osa demander un des Acharites.

— Bien entendu… Mais écoutez plutôt la Prophétie…

Surpris par l'attaque venue du ciel, les Skraelings paniquèrent. Furieux, les Skraebolds constatèrent qu'ils attaquaient les tranchées avec beaucoup moins d'ardeur.

Au-dessus des Spectres, quatre Crêtes d'Icarii poussaient des cris de guerre qu'on n'avait plus entendu résonner depuis mille ans dans le ciel d'Achar. Et toutes leurs flèches faisaient mouche…

Au-dessus des combattants, des dizaines d'éclaireurs surveillaient le ciel, guettant la possible apparition de Griffons.

Œil Perçant volait entre les deux groupes, sondant sans cesse le terrain.

— Éperon Voltige, Vue d'Aigle, des vers de glace au nord ! Occupez-vous-en !

Quelques minutes plus tard, deux des horreurs géantes qui rampaient vers les canaux basculèrent sur le côté, les yeux criblés de flèches.

Sur les dix survivants, neuf seulement parvinrent à atteindre les canaux. Et sept les traversèrent…

Enragés, les Skraebolds multiplièrent les cris et les violences pour raviver l'ardeur de leurs guerriers. En moins d'une heure, les tranchées furent de nouveau menacées.

Mais elles tinrent bon !

La victoire finale était encore loin – malgré tout, les réserves de Gorgrael restaient énormes –, mais les défenseurs se réjouirent quand même. Au moment où elles risquaient de céder, les tranchées avaient reçu un soutien providentiel…

Les jours suivants, la Force de Frappe continua à faire des ravages chez l'ennemi. Ignorant les ordres de Borneheld et de Gautier dès qu'ils avaient tourné le dos, les soldats du Ponton-de-Jervois ne se privèrent pas d'admirer les guerriers volants. Naturellement curieux, les Coroléiens interrogèrent les chasseurs de Ravensbund, qui répondirent à toutes leurs questions. Et bien entendu, les mercenaires s'empressèrent de transmettre ces informations aux Acharites.

Dans les tranchées, l'Homme Étoile et la Prophétie devinrent le seul sujet de conversation. Quand il parut épuisé, les soldats glosèrent sans fin sur les merveilles de la culture icarii et les formidables compétences de la Force de Frappe.

En moins d'une semaine, les hommes tapis dans la boue surent tout ce qui importait, de la folie d'Étoile Loup Soleil Levant aux plus subtiles merveilles de la Danse des Étoiles.

Comme Ho'Demi s'y était engagé, les chasseurs de Ravensbund servaient la Prophétie et l'Homme Étoile avec un zèle remarquable.

Quatre Crêtes harcelaient en permanence les Skraelings et quatre autres attendaient de les relever tous les deux jours. Les quatre dernières, cantonnées à Sigholt, partaient chaque semaine pour le champ de bataille. Bien entendu, un nombre égal d'unités filaient à l'arrière, afin de ne jamais laisser la forteresse sans protection.

Cette rotation imaginée par Axis donnait d'excellents résultats. Cela dit, les Icarii, bien qu'ils fussent parfaitement entraînés, souffraient terriblement sur le terrain. Sans cesse sous la menace des Griffons, ils gardaient à l'esprit le triste sort de l'Aile de Plume Pique et s'efforçaient de rester toujours groupés.

Pour un vol de neuf Griffons, quatre Crêtes – soit pas loin de six cents guerriers – étaient un trop gros morceau à avaler. Mais se séparer de la troupe restait dangereux, comme en attestait le triste sort de plusieurs traînards…

Axis avait ordonné à son aigle de soutenir les éclaireurs. Très vite, le grand rapace blanc devint une sorte de mascotte pour les Icarii. Plus attentifs que quiconque à l'éventuelle présence de Griffons, Gorge-Chant et Plume Pique multipliaient les vols de reconnaissance.

Comme toujours, le principal problème des archers volants restait la récupération de leurs flèches. En un seul jour, les quatre Crêtes pouvaient en tirer plus de dix mille sur les Skraelings. À ce rythme, les réserves s'épuisaient vite.

Aucun d'entre eux ne pouvant transporter assez de projectiles pour une journée de combat, les Icarii prenaient des risques insensés pour aller les récupérer au sol.

Après avoir harcelé un groupe donné de monstres – et l'avoir anéanti, dans le meilleur des cas –, les hommes-oiseaux se posaient, partaient à la « pêche » aux flèches et décollaient avant l'arrivée d'un nouveau contingent de Skraelings. Mais ce petit jeu était très dangereux. Très vite, les Skraebolds et les Griffons comprirent que c'était le meilleur moment pour contre-attaquer. Après deux ou trois catastrophes, les Icarii changèrent de tactique, laissant une moitié de l'unité dans les airs pour protéger celle qui se chargeait de la « cueillette ».

Ho'Demi fit de son mieux pour réapprovisionner la Force de Frappe. Borneheld ayant très peu d'archers parmi ses défenseurs, les réserves du Ponton-de-Jervois ne diminuaient pratiquement pas. Sans le moindre complexe, les chasseurs décidèrent de dévaliser le roi d'Achar pour alimenter la « vermine » en projectiles.

Avec la complicité de l'aigle, un messager parfait, Ho'Demi organisa des rendez-vous, un peu à l'écart de la ville, où les Icarii prenaient possession des flèches volées.

Si Borneheld découvrait ce petit trafic, Ho'Demi et ses hommes risquaient d'être passés par les armes...

Alors que les Icarii doutaient de leur utilité – pour un Skraeling mort, trois autres prenaient sa place –, les défenseurs mesurèrent très vite l'importance de leur intervention.

Après une dizaine de jours, Borneheld lui-même dut convenir que les « lézards volants » jouaient un rôle capital. La pression des Skraelings sur les tranchées diminuait régulièrement, et de moins en moins de vers de glace parvenaient à atteindre les canaux. Leur nombre drastiquement réduit, ces monstres qui auraient pu déterminer l'issue de la bataille restèrent un problème, mais de plus en plus marginal.

Partout sur le front, les officiers accordèrent enfin des permissions à certains de leurs hommes. Ceux qui ne partaient pas pour l'arrière durent encore se battre – car les Icarii ne parvenaient pas à arrêter totalement les hordes de Gorgrael –, mais avec beaucoup moins d'intensité.

Pendant les « pauses », de plus en plus fréquentes, les soldats, dès que leurs officiers s'éloignaient, continuaient à parler des hommes-oiseaux, de la Prophétie et d'Axis.

Les ayant vus se battre héroïquement pour les aider, beaucoup d'Acharites commençaient à se demander si les Proscrits étaient bien les monstres que le Sénéchal dénonçait depuis dix siècles. Face à la Danse des Étoiles, qu'avait donc à offrir Artor ? Et que restait-il de la « glorieuse » Guerre de la Hache, si elle avait en réalité servi à chasser les Icarii d'une terre qui leur appartenait ? Après qu'on les eut tant maltraités, qu'ils volent au secours du Ponton-de-Jervois avait de quoi surprendre…

Au début du mois du Corbeau, tous les défenseurs se prirent à espérer que le front tiendrait. Très lentement à leur goût – mais c'était déjà ça ! – le flot de Skraelings se tarissait. Tout ça grâce aux Icarii qui continuaient à les cribler de flèches !

La plupart des Acharites eurent l'honnêteté de reconnaître qu'ils devaient la vie aux hommes-oiseaux. Après un millénaire de haine et de suspicion, les deux races luttaient de nouveau pour un objectif commun.

Alors que la Force de Frappe combattait au-dessus du Ponton-de-Jervois, la vie, à Sigholt, se résumait pratiquement à faire tout ce qui était possible pour la soutenir. Beaucoup de réfugiés de Skarabost se mirent à la disposition des Icarii. Sans rechigner, ils nettoyèrent leurs armes et leurs équipements, réparèrent les flèches endommagées, en fabriquèrent d'autres, se chargèrent de la cuisine et de toute l'intendance… Tout ça pour que les hommes-oiseaux, pendant leur séjour à l'arrière, puissent se reposer le mieux possible.

Les Icarii furent reconnaissants et n'hésitèrent pas à le montrer. Les moins épuisés passèrent des heures à jouer avec les enfants acharites, les laissant toucher leurs ailes tandis qu'ils leur parlaient de l'antique Tencendor et des légendes de leur peuple. Dès que les parents le permettaient – souvent en tremblant de peur –, ils offraient à leurs petits protégés un baptême de l'air au-dessus de la forteresse et du lac de la Vie.

Très vite, les gamins racontèrent aux adultes de fabuleuses histoires sur des lieux comme le Portail des Étoiles ou la mythique île de la Brume et de la Mémoire.

Les chants des Icarii – et surtout des Envoûteurs – fascinaient tout le monde. Une ou deux fois par semaine, un magicien ailé était invité à partager le dîner d'un groupe d'Acharites en échange d'un petit récital.

Axis fut aussi ravi qu'étonné. Il n'aurait jamais cru que les hommes-oiseaux prendraient un jour plaisir à passer une soirée avec des paysans acharites. Mais apparemment, eux aussi découvraient que ce qu'on leur avait raconté sur l'autre race était un tissu de mensonges.

Un grand encouragement pour l'Homme Étoile, toujours acharné à créer un nouveau Tencendor. Dans la forteresse, la musique de la Danse des Étoiles résonnait partout. Le soir, avant de s'endormir, Axis y entendait l'écho des milliers de cœurs qui battaient à l'unisson avec le sien.

Désormais, les collines d'Urqhart étaient relativement sûres. On ne voyait plus l'ombre d'un Skraeling dans les plaines du Chien Sauvage et pas davantage dans la zone ouest des collines. Afin de ne pas se rouiller, la cavalerie d'Axis continuait néanmoins ses patrouilles.

Parfaitement remise, Azhure s'autorisait des sorties de deux ou trois jours avec ses hommes. Caelum confortablement installé dans un porte-bébé, près de son carquois, la jeune femme s'en allait barouder comme si de rien n'était. La première fois qu'il l'avait vue faire, Belial s'était apprêté à lui débiter un sermon bien senti. Le foudroyant du regard, l'archère lui en avait vite fait passer l'envie.

Azhure était ravie de son nouveau cheval. Moins grand que Belaguez, et doté d'une ossature plus fine, Venator se révélait plus rapide et plus facile à diriger. Intelligent, courageux et sensible, il s'était aisément plié aux exigences de sa nouvelle maîtresse. Quand elle devait tirer à l'arc, il se laissait commander par de simples pressions des genoux. Les mains parfaitement libres, la jeune femme profitait de son galop très régulier pour se montrer d'une incroyable précision.

Debout sur le toit de Sigholt, alors qu'Azhure, des centaines de pieds plus bas, caracolait en tête d'une colonne de ravitaillement destiné à la Force de Frappe, Axis tentait de ne pas se laisser submerger par l'angoisse en pensant à la sécurité de Caelum.

Perce-Sang à l'épaule et les Alahunts sur les talons, la guerrière lança Venator au petit galop.

Malgré son inquiétude, Axis ne put s'empêcher de sourire. Azhure était un officier de premier ordre… et une femme hors du commun. Un an plus tôt, elle végétait à Smyrton, fille d'un Gardien de la Charrue qui la méprisait et la maltraitait. Aujourd'hui, devenue la mère de son fils, elle partait en patrouille avec Perce-Sang et les Alahunts !

L'arc et les chiens d'Étoile Loup…

Axis sursauta comme si Étoile du Matin avait été debout derrière lui. Azhure ne pouvait pas être l'Envoûteur fou ! Il fallait chercher ailleurs le traître infiltré dans son camp…

Pourtant, le doute rongeait l'ancien Tranchant d'Acier. Était-ce vraiment par hasard que les Griffons avaient attaqué l'Aile de Plume Pique ? Azhure était informée de cette mission de surveillance et de son itinéraire…

—Arrête ça ! cria Axis en tournant le dos au parapet.

Une bonne vingtaine de personnes, dans son entourage, étaient également en possession de ces informations. De plus, il pouvait s'être agi d'une simple coïncidence. Tandis qu'ils volaient vers le Ponton-de-Jervois, les Griffons avaient dû apercevoir l'Aile de Plume Pique.

Alors qu'il tentait de se convaincre qu'il délirait, Axis repensa au jour lointain où Azhure l'avait rejoint sur la saillie rocheuse du mont Serre-Pique. Pour évoluer d'un pas aussi sûr sur une étroite corniche, à des milliers de pieds de haut, ne fallait-il pas avoir du sang icarii ?

Non, il devenait fou ! Par les Étoiles, Azhure avait chaque soir l'occasion de lui planter un couteau entre les omoplates. Étoile Loup s'en serait-il privé ? De toute manière, il y avait en elle bien trop d'amour et de compassion pour qu'elle soit l'Envoûteur qui avait envoyé tant d'enfants à la mort.

Enfin, n'oublie pas qu'elle est née à Smyrton, et qu'elle y a grandi. Comment aurait-elle pu te former ? Et s'occuper de Gorgrael ?

D'humeur franchement maussade, Axis se tourna de nouveau vers le parapet et contempla la cité qui avait poussé comme un champignon au pied de la forteresse et sur les berges du lac de la Vie. La grande majorité des Acharites venus le rejoindre étaient là depuis près de sept mois. On les avait d'abord installés sous des tentes, au bord du lac. Très vite, ils avaient formé des équipes de travailleurs pour aller rouvrir une vieille carrière, une demi-lieue au nord, dans les collines d'Urqhart. Depuis quelque temps, des bâtiments en pierre commençaient à apparaître. Meilleurs maçons que poètes, les réfugiés avaient simplement baptisé leur cité «Vue-sur-Lac».

Dès qu'il avait été informé du projet, Axis avait insisté pour qu'il soit exécuté avec une grande rigueur. De son point d'observation, il constatait qu'on l'avait écouté. Longeant des rues parfaitement droites, les maisons dotées de jardinets étaient impeccablement alignées. En réalité, ces gens se construisaient ici une nouvelle vie, et presque tous ceux avec qui il s'était entretenu n'envisageaient pas de retourner un jour en Skarabost. Pourquoi l'auraient-ils fait, soulignaient-ils, alors que les collines verdoyaient même en hiver grâce aux eaux chaudes du lac? Quand on trouvait un endroit où cultiver la terre et élever du bétail, il aurait fallu être fou pour l'abandonner!

Depuis peu, Axis se demandait si une ville très semblable ne s'était pas dressée au pied de Sigholt, des siècles plus tôt. En creusant, les bâtisseurs étaient souvent tombés sur d'antiques fondations. Au fond, ils se contentaient peut-être de reconstruire une ancienne partie du site, morte quand un duc d'Ichtar avait décidé de drainer le lac.

Un peu plus calme, Axis posa les mains sur le parapet et se concentra sur l'aigle blanc qui volait au-dessus du Ponton-de-Jervois. Quelles nouvelles avait Ho'Demi, ce matin?

Quand Borneheld apprit que son ordre au sujet des Proscrits n'avait eu aucun effet, il entra dans une telle colère que Gautier et Roland redoutèrent qu'il étrangle de ses mains le soldat dont il venait d'entendre les propos pourtant mesurés sur les Icarii.

— Qui t'a parlé de cette vermine volante ? rugit-il.

— Les Coroléiens, Sire…

Dès que le roi consentit à le lâcher, le pauvre fantassin fila comme le vent.

— Et comment les mercenaires en savent-ils si long sur les Proscrits ? demanda Borneheld à ses deux officiers.

Épuisé, malade et découragé, le duc Roland se contenta de hausser les épaules. À ses yeux, plus rien n'importait. Sinon avoir une fin honorable le plus loin possible du Ponton-de-Jervois, parce qu'il détestait cet endroit !

Son respect pour Borneheld était mort. Pour un roi comme celui-là, donner sa vie ne lui disait rien. De plus en plus souvent, il se demandait s'il n'aurait pas dû partir avec Magariz, lors de la retraite de Gorken. À l'évidence, le seigneur avait fait le bon choix…

— Ho'Demi aussi semble très informé sur les Proscrits, dit Gautier.

Plus par ambition que par conviction, il restait indéfectiblement fidèle au nouveau roi d'Achar.

— Sire, les chasseurs viennent d'un territoire qui touche les Éperons de Glace. Je mettrais ma tête à couper qu'ils sont à l'origine des rumeurs qui circulent dans nos rangs.

Borneheld regarda son second, frappé par la justesse de son raisonnement.

— Dans ce cas, je te charge de mettre fin à cette trahison, Gautier ! Démasque les traîtres au plus vite ! Ensuite, nous déciderons du sort à leur réserver. J'attends ton rapport pour cet après-midi – avec des résultats concrets !

— À vos ordres, Majesté !

Gautier salua le roi, tourna les talons et s'en fut. Borneheld et Roland le regardèrent s'éloigner, chacun plongé dans de profondes pensées dont les directions divergeaient radicalement…

Pour atteindre sa position actuelle, Gautier avait souvent eu besoin de recourir à la ruse. Cette fois encore, il lui sembla que c'était la meilleure tactique. Vêtu d'un épais manteau de paysan, il passa de feu de camp en feu de camp sous prétexte de rechercher un cheval de trait perdu. Bien entendu, il ne lui fallut pas longtemps pour dénicher des traîtres. À son cinquième arrêt près d'une belle flambée, il surprit trois chasseurs de Ravensbund en train de tenir à quelques Acharites et Coroléiens un discours enflammé sur la Prophétie du Destructeur et l'Homme Étoile.

Il fit arrêter les trois félons. Une fois qu'on les eut désarmés et ligotés, il les conduisit devant le roi.

Impassibles comme si tout cela ne les concernait pas, les trois prisonniers dévisagèrent Borneheld avec une sereine hostilité.

— Avez-vous prétendu que mon bâtard de frère est l'Homme Étoile ? demanda le monarque.

Le plus vieux des guerriers, Arhat, inclina courtoisement la tête.

— C'est ce que nous avons dit, roi Borneheld.

Serrant les poings, le souverain décida que ces hommes paieraient de leur vie leur insolence et leur trahison.

— Et vous répandez des mensonges au sujet de la vermine volante qui chasse les Skraelings pour mieux pouvoir massacrer les Acharites après ?

— Les Icarii ont sauvé le Ponton-de-Jervois, dit Arhat. Sans eux, Achar serait déjà envahi.

— Ce sont des monstres ! beugla Borneheld. Comment oses-tu en parler comme s'ils méritaient notre respect ?

— Parce qu'ils le méritent, Borneheld, dit Funado, le plus jeune des chasseurs. Ils ont sauvé votre royaume ! Une fois encore, les Icarii ont volé au secours des Acharites sans se demander s'ils en étaient dignes !

Les chasseurs savaient que leur destin était scellé. Mais ils allaient mourir au service de la Prophétie, et cette idée les emplissait de fierté.

Plus que les paroles de Funado, cette fierté fit perdre toute raison à Borneheld.

— Gautier, qu'on cloue ces trois chiens sur des croix, à l'entrée de la ville. Ensuite, qu'on m'amène leur chef. Il verra comment finissent les porcs qui s'allient aux Proscrits !

— Sire, dit Gautier, faire un exemple avec ces félons sera un vrai plaisir…

Le visage de marbre, Ho'Demi immobilisa son cheval devant les trois croix. Alors qu'il était au front, face à une attaque particulièrement féroce des Skraelings, un soldat était venu lui apporter un message du roi.

« Rejoins-moi à l'entrée de la ville – sans tarder ! »

L'imbécile couronné pensait-il que le chef des chasseurs participait à une partie de pêche au bord des canaux ?

Ho'Demi s'était pourtant mis en chemin. Et maintenant, il mesurait toute la folie du roi. Trois de ses hommes étaient morts sur la croix, et leur agonie, c'était visible, avait dû être atroce.

— Ils répandaient des mensonges au sujet des Proscrits ! cria Borneheld, perché sur son cheval en compagnie d'une solide escorte. Je ne tolérerai pas ça !

— Non…, souffla Ho'Demi sans détourner le regard des suppliciés.

— Leurs affabulations risquent d'empoisonner les esprits. Bientôt, tout le monde croira que les Proscrits sont venus à notre secours, alors qu'ils sont là pour nous massacrer.

— Non, répéta Ho'Demi.

Mais le roi ne sembla pas l'entendre. Au pied des croix, une pique à la main, Gautier aiguillonnait les trois malheureux pour s'assurer qu'il ne leur restait plus un souffle de vie.

— Non, souffla une troisième fois Ho'Demi.

— Ils sont morts, annonça Gautier. Ils y auront mis le temps, mais c'est terminé.

Il jeta la pique et remonta en selle.

Par le Grand Ours des glaces, pensa Ho'Demi, *vous paierez cette infamie de vos vies !*

—On complote contre moi, Ho'Demi, dit soudain Borneheld. Et je te soupçonne d'être l'âme de cette conspiration.

Détournant enfin le regard des trois morts, le chef des chasseurs le planta dans celui du roi.

—Je ne t'ai pas trahi, Borneheld!

—Espèce de sauvage, tu avais juré de me servir loyalement!

—Et je ne me suis pas parjuré, Majesté!

Ma loyauté est toujours allée à la Prophétie, et je t'ai suivi tant que tu la servais. Aujourd'hui, c'est toi qui m'as trahi!

Borneheld n'en crut pas ses oreilles. Ce barbare continuerait-il à mentir jusqu'à son dernier souffle?

—Ho'Demi, retire tous tes hommes du front! Qu'ils retournent dans votre camp… Je n'ai plus besoin d'eux pour défendre Achar!

Bien entendu, puisque les Icarii s'en sont chargés à ta place! Pour tenir, maintenant que le travail est fait, tes soldats et tes mercenaires suffiront.

Le chasseur garda ses pensées pour lui.

—Comme tu voudras, Sire… Mes hommes retourneront dans leur camp.

Après un dernier regard aux trois crucifiés, Ho'Demi talonna sa monture.

—Je vais m'assurer qu'il obéira, Majesté, dit Roland en éperonnant la sienne.

—Sire, souffla Gautier quand le duc fut hors de vue, qu'allons-nous faire? Même si beaucoup de chasseurs sont tombés face aux Skraelings, il en reste encore trop pour que nous puissions les surveiller… ou les éliminer.

—Ce soir, très tard, huit bateaux chargés de mercenaires accosteront au Ponton-de-Jervois. La première mission de ces hommes sera d'encercler puis d'attaquer le camp des chasseurs. Jusqu'à l'aube, les barbares ne feront rien, parce qu'il y a trop de femmes et d'enfants avec eux. Nous serons très bientôt débarrassés de ces sauvages, mon ami!

Ce matin-là, Borneheld se leva très tôt, car il tenait à diriger en personne le massacre des chasseurs. Tandis qu'il revêtait son armure en pestant contre les fixations qui résistaient à ses gros doigts maladroits, il s'avisa soudain que cette matinée avait quelque chose d'étrange. Comme s'il manquait un élément à l'environnement.

Il s'immobilisa, à moitié habillé, et ordonna le silence à la jeune beauté qui s'éveillait en marmonnant dans le lit aux draps froissés. Après un long moment, il comprit ce qui l'avait alarmé.

Tout était silencieux. On n'entendait pas la moindre clochette tintinnabuler…

Quand il arriva à l'endroit où se dressait le camp des chasseurs, une demi-heure plus tard, le roi constata que les mercenaires l'avaient encerclé comme prévu. Une belle manœuvre, mais parfaitement inutile, car il n'y avait plus l'ombre d'une tente !

Les chasseurs étaient partis avec armes, bagages… et clochettes ! Ils avaient même amené avec eux les trois suppliciés.

— Gautier, comment ont-ils fait ça, bon sang ?

— Sire, je… Eh bien, quand les mercenaires ont encerclé le camp, hier soir, il était toujours là, plein de chasseurs. Au lever du soleil, il s'était… hum… volatilisé.

Mais comment pouvait-on disparaître ainsi ?

Au Ponton-de-Jervois, comme tous les matins, Jorge alla dans la chambre de son ami Roland pour s'assurer qu'il vivait encore. Mais le duc aussi s'était volatilisé !

43

Le nid des Skraelings

— J e suis sûre que ça peut marcher ! s'écria Azhure, la voix vibrante de conviction. Vous connaissez tous les rapports des éclaireurs icarii !

Axis consulta du regard Belial et Magariz. Encore avec les dernières Crêtes de la Force de Frappe, au sud des collines d'Urqhart, Œil Perçant ne serait pas de retour avant une semaine.

Depuis le départ des chasseurs du Ponton-de-Jervois, Axis avait cessé d'offrir à Borneheld le soutien des Icarii. La mission était terminée. Les rangs des Skraelings ayant été notablement éclaircis – sans parler de la quasi-destruction des vers de glace –, les forces du roi d'Achar, dix-huit mille hommes en comptant les mercenaires, suffiraient à tenir la position.

Pour cet hiver, Gorgrael était neutralisé. Au début du mois de la Faim, le dernier avant le début du printemps, une nouvelle phase de la guerre commençait. Mais Azhure avait imaginé un plan permettant de porter un ultime coup aux Skraelings.

— Je suis très hésitant, Axis, avoua Belial. (Gêné, il faisait tout pour éviter de croiser le regard d'Azhure.) Tu crois que le jeu en vaut la chandelle ?

— Que veux-tu dire par là ? s'écria l'archère. Nous avons une chance d'attaquer Hsingard, et tu la laisserais passer ?

Ces dernières semaines, beaucoup d'éclaireurs avaient survolé les ruines de la capitale d'Ichtar, ravagée par les

Spectres et les vers de glace. Apparemment, les Skraelings en avaient fait leur quartier général…

—Axis, insista Azhure, nous pourrions peut-être y débusquer un Skraebold! ou le nid des Griffons… Bien entendu que le jeu en vaut la chandelle!

—Azhure, intervint Magariz, Hsingard est une immense cité. Nous n'avons pas assez d'hommes pour la contrôler, et ce n'est plus qu'un tas de gravats! Axis, nous nous jetterions dans un piège! Souviens-toi du fort de Gorken, je t'en prie…

—Cette fois, dit Axis, nous serions les assaillants, et les Skraelings ne s'attendent pas à une attaque. Voilà qui fait une grande différence!

—Et nous pourrions y être en un jour! insista Azhure.

Hsingard était à un peu plus de deux lieues de l'extrémité est du lac de la Vie. La prudence imposant d'en approcher par les collines d'Urqhart, pas à travers la plaine, il faudrait effectivement un jour de cheval pour atteindre le théâtre des opérations.

—Un jour pour y être, une attaque éclair, et un retour très rapide à Sigholt! C'est faisable!

—Et il y a beaucoup moins de Skraelings à Hsingard, en ce moment…, ajouta Axis. La plupart ont filé vers le sud pour un ultime assaut contre le Ponton-de-Jervois. Les Icarii nous ont signalé très peu d'activité dans les ruines, même la nuit, au moment où les monstres sont les plus actifs. C'est sans doute notre seule chance de frapper la base ennemie en Ichtar pendant que Gorgrael et Borneheld sont encore occupés à en découdre. J'avoue avoir très envie de voir ce que les Skraelings ont fait à Hsingard…

—Et nous aurons les Alahunts, souligna Azhure. Ils nous avertiront en cas d'attaque surprise, et ils seront parfaits pour explorer les ruines. Avec quelques éclaireurs volants en plus, nous ne risquerons rien.

—Axis, dit Belial, tu ne peux envisager une chose pareille! C'est bien trop risqué!

L'ancien Tranchant d'Acier étudia la carte déroulée sur la table.

—Depuis un mois, mon ami, je passe mon temps sur le toit de Sigholt… À travers les yeux de mon aigle, j'ai regardé les Icarii sauver le Ponton-de-Jervois. J'en ai assez de jouer les spectateurs! De plus, cette mission sera un très bon entraînement pour les cavaliers et les archers qui affronteront bientôt les troupes de Borneheld.

—Ces hommes sont prêts, grogna Belial. Ils n'ont pas besoin de se lancer dans une aventure absurde!

Azhure en resta bouche bée. «Absurde», un plan qui visait à attaquer la base des Spectres au moment où elle était presque déserte?

—Azhure, demanda Axis, quelles forces prendrais-tu pour cette sortie?

—Mes six compagnies d'archers et deux cents cavaliers. Soit environ quatre cents combattants terrestres. Plus une Crête d'Icarii. Nous n'aurons pas besoin de tant d'éclaireurs, mais il faut leur prévoir une protection, au cas où les Griffons s'en mêleraient. Enfin, j'emmènerais aussi les Alahunts, pour les raisons que j'ai déjà énoncées. Le mieux serait une attaque diurne, au moment où les Skraelings sont le moins vifs.

—Parfait, dit Axis sans laisser à Belial le temps de discuter. Azhure, tu commanderas cette mission.

—Quoi? crièrent en chœur Belial et Magariz.

Sur la joue d'Axis, un muscle tressaillit – le seul indice qu'il était furieux.

—Bien entendu, Azhure, si tu ne te sens pas à la hauteur, c'est moi qui assumerai le commandement.

—Je me sens tout à fait à la hauteur, chef…

L'archère ne s'attendait pas à cette proposition, mais elle n'était pas du genre à se dérober.

—Azhure, tu t'engages à la légère! explosa Belial.

—Je m'en tirerai très bien. Ne t'inquiète pas pour moi, ni pour les hommes dont j'aurai la responsabilité.

Axis dévisagea sa compagne puis son second. Belial perdait

rarement son sang-froid, mais là, il y avait une excellente raison. Depuis son retour, il le soupçonnait d'éprouver bien plus que de l'amitié pour Azhure. Et il lui arrivait de s'interroger sur ce qui s'était passé avant qu'il rejoigne Sigholt…

— Belial, ne te ronge donc pas les sangs! Je participerai au raid, mon ami, et Azhure sera sûrement ravie de me donner des ordres, pour changer un peu. Pendant notre absence, tu commanderas la forteresse avec le soutien de Magariz.

— Axis, as-tu perdu la tête? Risquer ta vie et celle de tes hommes pour une expédition aberrante?

— Je tiens à savoir ce que les Skraelings ont fait dans les ruines de Hsingard. Et je ne serai pas mécontent d'en tuer quelques-uns de plus.

Selon l'aigle, de drôles de choses se passaient dans la capitale dévastée…

Axis regarda Azhure. Cette mission serait un excellent moyen de tester ses aptitudes.

— Caelum restera ici, ce n'est pas négociable. Il ne s'agit pas d'une gentille patrouille dans les collines, et Imibe s'occupera très bien de lui…

Cette chasseuse de Ravensbund venait d'avoir un enfant, et elle produisait assez de lait pour des triplés! Avec le soutien de Rivkah, elle s'était déjà chargée de Caelum quand Azhure et Axis n'étaient pas disponibles…

Bien que le soleil se fût à peine levé, la couverture nuageuse était si épaisse que la lumière restait grisâtre comme au crépuscule.

— Alors? demanda Azhure à voix basse.

Les cheveux tirés en arrière et noués en chignon, elle portait la tunique grise ornée du soleil rouge sang qui habillait désormais tous les soldats d'Axis. Perce-Sang à une épaule, elle avait emporté deux carquois pleins à craquer. Et Axis aurait juré qu'elle cachait une collection de couteaux un peu partout dans sa tenue.

— Aucune activité, répondit-il. L'aigle ne voit rien…

Pour l'instant, Azhure avait interdit aux Icarii de survoler Hsingard, car ils auraient risqué d'alerter les Skraelings.

— Les monstres doivent se terrer dans les gravats, dit-elle.

Autour de l'archère, les Alahunts attendaient en silence, prêts à passer à l'action.

Axis voulait voir comment sa compagne comptait procéder. Pour l'instant, ses forces étaient massées dans les ruines d'un cloître du Sénéchal autrefois immense et glorieux, un peu à l'extérieur de la cité.

— Ils sont sûrement au cœur de la ville, dit Azhure, réfléchissant tout haut, là où ils se sentent le plus en sécurité. (Elle plissa les yeux pour sonder les amas de gravats qui étaient naguère le mur d'enceinte de Hsingard.) Axis, utilise ta vision d'Envoûteur, ou celle de ton aigle... (Elle tendit un bras.) Tu crois que c'est l'avenue qui mène vers le nord de la cité ? Je voudrais savoir si elle est bloquée ou si on peut la remonter...

Parmi les soldats d'Axis, fort peu avaient un jour mis les pieds à Hsingard. Pour découvrir la configuration de la ville et la localisation de ses principaux bâtiments, Azhure avait dû se fier à des cartes. Selon un de ces plans, l'avenue dont elle parlait conduisait directement au cœur de la capitale.

Axis communiqua mentalement avec son aigle.

— Cette voie est encombrée de gravats, surtout près du centre de Hsingard, mais nous pourrons passer à pied.

— Parfait...

Azhure se pencha, tapota la tête de Sicarius et lui parla à mi-voix. Quand elle eut fini, le chien se leva et se glissa hors des ruines du cloître, quatre compagnons à sa suite.

Axis interrogea l'archère du regard.

— Ils vont inspecter les premiers bâtiments écroulés et le début de l'avenue. S'il n'y a pas de danger, nous avancerons jusque-là.

Dix minutes plus tard, Axis repéra Sicarius, qui vint s'asseoir paisiblement à cinq ou six pas du début de la voie.

L'ancien Tranchant d'Acier tapota l'épaule de sa compagne.

— Regarde...

—Tout est calme, on dirait… On y va!

Azhure fit avancer ses forces par groupes de cent hommes. Très prudente, elle ordonna aux trois derniers d'attendre, pour se mettre en marche, que le précédent soit en position.

Ensuite, elle fit remonter l'avenue à ses hommes en prenant toutes les précautions possibles. Avec ses bâtiments éventrés, la cité ressemblait à l'immense gueule à demi édentée de quelque monstre de légende. Mais il ne fallait pas s'y tromper : elle pouvait encore refermer ses «crocs» sur des visiteurs imprudents.

Hsingard semblait déserte. Une heure et demie durant, ils n'aperçurent pas une âme qui vive. Pourtant, la vigilance d'Azhure ne se relâcha pas. La colonne continua d'avancer d'un côté de la route, à l'ombre des maisons en ruine, et sa chef ne négligea pas de laisser en arrière de petits groupes d'archers et d'hommes d'épée pour couvrir une éventuelle retraite.

Les Alahunts avançaient en tête et sur les flancs, tous les sens aux aguets. Avec l'aigle qui continuait de survoler la zone, aucune force au monde ne prendrait l'expédition par surprise.

Axis sentit la nervosité d'Azhure, à juste titre inquiète qu'ils n'aient pas encore rencontré de Skraelings. Mais il nota avec satisfaction qu'elle n'en devenait pas impatiente pour autant. Dans une situation pareille, précipiter les choses – voire se montrer trop confiant – était le meilleur moyen de courir à la catastrophe! Azhure s'en tirait très bien, impressionnant son compagnon, qui marchait une dizaine de pas derrière elle, épée au poing.

Soudain, un des Alahunts grogna. Une seconde plus tard, des Skraelings jaillirent des crevasses où ils se tapissaient.

Le combat s'engagea aussitôt.

Les monstres ayant jailli du sol quasiment sous les pieds des soldats d'Azhure, les archers n'eurent pas le temps de tirer avant que la mêlée ait commencé. Conscients qu'ils risquaient de toucher leurs camarades, ils s'abstinrent d'intervenir. Sur un ordre de leur chef, ils baissèrent leurs arcs vers le sol, en direction des crevasses. La surprise initiale passée, ils purent

431

empêcher d'autres Skraelings de bondir hors de leur cachette. La rapidité de leurs réflexes permit aux hommes d'épée de se concentrer sur les monstres qui leur faisaient face, soit une soixantaine. Avec une telle supériorité numérique – et l'aide ô combien précieuse des Alahunts – les forces d'Azhure vinrent rapidement à bout de leurs agresseurs.

Soulagée de ne pas devoir déplorer de pertes, la jeune femme envoya les blessés – deux hommes seulement – attendre avec l'arrière-garde qu'elle avait laissée à l'entrée des ruines.

—Ils sont différents, dit-elle en se penchant pour examiner le cadavre d'un monstre.

Ces Skraelings-là ne ressemblaient plus tant que ça à des Spectres. Très lourdement musclés, ils arboraient sur tout le corps une peau parcheminée grisâtre qui durcissait sur leurs épaules et dans leur dos pour former une carapace presque impossible à traverser avec une épée. Une protection semblable enveloppait leur tête, et leurs yeux, jadis protubérants – une cible facile – n'étaient plus que deux fentes argentées protégées par des excroissances osseuses.

Devant les yeux de leurs vainqueurs, les cadavres se liquéfièrent.

—Ils ont changé, dit Axis. Gorgrael se dote de guerriers plus résistants…

—Nous avons combattu à sept contre un, dit Azhure en se relevant. Une victoire facile… Mais l'hiver prochain, que se passera-t-il si nous devons affronter des centaines de milliers de Skraelings cuirassés ?

Terrifié par cette idée, l'ancien Tranchant d'Acier ne répondit pas.

—On devrait essayer de trouver d'où sont sortis ceux-là, continua Azhure. Je vais appeler les Icarii. Désormais, les garder à l'arrière n'a plus de sens, puisque l'ennemi sait que nous sommes là. (Elle appela un des chefs d'unité.) Theod, dis aux hommes d'ouvrir l'œil pendant que nous remontons l'avenue. Si les Skraelings se sont aménagé une base souterraine, je veux repérer son entrée !

L'officier salua et alla rejoindre ses soldats.

Il y eut trois autres attaques sur le chemin qui conduisait au cœur de la cité. Sachant désormais d'où venait le danger, les hommes d'Azhure ne se laissèrent plus surprendre quand des monstres émergèrent du sol. Chaque fois, ils durent pourtant se battre durement pour venir à bout de la menace.

Dans les collines d'Urqhart, Azhure avait ordonné à ses soldats de se confectionner des torches avec des broussailles. Toujours prudente, elle fit signe à deux compagnies d'archers de passer leurs armes à l'épaule et d'allumer leurs flambeaux.

Lors de l'attaque suivante, elle envoya ces deux compagnies combattre avec les hommes d'épée. Pendant ce temps, leurs camarades, arcs pointés vers le sol, empêchèrent que trop de Skraelings en jaillissent.

Azhure et Axis combattirent côte à côte. Emportée par la fièvre de la bataille, la jeune femme éclata de rire quand elle vit son compagnon enfoncer sa lame dans l'œil d'un monstre avec une incroyable précision. Dès qu'il eut dégagé son épée, il recommença l'opération sur le Skraeling que l'archère venait de jeter à terre en l'effrayant avec sa torche.

— Serviteur, ma dame! cria-t-il, exalté.

Oubliant la bataille, il se pencha vers Azhure et l'embrassa passionnément.

Dix secondes plus tard, les parents de Caelum, souriant de bonheur, reprirent le combat contre les sbires de Gorgrael. Lorsqu'ils luttaient ainsi, épaule contre épaule, personne ne pouvait leur faire de mal!

Quand les Skraelings battirent en retraite, Axis enlaça sa compagne.

— Je t'aime, lui souffla-t-il à l'oreille, n'en doute jamais…

Sur ces mots, il courut aider les soldats à tuer les derniers Spectres.

Azhure le regarda s'éloigner, incapable d'en croire ses oreilles. Puis elle baissa les yeux sur la torche qui crépitait encore dans sa main. Qu'avait-il voulu dire? Que pouvait signifier cette déclaration ? Qu'il l'aime ou non, Axis devrait s'unir à Faraday. C'était elle, l'avenir de l'Homme Étoile. Pas une pauvre paysanne de Smyrton…

Les aboiements frénétiques d'un Alahunt arrachèrent Azhure à sa déprimante méditation. Non loin de là, un des chiens retournait furieusement une pile de gravats.

—Couvrez-moi ! cria Azhure à ses archers.

Elle approcha du chien, s'accroupit près de lui, les mains à plat sur son dos, et sonda les débris. L'Alahunt avait introduit son museau dans une étroite fissure plus noire que la nuit. L'archère força le chien à s'écarter, puis elle glissa sa torche dans l'ouverture et aperçut la naissance d'un escalier dont les marches, étonnamment, étaient intactes.

Azhure fit signe à des soldats d'approcher et leur ordonna de déblayer le terrain.

Sentant Axis dans son dos, elle tourna la tête vers lui.

—Qu'en penses-tu ?

—C'est risqué, mais la décision te revient.

—Alors, nous allons descendre, mais prudemment. (L'archère fit face aux soldats.) Il me faut une compagnie d'archers et trente hommes d'épée. Les chiens viendront aussi, parce qu'ils seront plus utiles que cent soldats, si nous devons nous battre dans des tunnels obscurs. Les autres hommes nous attendront ici. Si nous ne sommes pas revenus au milieu de l'après-midi, ils devront partir sans nous. Jusque-là, qu'ils surveillent cette entrée et interdisent aux Skraelings de nous prendre à revers. Je ne veux pas avoir à m'inquiéter de ce qui se passe dans mon dos…

—Que devrai-je faire, commandant ? demanda Axis.

—Tu es trop précieux pour que je t'emmène. À la surface, tu seras beaucoup moins exposé.

—Désolé, mais je vais devoir désobéir. Il faut que je sache ce qui se passe sous terre, et mes pouvoirs vous seront précieux, dans les tunnels.

—Comme tu voudras, soupira Azhure. Mais dans ce cas, rends-toi utile en nous éclairant le chemin.

Axis s'engagea dans l'escalier. Dès qu'il tendit un bras, une boule de lumière apparut dans sa paume. Quand sa lueur fut suffisante, il la lâcha et la laissa dévaler les marches. Elle roula jusqu'en bas, éclairant l'entrée d'un couloir souterrain désert.

— Merci, dit Azhure. (Elle passa devant Axis.) Sicarius, va voir ce qui nous attend !

Le molosse dévala l'escalier, puis il avança lentement dans le couloir, la truffe plaquée au sol. Quand il eut disparu dans l'obscurité, Azhure fit signe à ses hommes de la suivre.

La petite expédition descendit les marches puis remonta sans hâte le couloir, l'archère en tête et Axis juste derrière elle. Arme ou torche au poing, les hommes étaient prêts au combat. Devant eux, la boule de lumière continuait à rouler.

Après une cinquantaine de pas, le couloir bifurquait sur la gauche. Azhure jeta un coup d'œil et vit une nouvelle volée de marches. Tous les sens aux aguets, Sicarius les attendait au pied de ce deuxième escalier.

— En avant…, souffla Azhure.

Quand elle eut descendu les marches, elle prit le temps de tapoter le crâne de l'Alahunt, puis regarda devant elle.

Ils étaient à l'entrée d'une grande salle souterraine au plafond assez bas soutenu par des colonnades. À part quelques caisses vides et pour la plupart brisées, la pièce était déserte. Sur le mur du fond, Azhure remarqua sous une arche une porte de bois entrebâillée.

— Ton avis ? demanda-t-elle à Axis.

— Nous sommes très près du centre de Hsingard. Il doit s'agir du sous-sol d'un bâtiment public…

— Il fait très froid, souffla l'archère en remontant le col de sa tunique.

C'était exact. L'air était plus glacé encore qu'à la surface, et leur souffle gelait devant leur bouche. De la glace s'accrochait aux colonnes, tissant des sortes de toiles d'araignée blanches.

Azhure se pencha et murmura quelques mots à Sicarius, qui plongea ses yeux dorés dans ceux de sa maîtresse.

—Il n'a pas franchi la porte, annonça l'archère. Il préférait nous attendre, parce que ça ne lui dit rien qui vaille…

Axis regarda sa compagne puis le molosse. Après une courte hésitation, il tendit le bras et rappela la boule de lumière, qui vint docilement se nicher dans sa paume.

—Azhure, sois prudente…

La jeune femme serra plus fort sa torche et fit signe à la colonne d'avancer. Marchant d'un pas décidé jusqu'à la porte, elle indiqua aux soldats de se déployer de chaque côté du mur, puis saisit la poignée et tira.

Rien ne lui sauta au visage, sinon un courant d'air plus glacial encore que l'air de la grande salle.

Azhure se tourna vers Axis, les yeux baissés sur la boule de lumière. Comprenant ce qu'elle voulait, l'Envoûteur avança, lança la boule et entonna une courte mélodie.

Une vive lueur illumina la seconde salle, d'où montèrent des gémissements et des murmures…

Plus pâle qu'un mort, Axis recula d'un pas, révulsé par ce qu'il venait de voir. Azhure se força à regarder, se détourna pour ne pas vomir, puis réussit à jeter un nouveau coup d'œil.

L'énorme salle, derrière la porte, avait dû être la réserve de grain de Hsingard. Aujourd'hui, les Skraelings l'avaient transformée en couvoir.

Axis prit Azhure par la taille et la força à s'éloigner un peu de la porte. Sur le sol, devant eux, des milliers de jeunes Skraelings rampaient entre des débris de coquilles d'œuf. Presque transparents, ces nouveau-nés n'avaient pas encore de chair vraiment formée sur les os. Leurs yeux couleur argent semblant énormes sur leur crâne décharné, ils ouvraient en grand des gueules déjà garnies de crocs acérés. À l'évidence, ils détestaient la lumière.

—Par les Étoiles, souffla Axis, il doit y avoir des couvoirs de ce genre partout dans les sous-sols de Hsingard !

—Nos ennuis de l'hiver prochain, soupira Azhure. Enfin, pas ceux-là, mais leurs frères…

Elle jeta sa torche au milieu des monstres. Le feu prit immédiatement, et des cris de douleur retentirent.

—Faites comme moi, dit-elle à ses hommes, et filons avant le retour des parents de ces bambins.

Les flammes se propagèrent d'autant plus vite que les jeunes monstres en feu, affolés, rampaient en tous sens et embrasaient leurs congénères.

Certaine qu'il n'y aurait pas un survivant, Azhure ferma la porte.

—Filons d'ici! cria Axis. Et vite!

Il prit sa compagne par le bras et l'entraîna avec lui.

Toute prudence oubliée, la colonne se rua vers la sortie. Être encore là quand les cris d'agonie des petits attireraient l'attention des adultes n'aurait pas été judicieux.

Ils regagnèrent sans encombre la surface. À partir de là, le cauchemar commença, car les hurlements de la couvée incendiée semblaient avoir réveillé tous les Spectres de Hsingard.

Contraints de lutter pour chaque pouce de terrain, Azhure et ses hommes crurent un instant qu'ils ne sortiraient jamais vivants de la cité. Et sans l'intervention de la Crête icarii, ils auraient sans doute eu raison.

Coincés sous une pluie de flèches, les Skraelings durent laisser filer leurs proies.

Quand les fugitifs eurent atteint leurs chevaux, Axis fit rapidement le compte. Il y avait relativement peu de pertes, mais beaucoup de blessés, dont Azhure, le flanc barré d'une vilaine blessure.

—Tu pourras chevaucher? demanda Axis en l'aidant à enfourcher Venator.

—Oui, je… je vais très bien. Saute sur Belaguez!

Très pâle, Azhure attendit que tous ses hommes soient en selle. Au-dessus de leurs têtes, les Icarii continuaient à tenir les Skraelings à distance.

—Au galop! cria Azhure quand tous les soldats furent prêts.

Alors que la colonne galopait vers les collines d'Urqhart, laissant les Spectres loin derrière elle, l'archère éclata de rire.

Les cavaliers s'arrêtèrent dès qu'ils furent à l'abri des collines. Dans le ciel, les Icarii se mirent en formation défensive, au cas très improbable où des Skraelings débouleraient.

Axis sauta à terre et aida Azhure à descendre de Venator.

— Je vais très bien ! s'écria la jeune femme, toujours euphorique après la dure bataille et l'excitante chevauchée.

Mais son compagnon déchira sa tunique et pâlit en découvrant que la chemise, dessous, était imbibée de sang.

La plaie était large mais peu profonde, parce que la griffe qui en était responsable avait dû riper sur la côte d'Azhure. Bref, une hémorragie impressionnante, mais pas de dégâts internes…

— Il faudra recoudre cette blessure, dit Axis.

En attendant, il prit le rouleau de gaze que lui tendait un homme, improvisa un bandage qui ferait l'affaire jusqu'à Sigholt, et referma la chemise d'Azhure.

— Ce n'est rien ! s'exclama la jeune femme. Laisse-moi tranquille ! Certains hommes sont bien plus gravement touchés, et je dois m'occuper d'eux !

Sicarius sur les talons – lui aussi saignait d'une dizaine de coupures –, l'archère alla réconforter les blessés, très fiers quand ils virent que leur chef aussi avait du sang sur sa tunique…

Les yeux voilés, Axis ne quitta pas un instant du regard sa superbe compagne.

L'expédition regagna Sigholt le lendemain peu après le lever du soleil. Prévenus par les Icarii, arrivés la veille, les hommes de la garnison étaient prêts à s'occuper des blessés et à nourrir et réconforter leurs camarades qui s'en étaient tirés indemnes.

— Les Icarii nous ont tout raconté, dit Belial, les yeux rivés sur la tunique rouge de sang d'Azhure. Tu vas bien ?

— Une simple égratignure, mon ami ! N'est-ce pas ce qu'un guerrier digne de ce nom dit à sa famille morte d'inquiétude quand il rentre d'une campagne ?

Axis vint enlacer la jeune femme. Maintenant qu'ils étaient revenus chez eux, il pouvait cesser de se comporter comme un fidèle second et lui prodiguer toute la tendresse d'un amoureux attentionné.

— Sa blessure n'est pas grave, Belial ! (Il balaya du regard la cour de la forteresse grouillante de monde.) Les chasseurs de Ravensbund ?

— Oui. Ils sont là depuis hier matin. La plupart ont dressé un camp sur les berges du lac, mais j'ai insisté pour que leur état-major s'installe à Sigholt.

— Les Étoiles seules savent où nous les logerons…, murmura Azhure, très inquiète.

Elle se détendit en apercevant Rivkah, qui courait vers elle, Caelum dans les bras.

À l'instant où elle serrait enfin son fils contre elle, un homme aux cheveux noirs sortit des ombres d'une poterne.

— Je te salue, Ho'Demi, dit Axis.

Au gué de Gundealga, et plus tard, quand il l'avait vu à travers les yeux de l'aigle, le chef des chasseurs, comme tous les siens, arborait un cercle de peau nue au milieu du front. À présent, un soleil rouge sang y brillait fièrement. Et il en allait de même pour tous les réfugiés de Ravensbund, hommes, femmes et enfants, venus rejoindre l'Homme Étoile à Sigholt !

44

« L'HEURE EST VENUE
DE RESTAURER TENCENDOR »

La jeune chasseuse piqua la dernière épingle dans les cheveux d'Azhure, puis elle recula et tendit un miroir à l'archère pour qu'elle puisse s'admirer sous tous les angles.

— Merci, Imibe, tu m'as merveilleusement bien coiffée !

Au fil des semaines, la compatriote de Ho'Demi était passée du statut de nounou de Caelum à celui de dame de compagnie de sa mère. Si perturbée qu'elle fût d'être l'objet de tant d'attentions, Azhure devait se laisser faire, car elle n'avait pas le choix. D'abord occupée par trois mille hommes, deux femmes, un trio de Sentinelles et un cuisinier à la retraite, Sigholt – avec l'adjonction de Vue-sur-Lac – était devenue une fourmilière où trente mille âmes vaquaient avec enthousiasme à leurs occupations. On y trouvait bien entendu des soldats acharites ou icarii et des chasseurs de Ravensbund, mais aussi des citadins, des commerçants, des serviteurs, des cuisiniers, des garçons d'écurie, des secrétaires, des messagers, des parasites professionnels et une myriade d'autres personnages. La semaine précédente, un historien avait déboulé, clamant qu'il entendait immortaliser le glorieux itinéraire d'Axis Soleil Levant à travers le « labyrinthe de la Prophétie ».

Plus encore que de la sollicitude de sa dame de compagnie, Azhure s'agaçait de la vénération que lui témoignait l'entière population de Sigholt. Désormais, quand elle se promenait dans les rues de Vue-sur-Lac, avec ou sans Caelum dans les bras, les gens s'écartaient sur son passage à grand renfort de sourires, de courbettes et de propos admiratifs. Pour ne pas leur répondre par une révérence craintive, la jeune femme devait faire un énorme effort de volonté…

— Belle dame, lança Axis en entrant dans la chambre, lève-toi et laisse-moi t'admirer dans toute ta splendeur!

Azhure accepta les mains que lui tendait son amant et se laissa guider jusqu'au miroir en pied placé contre le mur du fond. Elle s'arrêta devant, Axis immobile derrière elle, les mains posées sur ses épaules.

L'Homme Étoile portait sa tunique couleur or au-dessus de hauts-de-chausses rouges assortis au soleil qui étincelait sur sa poitrine. Contraste frappant, Azhure était vêtue d'une robe noire droite très simple qui mettait en valeur sa silhouette élancée et son visage à l'ossature extraordinairement fine.

Axis sourit au reflet de sa compagne puis glissa une main dans sa poche.

— Décidément, dit-il, Dru-Beorh passe son temps à me faire des cadeaux que je m'empresse de t'offrir…

Il accrocha aux lobes d'Azhure une superbe paire de boucles d'oreilles en vieil or patiné.

— Nous sommes un joli couple, non? lança Axis avant d'embrasser sa belle sur le sommet du crâne. (Soudain, il s'avisa qu'elle pleurait.) Que se passe-t-il? Pourquoi cette mélancolie?

— Parce que ma véritable place n'est pas à tes côtés… Bientôt, tu partiras pour le Sud avec ton armée. Tôt ou tard, tu arriveras à Carlon, où ta reine t'attend.

Axis se tendit. Azhure et lui ne mentionnaient presque jamais Faraday. Pourtant, elle était sans cesse présente entre eux.

— Je sais que tu as parlé d'elle avec Ho'Demi et le duc Roland, dit Azhure, résolue à jouer cartes sur table. (Elle désigna leurs reflets.) Ce que tu appelles un «couple» est une illusion. Notre relation n'a pas plus de substance qu'une image dans l'onde et elle éclatera en milliers de morceaux, comme ce miroir, si je le frappais du poing…

Sentant les mains d'Axis la serrer plus fort, Azhure comprit qu'elle l'avait mis en colère.

—Je pensais ce que je t'ai dit à Hsingard, Azhure! Je t'aime! Tu n'es pas une passade destinée à réchauffer mon lit en attendant que Faraday s'y couche. Mais toi, m'aimes-tu? ou cherches-tu un moyen détourné de me faire comprendre que tu en as assez de moi?

—Tu sais très bien que je t'aime, répondit Azhure, fière que sa voix ne tremble pas… trop. Mais quand nous serons à Carlon, je devrai m'effacer. La culpabilité que j'éprouve vis-à-vis de Faraday m'empoisonne la vie. Et ne me dis pas que tu as la conscience en paix!

Axis lâcha les épaules de la jeune femme et lui passa les bras autour de la taille.

—Ma conscience? Oui, c'est vrai, elle me tourmente! Tu veux savoir si je pense à Faraday? Là encore, la réponse est «oui»! En un sens, je l'aime toujours, mais ce que je ressens pour toi affaiblit à chaque minute mes sentiments pour elle. Azhure, nous sommes tous les trois victimes de cette foutue Prophétie! De pauvres pantins dont on tire les ficelles! Toi et moi, comment pourrions-nous nier la magie de la nuit de Beltide… et de toutes celles qui ont suivi? Sache que je refuse de te perdre ou de t'oublier! Tu as bien compris?

—Et pourtant, tu épouseras Faraday?

—Parce que j'y suis obligé! La Prophétie a forcé Faraday à se marier avec Borneheld, et je devrai m'unir à elle. As-tu oublié? « *Une épouse longtemps muette / Comblera de joie chaque nuit / Le meurtrier de son mari.* » En plus de tout, j'ai besoin d'elle pour avoir le soutien des Avars et des arbres.

—Dans ce cas, il faut que je m'en aille!

—Non! Je ne te laisserai pas partir, Azhure! Faraday doit s'être habituée aux pratiques de la cour… Borneheld a bien dû garder quelques maîtresses et…

—Non! Non! cria Azhure.

Elle tenta de briser l'étreinte d'Axis, mais il la serra plus fort.

—Reste avec moi… Danse avec moi! Aime-moi, et Faraday t'acceptera…

Azhure ferma les yeux. Maîtresse, favorite, concubine… Les noms ne manquaient pas, tous plus laids les uns que les autres. Pauvre Faraday ! Même si elle acceptait, elle souffrirait atrocement.

— Pourrais-tu me quitter, Azhure ? murmura Axis. En serais-tu capable ?

— Non… (Les yeux toujours clos, la jeune femme se laissa envelopper par la tendresse et la chaleur de son amant.) Non, je n'en aurais pas le courage…

— Et moi, je ne voudrais pour rien au monde être séparé de toi ! Au début, j'ai cru que ce serait possible. J'avoue avoir pensé à te demander de rester ici avec Caelum quand je partirai pour le Sud. Mais sans vous, ma vie n'aurait plus de sens ! Tu m'as ensorcelé, Azhure, et je ne me libérerai jamais de tes délicieux sortilèges. Reste avec moi, je t'en supplie !

Une image terrifiante naquit dans l'esprit d'Azhure. Caelum et Axis, dans trois cents ans, tous les deux pleins de santé et d'énergie. Assis sur la saillie rocheuse du mont Serre-Pique, ils tentaient en vain de se rappeler le nom de l'humaine qui avait été la mère de l'un et l'amante de l'autre…

Après quelques minutes d'efforts de mémoire entrecoupés de plaisanteries, Azhure les vit renoncer avec une insouciance qui lui glaça les sangs.

— Reste…, murmura Axis.

— Oui, je resterai…, répondit Azhure, se détestant d'être si faible.

— Dans ce cas, ouvre les yeux, prends notre fils et descends avec moi ! Tout Sigholt nous attend !

Azhure alla sortir Caelum de son berceau, le serra contre elle et lui murmura quelques mots qu'Axis, pourtant dévoré de curiosité, ne parvint pas à entendre.

— Si tu dois faire une seule chose pour moi, Caelum, que ce soit de ne jamais oublier mon nom ! Je ne me rappelle plus celui de ma mère, et ça me brise le cœur ! Je suis Azhure, mon enfant… Azhure… Azhure…

Rivkah était née le vingt-troisième jour du mois de la Faim. Pour fêter ça, Axis avait organisé une grande réception dans le grand hall de Sigholt. Mais ces réjouissances célébreraient bien plus que l'anniversaire de la princesse. Depuis plus d'une semaine, les hostilités contre Gorgrael avaient cessé et tous les soldats « rebelles » étaient revenus à la forteresse. La réception serait aussi pour Axis une façon de remercier ses troupes. Ce soir, tous les officiers supérieurs et les chefs d'unité festoieraient avec les représentants des réfugiés de Skarabost, les chefs des chasseurs, les trois Sentinelles, la majorité des Envoûteurs présents à Sigholt et une myriade d'autres invités.

Ce banquet était en somme le premier événement « mondain » de ce qui deviendrait la cour du roi Axis. Prétendant au trône d'Achar et successeur désigné du Roi-Serre icarii, il avait besoin du faste et du décorum associés à tous les souverains. Les marchands de Tarantaise et de Nor conviés à la fête devraient en repartir avec l'idée que l'Homme Étoile réclamait à juste titre le trône d'Achar. Si Borneheld ne pouvait pas être le « roi soleil » que son peuple désirait avoir, l'autre neveu de Priam en était parfaitement capable !

De leur propre initiative, quelques Envoûteurs se chargeraient de l'ambiance musicale. Perchés sur les poutres apparentes du grand hall, ils chantaient en s'accompagnant à la harpe, et la musique semblait tomber sur les invités comme une pluie de pétales de rose.

Au milieu des convives en riches atours, des serviteurs présentaient des plateaux de nourriture ou s'affairaient à remplir les gobelets et les coupes.

Ayant repris du service pour l'occasion, le vieux Reinald s'était surpassé. Après des heures de dur labeur aux cuisines, où une horde de marmitons lui avaient obéi au doigt et à l'œil, il était ravi d'observer la réception de haut. Assis dans son fauteuil préféré, dans la galerie, une carafe de vin chaud à portée de la main, il buvait le spectacle des yeux. Du temps de Searlas ou de Borneheld, Sigholt n'avait jamais autant bruissé de vie et de joie…

Mais l'assistance se tut à l'instant même où Axis et Azhure apparurent en haut de l'escalier d'honneur. Un couple vraiment magnifique, plein de jeunesse, de santé et de confiance… Dans sa tenue rouge et or, l'Homme Étoile semblait attirer à lui toutes les lumières du grand hall. Haute silhouette noire, sa compagne descendait les marches avec tant de grâce qu'on eût dit qu'elle glissait sur le marbre, pas qu'elle y marchait. Dans ses bras, Caelum regardait sereinement la foule avec les superbes yeux bleus que sa mère lui avait légués. Bien que des boucles noires aient commencé à pousser sur son crâne, Reinald vit que le petit avait hérité du visage typiquement icarii de son père.

Axis alla se camper devant la cheminée, où les flammes lui firent comme une aura, et échangea quelques mots avec tous ceux qui se sentirent assez téméraires pour l'aborder. Très souriante, sa mère vint se camper près de lui et accepta avec un évident plaisir les souhaits de bonheur, de santé et de prospérité des convives.

Caelum calé au creux d'un bras, une coupe de vin dans l'autre main, Azhure alla au contraire faire le tour des invités. Ses doutes oubliés, elle affichait une sérénité qui n'avait rien de forcé. En descendant les marches, elle s'était aperçue que tous les regards braqués sur Axis – mais aussi sur elle ! – exprimaient du respect, une immense admiration et, en ce qui la concernait spécifiquement, un rien d'envie mêlé de pas mal d'affection. Dans tous ces yeux, elle n'avait pas vu une ombre de mépris ni de moquerie. Ces gens l'avaient acceptée, ça ne faisait aucun doute.

Tu pourrais les diriger aussi aisément que moi, Azhure, avait dit la voix d'Axis dans sa tête. *Et aussi facilement que tu me commandes ! Ne sous-estime jamais ton pouvoir et tes compétences !*

À cet instant, alors qu'elle se sentait déjà submergée par l'amour de l'Homme Étoile, Caelum lui avait parlé mentalement pour la première fois.

Tu t'appelles Azhure ! Je le sais, et je ne l'oublierai jamais…

Soutenu par son fils et son bien-aimé, Azhure avait soudain compris qu'elle survivrait, quelles que soient les épreuves que lui réservait l'avenir.

— Bonsoir, duc Roland, dit-elle en s'arrêtant devant le seigneur d'Aldeni au teint cireux.

Le jour de son arrivée, avec les chasseurs de Ravensbund, le duc était à l'article de la mort. Déjà affaibli par sa maladie, le voyage du Ponton-de-Jervois à Sigholt – une rude chevauchée – l'avait dévasté au point de le clouer quatre jours de suite au lit, incapable d'esquisser un mouvement.

Dès qu'il s'était senti un peu mieux, Axis lui avait demandé pourquoi il venait d'abandonner Borneheld après avoir lutté si longtemps à ses côtés.

— Je vais mourir, avait répondu Roland, et je veux quitter ce monde la conscience en paix. Pendant longtemps, j'ai cru être dans le bon camp, mais j'ai compris mon erreur le jour où Borneheld a ordonné à Gautier de faire crucifier trois chasseurs innocents. Axis, je rêve d'une fin honorable! Laisse-moi rester, je t'en supplie!

Bien entendu, l'Homme Étoile avait accueilli son vieil ami.

Un peu plus tard, Reinald avait convaincu le moribond d'aller sur les berges du lac de la Vie, dont les eaux avaient bien amélioré son arthrite.

Elles avaient également aidé Roland. Le rat qui le dévorait de l'intérieur devenu moins vorace, il avait retrouvé pas mal de vigueur.

Axis avait cependant prévenu Azhure que la mort gardait toujours un œil sur le vieux Marcheur. Même si elle ne le capturait pas ce mois-ci, voire cette année, il ne lui restait pas plus de deux ans à vivre.

Tandis qu'ils conversaient, le duc étudiait Azhure avec un intérêt non dissimulé. Bien qu'elle eût des traits typiques de Norienne, il y avait en elle d'autres caractéristiques qu'il ne parvenait pas à identifier. Avec une telle beauté à ses côtés, il n'était pas étonnant qu'Axis ait oublié Faraday! Et maintenant, Azhure lui avait donné un fils…

Caelum était bien plus éveillé que les nourrissons de son âge. Était-ce à cause de son ascendance icarii ? En tout cas, ses yeux très vifs semblaient tout voir… et tout enregistrer.

Roland baissa les yeux sur le chien qui ne quittait jamais la compagne d'Axis. Nevelon lui avait parlé de la redoutable équipe qu'Azhure formait avec ses molosses. Le sang que Caelum avait hérité de sa mère était peut-être aussi magique que celui de son père…

— J'ai appris pour Nevelon, dit soudain Azhure. Le pauvre a été emporté par un Griffon.

Roland parvint de justesse à cacher sa surprise. Comment avait-elle su qu'il pensait à son malheureux second ?

— Plusieurs de mes amis ont été victimes de ces monstres, seigneur duc. Je regrette d'avoir blessé Nevelon, ce jour-là… Magariz m'a dit qu'il était un homme de bien.

— Dame Azhure, le monde a changé trop vite pour lui, et il n'était pas le seul dans son cas…

L'ancienne paysanne de Smyrton accepta le titre de « dame » sans sursauter.

— Il faut beaucoup de courage pour accepter les surprises que nous réserve la vie, dit-elle, aussitôt consciente que cette réflexion valait autant pour elle que pour Roland.

Avoir le courage d'accepter ? Était-ce la solution ? Devait-elle avancer dans la direction où la poussait la vie, sans tenter de résister ? Maîtresse ? Favorite ? Concubine ? Sans doute, mais l'important n'était-il pas d'être aimée ?

— Dame Azhure, dit Roland, puis-je vous faire une confidence ? Il y a environ trois ans, j'ai conseillé à Axis de ne jamais se marier, et de ne pas aimer trop passionnément une femme. Un guerrier comme lui, ai-je ajouté, n'a pas assez de temps pour choyer son épée et une amante ! Et des deux, la plus utile, pour lui, serait toujours la lame !

Amusé par la stupéfaction d'Azhure, Roland eut un sourire paternel.

— Je me trompais, ma dame, et je suis heureux qu'Axis n'ait pas tenu compte de mes idioties ! Sans vous, il n'aurait pas réussi tout cela ! (D'un geste circulaire, le duc désigna le grand hall.) Voilà ce que je voulais dire : même si nous nous efforçons de contrôler la vie, c'est elle qui nous manipule, et souvent pour notre bien. Sur le coup, il arrive qu'on ne s'en aperçoive pas, ou qu'on refuse de l'admettre. Axis a eu de la chance de croiser votre chemin, dame Azhure. À Sigholt, votre nom est presque aussi légendaire que le sien !

Des larmes perlèrent aux paupières d'Azhure. Dans ses bras, Caelum s'agita et tendit les mains vers Roland, qui le prit de bon cœur.

— Un jour, dit-il en le regardant, si Axis triomphe, cet enfant sera un roi !

Le bébé babilla d'aise.

— Azhure, duc Roland, bien le bonsoir ! lança Belial en approchant, Gorge-Chant à ses côtés.

Pour la fête, la sœur d'Axis était revenue à la couleur naturelle de ses ailes – or et violet – et elle portait une superbe robe de soie ivoire.

Un serviteur accourut et remplit les coupes des quatre invités d'un délicieux blanc de Romsdale sec et fruité.

— Les voies d'approvisionnement d'Axis fonctionnent mieux que je l'aurais cru, dit Roland, Caelum calé au creux d'un bras. S'il peut s'offrir un nectar pareil pendant que Borneheld boit de la piquette…

— Ce vin est stocké depuis des années dans les caves de Sigholt, expliqua Belial. Pour tout boire, les invités de ce soir auraient besoin de trois ans, et ils seraient saouls en permanence. Quant à nos voies d'approvisionnement… Eh bien, pour dire la vérité, ce n'est plus idéal, loin de là ! Le comte Burdel sème le chaos en Skarabost. Depuis quelques semaines, nous recevons la moitié moins de vivres, et ça risque de s'aggraver encore. Par bonheur, nous avons assez de jardins potagers et de bétail pour tenir un moment.

— Mais pas indéfiniment, et c'est ça qui t'inquiète ?

— Exactement ! Il va falloir agir contre Burdel ! Non content de nous affamer, il massacre la population de Skarabost. Duc, agit-il sur ordre de Borneheld ?

—Hélas, oui… Le nouveau roi d'Achar a eu cette idée brillante afin de mettre des bâtons dans les roues d'Axis…

—Et ça a marché! À cause de Burdel, nous devrons partir pour le Sud plus tôt que prévu.

Pour le Sud? pensa Azhure. *Là où Faraday attend Axis?*

Elle arracha pratiquement Caelum à Roland et tourna les talons.

—Je viens d'apercevoir Ogden et Veremund, dit-elle en guise d'excuse.

—J'ai fait une gaffe? demanda Belial au duc et à Gorge-Chant.

Toujours debout près de la cheminée, Axis tentait sans grand succès de faire bonne figure pendant que deux marchands de Tarantaise lui tenaient la jambe. Depuis une petite éternité, le plus volubile tentait de lui vendre un plein chariot de fil de lin.

—Rivkah…, souffla Axis.

Un authentique appel au secours!

—Messires, intervint la princesse, compatissante, nous sommes honorés par votre offre. En d'autres circonstances, j'aurais insisté pour que mon fils l'accepte. Hélas, nous sommes en guerre, et il refuse de payer de telles frivolités à sa mère.

Axis foudroya du regard Rivkah, qui avait une drôle de façon de voler à sa rescousse. Cela dit, les marchands captèrent le message. S'inclinant devant la princesse, superbement belle dans une robe aussi noire et révélatrice que celle d'Azhure, ils se retirèrent en murmurant des propos fleuris. Mais juste avant de tourner les talons, le plus silencieux glissa une feuille de parchemin scellée dans la main d'Axis.

—Pour vos seuls yeux…, souffla-t-il avant de disparaître dans la foule.

Axis sursauta quand il identifia le sceau privé de Priam. Ce message venait de Judith, ça ne faisait pas de doute.

Il ouvrit discrètement la missive.

« Axis,

Jusque-là, notre relation n'a jamais été très cordiale, et Priam et moi en fûmes responsables. Comme tu le sais sûrement, mon époux est mort, et sa fin n'eut rien de naturel. Avant de disparaître, il envisageait de s'allier à toi. Il connaissait la Prophétie, et il ne la jugeait pas absurde… »

Axis n'en crut pas ses yeux. Priam aurait voulu une alliance avec lui ? Pas étonnant qu'on ne l'ait pas laissé vivre…

« Cher Axis, je te tiens pour l'héritier légitime du trône d'Achar, et je ferai tout ce qui est en mon pouvoir pour soutenir tes justes revendications. Hélas, je ne suis plus qu'une veuve coupée de tous les centres de décision. Cela dit, je tenterai quand même l'impossible. On m'a laissé ma dame de compagnie, Embeth de Tare, et je réside chez elle. S'il te prenait l'envie de nous rendre visite, sache que nous t'accueillerions toutes les deux très chaleureusement.

J'espère pouvoir agir pour ta cause, et j'ai déjà parlé à deux hommes dont il serait dangereux de citer les noms dans cette lettre. Ta légende grandit, Axis, et beaucoup de gens que tu crois tes ennemis pensent sérieusement à te rejoindre.

Courage, mon ami !

J. »

D'un geste sec du poignet, Axis jeta la lettre dans les flammes. Rivkah s'en aperçut et l'interrogea du regard, mais il n'osa pas lui dire de quoi il s'agissait. Judith avait pris d'énormes risques, car son message aurait pu être intercepté cent fois.

Il sonda la foule du regard mais ne vit plus le marchand, qui devait déjà avoir enfourché son cheval, à l'heure qu'il était…

Devant le pont, un homme enveloppé d'un manteau noir avançait en boitillant.

— Es-tu loyal ? demanda la voix féminine, un peu distraite par les échos de la fête qui battait son plein dans le grand hall.

—Oui, je le suis, répondit le visiteur.

—Alors, traverse, et je verrai si tu n'as pas menti.

—Si ça t'amuse…, marmonna l'homme en noir.

Les Envoûteurs étant passés d'un fond sonore agréable à des airs joyeux et entraînants, beaucoup d'invités se sentaient des fourmis dans les jambes. Au milieu d'un cercle de spectateurs, sept ou huit couples s'étaient déjà lancés dans une brillante démonstration de Hey de Gie, une danse très prisée à la cour de Carlon.

Rivkah se retourna pour voir qui lui tapotait l'épaule.

—Cela remonte à longtemps, princesse, mais tu te souviens peut-être…

—Certaines choses ne s'oublient pas, seigneur Magariz, et la Hey de Gie est du nombre, car elle compte parmi les occupations les plus importantes d'une vie.

Magariz sourit et tendit la main à la princesse.

—Alors, me feras-tu l'honneur de danser avec moi, en excusant d'avance ma maladresse?

—Tout l'honneur sera pour moi, seigneur…

Axis regarda le couple évoluer tout en sirotant une coupe de vin. Malgré sa jambe raide, Magariz dansait admirablement bien. Mais où était Azhure? Sondant la foule, il vit qu'elle approchait de lui, Caelum dans les bras.

Il l'accueillit d'un baiser sur la joue, puis vit que Belial et Gorge-Chant se frayaient aussi un chemin vers lui.

Il salua son second d'un sourire, puis regarda sa sœur le front plissé. La voyant s'empourprer, il échangea avec Azhure un clin d'œil amusé.

—Axis, j'ai parlé de Burdel avec Roland. Ça m'a rappelé que nous devons partir au plus vite.

Axis se rembrunit. Oui, le moment du départ approchait. Gorgrael guettait toujours son heure, et la Gardienne devait compter les jours, attendant qu'il remplisse sa part du marché avant le délai fixé.

Depuis combien de temps était-il à Sigholt? Cinq mois, déjà?

— Tu as raison, dit-il à son second. (Il chassa la Gardienne de son esprit, car Gorgrael était le problème le plus urgent.) Mes amis, j'ai peur que le Destructeur, pendant que je serai en Arcness ou en Tarantaise, reprenne son avance vers le sud. Et dans ce cas, il risque d'arriver à Carlon avant moi.

Axis s'interrompit brusquement.

Gorgrael à Carlon avant moi ? Près de Faraday avant moi ?

Pour la première fois, il se demanda qui était la « mie » dont parlait la Prophétie. Faraday ou Azhure ? Oui, laquelle des deux ?

— Et les nouvelles du Ponton-de-Jervois ne sont pas bonnes pour nous, dit Ho'Demi, qui venait de se joindre au petit cercle d'amis.

— Je sais…, soupira Axis.

Les éclaireurs icarii et les espions déguisés en paysans étaient formels : débarrassé de la menace des Skraelings, Borneheld se préparait à attaquer Sigholt. De nouveaux mercenaires l'avaient rejoint, et il s'était débrouillé pour enrôler de force tous les hommes valides disponibles dans un rayon de cinquante lieues autour du Ponton-de-Jervois.

— Axis, dit Belial, il serait judicieux de nous mettre en mouvement avant Borneheld.

— Et avant que Gorgrael se soit doté d'une armée de Skraelings cuirassés, ajouta l'ancien Tranchant d'Acier.

L'homme en noir s'arrêta devant les portes de la forteresse. Malgré les vapeurs chaudes qui montaient du lac, il grelottait dans son manteau. Comme il regrettait son habitat si tiède et ombragé… Mais le reverrait-il jamais ?

Le garde en faction devant les portes observa avec méfiance ce visiteur dont l'étrange démarche ne lui disait rien de bon, et il détesta l'énorme capuche qui enfouissait son visage dans des ombres… malsaines.

— Que voulez-vous ? demanda le soldat.

Le visiteur rabattit sa capuche. Surpris et troublé, le garde posa la main sur la poignée de son épée.

— Je viens me joindre à Axis Soleil Levant et à Azhure, la femme qui détient Perce-Sang. Il faut que je voyage vers le sud avec eux.

Bien que l'homme eût réussi à traverser le pont, une preuve de sa loyauté, le soldat continuait à ne pas l'apprécier. Il allait lui barrer le chemin quand il entendit des bruits de pas dans son dos.

— Je me porte garant de sa fidélité, dit Ogden. C'est un véritable ami d'Axis et d'Azhure.

— Oui, renchérit Veremund, je me porte également garant. Ce visiteur est un homme de bien vital pour la cause d'Axis et de la Prophétie...

Axis attendit que sa mère ait fini de danser, puis il lui fit signe de le rejoindre. Le souffle court, la princesse avait les joues rouges et les yeux brillants de joie.

— Voilà trente ans que je n'avais pas dansé la Hey de Gie, Axis, haleta-t-elle. J'ai peur d'avoir tout oublié ! (Elle sourit à Magariz, qui l'avait suivie.) Et mon partenaire ne m'a pas beaucoup aidée, comme s'il avait aussi un trou de mémoire !

— Noble dame, un guerrier oublie vite ses compétences de courtisan. De plus, ma jambe raide explique sûrement ma médiocre prestation !

Axis jeta un regard agacé à ses deux interlocuteurs. Leur discours sonnait creux – de la fausse modestie très mal placée. Magariz s'était montré largement supérieur à tous les autres danseurs, et Rivkah n'avait eu aucun mal à lui donner brillamment la réplique.

Axis fit remplir sa coupe par un serviteur. Puis il leva les yeux vers les Icarii et leur indiqua de cesser de chanter et de jouer. Ils obéirent aussitôt, et toutes les conversations moururent en même temps que la musique.

Les invités savaient qu'Axis les avait fait venir pour leur parler. Et la plupart pensaient deviner ce qu'il allait annoncer.

Il avança, monta sur l'estrade et tendit la main à Azhure pour l'inviter à venir près de lui. Ce soir, tout le monde devrait voir qu'elle était son égale...

La jeune femme hésita un instant puis le rejoignit. Avant de prendre la parole, l'Homme Étoile lui sourit.

—Ce soir, dit-il, nous sommes réunis pour fêter plusieurs événements. Tout d'abord, l'anniversaire de ma mère, et je voudrais profiter de l'occasion pour lui souhaiter la bienvenue en Achar après un très long exil. Princesse Rivkah, heureux que tu sois de retour chez toi!

Rivkah remercia son fils d'un gracieux hochement de tête.

—À la santé de la princesse! lancèrent les invités en levant leur verre.

—J'aimerais aussi, mes amis, vous remercier de tout ce que vous avez fait pour moi et pour Achar durant ce long hiver. Si le royaume n'est pas sous la coupe de Gorgrael, il vous le doit en grande partie, et je tiens à insister sur l'apport décisif de la Force de Frappe. Merci de tout cœur, mes frères d'armes!

Axis se tut et balaya l'assistance du regard. La tension était palpable…

Près de la porte, l'homme en noir hésita, intimidé par la foule. Plissant les yeux, il aperçut Axis et Azhure, debout sur l'estrade. On eût dit le soleil et la lune, aussi glorieux l'un que l'autre et résolus à combattre ensemble contre les ténèbres. Le visiteur en eut les larmes aux yeux. Puis il sursauta quand il aperçut le bébé calé au creux du bras de la jeune femme.

—Comme vous pouvez tous le voir, reprit Axis, cette soirée est hors du commun! Car nous avons ici des Acharites, des chasseurs de Ravensbund, trois Sentinelles et des Icarii! Tout cela dans le grand hall de Sigholt, une forteresse ramenée à la vie par la magie d'un glorieux passé! Mes amis, appeler cette terre «Achar» n'est peut-être plus approprié…

Dans le hall silencieux, Axis croisa le regard de Vagabond des Étoiles, debout à une dizaine de pas de l'estrade. Pour une fois, il avait les yeux rivés sur son fils, pas sur Azhure…

—Ici, déclara l'Homme Étoile, nous avons fait tout ce qui était possible. Il est temps de partir! Mes amis, l'heure est venue d'aller vers le sud, afin de restaurer Tencendor!

Des applaudissements crépitèrent. Portés à l'exubérance, les Icarii hurlèrent de joie en bondissant comme des cabris. Leur long voyage de retour continuait! Vers le sud, où les attendaient les glorieux sites sacrés dont ils avaient été si longtemps privés.

Axis, pensa Vagabond des Étoiles avec une rare ferveur, *ramène-nous à la maison!*

N'hésitant pas à jouer des épaules et des coudes, l'homme en noir se fraya un chemin dans la foule. Avec l'excitation générale, quasiment personne ne le remarqua.

Dans l'assistance, les Acharites – surtout les derniers arrivés à Sigholt – semblaient un rien dubitatifs. Le nouvel ordre du monde les inquiétait, et ils se méfiaient encore des Icarii. Jusque-là, tout s'était bien passé entre les deux peuples, qui avaient travaillé et combattu côte à côte. Mais qu'en serait-il une fois la guerre gagnée? Les hommes-oiseaux les déposséderaient-ils de leurs terres? Ceux qui étaient restés à Serre-Pique viendraient-ils avec l'idée de se venger des exactions de la Guerre de la Hache? Voudraient-ils faire payer aux vainqueurs d'alors leurs dix siècles d'exil?

—Ce ne sera pas l'ancien Tencendor, cria Axis, mais un nouvel univers! Oui, un Tencendor différent, parce que toutes les races y vivront sur un pied d'égalité!

Azhure capta un mouvement, dans les premiers rangs de la foule, et eut un petit cri de surprise. Alarmé, Axis suivit son regard.

L'homme en noir monta sur l'estrade, ses yeux fiévreux rivés sur le jeune couple.

—Pourrais-je aller dans le Sud avec vous? Vers Faraday?

—Raum, s'écria Azhure, que t'est-il arrivé?

Une semaine plus tard, au début du mois du Dégel, l'armée d'Axis quitta Sigholt et s'engagea dans le col de Garde-Dure. Elle obliqua ensuite en direction du sud, traversa les collines d'Urqhart et se dirigea vers le gué de Gundealga. Un itinéraire relativement risqué, mais logique, car Axis ne voulait pas être retardé, à Smyrton, par la petite éternité qu'il faudrait aux bacs pour transporter ses forces sur la berge d'en face.

Pour traverser le gué, la colonne aurait besoin d'une journée. Ensuite, elle bifurquerait vers l'est, où elle serait plus en sécurité. En outre, grâce aux éclaireurs icarii, l'armée rebelle ne risquait pas de tomber dans une embuscade…

Axis avait du mal à croire que ses forces aient grossi si vite. Quinze mois plus tôt, il avait quitté le fort de Gorken avec trois mille hommes. Aujourd'hui, il en commandait dix-sept mille !

Derrière la cavalerie et les Crêtes icarii, l'intendance avançait lentement. Un millier de chevaux de bât, des dizaines de chariots, plus une kyrielle de cuisiniers, de médecins et de serviteurs… Sans compter l'inévitable contingent de filles de joie qui accompagnaient toujours les armées en campagne.

Beaucoup de femmes de Ravensbund voyageaient avec l'intendance. Cependant, la majorité d'entre elles étaient restées à Sigholt avec leurs enfants.

Les Icarii qui avaient choisi d'accompagner Axis – essentiellement des Envoûteurs, dont Vagabond des Étoiles et sa mère – étaient consignés dans les chariots avec interdiction de voler sans la protection de la Force de Frappe. Les Griffons inquiétaient toujours Axis, et il tenait à garder en vie tous les magiciens ailés.

Deux compagnies d'archers et plusieurs unités de cavalerie progressaient avec l'intendance afin de ne pas la laisser sans défense.

Les Sentinelles avançaient en tête de la colonne. Perchés sur leurs incontournables baudets blancs, Ogden et Veremund bavardaient sans interruption. Plus silencieux, Jack chevauchait une paisible jument à la robe marron.

Derrière eux, dans un chariot, Raum passait ses journées à grelotter de fièvre et à crier de douleur. Interrogés par Axis et Azhure, angoissés pour leur ami, Ogden et Veremund avaient expliqué que l'Eubage se transformait en Enfant Sacré. Et sa métamorphose, de toute évidence, était mystérieusement liée à Faraday. Normalement, Raum n'aurait jamais quitté

Avarinheim à ce moment de son existence. Mais il devait absolument rejoindre l'Amie de l'Arbre, parce qu'elle détenait la clé de la réussite de sa « mue ».

La tête de l'Avar semblait avoir été prise dans un étau, ou serrée par les mains d'un géant résolu à la remodeler. Son front désormais cabossé était couvert d'un duvet presque transparent, et des protubérances osseuses pointaient sous la ligne de ses cheveux. Sous son nez démesurément long et large, sa bouche se déformait et ses dents jaunissantes devenaient plus carrées que pointues…

Malgré son apparence cauchemardesque, le regard de l'Eubage restait humain et amical. À l'intérieur de son corps dévasté, Raum n'avait pas changé, et ses vieux compagnons le savaient…

Azhure avançait le plus souvent avec ses archers, au cœur de la colonne principale. De temps en temps, elle forçait Venator à ralentir pour se laisser rattraper par l'intendance. Elle ne se séparait plus de Caelum, blotti dans un porte-bébé, et gardait en permanence Perce-Sang à l'épaule. Ravis de n'être plus enfermés dans la forteresse, les Alahunts ne la quittaient jamais. La truffe frémissante, ils semblaient capter l'odeur du sang dans le vent…

Axis s'éloignait rarement de la tête de sa colonne. Belial et Magariz lui tenaient parfois compagnie. Le plus souvent, ils chevauchaient avec leurs hommes ou ceux de Ho'Demi – près de dix mille chasseurs, plus silencieux que des fantômes malgré leurs clochettes et leur verroterie.

Sigholt et Vue-sur-Lac restaient sous la protection d'une force symbolique de cinq cents hommes placée sous le commandement de Roland. Toujours malade, mais doté d'un bien meilleur moral, le duc avait promis de ne pas mourir avant le retour triomphal d'Axis.

Vingt-quatre heures durant, l'Homme Étoile, avec l'aide du pont, avait entouré le site d'une toile serrée de sorts défensifs. Épuisé par cet effort, il avait ensuite passé deux jours et deux nuits au lit…

Une brume bleue enveloppait désormais le périmètre, laissant à l'air libre la forteresse, la ville, le lac et les collines les plus proches. Créé avec diverses Chansons de Vapeur et de Confusion, ce brouillard serait impénétrable pour tout étranger qui s'aventurerait dans la zone. Condamné à tourner en rond pendant des heures, désorienté et troublé, l'intrus finirait par renoncer. Car seuls les visiteurs connus du pont pourraient retrouver leur chemin…

Son fief en sécurité, Axis s'était enfin remis en mouvement. Pour prendre le contrôle d'Achar, il lui restait très exactement six mois. S'il n'était pas vainqueur au premier jour du mois de l'Os, tout serait perdu…

Très haut dans le ciel, l'aigle aussi se réjouissait de s'être remis en mouvement. Mais lui ne savait pas pour quelle raison…

Le gué traversé, Axis dirigea sa colonne vers l'est, puis vers le sud, au-delà des frontières de Skarabost. Quelque part devant lui, le comte Burdel attendait avec des forces dont nul ne connaissait l'importance.

Résolu à mettre un terme à ses exactions, Axis avait ordonné aux éclaireurs icarii de repérer le boucher qui œuvrait depuis des mois sous les ordres de Borneheld.

Sur le chemin qui menait à la restauration de Tencendor, Burdel et ses soudards seraient le premier obstacle…

45

MAUVAISES NOUVELLES

—Quoi? s'écria Borneheld, révulsé. Que viens-tu de dire, soldat?

Très mal à l'aise, le mercenaire coroléien se mordilla les lèvres.

—Sire, les habitants des hameaux éparpillés à l'est du fleuve Nordra sont formels : il y a deux semaines, une importante colonne est passée par le gué de Gundealga. Elle venait des collines d'Urqhart et filait vers Skarabost. Il y avait tellement de chevaux que la traversée a duré des heures.

» Cette troupe avançait en silence, Majesté, mais elle était bien composée d'humains, pas de Spectres. Un homme aux cheveux couleur de blé mûr la guidait, et…

—Axis! rugit Borneheld.

—… il y avait des Acharites et d'étranges hommes au visage tatoué.

—Les chasseurs de Ravensbund! explosa le roi d'Achar.

Craignant qu'il s'en prenne au messager, Gautier lui fit signe de s'éclipser.

—Deux semaines! beugla Borneheld. (Fou de rage, il balaya d'un revers de la main la pile de messages posée sur son bureau.) Il peut être n'importe où!

Prudent, Jorge attendit que Gautier parle le premier. Après la fuite des chasseurs et du duc Roland, Borneheld était entré dans une colère noire, au bord de l'apoplexie. Depuis, il ne se fiait plus qu'à Gilbert et Gautier. Du soir au matin, dès qu'il n'était pas occupé, il passait son temps à agonir d'insultes les traîtres qui le poignardaient sans cesse dans le dos. Retenu par un reste de lucidité, il n'avait pas chassé le vieux comte du Ponton-de-Jervois, mais il en brûlait d'envie.

Pourquoi suis-je toujours là ? se demanda Jorge en regardant le souverain marcher de long en large. *J'aurais pu me glisser hors de mon lit, par une nuit sans lune, sauter sur mon cheval et filer à Sigholt.*

Oui, il aurait pu… Mais pour le bien d'Achar, il importait qu'une personne saine d'esprit reste aux côtés de Borneheld. Gautier et Gilbert ne faisaient pas l'affaire. Le premier pensait exclusivement à sa carrière, et le second s'assurait que les décisions du monarque étaient bonnes pour l'ordre du Sénéchal. Quant au royaume…

S'il doutait des aptitudes à régner de Borneheld, Jorge n'aurait pas mis sa tête à couper qu'Axis aurait fait un meilleur roi. À son âge, renoncer à une vie de préjugés n'était pas simple. Pendant près de soixante-dix ans, il avait cru dur comme fer que les Proscrits, des bêtes impies, aspiraient exclusivement à détruire Achar. Enfant, il avait entendu des centaines d'histoires sur les temps antérieurs à la Guerre de la Hache, une époque où les Icarii persécutaient les fidèles d'Artor. Et voilà que la Prophétie demandait aux Acharites d'accueillir leurs anciens maîtres et de s'allier à eux ! Était-ce vraiment le seul moyen de vaincre Gorgrael ? Depuis des mois, Jorge se torturait l'esprit, et il n'avait toujours pas de certitude. Bon sang, pourquoi Roland l'avait-il abandonné ?

— Nous allons poursuivre mon bâtard de frère ! lança Borneheld.

— Majesté, non ! s'écrièrent en chœur Jorge et Gautier.

Le second du roi se leva d'un bond.

— Sire, il serait trop dangereux de nous enfoncer en Skarabost sur la piste d'Axis !

— Tu crois que j'ai peur de quelques misérables paysans, Gautier ?

— Ce n'est pas ce que je voulais dire, Majesté…

— Sire, intervint Jorge, Gautier voulait porter à votre attention qu'Axis a deux semaines d'avance sur nous. Skarabost est une immense province. Nous risquons de le chercher en vain pendant des mois…

—Donc, vous me conseillez de rester les bras ballants et de le laisser s'approprier la partie orientale d'Achar ?

—Sire, dit Gautier, luttant pour garder son calme, le comte Burdel a six mille hommes dans le sud de Skarabost. L'armée rebelle lui est peut-être supérieure en nombre, mais il pourra lui porter des coups terribles. Avec un peu de chance, il la vaincra ou l'immobilisera, surtout s'il parvient à la piéger pendant qu'elle traversera la chaîne des Fougères pour entrer en Arcness.

—Une raison de plus pour aller en Skarabost et donner un coup de main à Burdel ! s'entêta Borneheld. Si nous réussissons à le prendre en tenailles…

—La province est trop grande, répéta Gautier, et nous ne savons pas où est le comte. Si ça se passe mal, nous ne verrons ni Axis ni Burdel, et nous tournerons stupidement en rond en Skarabost !

—Vos soldats sont épuisés, Sire, renchérit Jorge. Ils ont besoin de repos, pas de déplacements inutiles.

—Et si Burdel ne parvient pas à arrêter le bâtard ? demanda Borneheld.

—Il restera les barons Greville de Tarantaise et Ysgryff de Nor, Majesté. Pour traverser leurs provinces, Axis devra encore se battre durement.

—Gautier, les deux hommes que tu viens de citer sont aussi fiables qu'une bande de putains d'Ysbadd ! Et aucun n'est un chef de guerre digne de ce nom. De plus, comment sais-tu où ira Axis ? Aurait-il eu la bonté de te communiquer son itinéraire ?

—Majesté, il ne peut avoir qu'un objectif : Carlon !

Un silence de mort suivit cette déclaration.

Gilbert blêmit comme s'il allait vomir. Axis et ses Proscrits à Carlon ? Où il restait une seule cohorte de Haches de Guerre pour protéger la tour du Sénéchal ? En supposant que ces hommes, quand ils l'auraient en face d'eux, ne se rallient pas à leur ancien Tranchant d'Acier !

— Carlon…, répéta Borneheld.

Jusque-là, il n'avait jamais vraiment envisagé qu'Axis se montrerait si audacieux.

— C'est sûrement son but, dit Gautier. Nos forces étant bloquées au Ponton-de-Jervois, il sait que prendre la capitale revient à nous vaincre. Mais pour ça, il devra traverser Skarabost, Tarantaise et Nor. Bref, il sera obligé de sécuriser l'est d'Achar avant de foncer sur Carlon. Aucun stratège sain d'esprit ne laisse dans son dos des forces qui le prendront tôt ou tard à revers.

— En poursuivant Axis, Majesté, dit Jorge, vous entreriez dans son jeu. Il arrivera sûrement à Carlon avant vous, et la partie sera terminée ! Le bon plan est de rallier la capitale le plus vite possible. Il vaut mieux la défendre que jouer la victoire sur un coup de dés en tentant de trouver l'ennemi dans les plaines de Skarabost.

Bon sang, il doit comprendre que c'est logique ! tempêta intérieurement le vétéran. *Carlon est la clé de tout !*

— Par Artor, s'écria Borneheld, vous me conseillez de laisser tout l'est d'Achar au bâtard ? Que me restera-t-il ? L'ouest du royaume ? Avez-vous oublié que la trahison m'a déjà coûté Ichtar ? Un tiers du royaume entre les mains de Gorgrael, et l'autre entre celles d'Axis ? Voilà vos ambitions ?

Personne ne répondit, faute d'être assez brave pour dire au roi qu'il n'avait jamais été dans une telle position de faiblesse. Désormais, l'armée d'Axis était puissante, et il n'y avait peut-être déjà plus d'espoir. Lui abandonner l'est d'Achar ? Par tous les démons, ça valait mieux que lui concéder Carlon !

Bien entendu, le royaume de Borneheld rétrécirait comme une peau de chagrin. Avec de la malchance, il lui en resterait à peine un cinquième…

Gautier et Jorge auraient donné cher pour être ailleurs. Ou mieux encore, à une autre époque, quand tout allait bien. Ces temps bénis où nul n'avait entendu parler de Gorgrael, des Spectres et de la maudite Prophétie !

Blanc comme un linge, Gilbert osa briser le silence.

— Borneheld, vous n'avez pas le choix. Je soutiens la stratégie de vos seconds. Carlon est vitale! Si elle tombe, le Sénéchal s'écroulera avec elle. Dois-je vous rappeler ce que ça signifie?

C'était parfaitement inutile. L'ordre était le principal soutien du nouveau roi. Et sans un certain... coup de pouce... il ne serait toujours pas monté sur le trône.

Borneheld chassa la culpabilité de son esprit. Chaque fois, c'était un peu plus difficile...

—Gilbert, tu te réjouis peut-être de savoir que la vermine grouille dans l'est d'Achar... Selon toi, qu'en pensera le frère-maître?

—Ce qu'impose la logique: en restant unis, le roi et l'ordre du Sénéchal garderont une chance de reconquérir Achar en écrasant Gorgrael et Axis! Souvenez-vous de la Guerre de la Hache, Sire. Nous avons chassé les Proscrits du royaume une fois, et nous pouvons recommencer. Nous vivons des temps bien sombres, personne ne le nie. Il nous faut un roi capable de nous guider vers la lumière!

Le discours de Gilbert regonfla le moral défaillant de Borneheld.

—C'est vrai, l'époque est sinistre, messires, mais je suis l'homme qu'il vous faut! (Il éclata d'un rire de dément.) Imaginez ce qui se passerait si Priam était toujours sur le trône! Un doux rêveur à frisettes! Artor ne l'a pas fauché prématurément sans raison, croyez-moi! Il savait que le royaume aurait besoin de moi!

C'est bien ce que signifient les visions de Timozel, n'est-ce pas?

Borneheld venait d'arrêter sa décision. Les Skraelings ayant battu en retraite, une force réduite suffirait pour tenir le Ponton-de-Jervois. Il allait partir pour Carlon avec le gros de ses forces. Et quand Axis s'engagerait dans les plaines de Tare, il serait là pour l'arrêter!

Enfin, il serait face à son frère sur un champ de bataille. Un moment de vérité qu'ils attendaient depuis toujours.

—Nous lèverons le camp dans moins d'une semaine, messires! En direction de Carlon, bien entendu... Le premier pas de notre victoire sur le Destructeur et sur Axis!

46

Une poupée de chiffon

Depuis le départ de Sigholt, huit semaines plus tôt, les forces d'Axis avaient d'abord avancé vers l'est, à travers le nord de Skarabost, puis vers le sud, pratiquement le long d'une ligne droite qui conduisait au cœur de la province.

L'ancien Tranchant d'Acier aurait voulu accélérer le rythme, mais il savait que ç'aurait été une grossière erreur. S'il épuisait ses hommes, ils n'auraient plus de ressources au moment de se battre.

Jusque-là, ce maudit Burdel reculait devant l'armée rebelle. Il y avait bien eu quelques escarmouches contre son arrière-garde, mais pas moyen de le forcer à livrer bataille ! En bon stratège, il envisageait sûrement de prendre position dans un des cols de la chaîne des Fougères, où les défenseurs auraient un gros avantage. À moins qu'il prémédite de se replier en Arcness, probablement derrière les murs d'enceinte d'Arcen, la capitale.

Le comte avait une très bonne raison de ne pas vouloir tomber entre les mains d'Axis. Depuis six mois, avec la bénédiction de Borneheld, il semait la terreur en Skarabost pour couper les routes d'approvisionnement des rebelles, interdire aux habitants de la province de rallier Sigholt et empêcher la propagation de la Prophétie. Les réfugiés qui avaient quand même pu rallier la forteresse racontaient d'horribles histoires sur les exactions de Burdel.

À présent, alors que son armée traversait la mer d'Herbe, où les premières pousses commençaient à pointer sous la neige fondue, Axis voyait de ses yeux le sale travail du larbin de Borneheld. Des dizaines de villages avaient été rasés simplement parce que quelqu'un, selon les rumeurs, y avait récité la Prophétie. Dans d'autres, on avait épargné les bâtiments et la majorité des résidents, mais crucifié tous les réfractaires, dont les cadavres continuaient à pourrir, les yeux becquetés par les corbeaux.

Un spectacle à donner la nausée. Partout où ils s'arrêtaient quelques jours, les hommes d'Axis aidaient à reconstruire les habitations et tentaient de redonner confiance aux survivants du massacre.

Sa glorieuse réputation, au temps où il était le Tranchant d'Acier, aidait beaucoup l'Homme Étoile. Même s'il commandait désormais une force très différente, on le respectait autant – sinon plus – qu'avant.

Son armée était plus puissante que les Haches de Guerre, et ça jouait bien entendu un rôle. Mais il avait aussi gagné en assurance et en autorité. Avec son nouveau manteau rouge orné dans le dos des contours d'un soleil éclatant, il ressemblait à un roi, et les villageois s'émerveillaient de le voir marcher dans leurs rues et s'adresser à eux avec une profonde compassion. Beaucoup se souvenaient qu'il était le fils de Rivkah, privé de ses prérogatives de prince parce qu'il avait pour père un inconnu. À leurs yeux, cela expliquait pourquoi il ne ressemblait pas à l'ignoble traître qu'on leur avait décrit.

Contrairement à Burdel, Axis interdisait tout dérapage à ses hommes. Ils campaient loin des villages, prenaient garde à ne pas dévaster les champs et ne se livraient ni au pillage ni au viol. Et s'ils ne pouvaient pas ressusciter les suppliciés, ils aidaient au moins à les descendre de leur croix et à leur fournir une sépulture décente.

Une mission ingrate et désespérante, mais vitale !

Dès qu'un village revenait un peu à la vie, Axis envoyait Rivkah parler à ses habitants de son long séjour chez les Icarii. Tout le monde se souvenait de la princesse, dont la présence stupéfiait d'abord les paysans. Excellente oratrice, la mère d'Axis parvenait très vite à les convaincre que les Icarii, loin d'être des monstres, ressemblaient sur bien des points aux humains. Confrontés aux mêmes problèmes que les Acharites, ils les surmontaient de leur mieux, comme eux, et appréciaient les mêmes joies simples de la vie.

Quand les villageois réagissaient particulièrement bien à ces discours, Axis demandait à quelques hommes-oiseaux – les moins intimidants, bien entendu – de leur rendre une petite visite.

Les choses se passaient toujours de la même façon. Lorsque les Icarii se posaient devant eux, les paysans écarquillaient les yeux, presque paralysés de terreur. Après de longues minutes, quelques enfants approchaient, puis, s'enhardissant, demandaient à toucher les ailes de leurs visiteurs. Rassurées par la bienveillance des «Proscrits», quelques femmes âgées approchaient aussi. Voyant qu'on ne les dévorait pas vivantes, les autres villageois venaient fraterniser avec les hommes-oiseaux, qui les régalaient de leurs chansons et de fabuleuses histoires sur le mont Serre-Pique.

Gorge-Chant participait souvent à ces expéditions. À l'évidence, elle avait un don pour communiquer avec les paysans et les rassurer…

Très lentement, et pas toujours avec succès, Axis habituait les habitants de Skarabost à l'idée que les Proscrits n'étaient pas leurs ennemis.

Comme de juste, la résistance était très forte dans les villages où il restait un Gardien de la Charrue, ces frères du Sénéchal chargés d'enseigner la voie d'Artor au peuple.

Axis était parfaitement conscient que la campagne militaire visant à conquérir Achar serait la partie la plus facile de sa croisade pour la réunification de Tencendor. Convaincre les Acharites d'accepter ceux qu'ils appelaient des «Proscrits» serait une tout autre affaire, après un millénaire de propagande du Sénéchal, particulièrement bien implanté dans les régions agricoles les plus pauvres du royaume. Parfois, l'idée de devoir relever ce défi le gardait éveillé très tard dans la nuit.

Au fond, comme les Icarii, Axis était le plus heureux quand ses troupes campaient au milieu de la mer d'Herbe. Ces arrêts-là ne durant jamais plus d'une nuit, les soldats ne montaient pas les tentes, dormant à la belle étoile enroulés dans des couvertures… ou dans leurs ailes, pour les hommes-oiseaux.

À mesure que le printemps approchait, le ciel s'éclaircissait, libre de nuages le jour comme la nuit. Une splendide occasion d'admirer les astres, de plus en plus brillants au firmament.

Comme à l'époque où il dirigeait les Haches de Guerre, Axis sortait souvent sa harpe pour donner de petits récitals autour des feux de camp. Avec sa formation d'Envoûteur, sa voix s'était encore améliorée, et les officiers se disputaient les places autour de la flambée où il chantait.

Caelum dans les bras, Azhure l'écoutait en souriant, presque extatique. L'aimant chaque jour un peu plus, elle parvenait à ne pas penser au but de leur voyage, et à ce qu'il signifierait pour elle. Par bonheur, elle ignorait que Faraday, près de deux ans auparavant, s'était aussi assise autour d'un feu de camp pour écouter chanter Axis, et découvrir qu'elle l'aimait à la folie.

Le premier jour du mois de la Fleur, Axis s'assura que son armée camperait loin de tout village. Car pour la première fois depuis mille ans, on allait célébrer Beltide en Achar !

Les Icarii s'occupèrent des feux de joie pendant que les chasseurs de Ravensbund, qui fêtaient aussi l'arrivée du printemps, s'affairaient à cuisiner des mets délicieux. Très perplexes, mais emportés par l'enthousiasme des hommes-oiseaux et des chasseurs, les Acharites acceptèrent de participer aux rituels et à la fête – une invitation lancée par Vagabond des Étoiles en personne !

La nuit, très longue, fut foisonnante de musique et de beauté. Avec l'aide d'une jeune Envoûteuse, Étoile du Matin présida à la cérémonie. Stimulés par leurs évolutions suggestives, les Icarii, les chasseurs et les Acharites dansèrent et rirent ensemble.

Cette nuit étant très particulière pour Axis et Azhure, ils s'éloignèrent très vite de leurs compagnons. Réfugiés dans un coin tranquille, ils installèrent Caelum sur une couverture puis s'étendirent l'un près de l'autre et, pendant que l'enfant dormait, ravivèrent la magie qui les avait emportés, un an plus tôt. Comme la précédente nuit de Beltide, et toutes celles qui avaient suivi, leurs sangs chantèrent à l'unisson tandis qu'ils s'aimaient.

Pour la énième fois, Axis s'émerveilla de l'ivresse qu'il éprouvait dans les bras d'Azhure. Alors qu'il bougeait lentement en elle, il se sentait plus près que jamais de la Danse des Étoiles.

Comment aurait-il réagi s'il avait su que sa compagne vivait la même expérience ? Car Azhure aussi entendait et sentait la Danse des Étoiles ! C'était en partie pour ça qu'elle n'avait pas pu résister à Axis, le soir de son retour du Monde Souterrain. Et pour cette raison, également, qu'elle était incapable de le fuir, quitte à accepter une position de « favorite » humiliante. Oui, tant qu'il partagerait ses nuits avec elle, tout serait supportable !

La musique de la Danse des Étoiles faisait bouillir son sang, qui déferlait en elle comme une marée lancée par la lune à l'assaut de côtes mystérieuses. Pourtant, elle n'avait jamais décrit ses sensations à Axis. Faute d'avoir eu un autre amant, elle supposait que toutes les femmes éprouvaient la même extase dans les bras d'un homme aimé.

La nuit de Beltide, alors que la magie de la terre était plus forte que jamais – et que les étoiles, dans le ciel, semblaient plus proches des vivants qu'à l'accoutumée –, la musique de la Danse retentit si fort dans l'esprit de la jeune femme qu'elle eut le sentiment de se désintégrer dans le cosmos. Les mains fermées sur les épaules d'Axis, elle le regarda dans les yeux et y vit briller des milliers d'astres minuscules. À ses oreilles, le son lointain du ressac semblait faire écho aux battements de son cœur…

À cet instant, qu'aurait-elle pensé si elle avait su que son amant voyait aussi un firmament étoilé dans ses yeux, où il se perdait comme elle s'immergeait dans les siens ?

Et comment aurait-elle su que les vagues, sur toutes les côtes de Tencendor, déferlaient glorieusement en criant son nom à la seconde même où elle hurlait celui d'Axis ?

Cette nuit-là, les deux amants conçurent leurs deuxième et troisième enfants. Et cette fois, le prophète, dans son refuge, n'éclata pas de rire…

Au milieu de la dernière semaine du mois de la Fleur, Axis tira sur les rênes de Belaguez, le forçant à s'immobiliser au sommet d'une petite colline. De là, il admira un long moment le manoir qui se dressait dans la vallée, en contrebas. Quelque cinq cents pas derrière lui, encerclant discrètement la superbe résidence, son armée venait de s'arrêter pour la nuit.

Le fief du comte Isend de Skarabost, le père de Faraday, n'était pas fortifié, mais «défendu» par un simple mur de briques à peine plus haut qu'un homme. N'ayant rien d'un guerrier, Isend était du genre à battre en retraite en cas d'attaque, pas à défendre son foyer.

Montée sur Venator, dix pas derrière Axis, Azhure ne le quittait pas du regard. Se retournant, il fit signe à la jeune femme et à ses officiers qu'il irait seul au manoir.

Il fit dévaler la pente à Belaguez, puis repassa au pas quand ils abordèrent les jardins. Au pied des arbres, élagués pour ne pas pousser davantage qu'à hauteur d'épaule, des fleurs printanières poussaient en parterres d'une minutieuse géométrie. Les graviers du chemin composaient un tapis d'une surprenante régularité, sans doute parce que les jardiniers les ratissaient chaque matin…

Axis franchit le portail en fer forgé noir, sauta à terre et attacha Belaguez aux grilles. Puis il continua à pied, son manteau rouge claquant au vent.

Alors qu'il atteignait la véranda ombragée, la porte d'entrée de la résidence s'ouvrit lentement. Une femme qui devait approcher de la trentaine se campa sur le seuil, attendant calmement son visiteur. Avec ses yeux verts et ses cheveux châtains, elle ressemblait beaucoup à Faraday.

Axis s'immobilisa à deux pas de la jeune femme, peu sûr de ce qu'il allait dire. Avant de venir, il n'avait pas préparé de discours. Et pour être franc, il ignorait pourquoi il était ici…

La femme lui sourit – exactement l'expression de Faraday! Par tous les dieux, comment avait-il pu oublier la chaleur du sourire de sa «mie»?

— Vous êtes Axis, je suppose… Naguère le Tranchant d'Acier, et désormais… eh bien, quelque chose de plus étrange, je crois… Et de beaucoup plus coloré, si j'en juge par votre tenue! (La femme tendit la main.) Bienvenue à Ilfracombe, Axis. Je suis Annwin, fille du comte Isend et épouse du seigneur Osmary. J'ose espérer que vous n'êtes pas venu raser mon manoir.

Axis baisa délicatement la main de la sœur de Faraday.

— Merci de votre accueil, dame Annwin. N'ayez crainte, je ne suis pas là pour incendier votre demeure. Le comte Isend est-il ici?

Quelle étrange comédie…, pensa Axis. *On croirait une simple visite de courtoisie. «De grâce, ma dame, ne faites pas attention à mon armée, elle est là parce que je ne m'en sépare jamais!»*

Annwin recula et fit signe à son «invité» d'entrer. Le guidant le long d'un couloir mal éclairé et glacial, elle le conduisit dans une salle de réception, lui fit signe de prendre un siège et s'assit en face de lui.

— Je suis désolée, seigneur Axis, mais mon père est à Carlon. Avec ma sœur…

Axis fut soulagé par l'absence d'Isend, car il ne se sentait pas d'humeur à affronter un tel gandin poudré. Le comte avait arrangé le mariage de Faraday et de Borneheld par pure cupidité, un point qui ne le lui avait pas rendu plus sympathique…

— Connaissez-vous la reine? demanda Annwin avec une exquise politesse.

— Je l'ai rencontrée à Carlon, il n'y a pas loin de deux ans. Elle a voyagé avec mes Haches de Guerre dans les plaines de Tarantaise. Hélas, elle a vite été séparée de nous…

— Vous avez été négligent, Axis, dit Annwin, soudain beaucoup moins courtoise. Faraday est une pierre précieuse adorée par sa famille et toute la population de Skarabost. Pour

470

l'avoir si facilement « perdue », vous ne devez pas être l'homme que vantent tant de rumeurs !

— Hors des murs de cette bucolique demeure, noble dame, se déchaînent des forces que vous avez peut-être quelque mal à imaginer. Faraday et moi avons été pris dans les rets de la Prophétie, qui fait de nous ce qui lui chante.

Annwin hocha la tête sans grande conviction.

— Je l'ai revue au fort de Gorken, continua Axis. Un lieu qui n'avait rien d'agréable, mais qu'elle illuminait de sa beauté et de sa grâce. Sans son intervention, personne n'aurait échappé aux Skraelings qui assiégeaient le fort et la cité attenante.

— On m'a parlé de la chute du fort de Gorken, Axis… Il paraît qu'elle fut provoquée par une trahison. La vôtre, pour être précise !

— Nous combattions tous pour le même objectif, dame Annwin. Empêcher les Skraelings d'entrer en Achar ! Mais nous étions trop faibles. Personne n'aurait pu sauver le fort de Gorken, et nul n'a trahi ! Simplement, certains chemins se sont séparés après que nous eûmes battu en retraite.

— Et le vôtre vous a conduit dans les lugubres montagnes des Proscrits !

— Ce mont s'appelle « Serre-Pique », ma dame, et c'est le foyer des Icarii. Connaissez-vous la Prophétie du Destructeur ?

— J'avoue que oui, hélas…

— Je suis l'Homme Étoile dont elle parle, et je suppose que cette nouvelle a déjà atteint Skarabost. En ce moment, je traverse Achar avec mon armée pour unifier les trois races de Tencendor. Le seul moyen de vaincre Gorgrael !

— Des enfantillages, que je…, commença Annwin.

— Faraday aussi a un rôle à jouer, coupa Axis. Les Sentinelles l'adorent, comme les Avars, ceux qu'on nomme les Enfants de la Corne. Dans leur fabuleux Bosquet, les Enfants Sacrés la tiennent pour leur amie.

— Faraday ? murmura Annwin, les yeux ronds. Elle est impliquée dans tout ça ?

— Oui, mais évitez d'en parler à Borneheld, car il ne le prendrait pas très bien…

— Faraday vit à Carlon, où elle porte la couronne. Mais elle n'est pas heureuse avec son époux. Marcherez-vous sur la capitale ?

— C'est ma destination finale…

— Libérerez-vous ma sœur de Borneheld, Axis ?

— Oui, et je l'épouserai quand je m'assiérai sur le trône d'Achar. C'est d'ailleurs mon rêve le plus cher.

Que les Étoiles me pardonnent ce mensonge ! Mais pendant des mois, j'ai vraiment cru qu'il en était ainsi.

— Oui, je vois, seigneur Axis…

— Dame Annwin, me laisseriez-vous passer quelques instants seuls dans la chambre de Faraday ?

Malgré sa surprise, la jeune femme acquiesça.

— Venez, je vais vous y conduire.

Axis resta un long moment assis dans la chambre toute simple de Faraday. En ce lieu imprégné du passé de la jeune femme, il put enfin penser à elle sans être rongé par la culpabilité.

Il fredonna la Chanson du Souvenir et vit défiler devant ses yeux des images de Faraday, d'abord enfant, puis adolescente et enfin telle qu'il l'avait connue.

Fillette, Faraday n'était pas d'une beauté frappante. Des cheveux poil-de-carotte, un long visage grêlé de taches de rousseur… Mais elle débordait de joie de vivre et de générosité, des qualités qu'elle n'avait pas perdues en grandissant.

Axis assista en accéléré aux grands malheurs de son enfance. La mort de son chat adoré… Un pique-nique gâché par une averse… Les sempiternelles remontrances de sa mère…

Cela dit, les bons souvenirs dominaient. Dans cette demeure, Faraday avait été heureuse et elle s'était toujours sentie couverte d'affection.

Axis était sincère en disant à Azhure qu'il l'aimait. Mais ce sentiment amoindrissait-il celui qu'il éprouvait pour Faraday ? Ou les deux coexistaient-ils tout simplement dans son cœur ?

Serais-tu, pauvre fou, épris de deux femmes ? Deux femmes

si différentes que ta passion pour l'une ne nuit pas à ton amour pour l'autre ?

— Peut-être, marmonna Axis à voix haute, mais je n'ai jamais dit à Faraday que je l'aimais. Donc, elle a peut-être tiré trop vite des conclusions de mon comportement…

Des excuses boiteuses ! Cela étant, même s'il avait dit beaucoup de choses à Faraday, il n'avait jamais prononcé les trois mots qu'il avait lancés à Azhure au cœur d'une bataille.

— Et c'est elle qui a choisi de partir, dans le champ aux tumulus, pour rejoindre Borneheld et l'épouser. Elle ne pouvait pas espérer que je resterai chaste en pleurant sur son absence !

Axis continua à se justifier avec une certaine mauvaise foi jusqu'à ce que ses yeux tombent sur une poupée de chiffon qui gisait sur le sol, les jambes et les bras tendus.

Cette vision lui rappela tout ce que Faraday avait dû subir. Tant de gens l'avaient manipulée comme une marionnette : Isend, les Sentinelles, la Prophétie, Raum… et lui-même. La pauvre n'avait jamais vraiment pu contrôler sa vie. Et maintenant, comme la poupée, elle était seule et perdue à Carlon, attendant qu'une nouvelle force vienne s'emparer d'elle et la pousser dans une direction inconnue.

— Espèce de salaud ! siffla Axis. Comment oses-tu essayer de te trouver d'excellentes raisons de l'avoir trahie ?

Certes, mais ça ne changeait rien aux faits : il ne réparerait pas les torts causés à Faraday en chassant Azhure de sa vie. Il les aimait toutes les deux, d'une façon très différente, et il les garderait l'une et l'autre.

Il faudrait qu'elles acceptent cette situation, voilà tout !

Axis se leva en soupirant. Tout compte fait, venir ici n'avait peut-être pas été une bonne idée. Avec tout ce qui l'attendait, pouvait-il s'offrir le luxe d'avoir des tourments de conscience ?

Sûrement pas !

— Faraday…, souffla-t-il.

Ramassant la poupée, il l'installa confortablement sur une chaise.

47

CARLON

Campé devant une fenêtre de ses appartements privés, Borneheld contemplait la cour du palais de Carlon. Tout plutôt que regarder Jayme en face !

Le frère-maître était furieux, et il ne faisait rien pour le cacher. Pourquoi s'était-il donné tant de mal pour propulser ce lourdaud sur le trône, s'il restait les bras ballants pendant qu'Axis s'emparait de la moitié du royaume ?

— Il a conquis Skarabost, grogna Jayme, et voilà qu'il se met en mouvement vers la chaîne des Fougères ! Arcness et Tarantaise seront bientôt à lui, et tu ne bronches pas, comme si ça n'avait pas d'importance !

Borneheld prit une grande inspiration et s'intéressa aux évolutions d'un corbeau, très haut au-dessus des murs de Carlon. S'il battait froid au frère-maître assez longtemps, il finirait peut-être par ficher le camp ?

Le roi d'Achar commençait à en avoir assez du chef de l'ordre du Sénéchal. Couronné depuis un an, il considérait que les… manœuvres… ayant abouti à son intronisation appartenaient au passé. Le monde avait changé, et le pouvoir avait glissé des mains de l'ordre. Mais Jayme n'en avait peut-être pas conscience.

— Je ne bronche pas, frère-maître, parce que je n'ai pas le choix… Pendant des mois, je me suis battu en Ichtar puis au nord d'Aldeni, pendant que tu jouais les marionnettistes dans ta tour. Tu es un roi de la manipulation, c'est vrai, mais je doute que tu mesures les enjeux de ce qui est en cours.

Désolé, mais il ne me semble pas t'avoir vu sur les remparts du fort de Gorken, quand Ichtar s'écroulait autour de moi. Et où étais-tu quand je pataugeais dans la boue, au Ponton-de-Jervois, pour repousser les Skraelings ? Jayme, tu n'as aucune idée de ce qu'éprouve le chef d'une armée à demi morte de fatigue et démoralisée.

Borneheld s'était retourné pour cracher ces mots au visage de son interlocuteur. Le dos très droit, impressionnant dans sa soutane bleue des grands jours, le vieil homme ne recula pas d'un pouce, et le pendentif à l'image de la Charrue accroché à son cou n'oscilla pas le moins du monde au bout de sa lourde chaîne en or.

—En effet, je n'étais pas là pour te voir perdre le fort de Gorken. Et pas davantage quand tu as laissé les Proscrits combattre les Skraelings à ta place. Si j'ai bien compris, la moitié de ton armée s'est volatilisée sous ton nez la nuit où les chasseurs de Ravensbund ont levé le camp sans crier gare. Un chef avisé – moi, par exemple – aurait fait surveiller ces sauvages…

Borneheld dut faire un effort surhumain pour ne pas propulser son poing dans la figure du vieillard.

—Les chasseurs représentaient seulement un tiers de mes troupes, et ils étaient bien sous surveillance. Mais à force de vivre près des Proscrits, ils ont dû apprendre à utiliser certains de leurs sortilèges…

—S'il te reste vingt mille hommes, grand roi, puis-je savoir pourquoi ils se tournent les pouces à Carlon pendant qu'Axis caracole dans le royaume ? Serais-tu secrètement ravi de savoir que les Proscrits grouillent sur le territoire que le Sénéchal, il y a mille ans, a conquis pour des imbéciles comme toi ?

Le frère-maître ne parvenait pas à se calmer. Comment Borneheld avait-il pu laisser filer Axis avec une armée si puissante ? Qu'il ait écouté les conseils de Gilbert n'importait pas. Il aurait fallu arrêter l'ancien Tranchant d'Acier !

—Je refuse d'abandonner la capitale au bâtard, dit le roi. Et ça serait arrivé si je l'avais poursuivi à l'aveuglette, avec une chance sur cent de le trouver. Tôt ou tard, il viendra ici, puisqu'il rêve de me voler ma couronne. (Borneheld alla s'asseoir avec une nonchalance étudiée.) Je peux donc l'attendre paisiblement. Quand il arrivera, ses soldats seront épuisés. Les pieds constellés d'ampoules, le corps couturé de cicatrices, ils paieront le prix des batailles qu'ils auront dû livrer pour parvenir jusqu'ici. Moi, je les « accueillerai » avec des troupes reposées et combatives.

Les yeux rivés sur Borneheld, Jayme secoua lentement la tête. Comme Moryson, il avait cru que cet homme incarnait la meilleure chance de survie du Sénéchal. Mais que deviendrait l'ordre si les hordes d'Axis déferlaient sur la tour, défendue par cinq cents de ses anciens soldats dont la loyauté n'était même pas certaine ?

— Dois-je te rappeler, génial stratège, que la tour du Sénéchal se dresse sur l'autre berge du lac Graal ? Avant que ton armée ait franchi les portes de Carlon, Axis aura égorgé tous les frères…

— Et alors ? riposta Borneheld. Pourquoi t'en inquiéter, puisque tes deux assistants et toi passez le plus clair de votre temps au palais ? Mais ne t'affole pas, vieil homme ! J'affronterai Axis dans les plaines de Tare, longtemps avant qu'il puisse attaquer ta précieuse tour !

Jayme tenta de réfléchir un peu plus froidement. Tout avait si mal tourné ! Il se souvint de l'époque, pas si lointaine, où il avait entendu parler pour la première fois des monstres qui s'attaquaient à des hommes en armure et les dévoraient vifs. Comment aurait-il pu prévoir les désastres qui allaient s'abattre sur Achar ? Ichtar entre les mains de Gorgrael, tout ce qui s'étendait au nord du fleuve Nordra serait bientôt sous la domination des Proscrits et du traître qui les dirigeait. Que resterait-il aux serviteurs d'Artor ? Une étroite bande de terrain, à l'ouest du fleuve ? Une capitale aux murs jaunes et roses ?

— La nuit, Borneheld, j'entends gémir les âmes des malheureux qui sont tombés sous la coupe d'Axis et de ses Proscrits. Sais-tu ce que ce monstre leur inflige ? As-tu idée de ce que subissent les habitants de Skarabost ? Des enfants sont sacrifiés pour satisfaire la vermine volante que *mon* ancien Tranchant d'Acier appelle « ses amis ». Des femmes doivent leur livrer leur corps, puis elles finissent égorgées. Des hommes sont contraints de voir mourir leur famille… Après, on les cloue à des poteaux de torture ou à des battants de porte, et on les laisse crever lentement de douleur et de chagrin. Ne te sens-tu pas concerné, noble roi ? Continueras-tu à ne pas broncher ? Artor te jugera pour cette infamie !

Borneheld blêmit, car lui aussi avait des cauchemars depuis son retour à Carlon. Chaque nuit, il rêvait que des mains inconnues, très pâles, lui tendaient la coupe ensorcelée tandis qu'une voix l'invitait à boire. Ensuite, il se voyait errer comme un dément dans les couloirs, poursuivi par les rires et les quolibets de tous les courtisans.

Souvent, une femme au visage dur apparaissait dans ses songes. Les cheveux et les yeux noirs, elle était assise à un bureau, deux vases devant elle. Dans son dos, un rectangle de lumière maléfique pulsait…

En l'entendant approcher, elle relevait la tête et éclatait de rire.

— J'attends impatiemment que tu te présentes devant moi, Borneheld duc d'Ichtar.

Bien entendu, il répondait qu'il n'était plus un duc, mais le roi d'Achar.

— Ton sang est celui d'un duc d'Ichtar, et c'est lui qui te condamne. Ta mort viendra de l'est, Borneheld, guette son arrivée !

Le roi se tourna de nouveau vers la fenêtre et crut voir dans les nuages le visage d'Artor, les yeux rivés sur lui.

Assise devant sa coiffeuse, Faraday avait du mal à ne pas s'assoupir pendant qu'Yr lui brossait les cheveux.

Contrairement à son époux et à Jayme, elle tenait la pro-chaine arrivée d'Axis pour une bénédiction. Un cadeau de la Mère, bien entendu, et pas d'Artor, dont elle s'était détournée depuis longtemps. Chaque jour, de nouvelles rumeurs circulaient dans les rues de Carlon.

Après une épique bataille dans la chaîne des Fougères, Axis était entré en Arcness.

Coincés au sommet d'un pic, dans la même chaîne, le félon et ses hommes étaient tombés dans un grand lac où ils avaient sombré. (Faraday avait souri en entendant cette histoire.)

En Skarabost, Axis et son armée avaient fondé une nouvelle nation…

Avait-il vraiment restauré Tencendor si tôt? Faraday aurait cru qu'il attendrait d'être à Carlon, près d'elle, pour annoncer la renaissance de l'antique royaume.

Yr tenait toutes ces «informations» du capitaine de la garde, un homme viril et fort séduisant. En rôdant dans le palais, elle glanait aussi des nouvelles – plus fiables – sur l'inexorable progression d'Axis vers le sud.

—À quoi penses-tu, adorable enfant? demanda Yr sans cesser de brosser les cheveux de sa protégée.

—Pourquoi poser la question? Tu sais très bien que je pense sans cesse à Axis, ces derniers temps!

Borneheld était revenu à Carlon depuis un mois. Dès son arrivée, il avait accordé une «audience» à Faraday pour lui annoncer qu'il la «déchargeait» de tous ses devoirs de reine. (Et tant pis si elle avait quasiment dirigé le royaume pendant qu'il guerroyait au Ponton-de-Jervois.) Après s'être vaguement enquis de sa santé, il l'avait instamment priée de se retirer. Depuis, il n'avait jamais exigé qu'elle partage sa couche. Selon la rumeur, il avait pris une maîtresse – la grotesque catin qu'Isend avait récemment amenée à la cour, prétendait-on.

Libérée de ses obligations et des attentions de Borneheld, Faraday ne manquait plus de temps libre, et elle en faisait un très bon usage. Presque toute la journée, elle se promenait dans la forêt magique ou allait rendre visite à Ur.

À chacune de ses balades, elle découvrait de nouvelles merveilles: une clairière enchantée, une créature encore plus exotique et encore plus belle que les précédentes, une montagne fascinante de mystère…

Dans le jardin d'Ur, elle bavardait avec son amie et suivait son enseignement. Pour l'essentiel, cela consistait à mémoriser le nom et l'histoire des dizaines de milliers d'Eubages féminins métamorphosés. Pour chaque pot, Ur passait de longues minutes à évoquer la femme dont la vie et l'espoir étaient désormais incarnés par un jeune plant.

En écoutant Ur, puis en répétant le nom de chaque Eubage, Faraday avait le sentiment de tisser un lien indéfectible avec les futurs arbres. Après tout, oubliait-on jamais le nom et l'histoire de ses amis ? Évidemment, il était peu fréquent d'en avoir quarante-deux mille…

Alors qu'elle arpentait la forêt ou s'entretenait avec Ur, Faraday vivait des heures magiques qui cicatrisaient lentement les plaies qui couturaient son âme. Et qui lui donneraient la force de survivre aux tourments qui l'attendaient encore…

Recroquevillé au fond d'un chariot, Raum se mordait les lèvres pour ne pas crier trop fort. Sans le soutien des Sentinelles, qui se relayaient près de lui, il aurait sans doute perdu la raison. Grâce à leurs pouvoirs, il parviendrait peut-être à émerger vivant d'une métamorphose qui menaçait de durer des mois et non deux ou trois semaines.

Et l'Eubage était si loin d'Avarinheim ! Que se passerait-il s'il achevait sa transformation hors des sentiers ombragés de sa chère forêt ? À des centaines de lieues du lac des Ronces, que les Avars appelaient « la Mère » ? Agoniserait-il sous le soleil qui bombardait déjà de ses rayons l'interminable mer d'Herbe ?

— Pourquoi moi ? avait-il gémi un jour, au moment où Faraday sortait du Bosquet Sacré, le libérant momentanément de la douleur. Pourquoi suis-je lié à elle ? La métamorphose évolue uniquement quand elle utilise son pouvoir…

— C'est toi qui l'as présentée à la Mère, avait répondu Jack. Faraday a revitalisé ta connexion avec le lac des Ronces, ne l'oublie pas ! C'est sans doute cela qui te rend si dépendant d'elle.

Dans les ombres de sa capuche, Raum eut un sourire amer. Son visage était si déformé, désormais, qu'il ne le montrait plus à personne. Pas même à Axis, qui venait souvent le voir, le soir, pour l'aider à s'endormir avec ses mélodies magiques.

Une sollicitude touchante… Mais rien n'était assez fort pour apaiser les angoisses de l'Eubage, que sa métamorphose horrifiait…

Faraday était consciente de la souffrance de Raum, car elle la sentait chaque fois qu'elle entrait dans le Bosquet Sacré. Souvent, alors qu'elle flânait dans la forêt, elle pensait à lui et se désolait de ne pas pouvoir l'aider. Un jour, elle demanda à l'Enfant Sacré au pelage argenté ce qu'elle pouvait faire pour soulager son ami avar.

— Rien du tout… Sa transformation est différente parce qu'il est lié à toi. Tu es tellement investie de pouvoir par la Mère et la forêt magique que cela… perturbe… le processus. Pour l'aider, tu devras attendre qu'il soit retourné dans la forêt d'Avarinheim, ou dans un des rares îlots boisés qu'on trouve encore en Tencendor. Alors, quand Raum sera prêt à entrer dans le Bosquet Sacré, lorsque la métamorphose en sera à sa dernière phase, tu pourras l'assister en le tirant vers nous de toutes tes forces. Pour t'atteindre, il a besoin de puiser dans le pouvoir des arbres, et il n'y en a aucun là où il est. Attends et ne relâche pas ta vigilance…

Faraday s'en était allée, pleine de compassion pour Raum, mais convaincue qu'elle était impuissante. Il cherchait à la rejoindre, elle le savait, et il fallait espérer que cela ne lui prendrait pas trop longtemps.

Depuis quelque temps, l'Amie de l'Arbre n'avait plus besoin de la coupe magique pour aller dans le Bosquet Sacré. Devenue beaucoup plus puissante, elle se contentait de penser à sa destination. N'ayant plus l'usage de l'artefact, elle avait demandé aux Enfants Sacrés si elle devait le leur rendre.

— Conserve la coupe, Faraday, tu lui trouveras une utilité un jour ou l'autre…

La jeune femme avait suivi ce conseil, ravie de ne pas se séparer de cet objet qu'elle aimait tant.

La coupe trônait maintenant sur la commode de sa chambre. Pour un profane, elle n'était rien de plus qu'un ustensile de bois assez peu adapté à l'environnement luxueux d'une reine. Pour Faraday, c'était une manière de se souvenir en permanence de l'écrasante mission qui l'attendait. Et du réconfort que lui avait prodigué la Mère aux moments les plus pénibles de sa vie...

Elle sourit à Yr, qui venait de reposer la brosse.

—Axis approche, mon amie! Je le sens! Dans deux ou trois mois, il sera là! Yr, j'ai tellement hâte de le retrouver!

48

Une leçon salutaire

Un peu avant l'aube, toute la Force de Frappe prit son envol. Les hommes de Burdel s'étaient retranchés dans les cols et les défilés de la chaîne des Fougères. Pour les en déloger sans subir d'énormes pertes, il fallait recourir à un corps d'armée volant.

Axis s'inquiétait beaucoup au sujet de la bataille à venir. À coup sûr, elle rouvrirait de vieilles blessures et raviverait des haines ancestrales. Bref, lancer des Icarii sur des humains lui déplaisait au plus haut point. Dans l'idéal, il aurait aimé recourir le moins possible aux hommes-oiseaux, afin que les Acharites ne les voient pas comme une horde d'envahisseurs. Oui, leur ordonner d'attaquer était un risque, mais il n'avait pas eu le choix. Toute force conventionnelle, il le savait, devrait consentir d'énormes sacrifices pour nettoyer les flancs de la chaîne des Fougères.

Enveloppé dans son manteau rouge sang, il marchait de long en large, levant tous les deux pas les yeux vers les montagnes que le soleil colorait déjà de pourpre. Grâce à l'aigle, il était informé de ce qui se passait là-haut…

—Alors ? demanda Belial, presque aussi tendu que son chef.

—Jusque-là, tout va bien… Les hommes de Burdel n'ont pas compris ce qui leur arrivait quand des flèches ont commencé à pleuvoir du ciel. Dans la pénombre, ils ont riposté à l'aveuglette, sans faire trop de dégâts…

—Nous avons des pertes ? s'inquiéta Magariz.

—Cinq Icarii blessés à une aile ont dû se poser. Certains rentrent à pied, et d'autres se sont mis en sécurité dans les rochers. À part ça, rien à signaler. Mais Burdel ne peut pas en dire autant…

Voyant le regard voilé de leur chef, Belial et Magariz comprirent qu'il était de nouveau entré en contact avec son aigle.

—On dirait que le comte a décidé de battre en retraite. Autour de midi, le chemin sera dégagé pour nous…

—Il se replie vers Arcen? demanda Belial.

—Certainement, oui… Nous ne pourrons pas le rattraper. Pour faire entrer notre colonne dans les montagnes, il faudra une journée entière, et la traversée prendra environ une semaine. Les survivants de Burdel sont moins lourdement armés que nous, et donc beaucoup plus mobiles. Le comte aura le temps de se réfugier dans sa ville fortifiée et de nous fermer les portes au nez.

La capitale d'Arcness se dressait à une dizaine de lieues des contreforts de la chaîne des Fougères. Entourée de pâturages, elle était remarquablement bien fortifiée.

—Alors, ce sera un siège…, dit Magariz.

—Hélas, oui…, soupira Axis.

Deux ans plus tôt, en chemin pour Smyrton, il était passé par Arcen. Avec ses hauts murs d'enceinte hérissés de créneaux, le fief de Burdel ne serait pas facile à prendre.

Lors d'une guerre, rien n'était plus à double tranchant que les sièges. Souvent, ils duraient tellement longtemps que les vainqueurs en sortaient aussi épuisés et démoralisés que les vaincus. De plus, Axis ne pouvait pas se permettre de perdre six mois à piétiner devant Arcen. Malheureusement, il n'était pas possible non plus de contourner la ville et de laisser à Burdel la possibilité de prendre l'armée rebelle à revers…

—Et si tu envoyais la Force de Frappe attaquer le comte pendant qu'il est dans les plaines? proposa Azhure en approchant d'un pas décidé.

Ayant laissé Caelum au camp avec Rivkah, elle était comme toujours accompagnée par Sicarius et les autres

Alahunts. Splendide dans son uniforme gris et blanc, Perce-Sang à l'épaule, elle arborait un chignon sans ornement très pratique pour une guerrière en campagne.

Depuis la visite d'Axis au manoir où avait grandi Faraday, deux semaines plus tôt, les relations entre les deux amants, sans devenir glaciales, avaient pris un tour plus… professionnel. Leurs nuits d'amour, quand ils avaient eu assez de temps et d'intimité pour en avoir, s'étaient révélées moins joyeuses qu'à l'accoutumée. Une passion intense, presque féroce, sans éclats de rire ni tendres câlineries.

Tous deux sentaient qu'ils approchaient chaque jour un peu plus de Faraday…

— Impossible, répondit Axis en se tournant de nouveau vers les montagnes. Les Icarii sont trop fatigués. Voilà cinq heures qu'ils combattent, et je voudrais qu'ils continuent à surveiller les voies de passage, au cas où quelques hommes de Burdel songeraient à nous tendre des embuscades. Si je les envoyais aux trousses du comte, ils finiraient au bord de l'épuisement…

… et trop de paysans et de citadins les verraient.

Si la moitié de la population d'Arcness assistait à un « massacre » perpétré par les « Proscrits », cela confirmerait leurs pires craintes, les jetant dans les bras des ignobles propagandistes du Sénéchal.

— Mettons-nous en route, mes amis… Le temps que la colonne s'ébranle, les Icarii auront fini de nettoyer le terrain.

S'efforçant de ne plus penser au casse-tête que serait le siège d'Arcen, Axis sourit à Azhure.

— Viens, dit-il en lui tendant la main, une jolie petite promenade nous attend…

— De l'excellent travail, Œil Perçant ! lança Axis en tirant sur les rênes de Belaguez.

L'étalon s'arrêta à côté du chef de Crête, qui semblait à bout de forces.

À part quelques éclaireurs chargés de surveiller la retraite de Burdel, tous les Icarii s'étaient posés, épuisés après avoir volé près de douze heures sans relâche.

Œil Perçant leva vers l'Homme Étoile un regard plein de fierté. Son armée avait été brillante, et il le savait. Comme il semblait loin, le jour terrible où Axis avait impitoyablement énuméré les lacunes de la Force de Frappe ! Désormais, et grâce à ces critiques justifiées, Œil Perçant dirigeait une unité d'élite.

— Les hommes de Burdel ne sont pas très doués, mais ils ne manquent pas de courage. Pour les déloger des rochers, il a fallu une bonne heure de plus que prévu !

Axis mit pied à terre et s'assit à côté de son ami.

— Et tes blessés, chef de Crête ?

— Deux d'entre eux ne voleront pas avant un bon moment. Les trois autres reprendront du service dans une semaine.

— Et Gorge-Chant ? demanda Axis.

— Elle s'est très bien battue, comme son chef. Dès que l'occasion se présentera, je confierai le commandement d'une Crête à Plume Pique. Il est trop bon pour le limiter à commander une Aile. Ses malheurs contre les Griffons et sa survie… eh bien… miraculeuse… semblent l'avoir encore endurci.

— Axis ! appela soudain une voix familière.

C'était Vagabond des Étoiles, qui venait de se poser sur un rocher, non loin de là. L'air surexcité, il sauta à terre et courut vers son fils.

— Je ne devrais pas être là, c'est vrai, mais je n'ai pas pu résister… Tu sais à quelle distance nous sommes du lac des Ronces ? À peine quelques heures de vol !

— Pas question ! répondit Axis. Aucun Icarii, pas même toi, n'aura le droit de survoler sans protection les montagnes. Des dizaines d'archers de Burdel peuvent encore y être cachés !

Vagabond des Étoiles s'empourpra de colère.

— Les Icarii attendent depuis mille ans de revoir leurs sites sacrés !

— Quelques semaines ou mois de plus ne feront aucune différence, après si longtemps… Toi et ta foutue impulsivité! Voler seul jusqu'au lac des Ronces serait trop dangereux, et je ne peux pas t'accorder une escorte! As-tu idée de l'état de fatigue de la Force de Frappe? Il faudra des jours aux guerriers pour se remettre, et à ce moment-là nous serons sortis de la chaîne des Fougères. Par les Étoiles, réfléchis, pour une fois!

Vagabond des Étoiles foudroya son fils du regard. Puis il jeta un coup d'œil au chef de Crête, et vit qu'il était effectivement épuisé.

— Vagabond des Étoiles, continua Axis, nous fonçons vers le sud. En chemin, nous traverserons le champ aux tumulus et nous passerons devant le bois de la Muette. Tu ne pourras pas découvrir tous les sites sacrés en une semaine! Pour ça, tu as une longue vie devant toi. Sois patient, et laisse-moi d'abord conquérir Tencendor!

L'Envoûteur capitula après une brève hésitation.

— Excuse-moi, Axis, et toi aussi, Œil Perçant. C'est vrai, je me suis laissé emporter. Il y a deux ans, je n'aurais pas imaginé avoir un jour l'occasion d'admirer les antiques sites de Tencendor. Et maintenant, alors que nous en sommes si près…

La voix de l'Envoûteur mourut.

Axis se détendit, comprenant ce que son père voulait dire.

Vagabond des Étoiles, Étoile du Matin et tous les autres Envoûteurs avaient devant eux la lourde tâche de se réapproprier les lieux légendaires de leur histoire. Les tumulus, sépultures des vingt-six Envoûteurs-Serres, le Portail des Étoiles, enterré sous ces tombes, le bois de la Muette, avec la citadelle et le lac du Chaudron, Spiredore – autrement dit, la tour du Sénéchal – et l'île de la Brume et de la Mémoire.

Pour les Icarii, l'île était presque aussi importante que le Portail des Étoiles. Pourtant, elle risquait d'être la plus difficile à reconquérir. Et quoi qu'il advienne, il faudrait livrer de durs combats avant que ce soit possible.

Alors que Vagabond des Étoiles s'éloignait, Axis regarda les premières unités de son armée s'engager dans les cols et les défilés…

Burdel réussit à rallier sa capitale. Et comme prévu, quand Axis et ses hommes arrivèrent, il s'y était solidement retranché.

Monté sur Belaguez, Axis observait les évolutions de son aigle au-dessus des remparts où régnait une agitation frénétique. Parmi les défenseurs qui couraient en tous sens en désignant l'armée d'assaillants, il crut même reconnaître Burdel. Un grand type maigre, presque ascétique, qui sondait la plaine, une main en visière pour ne pas être ébloui par le soleil.

Axis avait insisté pour que les Icarii restent à l'arrière. Pour l'heure, le gros de la Force de Frappe continuait à se reposer dans les contreforts de la chaîne des Fougères. Les guerriers volants rejoindraient l'armée rebelle au cours de la nuit, quand la population d'Arcen serait dans l'incapacité de les voir.

Belaguez piaffa et secoua la tête, faisant cliqueter son mors. Axis sourit, lui flatta l'encolure puis se tourna pour faire signe à Belial, Magariz et Ho'Demi de le rejoindre.

— Alors, messires, comment voyez-vous la suite des événements ?

— Je n'ai aucune expérience des sièges, annonça Ho'Demi. À part attendre qu'un ours des glaces sorte de sa tanière, le matin, mais je doute que ça nous soit très utile. Si ça ne tenait qu'à moi, nous camperions ici jusqu'à ce que nos ennemis tentent une sortie…

Le chef des chasseurs fit signe à Magariz de prendre le relais.

— Ce n'est pas simple, Axis. Nous n'avons aucun engin de siège, et Burdel a tout ce qu'il lui faut pour tenir une petite éternité.

— La suggestion de Ho'Demi n'est pas mauvaise, dit Belial, à un détail près : nous risquons d'attendre des années !

Un luxe que je ne peux pas me permettre, pensa Axis. *Nous sommes déjà au milieu du mois de la Rose. Pour tenir mes engagements vis-à-vis de la Gardienne, il me reste trois mois*

487

et demi. Si je passe plus d'une ou deux semaines ici, ce sera la catastrophe…

En silence, il continua à observer Burdel. Pour le forcer à ouvrir ces portes, pourquoi ne pas recourir à la persuasion ? Avec le soutien d'un sortilège, bien entendu…

—Messires, voilà ce que vous allez devoir faire…

Le soir, toute l'armée rebelle, intendance comprise, eut encerclé Arcen – hors de portée des flèches des défenseurs, bien entendu. Une manœuvre qui laissait supposer l'acceptation d'un long siège. Pour étayer cette impression, Axis avait ordonné qu'on dresse sa tente de commandement, surmontée de sa bannière au soleil rouge sang, juste en face des portes de la cité.

Vêtu de sa tunique couleur or, sous son manteau rouge, Axis marcha de long en large devant son fief. Très détendu, il plaisanta avec les officiers qui lui tenaient compagnie et éclata même deux ou trois fois de rire. Deux Alahunts ne le quittant pas d'un pouce, il ne portait pas d'arme.

Sur les remparts, les défenseurs et une partie de la population observaient le manège du chef ennemi et tous les mouvements de son armée. Comme partout en Achar, le Tranchant d'Acier avait été à Arcen l'objet d'une fervente admiration. Lors de son bref séjour, deux ans plus tôt, tous ceux qui l'avaient rencontré s'étaient fort bien entendus avec lui.

Les quelques marchands basés à Arcen qui commerçaient avec les rebelles depuis leur arrivée à Sigholt furent bombardés de questions. Comment se comportait Axis ? Quelle était la valeur de ses hommes ? Pourquoi assiégeait-il la cité ?

Trois des soldats que Belial avait envoyés battre la campagne pour faire connaître la Prophétie étaient en ville. Ils y séjournaient depuis deux mois, clients assidus des tavernes, où ils ne manquaient pas une occasion de prêcher la bonne parole aux citadins.

Axis passa une soirée très agréable. Il dîna avec Azhure, Rivkah, Ho'Demi, Sa'Kuya, Belial et Magariz, et fit volontairement durer le plaisir. Les convives bavardèrent joyeusement, et Azhure fit sauter Caelum sur ses genoux pendant tout le repas.

Pour tous les observateurs, il sembla clair que l'ancien Tranchant d'Acier entendait profiter du long siège pour se détendre un peu.

Le lendemain matin, dès le réveil, Axis surprit sa compagne en lui demandant de porter la longue robe noire qu'elle avait mise pour l'anniversaire de Rivkah.

— Tu l'as dans tes bagages ? Oui ? Alors passe-la et détache tes cheveux.

Quand l'Homme Étoile sortit de sa tente, Azhure le suivit, pomponnée comme il le lui avait demandé.

En lissant le tissu noir sur ses hanches, la jeune femme s'attarda un moment sur son ventre. Elle pensait être de nouveau enceinte, mais n'en avait rien dit à Axis. Bientôt, elle serait face à Faraday, et elle espérait ne pas avoir à se présenter devant elle avec un autre enfant d'Axis prêt à venir au monde. La reine d'Achar aurait déjà du mal à accepter l'idée que son futur époux avait une favorite. Si celle-ci était enceinte, ça risquait de ne pas passer...

Alors qu'elle se sentait un rien ridicule dans sa robe du soir, Azhure aperçut Rivkah, qui approchait de son fils. Il avait dû lui donner les mêmes instructions, car elle aussi s'affichait dans une longue robe noire qui claironnait sans détours son statut de princesse d'Achar.

— Azhure, ton arc ! lança soudain Axis, faisant sursauter sa compagne.

Il lui tendit Perce-Sang et son carquois. Quand elle s'en fut équipée, l'archère se sentit encore plus ridicule dans cet accoutrement.

Alors que les Acharites et les chasseurs de Ravensbund, arme au poing, fixaient sombrement les murs de la cité, Axis alla parler avec ses trois officiers supérieurs, puis il fit signe à sa mère et à son amante d'approcher.

— Vous et moi, annonça-t-il, nous allons nous adresser aux bonnes gens d'Arcen. Rivkah, je veux que tu leur tiennes un

petit discours. Tu n'auras qu'à t'inspirer de ce que je dirai…
(Intriguée, la princesse hocha néanmoins la tête.) Azhure,
efforce-toi de paraître dangereuse malgré ta beauté. Ce sera
la première fois que les habitants d'Arcen verront une superbe
femme venir les menacer avec un arc… Bien, allons-y! Ne
vous inquiétez pas pour votre sécurité, je pourrai dévier tous
les projectiles qu'ils auraient l'idée de nous envoyer…

Il y eut encore plus d'agitation sur les remparts quand les
défenseurs virent trois ennemis approcher à pied. Il y avait
là Axis, semblable à un dieu du Soleil avec son manteau et
sa tunique… et deux femmes aux allures de reine. Qu'est-ce
que ça signifiait?

Burdel apparut sur les remparts, très près des portes
fermées. Déjà très nerveux à cause de la puissance des rebelles,
l'approche de trois négociateurs si atypiques ne faisait rien pour
le calmer.

Il s'efforça pourtant de paraître impassible. Après tout,
l'ennemi n'avait aucun engin de siège, et Arcen disposait
d'assez de vivres et d'eau pour tenir un an, si c'était nécessaire.
Au fond, et malgré les apparences, le comte était dans une
bien meilleure position que son adversaire.

Axis s'arrêta à une cinquantaine de pas des murs. Du coin
de l'œil, il repéra la position de son aigle.

—Je te salue, Burdel! lança-t-il, sa voix amplifiée par un
sortilège très simple. Une jolie matinée, parfaite pour une
petite conversation…

Burdel ouvrit la bouche pour cracher un chapelet d'insultes, mais son interlocuteur ne lui en laissa pas le temps.

—Bonjour à toi aussi, Culpepper Fenwicke, dit-il à
l'attention du maire d'Arcen. Je te vois derrière les portes, et
j'aimerais bien te parler. Aurais-tu l'obligeance de monter sur les
remparts, pour que je puisse plus facilement croiser ton regard?

Les défenseurs et la population – qui entendait tout grâce
au sortilège d'amplification – crièrent de surprise. Comment
cet homme pouvait-il voir à travers des portes de bois bardées
de fer?

Fenwicke, un type grisonnant d'âge moyen, monta jusqu'aux remparts et vint se camper près de Burdel. Deux ans plus tôt, quand Axis, en route pour Smyrton, s'était arrêté à Arcen, le maire avait rencontré l'homme qui était alors le Tranchant d'Acier des Haches de Guerre. Au premier coup d'œil, le guerrier lui avait inspiré un énorme respect. Aujourd'hui, ce sentiment était multiplié par dix. Comment sa cité pouvait-elle résister à un conquérant pareil?

— Je suis ravi de vous revoir, Axis!

Burdel marmonna un juron dans sa barbe. Quelle mouche avait piqué cet imbécile de maire?

— Te revoir me comble aussi de joie, Culpepper. Comment va ton épouse, l'adorable Igren?

— Elle se porte à merveille, répondit le maire sous le regard de plus en plus noir de Burdel.

— Je suis content de l'entendre… Lors de notre passage, il y a deux ans, Belial et moi avons été enchantés de son accueil. À présent, maître Fenwicke, trêve de civilités! Je n'ai pas beaucoup de temps à perdre, et nous sommes tous les deux dans une situation délicate.

Culpepper écarta les bras en signe d'impuissance. « Délicate » était un doux euphémisme!

— Fenwicke, je ne suis pas seulement venu parler à un ami, mais aussi au maire de cette grande cité. Je suis navré de le dire, mais il semble que tu veuilles abriter de dangereux criminels derrière les murs d'Arcen!

— Des… criminels… Axis?

— Oui, mon ami! Des tueurs qui t'ont peut-être convaincu que mes hommes et moi sommes une menace pour ta ville. C'est faux, Culpepper! Je veux Burdel, et rien d'autre! Après l'avoir poursuivi à travers tout Skarabost, je l'ai enfin coincé dans ta belle cité. Pour sauver des bouchers, vas-tu me forcer à la raser?

— C'est toi, le boucher! cria Burdel. Axis, fils bâtard d'un Proscrit! Tu veux détruire Achar et dévaster nos paisibles existences!

Axis ignora l'intervention du comte.

— Maire Fenwicke, bonnes gens d'Arcen, ma mère, la princesse Rivkah d'Achar, se tient à mes côtés. Elle pourra peut-être vous aider à mieux comprendre ce qui se passe.

Cette nouvelle stupéfia les citadins. La princesse Rivkah, toujours de ce monde ?

Très calme, la mère d'Axis avança d'un pas. Pour que tout le monde puisse l'entendre, l'Envoûteur amplifia également sa voix.

— Culpepper Fenwicke, bonnes gens d'Arcen, je vous salue amicalement. Aujourd'hui, c'est au nom de mon fils, Axis Soleil Levant, que je vous parle. Beaucoup d'entre vous connaissent l'histoire de sa naissance, telle qu'elle fut falsifiée par l'ordre du Sénéchal. Vous êtes surpris de me voir vivante ? Eh bien, sachez que je n'ai pas péri en donnant le jour à Axis. En revanche, le frère-maître Jayme et son assistant, Moryson, m'ont abandonnée dans les Éperons de Glace pour que j'y meure de faim et de froid. Ils m'ont volé mon fils, et ont tout fait pour m'assassiner.

Un lourd silence accueillit ces révélations. Le frère-maître, complice d'une tentative de meurtre ?

Personne ne mit en doute les propos de Rivkah. Pendant qu'elle parlait, Axis avait fredonné la Chanson de Vérité, qui interdisait à quiconque de croire encore à un mensonge. Très puissante, cette mélodie exigeait de puiser énormément de pouvoir dans la Danse des Étoiles. Bien qu'il ne le montrât pas, Axis y laissait beaucoup de force.

— Bonnes gens d'Arcen, continua Rivkah, mon fils est l'Homme Étoile. Mais avez-vous entendu parler de la Prophétie du Destructeur ?

Rivkah connaissait déjà la réponse. Grâce aux marchands ambulants et aux discrets messagers de Belial, la plupart des citadins devaient avoir eu vent du poème.

— Axis est mon enfant, et celui d'un des grands princes du peuple icarii. Celui-là même, mes amis, qui m'a arrachée à une mort certaine. Car si je suis là, c'est uniquement à cause de la bienveillance de ceux qu'on appelle des « Proscrits ». Ils n'apportent pas à Achar la mort et la destruction, mais l'espoir d'un avenir heureux. Axis n'est pas un criminel. Défenseur de la vérité, il ne cherche pas à détruire le royaume, et encore moins à vous priver de vos vies paisibles ! En unissant des peuples frères, il entend fonder un nouveau pays où régneront la paix et l'harmonie. Un monde bâti sur la vérité, pas sur les mensonges du Sénéchal. Écoutez-le, car lui seul peut vous sauver !

Rivkah inclina gracieusement la tête, sourit à son fils et recula.

—Bonnes gens d'Arcen, enchaîna Axis, le comte Burdel, lui, est un fauteur de troubles. Avec ses hommes, il a sillonné Skarabost et massacré tous ceux qui voulaient s'engager sur le chemin de la vérité. Les cœurs purs ont toujours été persécutés, c'est vrai, mais jamais répression ne fut plus féroce qu'en Skarabost. Burdel a obéi aux ordres du roi Borneheld, mais sa cruauté innée l'a poussé à aller plus loin encore que le désirait son maître. Habitants d'Arcen, si vous doutez de mes paroles, regardez !

Dans la zone qui séparait les forces d'Axis des murs de la ville, l'air miroita et s'épaissit. À part Burdel, tous les hommes présents sur les remparts crièrent d'horreur.

La cité était entourée d'un cercle de croix et de gibets. Des cadavres atrocement mutilés y étaient cloués, attachés ou pendus.

—Regardez…, répéta Axis, lui-même révulsé par ce sinistre spectacle.

Sa voix atteignit les oreilles de tous les citadins. Et même ceux qui ne pouvaient pas voir au-delà des murs reçurent des visions d'horreurs sur le martyre du peuple de Skarabost.

Et Burdel était le maître d'œuvre de ces ignominies ?

—Non ! cria-t-il.

Mais sa voix s'étrangla, et nul ne l'entendit.

—Écoutez…, souffla Axis, qui tenait encore debout par miracle.

Générer de telles visions demandait tant de pouvoir qu'il redoutait d'en être consumé sur pied.

Soudain, comme dans un cauchemar, les cadavres parlèrent les uns après les autres, chacun révélant la dernière pensée qui lui avait traversé l'esprit avant d'être emporté – miséricordieusement ! – par la mort.

Un jeune homme murmura le nom de sa bien-aimée, violée avant d'être crucifiée à côté de lui. Morte depuis quatre heures, elle avait déjà été énucléée par les corbeaux.

Un autre homme cracha le nom de Borneheld – une ultime malédiction !

Un père de famille pleura sur le sort de ses enfants, brûlés vifs devant sa maison.

Une femme souhaita de toute son âme que le roi d'Achar connaisse une fin aussi atroce que la sienne.

Une grand-mère, des larmes aux yeux, se demanda ce qu'elle avait bien pu faire de mal pour finir ainsi.

Un enfant, en pleurs, s'étonna d'avoir un trou dans la poitrine à l'endroit où un soldat, d'un geste presque distrait, y avait enfoncé sa lance.

Un vieillard appela Axis au secours. La femme qui agonisait à ses côtés reprit son cri. En quelques instants, toutes les âmes suppliciées implorèrent le chef rebelle de les sauver, ou au moins de venger leur mort.

Axis tituba, épuisé par le pouvoir qu'il devait contrôler – et révulsé par les horreurs qu'il venait d'entendre. Car s'il avait invoqué les fantômes, il ne pouvait pas influencer leurs propos, et il s'agissait bien de leurs ultimes pensées.

Azhure et Rivkah vinrent soutenir l'Envoûteur.

— Je ne peux plus supporter ça ! cria Axis.

Il cessa d'alimenter son sortilège. Aussitôt, les images de cauchemar se volatilisèrent, mais les cris et les supplications flottèrent encore un long moment dans l'air et dans l'esprit de tous ceux qui les écoutaient. Et peut-être en serait-il ainsi pendant des heures, des mois, voire des années…

Dans les rues d'Arcen, des hommes et des femmes sanglotaient sans retenue. Sur les remparts, certains défenseurs – en tout cas parmi les miliciens communaux – avaient posé leur lance pour chercher du réconfort près d'un camarade.

Axis prit une grande inspiration et se redressa.

— Je vais bien, souffla-t-il aux deux femmes, qui le lâchèrent à contrecœur. Azhure, tout dépend de toi, maintenant. Prends ton arc et encoche une flèche…

Pendant que la jeune femme obéissait, Axis releva les yeux et reprit la parole.

— Culpepper Fenwicke, tu abrites un criminel dans ta cité. Je t'ordonne de me le livrer, ainsi que tous ses officiers supérieurs. Tu as entendu les suppliciés m'implorer de venger leur mort! Comment pourrais-je leur refuser ça?

— Non! cria Burdel, étonné lui-même par la soudaine puissance de sa voix. Fenwicke, je suis le comte d'Arcness, ton suzerain! Je t'ordonne de m'écouter! Ce bâtard ne peut rien contre nous. Derrière ces murs, nous sommes en sécurité, et il finira par lever le camp. Ne l'écoute pas, c'est un ordre!

— Tu te trompes, comte Burdel! lança Axis. Ces murailles ne vous protégeront pas! J'ai demandé au maire et aux habitants d'Arcen de coopérer avec moi parce que je n'ai rien contre eux. En réalité, je leur veux du bien, et les combattre me briserait le cœur. Mais sache-le, Fenwicke, si je suis forcé à attaquer, aucun de vous ne survivra!

Axis désigna Azhure.

— J'ai avec moi des archers tels que le monde n'en a jamais connu. Depuis mes lignes, ils peuvent transpercer n'importe qui dans la ville, même en tirant à l'aveugle. Oui, pour semer la mort, ils n'auront pas besoin de voir leurs cibles. Dans une rue, derrière les remparts, un marchand ambulant est immobile à côté de sa charrette pleine de paniers de fruits. Sur le dessus, une grosse caisse est remplie de melons un peu trop mûrs. Celui du milieu porte une marque invisible… Retournez-vous et regardez…

Azhure, vois à travers mes yeux! Oui, comme ça! C'est ce que l'aigle contemple en ce moment.

Une image de l'intérieur d'Arcen se forma dans l'esprit de l'archère.

Fais-moi confiance et fie-toi aussi à l'aigle. La charrette est juste derrière les portes.

— Oui, je la vois…

— Alors, vise le melon que j'ai décrit.

Quasiment en transe, Azhure leva son arc et l'arma. Elle ne voyait plus les murs, devant elle, mais les fruits du marchand ambulant et le gros melon qu'elle devait toucher.

Fais-moi confiance ! répéta Axis. *Et ne doute pas de ton habileté !*

Azhure lâcha sa flèche, et des milliers d'yeux, sur les remparts, suivirent la courbe qu'elle décrivit dans le ciel. Après avoir passé les murailles, le projectile empenné de bleu plongea vers le melon, s'y ficha et le fit exploser dans un jaillissement de jus, de pulpe et de pépins.

— Nous pouvons « marquer » ainsi toutes vos têtes, bonnes gens d'Arcen, dit Axis. Mais si je vous menace ainsi, c'est uniquement pour vous convaincre de me livrer Burdel le boucher et ses officiers. Ne mourez pas pour protéger un monstre !

Merci de tout mon cœur, Azhure…

Burdel beugla et menaça, mais Fenwicke se montra inflexible. Pas à cause de la flèche, même si cette démonstration l'avait impressionné, mais parce qu'il entendait encore les cris des victimes du comte. Si Burdel avait pu torturer ainsi la population de Skarabost, combien de temps aurait-il fallu pour qu'il s'en prenne aussi à celle d'Arcen ? Le livrer au plus vite était la meilleure solution. Les rares soldats qui tentèrent d'aider le boucher furent ligotés et jetés hors de la cité avec lui, ses deux fils et ses trois officiers supérieurs encore en vie.

Après ce qu'il avait vu, Axis n'envisageait plus de se montrer clément. Les soldats furent exécutés rapidement d'un coup d'épée. Le comte, ses deux fils – qui l'avaient aidé à dévaster Skarabost – et les trois officiers n'eurent pas une fin si miséricordieuse.

—Culpepper, dit Axis, tu sais que je suis obligé d'agir ainsi…

—J'en ai conscience, Axis, et je l'accepte.

—Très bien… Belial, fais dresser six croix par nos hommes. Ces criminels mourront comme leurs victimes.

Très pâle mais déterminé, Belial salua et s'éloigna. Peu après, le bruit des scies et des marteaux brisa le silence oppressant qui régnait dans les rangs de l'armée rebelle.

Axis vint se camper devant Burdel.

—Il est d'usage de demander au condamné s'il a quelque chose à dire…

Le comte cracha sur Axis.

—J'espère que Borneheld t'éventrera et qu'il te laissera agoniser pendant des jours. Oui, je prie pour que tu pourrisses lentement, empoisonné par tes propres humeurs puantes !

—Eh bien, comte, puisse cette idée te consoler pendant que tu crèveras sur la croix…

Sur ces mots, il se détourna et s'éloigna.

Au passage, il jeta un coup d'œil sur les deux fils de Burdel. Ses seuls enfants… Eh bien, c'était une chance, parce que dans le nouveau Tencendor, il n'y aurait guère de place pour les rejetons vindicatifs de nobles morts au service de Borneheld. À ce propos, Axis se félicitait qu'Isend n'ait eu que des filles. Tuer le frère de Faraday lui aurait brisé le cœur, mais il l'aurait fait, s'il l'avait fallu.

Les six hommes, nus comme au jour de leur naissance, furent attachés sur les croix par des cordes qui passaient sous leurs aisselles et autour de leur cou. Quand on leur eut fixé des sacs remplis de plomb aux pieds, on les abandonna avec leur conscience pour seule compagnie.

Le poids naturel de leur corps, plus celui du plomb, leur déchira lentement les muscles puis les organes. La poitrine déchirée de l'intérieur, leurs poumons se remplissant peu à peu de sang, ils agonisèrent pendant des heures.

Son visage devenu un masque de marbre, Axis les regarda de loin jusqu'à la fin.

Que leur dira la Gardienne du Portail quand ils se présenteront devant elle ? se demanda-t-il.

Mais de semblables criminels traversaient peut-être par une autre issue…

— Une leçon salutaire…, souffla-t-il au moment où le dernier condamné expira.

49

LA SURPRISE DU BARON YSGRYFF

Quittant Arcen, Axis fit avancer son armée vers le champ aux tumulus qui s'étendait à la frontière de Tarantaise et d'Arcness. Bien qu'épuisé par les sortilèges qu'il avait lancés devant la ville, l'Envoûteur avait refusé de prendre un peu de repos. Le temps lui coulait entre les doigts ! Chaque jour, alors que la colonne marchait vers le sud, Axis jetait de plus en plus de regards inquiets à son aigle.

La population d'Arcen n'oublierait pas de sitôt ce qu'elle avait vu et entendu. Révulsés, cinq mille miliciens de Fenwicke avaient demandé à se joindre à l'armée rebelle. Pour racheter les crimes de Burdel, avaient plaidé leurs représentants, c'était tout ce qu'ils pouvaient faire. À contrecœur, Axis avait accepté ces étranges renforts…

Deux jours durant, après le départ d'Arcen, Azhure avait chevauché près de son compagnon sans desserrer les lèvres. L'horrible fin de Burdel et de ses cinq complices l'avait bouleversée, et Axis, très angoissé, avait fini par lui demander ce qui se passait.

Elle l'avait embrassé, affirmant qu'elle serait bientôt remise. Si elle restait près de lui, avait-elle ajouté, c'était parce qu'elle s'inquiétait pour sa santé. Rivkah et elle avaient vu combien il avait été physiquement vidé par le pouvoir qu'il avait invoqué – et mentalement dévasté en voyant les suppliciés et en entendant leurs plaintes.

À tort, sans nul doute, l'Homme Étoile se sentait responsable de la fin de ces malheureux, et sa conscience le tourmentait. S'il était parti plus tôt pour le Sud, combien d'innocents aurait-il pu sauver?

Pas étonnant qu'il se soit montré impitoyable avec Burdel, pensa l'archère. *J'espère ne jamais éveiller en lui une telle colère froide…*

Alors que la colonne était à un jour de cheval des tumulus, deux éclaireurs icarii revinrent de reconnaissance avec une nouvelle inquiétante.

— Une armée nous attend de l'autre côté des tumulus, Axis Soleil Levant, annonça un des hommes-oiseaux, les ailes pendant tristement dans le dos. Huit ou neuf mille hommes, je pense…

— Des cavaliers très bien armés, ajouta l'autre Icarii. Et parfaitement caparaçonnés, les hommes comme les bêtes. On croirait qu'un mur d'acier guette notre arrivée…

— De qui s'agit-il? demanda Axis.

Quand les éclaireurs lui eurent décrit les étendards de ces troupes, il consulta Belial et Magariz du regard.

— Les soldats des barons Ysgryff de Nor et Greville de Tarantaise, dit Magariz. Borneheld doit leur avoir ordonné de nous empêcher d'accéder aux plaines de Tare.

Axis hocha la tête, très sombre. Neuf mille hommes? Il en dirigeait maintenant vingt-deux mille, mais une telle force de cavalerie serait quand même un obstacle de taille.

Cette fois, pensa-t-il, *je serai obligé d'utiliser la Force de Frappe…*

— La majorité de ces hommes doivent être des Noriens, reprit Magariz. Tarantaise est si peu peuplée que Greville aurait du mal à réunir une partie de chasse convenable. Alors, une armée… Nor, en revanche…

— … Est une des régions les plus peuplées d'Achar, continua Axis. Ysgryff semble avoir décidé d'oublier l'art de la danse pour se convertir à celui de la guerre.

Et il s'était rangé dans le camp de Borneheld. Pas très tôt, cela dit, car son demi-frère aurait eu rudement besoin d'un tel soutien au Ponton-de-Jervois.

Arrivée pendant la conversation entre Axis et Magariz, Azhure était plus pâle qu'une morte. Le peuple de sa mère, auquel elle devait ses cheveux noirs et son visage exotique, allait se dresser contre Axis ?

— Nous camperons à une demi-lieue des tumulus, dit l'Homme Étoile, et nous combattrons demain matin.

Le lendemain, alors que la colonne approchait des tumulus, Axis leva un bras pour ordonner une halte. À sa grande surprise, un cavalier solitaire venait à sa rencontre. Lorsqu'il fut assez près, il s'avéra que c'était une femme qui chevauchait en amazone.

— Par tous les dieux ! s'exclama l'Envoûteur quand il la reconnut.

C'était Embeth, la dame de Tare !

Elle s'arrêta à quelques pas d'Axis et le dévisagea. Amis de très longue date, ils avaient aussi été amants pendant un temps…

En voyant cette femme, Axis mesura combien il était près de sa confrontation finale avec Borneheld. Carlon n'était plus qu'à quelques semaines de voyage… au-delà du « mur d'acier » dont avait parlé l'éclaireur !

Embeth finit par sourire. Sa dernière rencontre avec Axis remontait à deux ans.

Et il a changé comme si ça en faisait dix !

L'étalon était le même, et l'ancien Tranchant d'Acier avait toujours une barbe et des cheveux couleur de blé mûr. À part ça, tout était différent… Ses yeux, d'abord, beaucoup plus durs que jadis. Puis sa tenue : une tunique couleur or ornée d'un soleil rouge sang, des hauts-de-chausses assortis et un manteau rouge. Où étaient passés l'uniforme noir et les deux haches croisées qu'il portait sur la poitrine ?

L'homme qui était sorti de la vie d'Embeth deux ans plus tôt y revenait soudain avec des allures de demi-dieu…

Le sourire d'Embeth vacilla… Le revoir éveillait en elle des sentiments qu'elle avait crus morts…

— Axis, je suis contente de te retrouver…

—Moi aussi, mon amie. Mais c'est une surprise, je dois te l'avouer !

—Nor et Tarantaise attendent de l'autre côté du champ aux tumulus…

—Je sais…

—Oui, nous avons aperçu tes…

Embeth se tut, ignorant comment appeler les étranges et superbes créatures qu'elle avait vues évoluer dans le ciel, la veille.

—Ce sont des Icarii, Embeth. Des éclaireurs, dans le cas qui nous occupe.

La dame de Tare réfléchit quelques instants. Faraday lui avait parlé de l'ascendance d'Axis, mais jusque-là, c'était resté très théorique dans son esprit…

—Donc, nous avons vu tes éclaireurs icarii, hier…

—« Nous », Embeth ? T'es-tu alliée à Nor et à Tarantaise pour me combattre ?

La cavalière entendit dans la voix d'Axis une violence contenue qui la fit frissonner.

—Je me suis alliée à Nor et à Tarantaise, c'est vrai, mais nous venons pour nous joindre à toi, Axis, pas pour te combattre.

L'ancien Tranchant d'Acier en resta bouche bée. S'avisant qu'il devait avoir l'air ridicule, il s'empressa de la fermer.

—Bien entendu, continua Embeth, Ysgryff et Greville ont des conditions…

—Pourquoi ne suis-je pas surpris de l'entendre ? souffla Axis.

—Je suis venue parce que je risquais moins de recevoir une flèche que l'un des barons. Accepteras-tu de les rencontrer ?

—Belial, Magariz, qu'en pensez-vous ? Dois-je négocier avec ces hommes, ou décider qu'il s'agit d'un piège et passer à l'attaque ?

—Crois-tu que je t'entraînerais dans une embuscade ? s'indigna Embeth. Nous avons été beaucoup trop proches l'un de l'autre pour que je te trahisse…

Une Norienne aux cheveux noirs vint soudain rejoindre Axis et ses deux seconds. Elle était accompagnée par l'homme le plus extraordinaire qu'Embeth eût jamais vu. Le visage entièrement tatoué, un soleil rouge sang au milieu du front, il chevauchait l'équidé le plus laid qu'on devait pouvoir croiser dans le monde des vivants – et sûrement aussi dans les prairies de l'Après-Vie!

Embeth étudia la femme. Avisant l'arc qu'elle portait à l'épaule, elle révisa son premier jugement. Non, ce n'était pas une des putains noriennes qui suivaient inévitablement les armées en campagne…

— Nous n'avons pas le choix, répondit enfin Belial. (Un instant, il se demanda comment tourneraient les relations des deux femmes qui se dévisageaient sans aménité…) Il faut parlementer. Avoir neuf mille cavaliers de plus à nos côtés me tente, je dois l'avouer…

— Magariz?

— Je suis d'accord. Et je me félicite que Nor et Tarantaise veuillent négocier et pas se battre.

Comme presque tous les hommes d'Axis, le seigneur avait passé une très mauvaise nuit. Si aguerri qu'il fût, l'idée d'affronter d'anciens amis ne lui disait rien. Et il en allait de même pour tous les soldats. S'il le fallait, ils lutteraient, mais ça ne serait pas facile, et leur moral en prendrait un coup.

— Ho'Demi, ton avis?

Embeth dévisagea l'étrange barbare. Un chasseur de Ravensbund, sans doute…

— Je préparerai et je servirai le *tekawai* moi-même, Axis. Cette boisson sacrée est indispensable pour mener à bien des négociations.

— J'attends impatiemment de la siroter avec mes alliés potentiels et toi, répondit Axis. (Il se tourna vers l'archère.) Azhure, ma chérie, partages-tu l'avis de tes collègues?

Le «ma chérie» stupéfia tout le monde. La relation privée d'Azhure et d'Axis n'avait jusque-là jamais eu droit de cité quand ils étaient dans l'exercice de leurs fonctions.

Axis n'avait pas commis de lapsus. En s'exprimant ainsi, il entendait informer Embeth qu'il était lié à Azhure – et faire savoir à ses hommes qu'il n'avait pas l'intention de cacher son amour pour l'archère. Désormais, elle serait à ses côtés comme un officier de valeur et une femme aimée…

Embeth en fut sidérée. Cette Norienne était la compagne d'Axis et un de ses officiers supérieurs? Bon sang, mais que faisait-il de Faraday, dans tout ça?

Voyant que son ancien amant la regardait, peu commode, Embeth se ressaisit. Rien de bien difficile pour une dame rompue aux excentricités de la cour…

— Je déteste me battre quand ce n'est pas nécessaire, déclara Azhure, parfaitement maîtresse d'elle-même malgré la tempête qui faisait rage sous son crâne.

Axis avait officialisé leur relation devant une inconnue et ses collègues officiers!

— Va pour des pourparlers, dit Axis à Embeth. Ils auront lieu dans le champ aux tumulus, au milieu de la zone dégagée…

— Ysgryff et Greville t'y attendent déjà…

Embeth regarda de nouveau Azhure. Elle ne se serait jamais doutée qu'Axis était porté sur les Noriennes, en tout cas pas au point de le clamer sur tous les toits. Mais ces femmes étaient connues pour leur art de l'amour, et celle-là devait être encore meilleure que ses compatriotes.

Sans un mot de plus, la dame de Tare fit volter son cheval et s'éloigna.

La réunion eut lieu l'après-midi même, devant le demi-cercle de tombes icarii.

Pour l'occasion, on avait érigé un grand pavillon multicolore qui évoquait davantage un bazar qu'une tente de négociations.

Typique du clinquant dont les Noriens sont si friands! pensa Axis en tirant sur les rênes de Belaguez.

Dans son dos, il entendit Ho'Demi émettre un sifflement admiratif. Une preuve que tous les goûts étaient dans la nature…

Axis s'était fait accompagner par une escorte d'Acharites et de chasseurs. Alors qu'il mettait pied à terre, Vagabond des

Étoiles, Œil Perçant et Gorge-Chant se posèrent non loin de là sous le regard ébahi des soldats noriens et tarantenais.

— Gardons ton *tekawai* pour plus tard, souffla Axis à Ho'Demi alors qu'ils entraient sous la tente. Avec un peu de chance, nous le boirons ce soir, pour célébrer une alliance.

Sous le pavillon, il faisait plutôt frais, et l'éclairage était réduit au minimum. Après avoir cligné des yeux pour s'accoutumer à la pénombre, Axis repéra Ysgryff, debout près d'un poteau. D'une beauté sauvage, le baron, d'environ quinze ans plus vieux que son invité, portait une tunique de soie aux manches et au col brodés et de confortables hauts-de-chausses.

Au moins, il n'est pas vêtu pour la guerre, pensa Axis en saluant le Norien.

Greville se tenait sur la gauche d'Ysgryff. Presque un vieillard, le teint cireux, il avait néanmoins le regard vif d'un jeune homme – et ses yeux bleus, quand ils se rivèrent dans ceux d'Axis, exprimaient toute sa défiance.

Alors que l'Envoûteur avançait, une femme émergea des ombres, au fond du pavillon. Frêle au point d'en paraître éthérée, cette blonde à la peau de porcelaine portait une longue robe noire de deuil.

— Judith ! s'exclama Axis.

Il salua la reine douairière avec plus de respect que les deux barons. Était-ce des seigneurs de Nor et de Tarantaise qu'elle parlait dans sa lettre ?

— Bonjour, Axis…, dit-elle en inclinant la tête.

Le baron Ysgryff avança.

Eh bien, pensa-t-il, *Axis a au moins l'allure qui va avec le personnage ! Mais qui est la jolie brune, derrière lui ? Une de mes compatriotes, rien que ça ? Fichtre, le gaillard a bon goût !*

Ysgryff sourit et fit un clin d'œil à la jeune beauté. Puis il se pétrifia, stupéfait. Pourquoi ce visage lui était-il si familier ? Et ces yeux, pour quelle raison lui rappelaient-ils tant de souvenirs d'enfance ? Des éclats de rire, de joyeuses bousculades…

— Je te salue, Axis, dit-il.

Détournant le regard de la Norienne, Ysgryff s'intéressa aux Icarii. Il n'aurait jamais cru en voir un de sa vie, et il paraissait qu'il y avait un Envoûteur dans le lot !

— Mais asseyez-vous, je vous en prie !

Le baron désigna des coussins installés en rond sur un grand tapis. Dès que le groupe fut installé, Axis entra dans le vif du sujet.

— Donc, vous voulez vous joindre à moi ?

— Eh bien, dit Ysgryff, tu vas peut-être vite en besogne… Nous sommes là pour négocier, dans un premier temps. Axis, permets-moi d'être franc et direct : Greville et moi n'avons aucune intention de nous ranger du côté du perdant dans le conflit entre Borneheld et toi. Judith nous a convaincus que ta cause était la plus juste… et la mieux placée pour triompher.

Voilà la clé de tout ! pensa Axis, amer. *Ces hommes se fichent de ce qui est juste ou non. Leur souci, c'est de voler au secours du vainqueur !*

— Donc, continua Ysgryff, mon ami et moi nous demandons ce que tu as à nous offrir, si nous combattons sous ta bannière ?

— En plus de vous laisser la vie ? demanda froidement Axis.

— Quoi ? Tu vas trop loin, jeune homme, et…

— Baron, tu n'as peut-être pas entendu parler du destin de Burdel, qui s'est dressé contre moi. Regarde ! Voilà ce qui lui est arrivé…

Axis leva une main. Aussitôt, une image flotta dans l'air : Burdel et ses fils, crucifiés devant les portes d'Arcen.

Ysgryff pâlit. Moins à cause de la fin du comte, dont il se fichait, que de la démonstration de pouvoir d'Axis.

— N'imagine pas qu'il s'agit d'une illusion, baron ! Si tu as des doutes, envoie des hommes à toi à Arcen, et ils les dissiperont dès leur retour.

— Tu as rasé la ville ?

Là encore, Ysgryff n'aurait rien trouvé à redire. Axis semblait beaucoup plus puissant qu'il l'avait cru, et c'était une excellente nouvelle. Comme tant d'autres, il attendait depuis si longtemps ce moment… et un homme de cette trempe.

— Arcen s'est rendue à moi sans combattre, baron. Je contrôle Skarabost et Arcness. Et si je dois écraser tes superbes cavaliers, je le ferai sans hésiter. Vous m'aurez retardé un peu, c'est tout… En fait, messires, je ne suis pas venu pour négocier, mais pour accepter votre aide. À vous de choisir un camp, à présent!

Ysgryff baissa les yeux. Pas Greville…

Le baron de Tarantaise pensait qu'Axis serait fou de gratitude. Du coup, il avait espéré tirer de cette affaire d'importants avantages. Des accords commerciaux, voire des territoires à se partager avec Ysgryff. Mais il s'était trompé du tout au tout. Déjà allié aux Icarii et aux chasseurs de Ravensbund, Axis débordait de confiance et de pouvoir. Après avoir conquis Skarabost et Arcness, il ne ferait sans doute qu'une bouchée de Tarantaise et de Nor.

— Messires, intervint Judith alors que Greville baissait à son tour les yeux, je détiens des informations qui vous aideront à prendre une décision.

Jusque-là, Embeth et elle n'avaient parlé à personne – hormis Faraday – de la mort suspecte de Priam et de ses dernières volontés.

— Sans pouvoir le prouver, je suis convaincue que mon époux fut assassiné par Borneheld avec la complicité du Sénéchal.

Presque tout le monde en resta pétrifié. Borneheld, meurtrier de son oncle?

Rien qui pût surprendre Axis, après le lâche assassinat de Libre Chute.

— En mourant, Axis, continua Judith, Priam t'a choisi comme héritier. Tu as le droit de réclamer la couronne d'Achar, et je jurerai qu'il en est ainsi devant toutes les reliques sacrées qu'on voudra bien me présenter!

— Axis, intervint Embeth, tu es le souverain légitime d'Achar. L'imposteur, c'est Borneheld! Un imposteur doublé d'un meurtrier! La reine actuelle, Faraday, jurera aussi qu'il a ourdi la fin de Priam.

Judith pensait sans doute qu'Axis serait honoré par le revirement du défunt roi. Comme Greville, elle dut vite renoncer à ses illusions.

— Priam m'a méprisé pendant trente ans! Sur le tard, il a bien voulu reconnaître ma valeur et admettre que son sang coulait dans mes veines. Un accès de lucidité qui lui a coûté cher!

Judith baissa la tête. Axis avait parfaitement le droit d'être amer.

— Quoi qu'il en soit, continua-t-il sur un ton plus mesuré, merci de vos paroles, et sachez que j'apprécie le soutien que vous m'apportez. Sachez aussi que je partage votre chagrin. Perdre un compagnon dans de telles circonstances est dramatique…

Judith et le roi s'étaient sincèrement aimés, Axis le savait depuis toujours. Dans la situation présente, rappeler à la reine qu'il aurait combattu Priam, s'il l'avait fallu, ne semblait pas très judicieux…

— Alors? demanda Axis en se tournant vers les deux barons.

Ysgryff soupira à l'attention de Greville, puis il riva sur l'Homme Étoile des yeux bleus… exactement de la même nuance que ceux d'Azhure.

— Nous sommes là pour t'aider…

— Dans ce cas, je vous souhaite la bienvenue dans mes rangs. En Skarabost puis en Arcen, j'ai dû destituer un noble et en exécuter un autre. Je suis ravi d'en rencontrer deux autres et de savoir que je leur laisserai leurs terres… et la vie.

Ysgryff et Greville ne passèrent pas à côté de la menace sous-jacente. S'ils tentaient de trahir Axis, ils y perdraient tout!

L'Envoûteur vit que ses paroles avaient mis dans le mille et il s'en réjouit.

— Mais les négociations ne sont pas encore terminées, dit-il, surprenant ses deux interlocuteurs. Je tiens à vous remercier concrètement. Ysgryff, que dirais-tu d'un droit de contrôle exclusif sur les échanges commerciaux entre Achar et Coroleas?

Le baron rayonna. Avec cet arrangement, sa province serait plus riche qu'il ne l'avait jamais rêvé.

— Je te remercie, Sire, dit-il, anticipant quelque peu sur le couronnement d'Axis.

La preuve que le respect pouvait s'acheter, comme tout le reste…

— Greville, je suppose que tu ne cracherais pas sur des droits de pêche exclusifs dans la baie du Grand Mur ? Ni sur le contrôle du marché du grain à l'est d'Achar ?

Un cadeau aussi somptueux que celui offert à Ysgryff, même si Tarantaise avait bien moins de soldats et d'armes que Nor.

— C'est très généreux, Sire, et peut-être même un peu trop. Ne prends surtout pas mal mes paroles, mais je me demande pourquoi tu te montres si bon, alors que tu aurais pu nous écraser sans difficulté, Ysgryff et moi.

— Tu as raison d'être méfiant, baron… Messires, vous devez savoir que je ne vise pas seulement le trône d'Achar. Mon but ultime est d'unifier les Acharites, les Icarii et les Avars.

— Nous l'avons entendu dire…, souffla Greville, de plus en plus soucieux.

Embeth et Judith, qui les tenaient de Faraday, avaient communiqué ces informations aux deux barons.

Ysgryff, très silencieux, continuait à dévisager Axis.

— J'ai l'intention de restaurer Tencendor, une terre où les trois races vivront en harmonie. Les Icarii et les Avars reviendront dans le royaume encore nommé « Achar ». J'ai peur, messires, que vous y perdiez une partie de vos territoires.

Voyant les deux hommes plisser le front, Axis enchaîna très vite.

— Mais pensez aux avantages commerciaux que je viens de vous concéder ! En échange d'une telle prospérité, vous pourrez bien me céder quelques terres. Rassurez-vous, je demanderai seulement celles qui ne vous servent presque à rien. Des zones désertes où recréer un grand jardin…

— Axis, sois plus précis, dit Greville. Que perdrons-nous, et au bénéfice de qui ?

—Ce n'est pas encore fixé, baron… Mais voilà l'heure venue de vous présenter Vagabond des Étoiles Soleil Levant, mon père. Un prince icarii et un très grand Envoûteur.

La notion de « prince » était largement étrangère aux hommes-oiseaux. Mais pour définir la place de Vagabond des Étoiles dans la lignée royale, c'était le titre le plus évocateur et le plus accessible à la compréhension des deux barons.

En apprenant que l'Icarii était le père d'Axis, l'assistance ne cacha pas sa surprise. Ainsi, c'était cet être ailé, l'amant de Rivkah qui avait fait de Searlas la risée de tout un royaume ?

Vagabond des Étoiles nota la réaction des humains avec une curiosité mêlée d'amertume. C'étaient donc ces gens qui avaient profané les sites sacrés icarii et avars de génération en génération ?

—Les Icarii et les Avars sont très attachés à certaines régions du royaume que vous appelez « Achar », dit-il. La forêt d'Avarinheim, foyer des Enfants de la Corne, s'étendait jadis jusqu'à la baie du Grand Mur, et les Enfants de l'Aile occupaient la plus grande partie du sud et de l'est d'Achar. Mais nous n'exigeons pas que vous nous restituiez toutes les terres que vous avez cultivées…

Vagabond des Étoiles et Raum avaient longuement débattu de la question territoriale. Du point de vue d'Axis, ils étaient arrivés à des conclusions qui ne leur aliéneraient pas trop d'Acharites.

—Les Avars voudront replanter la forêt dans certaines zones, continua Vagabond des Étoiles.

Axis eut un sourire en coin. Bien qu'il eût les pires difficultés avec les Chansons relatives à l'eau, Vagabond des Étoiles parlait en fredonnant à demi la mélodie de l'Harmonie…

Étoile du Matin serait fière de toi, mon père…

—Il s'agit de l'est de Skarabost et d'Arcness, et… de la plus grande partie de Tarantaise.

Maintenant, pensa Greville, *je comprends pourquoi Axis m'a couvert de bienfaits. En même temps, il ne ment pas quand il parle de « zones désertes ». La majorité de ma province est composée de plaines stériles. Les droits de pêche et la concession commerciale devraient largement compenser ces « pertes ».*

— Nous réclamons aussi la chaîne des Fougères, mais là, vous n'êtes pas concernés…

Vagabond des Étoiles sourit à ses interlocuteurs. Judith et Embeth sursautèrent, frappées par la soudaine beauté virile de son visage. Pas étonnant que Rivkah, paix à son âme, ait succombé au charme de l'Icarii.

Même les deux barons semblaient troublés par le sourire de l'Envoûteur…

— Ici même, continua-t-il, se dressent les tombes de nos souverains les plus vénérés. Le champ aux tumulus est un lieu sacré, et nous voudrions en reprendre le contrôle, ainsi que du territoire qui conduit au bois de la Muette. Greville, seriez-vous prêt à nous céder les deux tiers de votre province en échange de ce que vous propose mon fils ?

L'Envoûteur avait délibérément omis de mentionner le Portail des Étoiles. Pourquoi informer les deux barons qu'il se trouvait quasiment sous leurs pieds ?

Greville réfléchit très vite. Les compensations étaient largement suffisantes. Ces régions étant fort peu peuplées, il n'y aurait pas d'exode significatif. La plupart de ses sujets vivaient près de Tare, ou au sud-ouest, sur la frontière entre Tarantaise et Nor.

— J'accepte le marché, dit-il. (Se penchant, il tendit la main à l'Icarii.) Bienvenue sur vos nouvelles terres !

Soulagé, Vagabond des Étoiles serra chaleureusement la main du baron. Comme Axis, il préférait négocier avec les Acharites qu'être obligé de les expulser par la force.

— En échange de mes droits commerciaux sur Coroleas, intervint Ysgryff, je suppose que vous exigez la plus grande partie de Nor ?

Cette province était beaucoup plus riche et plus densément peuplée que Tarantaise. Le baron n'avait aucune envie d'être victime d'un marché de dupes…

Le sourire de Vagabond des Étoiles mourut à demi.

—Une seule partie de Nor nous comblera, baron.

—Laquelle?

—L'Antre des Pirates!

Le Norien n'en crut pas ses oreilles, et il eut du mal à cacher sa surprise. Axis allait lui permettre de s'enrichir en échange d'un gros rocher battu par les vagues et infesté de pirates? Quel trésor pensait-il y trouver? Oui, que savait-il exactement sur cette île?

—Il n'y a pas de trésor, baron…

Face à cette nouvelle démonstration de pouvoir, Ysgryff ne chercha plus à dissimuler ses sentiments. Par tous les dieux, les temps tellement attendus étaient enfin arrivés!

—Pas de trésor, répéta Axis, mais un des sites sacrés les plus précieux pour les Icarii. Vagabond des Étoiles, tu es le plus qualifié pour en parler.

—Pour nous, ce lieu s'appelle «l'île de la Brume et de la Mémoire». Notre Temple des Étoiles s'y dressait, et nous pensons que ses ruines existent toujours sous les installations des pirates. Nous voudrions récupérer l'île et rebâtir le temple.

Le souffle court, Ysgryff était blanc comme un linge.

Axis et son père pensèrent qu'il était stupéfait d'apprendre que l'île des pirates abritait un temple icarii. Une grossière erreur!

Le baron prit une profonde inspiration et bomba le torse.

Courage, Ysgryff! se dit-il. *L'heure a sonné de sortir des ténèbres. Mille ans de mensonges et de secrets arrivent à leur terme. Les temps sont advenus, et tu as devant toi l'Homme Étoile!*

—Le temple existe toujours, annonça-t-il.

Cette fois, ce fut au tour d'Axis et de son père d'en avoir le souffle coupé.

—Oui, mes amis, les pirates n'y ont pas touché…

Avant que Vagabond des Étoiles en parle, Ysgryff était déterminé à ne pas trahir ce secret qu'il connaissait depuis sa plus tendre enfance. Jeune homme, il avait visité le Temple des Étoiles… Mais c'était la première fois qu'il en parlait à un étranger.

Vagabond des Étoiles en avait les larmes aux yeux. C'était bien plus qu'il avait jamais espéré! Et pourtant, Ysgryff n'était pas au bout de ses révélations.

—Depuis mille ans, les neuf Hautes Prêtresses sont des Noriennes, Vagabond des Étoiles. Elles arpentent les chemins qui mènent à la montagne du temple, la bibliothèque contient d'antiques parchemins, et le Dôme des Étoiles protège la première Prêtresse…

Assise dans la pénombre, Azhure frissonna comme si le vent glacé des souvenirs soufflait sur son âme. Une nouvelle fois, il lui sembla entendre le son des vagues s'écrasant contre des rochers.

Le Dôme… Le Dôme…

Azhure, c'est toi qui me parles? Que se passe-t-il?

Qu'était-il arrivé sous le Dôme? Des larmes aux yeux, l'archère détourna la tête.

—Enfin, conclut Ysgryff, l'Avenue, toujours parfaitement droite et bien ombragée, conduit toujours au Temple des Étoiles. La mélodie de la Danse flotte sur les vergers et les vignobles, et on entend ses échos dans la salle de l'Assemblée déserte.

Vagabond des Étoiles eut le sentiment que c'était trop beau pour être vrai. Le temple, toujours intact? Et Ysgryff… Par les Étoiles, le baron – et peut-être tous les Noriens – en savait beaucoup plus long sur les Icarii que le Sénéchal!

Tous les Icarii présents étaient stupéfaits par les révélations d'Ysgryff. Même entre eux, ils parlaient rarement du Temple des Étoiles et des Hautes Prêtresses. Jusque-là, Axis connaissait leur existence, rien de plus. Et voilà que le baron de Nor glosait sur le sujet comme s'il était un expert des mystères icarii…

—Imaginez-vous que tous les Acharites avaient perdu la mémoire? demanda Ysgryff. Ma propre sœur aînée a porté la robe d'une Haute Prêtresse. Vagabond des Étoiles, je t'aurais cédé gratuitement l'île de la Brume et de la Mémoire. (Le baron sourit à Axis.) Maintenant, me voilà maître des principales voies commerciales d'Achar !

Axis eut une moue mi-figue mi-raisin.

Ne sous-estime jamais tes ennemis ! se tança-t-il intérieurement. *Et pas davantage tes alliés !*

— Mais je me sens aussi d'humeur généreuse, continua Ysgryff, qui semblait s'amuser beaucoup. Pour ne pas être en reste, je demanderai aux pirates d'autoriser les Icarii à se poser sur leur île.

Et ça ne me coûtera pas grand-chose, jubila le baron, espérant qu'Axis continuait à espionner ses pensées, *parce que ces braves pirates, depuis le début, sont là pour protéger le Temple des Étoiles de la curiosité malsaine du Sénéchal. Pas un frère n'aurait osé s'aventurer dans ce repaire de bandits où il aurait risqué de finir cuit au court-bouillon dans un grand chaudron…*

— Baron, répondit Axis, dépité, je suis sûr que les Icarii sauront s'entendre tous seuls avec les pirates…

Il avait *sacrément* sous-estimé Ysgryff, dont la fidélité au temple icarii forçait malgré lui son admiration.

— Et ce d'autant plus qu'ils ont rendu un grand service aux Enfants de l'Aile, acheva-t-il.

Vagabond des Étoiles jeta un regard surpris à son fils.

La soirée qui suivit fut une des plus joyeuses depuis que l'armée rebelle avait pris la route du Sud. Pour l'occasion, on dressa hâtivement des tentes à côté du pavillon bigarré puis on abattit un petit troupeau de bœufs – acheté à un vacher de passage – qu'on fit rôtir au-dessus de grandes fosses à feu.

Les barons et Axis invitèrent leurs officiers et divers amis à festoyer après avoir assisté à la signature du traité historique qui rendait leurs terres sacrées aux Icarii et aux Avars.

Alors qu'il apposait sa signature sur le document, Axis ne put s'empêcher de soupirer d'aise. Tout cela était de très bon augure. D'un simple trait de plume, l'héritier légitime des lignées royales icarii et acharite allait effacer mille ans de haine et de ressentiment dus à la Guerre de la Hache.

Les hommes-oiseaux jubilaient à l'idée de continuer à avancer vers le sud, et les Avars, avec un peu de chance, les rejoindraient bientôt. Quand l'Amie de l'Arbre serait à leur tête, bien entendu…

Et maintenant, pensa Axis en tendant la plume à Raum, *il ne me reste plus qu'à vaincre Borneheld et Gorgrael…*

Il avait insisté pour que l'Eubage, les traits toujours dissimulés par sa capuche, signe le document au nom de son peuple. Quand Vagabond des Étoiles et son fils l'avaient informé que les Avars pourraient replanter une grande partie de la forêt, Raum avait crié de joie. Jadis, les bois s'étendaient aussi jusqu'au fleuve Nordra, mais l'Eubage était un homme réaliste. Sachant que les Acharites refuseraient de céder autant de terres cultivables, il avait proposé un compromis. Désormais, Avarinheim couvrirait toute la partie orientale d'Achar, jusqu'à la baie du Grand Mur. À l'ouest, elle engloberait la chaîne des Fougères et le bois de la Muette.

Ce sera suffisant, pensa Raum en apposant sa signature d'Eubage – un cerf bondissant – sur le traité. Pour faire bonne mesure, il y ajouta deux branches entrelacées, le symbole de son appartenance au clan de l'Arbre Fantôme.

Ce fut ensuite le tour des barons. Ysgryff prit la plume que lui tendait Raum et signa – un calligramme foisonnant de fioritures, comme c'était prévisible. Comptant déjà les bénéfices que son peuple et lui engrangeraient, Greville imita son ami sans la moindre hésitation.

Dès que le pacte et ses copies furent validés, Ho'Demi, très solennel, aida Sa'Kuya à servir le *tekawai*.

Quand chacun eut une tasse, y compris l'épouse du chef des chasseurs, Axis leva la sienne.

—Je bois à Tencendor! dit-il. Espérons que les obstacles qui nous attendent encore soient aussi faciles à surmonter que celui-là…

—À Tencendor! répétèrent tous les invités.

Buvant très vite leur *tekawai*, ils posèrent leur tasse et se mirent aussitôt en quête – une hâte un rien indélicate – d'une boisson alcoolisée plus stimulante.

Tandis qu'ils récupéraient les tasses, Ho'Demi et Sa'Kuya sourirent avec une indulgence un peu forcée ! Avec quelle bande de sauvages ils s'étaient commis !

Ensuite, ils oublièrent tout et s'amusèrent sans arrière-pensée.

Embeth et Judith imaginaient sans doute avoir eu leur compte de surprises pour la journée. Pourtant, la plus stupéfiante les attendait encore.

Alors qu'elles bavardaient paisiblement dans un coin du pavillon, une très jolie femme d'âge moyen approcha d'elles, un bébé de six ou sept mois dans les bras.

La reine douairière la dévisagea, perplexe. Ce visage lui disait quelque chose…

— Bonjour, Judith, ça fait un bail, pas vrai ?

La veuve de Priam fronça les sourcils. Cette inconnue s'adressait à elle avec une familiarité qui…

— Tu ne me reconnais pas ? Tu as oublié que nous volions des pêches ensemble dans les cuisines du palais, quand nous étions gamines ? Et le matin, lorsque nous chassions les pigeons, dans la cour ?

— Rivkah ? s'exclama Judith.

Son amie d'enfance, qu'elle croyait morte depuis plus de trente ans, était encore vivante ? Non, elle devait rêver…

Rivkah sourit, embrassa la reine, recula d'un pas et l'étudia avec attention pour la première fois.

Le teint très pâle, la peau tendue sur les joues, Judith semblait aussi vulnérable qu'une poupée de porcelaine. Elle avait toujours été… délicate. Désormais, elle ressemblait à une image onirique qu'un simple souffle de vent pouvait dissiper.

Bouleversée de retrouver son amie, Judith, des larmes aux yeux, tendit les mains pour la toucher, comme si elle avait besoin de ça pour se convaincre qu'elle ne rêvait pas.

—Tout va bien…, murmura Rivkah. Axis aurait dû te prévenir… Je m'excuse en son nom de ce manque de sensibilité… Judith, toutes mes condoléances pour la mort de Priam.

—Il était aussi ton frère, mon amie. Tu dois également souffrir…

Rivkah ne dit rien pendant un long moment. Puis elle parla d'une voix soudain très dure:

—Axis m'a dit que tu soupçonnes Borneheld…

—Désolée… Il m'est si difficile d'avoir conscience que c'est ton fils.

—Tu m'as mal comprise, inutile de t'excuser… Dès le moment où il est sorti de mon ventre, je ne me suis plus senti de lien avec mon aîné. Aujourd'hui, je n'ai aucune intention de renouer avec lui. Connaissant son père, j'imagine sans peine qu'il ait pu tuer pour monter sur le trône. Judith, comme tu l'as dit, Priam était mon frère. Pour moi, le crime de Borneheld est impardonnable. Et ne va pas croire que je t'en veux parce que tu l'accuses.

Alors que Judith et Rivkah oubliaient un instant le roi d'Achar pour parler du passé, Embeth balaya l'assistance du regard. L'atmosphère était si étrange, sous le pavillon… Les Icarii fascinaient la dame de Tare. Surtout Vagabond des Étoiles… Et chaque fois qu'elle le regardait, il semblait si sûr de lui plaire qu'elle en avait les jambes toutes tremblantes. Désormais, elle ne se demanderait plus d'où Axis tenait son magnétisme! En femme vertueuse, elle détournait la tête chaque fois que Vagabond des Étoiles jouait à son petit jeu avec elle. Mais ses yeux revenaient sans cesse vers lui…

Embeth ferma les yeux, serra les poings et tenta de s'arracher à la toile magique que l'Envoûteur tissait autour d'elle.

Par Artor, pensa-t-elle, *les Icarii vont semer la panique à la cour de Carlon, où les mœurs sont déjà tellement relâchées…*

Quand elle releva les paupières, Vagabond des Étoiles ne la regardait plus, et elle respira un peu mieux. Dans un coin, elle vit Belial sourire à la jeune Norienne – dix-huit ans au

517

maximum – avec laquelle il parlait. Vêtue d'une superbe robe rouge qui mettait en valeur ses cheveux noirs, ses yeux bleus et sa peau très blanche, la belle semblait fascinée par ce fringant militaire. Quand Magariz vint près de Belial, lui prit le bras et désigna un groupe d'officiers et de chefs de Crête, non loin de là, le second d'Axis secoua la tête, se dégagea et s'approcha un peu plus de la Norienne.

Embeth en plissa le front de perplexité. Belial, ce monstre de sérieux, préférer la compagnie d'une jeune femme à une conversation entre guerriers ?

Un doux écho de clochettes attira l'attention d'Embeth. Plusieurs chasseurs de Ravensbund étaient là, souvent en compagnie de leur épouse. Avec leurs tatouages très différents les uns des autres, ils étaient fascinants. Mais tous portaient au milieu du front un soleil rouge sang. Pour qu'ils l'affichent ainsi, leur dévotion à la cause d'Axis devait être totale…

Derrière les chasseurs, trois hommes parlaient avec le baron Ysgryff. Les Sentinelles mentionnées dans la Prophétie, avait soufflé quelqu'un à la dame de Tare. Pour le moment, ces personnages de légende s'entretenaient avec le Norien comme s'ils étaient de vieux amis.

Embeth aperçut enfin Axis et croisa même brièvement son regard. La Norienne était toujours avec lui, riant et parlant avec tout le monde, un peu comme une maîtresse de maison. Dans sa robe noire assez simple, n'était un décolleté audacieux, elle resplendissait.

Comme toutes ses compatriotes, pensa Embeth, refusant de s'avouer que la jalousie la rongeait.

Elle ne s'aperçut pas que Belial, oubliant un peu sa « conquête », la regardait avec une certaine inquiétude.

Après s'être excusé auprès de la jeune Norienne, il se fraya un chemin dans la foule vers la dame de Tare. Son interlocutrice le regarda s'éloigner, l'air désolé.

Au même instant, Embeth tourna la tête et vit qu'Azhure avait les yeux rivés sur elle. Après avoir soufflé deux ou trois mots à l'oreille d'Axis, elle aussi se dirigea vers la dame de Tare.

—Qui est ce bébé ? demanda Judith à Rivkah.

Embeth s'intéressa de nouveau à la conversation des deux femmes. L'enfant était très beau avec sa peau pâle, ses boucles noires et ses yeux bleus déjà vifs.

—Embeth, Judith, j'ai le plaisir de vous présenter mon petit-fils, Caelum.

Embeth eut un pincement au cœur. Inutile d'être voyante pour deviner qui était la mère de ce petit…

Dès qu'Azhure l'eut rejointe, Rivkah lui tendit le nourrisson, qui sourit en reconnaissant sa mère.

—Et voilà Azhure, dit Rivkah, une jeune femme que j'aime comme ma fille…

Le malaise d'Embeth augmenta encore. La Norienne avait réussi à se gagner une place dans le cœur du fils *et* de la mère ?

—Je suis enchantée de vous connaître, Azhure, dit Judith.

—Vous êtes l'épouse d'Axis ? demanda Embeth.

—Non, mais nous sommes ensemble, répondit l'archère, très froide.

Elle savait qui était la dame de Tare et quelle relation elle avait eue avec Axis.

—Et avec moi, ajouta-t-elle, Axis ne fait rien pour le cacher !

Embeth trouva la provocation un peu grosse. Elle allait répondre vertement, mais Belial, enfin arrivé, la prit par le bras et la tira légèrement vers lui.

—Azhure, dit-il, je crois qu'Axis serait heureux que tu sois à ses côtés avec Caelum pendant qu'il parle au baron Ysgryff.

La Norienne comprit le message.

—Désolée, Embeth, souffla-t-elle, ma remarque était très déplacée.

Sur ces mots, elle s'éclipsa.

—Ne vous laissez pas abuser par son physique, souffla Belial à Embeth. Elle compte beaucoup plus pour Axis que vous le croyez.

Azhure venait de rejoindre Axis qui lui sourit avec amour, comme s'il ne l'avait plus vue depuis des jours.

Embeth en eut le cœur serré. Ganelon lui souriait ainsi, jadis. Pas Axis. Il lui avait offert son amitié, rien de plus…

— Je me suis comportée comme une idiote, Belial. Allez, parlez-moi plutôt de vos exploits, depuis deux ans que vous battez la campagne !

Ysgryff baisa la main d'Azhure et lui sourit.

— Vous êtes une de mes compatriotes, dit-il. Dès que je vous ai vue, cet après-midi, j'ai su que je ne pourrais rien refuser à Axis. Face à une beauté comme vous, je deviens doux comme un agneau. (Sans lâcher la main d'Azhure, le baron se tourna vers Axis.) Elle est ton arme la plus dangereuse, grand guerrier ! Si tu l'utilises bien, tous tes adversaires tomberont comme des mouches.

— Quel courtisan tu fais, baron ! plaisanta Axis.

— Ma mère était norienne, précisa Azhure, mais je suis née et j'ai grandi dans le nord de Skarabost.

— Votre mère s'était exilée au bout du monde ? s'étonna Ysgryff. Dites-moi son nom, je vous en prie. Je l'ai peut-être connue…

Très mal à l'aise, Azhure dégagea assez brusquement sa main.

— Elle est morte quand j'étais très jeune, dit-elle, et j'ai oublié son nom.

Surpris par la réaction de sa compagne, Axis lui passa un bras autour de la taille. Pourquoi affirmait-elle que sa mère n'était plus de ce monde ? Avait-elle appris ce qu'il était advenu d'elle après sa fuite avec le colporteur ?

— Azhure, excusez-moi de vous avoir bouleversée, dit Ysgryff. Et veuillez accepter toutes mes condoléances. Si on en juge par sa fille, votre mère devait être une femme hors du commun.

Azhure se détendit un peu et reprit des couleurs.

— Oui, elle était magnifique… Et elle me racontait tant d'histoires.

— Sur d'étranges pays lointains, peut-être ? Avec de longues plages blanches battues par les vagues ?

— Oui, elle avait vu tant de merveilles…

— Et que vous en disait-elle, Azhure ? De quoi vous parlait-elle ?

— Des fleurs de lune…, souffla Azhure, comme en transe. Elle les adorait. De la chasse, du clair de lune et… Le Dôme ! Elle me parlait souvent du Dôme, je m'en souviens…

Intrigué, Axis interrogea Ysgryff du regard. Puis il serra plus fort la jeune femme contre lui. Avait-elle un peu trop bu ?

— Ysgryff, dit-elle comme si elle revenait au présent, tout ça est si loin. Je ne me rappelle plus… Ses paroles sont perdues dans la brume de ma mémoire…

Comme son nom, pensa Ysgryff. *Oui, comme son nom…*

Le jour où elles prononçaient leurs vœux, toutes les Prêtresses devaient renoncer à leur nom. Mais pourquoi l'une d'entre elles s'était-elle exilée en Skarabost ? Et de laquelle s'agissait-il ?

À la première occasion, Ysgryff irait enquêter au Temple des Étoiles. Mais quoi qu'il en soit, il avait une Fille Bénie devant lui. Pour commencer, il devrait découvrir son âge, afin de faciliter ses recherches.

— Eh bien, Azhure, dans ce cas, vous aimeriez peut-être m'entendre parler de votre pays d'origine ?

— J'en serais ravie ! Depuis longtemps, je m'interroge sur le peuple de ma mère.

Pas étonnant qu'Axis ait été fasciné par cette femme ! pensa le Norien. *Mais sait-il à quel point elle est précieuse ? Sûrement pas, parce que sinon il n'hésiterait pas à l'épouser…*

Le baron baissa les yeux sur le bébé, aussi stupéfiant que sa mère. Une authentique lignée de magiciens, ces trois-là !

À Carlon, Borneheld s'amusait comme cela lui était rarement arrivé. À côté de lui, l'ambassadeur coroléien, presque aussi rachitique que la plume qu'il serrait entre deux doigts, lisait la dernière page du traité.

— Sire, où dois-je signer ? demanda-t-il.

— Il faut parapher toutes les pages, puis mettre votre nom sous la date…

L'ambassadeur s'exécuta et tendit la plume à Borneheld, qui valida le document avec une hâte très révélatrice de son intense satisfaction.

Dès qu'il eut fini, le roi d'Achar éprouva un formidable sentiment de paix et de sécurité.

Axis peut venir, maintenant! J'ai une belle surprise pour lui!

— Quand l'empereur m'enverra-t-il les renforts, ambassadeur?

— Majesté, les premiers hommes attendent d'embarquer. Ils seront là dans deux semaines.

Juste à temps, en somme… Borneheld avait travaillé dur pour signer cette alliance avec l'empire. À présent, les soldats coroléiens allaient l'aider à reconquérir son royaume.

— Encore un peu de vin? proposa-t-il à l'ambassadeur. (En réalité, gaspiller un si bon cru pour un personnage si coincé lui tapait sur les nerfs.) Il est de toute première qualité…

50

LE RÊVE DU BOIS DE LA MUETTE

Le mois de la Moisson tirait déjà à sa fin. Encore huit semaines, et le délai accordé à Axis par la Gardienne serait écoulé. Chaque jour, en mesurant le peu de temps qui lui restait, l'ancien Tranchant d'Acier devenait un peu plus morose. Mais une armée si importante ne pouvait pas avancer aussi vite que ses Haches de Guerre de jadis. Alors que ses hommes dressaient le camp, à la lisière du bois de la Muette, il se souvint qu'il lui avait fallu trois jours, la première fois, pour aller des tumulus au bois. Ses trente et un mille soldats, pour franchir la même distance, avaient eu besoin du triple de temps!

Axis soupira et regarda le bois de la Muette. Le matin, il n'avait émis aucune objection quand son père, sa grand-mère et quelques autres Envoûteurs étaient partis l'explorer. Dans ce bois, rien ne risquait de menacer les magiciens volants. De plus, trois Ailes de la Force de Frappe les accompagnaient.

À la grande surprise d'Axis, Ogden et Veremund avaient refusé de suivre les Icarii. Ils reviendraient un jour chez eux, avaient-ils dit, mais pas aujourd'hui.

Raum avait longuement admiré les arbres. Pourtant, lui aussi avait refusé d'aller s'y promener.

— Plus tard…, avait-il simplement lâché en guise d'explication.

Très préoccupé, Axis marchait à pas lents vers sa tente. À mesure qu'ils approchaient de Carlon, et donc de Faraday, sa relation avec Azhure se détériorait. Neuf nuits de suite, entre les tumulus et le bois, elle s'était enroulée dans sa couverture, Caelum dans les bras, le dos tourné à son compagnon.

Un soir, une main sur son épaule, Axis lui avait murmuré quelques mots à l'oreille :

— Ne me chasse pas de ta vie, Azhure… Je n'ai pas l'intention de te laisser partir.

Après un silence si long qu'il l'avait crue endormie, la jeune femme avait soufflé :

— Nous vivons ensemble depuis près d'un an, et je t'aime chaque jour un peu plus. Ne m'en veux pas, mais ces derniers temps, j'essaie de m'habituer à l'idée de te perdre.

— Tu ne me perdras pas…, avait commencé Axis.

Se retournant, Azhure avait plongé son regard dans le sien.

— À l'instant où Borneheld mourra, tout sera fini entre nous. Tu peux crier sur tous les toits que tu m'aimes, je sais qu'il en sera ainsi. Un jour, tu m'abandonneras pour Faraday ! Pardonne-moi, noble seigneur, mais j'ai bien le droit de m'apitoyer un peu sur mon sort, de temps en temps…

Sur ces mots, Azhure avait de nouveau tourné le dos. Et malgré toutes les tentatives d'Axis, elle n'avait plus desserré les lèvres.

Bon sang, elle me rendra fou ! pensa Axis en slalomant entre des piquets de tente. *Je ferais peut-être bien de la laisser partir !*

Dès que cette idée lui traversa l'esprit, il sut qu'elle était absurde. Maintenant qu'elle avait pris une telle place dans son cœur – comme si elle le tenait entre ses mains, en réalité – vivre sans elle serait impossible.

Alors que la nuit tombait sur le bois de la Muette, les eaux du lac du Chaudron commencèrent à bouillonner. Une brume jaune en monta. Poussée par le vent, elle dériva jusqu'au camp d'Axis Soleil Levant.

Au milieu de la nuit, Axis se réveilla en sursaut. Un long moment, il resta étendu sur le dos, les yeux grands ouverts, à écouter Azhure respirer.

Il n'aurait su dire s'il rêvait ou s'il était vraiment réveillé…

Finalement, il se glissa hors de sa couverture et se leva. Sentant que des événements étranges se préparaient, il fut tenté de réveiller Azhure, mais renonça vite à cette idée. Elle s'était couchée très fatiguée, et il n'allait pas perturber son repos.

Baissant la tête, il écarta le rabat de la tente et sortit. Dehors, une brume jaune enveloppait le camp endormi.

Vraiment étrange…, pensa Axis. *À moins que ce soit un rêve…*

Alors qu'il lâchait le rabat, il aperçut son bras et sursauta. De plus en plus bizarre ! Il portait la tunique couleur or qu'Azhure lui avait confectionnée à Serre-Pique, plus d'un an auparavant. Mais pourquoi était-il vêtu ainsi en pleine nuit ?

Il haussa les épaules, fataliste. L'affaire était entendue : il s'agissait bien d'un rêve, et tout pouvait y arriver !

Il traversa le camp, où tous les feux agonisaient, et jeta un bref coup d'œil derrière lui. Les Alahunts dormaient toujours en cercle autour de la tente qu'il partageait avec Azhure. De temps en temps, ils s'agitaient, comme s'ils rêvaient aussi.

À l'intérieur du camp, les sentinelles le laissèrent passer sans lancer le « qui va là ? » rituel. Ces hommes ne dormaient pas, mais ils semblaient plongés dans une transe qui les forçait à regarder droit devant eux.

Axis ne s'en inquiéta pas. Dans un rêve, ce n'était pas un problème…

Il s'arrêta devant la tente de Belial et regarda par la fente du rabat. Son second dormait, blotti contre une jeune Norienne qui appartenait à la suite d'Ysgryff. Une robe rouge gisait au pied de la couche, visiblement abandonnée à la hâte.

Axis se demanda si son ami avait enfin trouvé une compagne qui l'aiderait à oublier Azhure. Fasciné, il resta un long moment devant les deux amants endormis. Puisqu'il rêvait, cette image était uniquement un produit de son imagination. Et même si elle avait été authentique, qu'aurait-il eu à redire ? Pourtant, au plus profond de lui-même, une petite voix lui soufflait que cet événement – si c'en était vraiment un – devait l'inquiéter. Il augurait un danger, même s'il ignorait lequel…

Se détournant, il recommença à marcher avec une étrange lenteur. Quand il sortit du camp, les sentinelles postées sur le périmètre de sécurité ne réagirent pas non plus.

Sans savoir pourquoi, Axis se dirigea vers le bois de la Muette, distant d'une centaine de pas. Quand il avait campé dans cette zone, alors qu'il cheminait vers le fort de Gorken, il avait insisté pour que ses Haches de Guerre dorment le plus loin possible des arbres. Car à l'époque, comme tout bon Acharite, ses hommes et lui en avaient peur. Depuis, tout avait changé. Après avoir accepté les « Proscrits », Axis et ses soldats s'étaient accoutumés aux arbres, qui éveillaient même en eux une certaine curiosité. Quand des forêts se dresseraient de nouveau à l'est d'Achar – redevenu Tencendor – l'ancien Tranchant d'Acier ne doutait pas que les familles humaines iraient flâner le long des sentiers ombragés en compagnie de leurs amis avars et icarii.

Un mouvement dans la brume attira son regard. Un mouvement, dans ce songe où tout était immobile ?

Devant Axis, une silhouette enveloppée de brouillard avançait. Il tenta d'accélérer le pas pour la rattraper, mais la brume résista, comme s'il tentait de marcher dans une mare d'eau boueuse.

Il gagna quand même un peu de terrain sur l'inconnu… et s'aperçut qu'il s'agissait de Raum – nu comme un ver ! Malgré le brouillard, Axis mesura à quel point son corps était déformé. Des excroissances osseuses dépassaient de son dos et de ses flancs, et ses jambes évoquaient des branches noueuses et distordues. Quand il se retourna, l'Envoûteur eut du mal à reconnaître ses traits.

Raum essaya d'avancer plus vite et tituba comme s'il ne parvenait plus à conserver son équilibre sur ses pauvres jambes torturées. Décidé à l'aider, Axis redoubla d'efforts pour le rattraper.

Avant qu'il ait réussi, l'Eubage s'arrêta, se pencha et ramassa quelque chose. Axis vit briller une lame dans sa main, puis il identifia la prise de l'Avar : un lièvre dont il venait d'ouvrir la poitrine, y plongeant sa main libre pour se barbouiller le visage de sang.

Quand il l'eut rejoint, l'Envoûteur s'accroupit près de son ami.

Raum avait dessiné sur son visage trois lignes rouges. Celle du milieu passait exactement sur son nez, et les deux autres couraient le long de ses joues. Sur sa poitrine, un second trio de lignes descendait jusqu'au niveau de son nombril.

L'odeur cuivrée du sang monta aux narines d'Axis.

— On t'a appelé aussi? souffla Raum, les yeux écarquillés.

Appelé? répéta mentalement Axis, incapable de réfléchir clairement.

— Tu es là en qualité de témoin, Axis Soleil Levant, dit une voix dans son dos.

Très lentement, Axis se retourna et découvrit les trois Sentinelles, vêtues de longues robes blanches.

— As-tu été appelé? demanda Ogden. Certainement, sinon, tu ne pourrais pas être là… Où que tes pas te conduisent, marche prudemment, Axis, et ne fais ni ne dis rien qui risque d'offenser nos hôtes.

Ogden avança et embrassa Raum sur la joue – en brouillant au passage une des lignes de sang.

— Porte-toi bien, cher ami, et trouve la paix là où tu vas.

Jack et Veremund approchèrent, embrassèrent aussi l'Eubage et répétèrent la bénédiction de la première Sentinelle.

— Oui, trouve la paix, souffla une seconde fois Veremund, des larmes aux yeux.

De plus en plus surpris, Axis remarqua que Raum pleurait aussi. Que se passait-il donc?

— Cette nuit, dit Veremund, Raum trouvera son foyer et il sera enfin en paix. Tu as été appelé pour y assister, Axis Soleil Levant. Tu es déjà allé dans le Bosquet Sacré, et tu vas y retourner. En étant invité, cette fois…

Axis se souvint du rêve qu'il avait fait lors de sa première nuit passée à la lisière du bois de la Muette. Dans une clairière obscure peuplée de créatures dangereuses, il avait connu une des pires frayeurs de sa vie…

Les Enfants Sacrés… L'ancien Tranchant d'Acier frissonna. Mais depuis deux ans, il était devenu un autre homme. Plus sage… et beaucoup plus puissant.

—Viendrez-vous avec nous ? demanda-t-il aux Sentinelles.

—Non, répondit Jack. Il n'y aura que Raum et toi. Allez en paix, mes amis…

L'Eubage se tourna vers le bois.

—Viens, dit-il, soudain très impatient.

Axis s'enfonça avec lui entre les arbres.

Ils marchèrent lentement au milieu des troncs sombres, la brume se dissipant lentement à mesure qu'ils avançaient. Une pâle lueur apparut, tourbillonna autour d'eux et se transforma en un étrange tunnel de lumière émeraude. Sous leurs pieds, le sol de la forêt se volatilisa, et ils eurent le sentiment de flotter.

—Nous sommes immergés dans la Mère, dit Raum d'un ton surexcité.

Axis capta la magie qui les enveloppait, et il frissonna de nouveau. S'il n'avait pas rêvé, s'avisa-t-il, cette puissance l'aurait… perturbé. C'était la source du feu émeraude que Faraday lui avait confié, ainsi qu'à ses Haches de Guerre, le jour du fameux combat contre les Skraelings, devant le fort de Gorken. Se souvenant des dégâts que cette arme magique avait provoqués dans les rangs ennemis, l'Envoûteur s'émerveilla du pouvoir de Faraday. Pour commander à de telles forces, il fallait être une personne hors du commun !

Au moment où Axis entendit de nouveau des feuilles et des brindilles craquer sous ses bottes, la lumière émeraude s'assombrit puis céda lentement la place à un cercle de grands arbres. Au-dessus de leurs cimes, les étoiles dansaient dans le ciel nocturne.

—Le Bosquet Sacré…, souffla Raum.

Depuis des mois, c'était la première fois qu'il parlait d'une voix que la souffrance ne faisait pas trembler.

En entrant dans le Bosquet, les deux hommes ralentirent

encore. Entre les arbres où flottaient des volutes de pouvoir, des yeux presque invisibles les épiaient. Le brouillard jaune ayant depuis longtemps été dévoré par la lumière émeraude, l'air était frais et limpide.

À cet instant, Axis comprit qu'il ne rêvait pas. Il était pour de bon dans le Bosquet Sacré !

Dans sa tenue or et rouge, il se trouva un peu ridicule. Pour la première fois depuis qu'Azhure lui avait offert la tunique, il se sentit mal à l'aise dedans.

— Tu ne seras jamais à ton aise ici, mon cœur, dit une voix de femme près de lui. Ton pouvoir est lié aux Étoiles, et celui-ci émane de la terre. Oui, c'est la puissance de la Mère qui te trouble…

Vêtue d'une robe aux reflets fluctuants – un mélange de vert, de bleu, de violet et de marron –, Faraday sortit du couvert des arbres et avança vers son bien-aimé, ses longs cheveux châtains cascadant sur ses épaules.

— Faraday ? souffla Axis. (Stupéfait, il en oublia complètement Raum, qui marchait pourtant près de lui.) Faraday ?

La jeune femme sourit et lui tapota le bras.

— Combien de temps, Axis ? demanda-t-elle. Vingt mois ? Une trop longue séparation, mon amour… Mais attends un peu, car je dois saluer Raum…

Faraday passa à côté d'Axis et alla enlacer l'Eubage. Pleurant et riant en même temps, elle le serra contre lui, lui caressa le visage comme si elle pouvait faire disparaître les excroissances qui le défiguraient et murmura de douces paroles que l'ancien Tranchant d'Acier ne comprit pas.

Faraday avait beaucoup changé, depuis leur dernière rencontre, constata Axis. La jeune fille innocente qu'il avait remarquée dans le hall des Lunes, le jour de l'anniversaire du roi, avait cédé la place à une femme superbe mais accablée de tristesse. L'épouse de Borneheld… Avec des ridules de chagrin autour des yeux, et un rien d'amertume aux coins de la bouche. L'expérience et le pouvoir avaient transformé Faraday.

Cette femme-là accepterait-elle Azhure ?

Axis chassa aussitôt cette idée de son esprit. Quelques instants plus tôt, Faraday avait montré qu'elle pouvait lire ses pensées. Elle ne devait pas apprendre ainsi l'existence d'Azhure ! Mais comment le lui dire sans lui briser le cœur ?

— Pourquoi cet air soucieux, Axis ? Ce sont nos retrouvailles, après une longue séparation, et je t'ai fait venir ici pour que tu assistes à un événement extraordinaire ! Je n'aurai pas souvent l'occasion de t'inviter dans le Bosquet, car les Enfants Sacrés n'acceptent pas facilement les étrangers. Mais tu es presque aussi lié à Raum que moi…

— Tu m'as invité, dis-tu ? C'est toi qui m'as attiré dans ce rêve ?

Faraday sourit et prit la main d'Axis.

— Ce n'est pas un rêve, mon amour… Le songe, c'est la coquille vide que tu nommes ton « corps » et qui t'attend dans le camp, devant le bois de la Muette. À présent, tais-toi ! Nous sommes tous les deux des témoins, pas des acteurs – pour le moment, en tout cas…

Raum tituba jusqu'au centre du Bosquet. Il gémit de nouveau, comme si la souffrance était revenue. Alors que Faraday serrait plus fort la main d'Axis pour lui intimer le silence, l'Avar tomba à genoux, la tête inclinée et les mains tendues en signe d'imploration.

Rien ne bougea à part les étoiles, qui continuaient à tourbillonner dans le ciel, et les yeux qui brillaient au cœur des arbres.

Quand l'Eubage hurla, Axis tressaillit, mais un regard de Faraday le dissuada d'intervenir.

Raum s'était écroulé et il se tordait de douleur sur le sol. Il cria de nouveau, encore plus fort, si c'était possible. Sous son corps, la terre s'imbibait de sang. On eût dit une atroce séance de torture !

Par les Étoiles, pensa Axis, *Azhure avait raison ! Les Avars prêchent la non-violence, mais leur culture baigne dans la sauvagerie et la cruauté !*

Azhure ? demanda une douce voix dans la tête de l'Envoûteur.

Pris sur le fait, il improvisa une explication très édulcorée.

C'est une femme qui a vécu un temps parmi les Avars. Aujourd'hui, elle est archère dans mon armée…

Faraday sourit. Une femme guerrière, vraiment? Que c'était intéressant…

Raum cria encore d'une voix rauque qui n'avait presque plus rien d'humain. Autour de lui, la flaque rouge s'élargissait. Axis vit que du sang coulait de tous les orifices de son corps et de ses articulations, où la peau, trop violemment étirée, finissait par éclater.

Axis, tous les Eubages, hommes ou femmes, doivent mourir pour se métamorphoser. Comme les Enfants Sacrés, nous allons être témoins de sa fin et de sa renaissance. Mais il doit traverser tout cela seul. Personne ne peut l'aider…

Axis sentit des larmes rouler sur ses joues. Depuis que leurs regards s'étaient croisés, dans l'ignoble cellule de Smyrton, au fond des sous-sols du foyer de l'Adoration, il était lié à l'Eubage et le considérait comme un ami. Une immédiate compréhension, à croire que ces deux hommes étaient de tout temps destinés à se connaître.

Et ce jour-là, Axis avait aussi rencontré…

L'ancien Tranchant d'Acier parvint de justesse à occulter cette pensée.

Qui as-tu rencontré? demanda la voix mentale de Faraday.

Shra…, répondit Axis. *Une fillette Avar…*

Les yeux de l'Amie de l'Arbre s'embuèrent. Au lac des Ronces – la Mère! – elle aussi avait connu la petite fille. Car Raum l'avait liée à la Mère en même temps que Shra…

Le corps toujours à la torture, l'Eubage n'avait plus la force de crier. Il respirait très fort, comme si l'air ne parvenait plus à emplir ses poumons.

Puis sa poitrine cessa de se soulever. Les membres encore agités de spasmes, il tourna la tête, et ses grands yeux sombres d'où coulaient des larmes de sang se rivèrent sur ceux d'Axis.

Un regard accusateur! Se voyant à travers les yeux du mourant, l'Envoûteur n'eut pas de mal à comprendre pourquoi. Il était là, debout près de Faraday, alors qu'il vivait depuis un an…

Encore une fois, Axis étouffa au dernier moment une pensée destructrice. Mais un gémissement angoissé s'échappa de ses lèvres…

Silence! Axis, la transformation est achevée, à présent. Reste calme et ne crains rien pour notre ami.

Rongé par la culpabilité, l'Envoûteur détourna la tête pour fuir le regard fixe de Raum. Entre l'innocente inquisition de Faraday et les accusations muettes de l'Avar, il se sentait pris comme dans un étau. Mais il ferait ce qui s'imposait, et il ne souffrirait jamais plus ainsi quand Faraday saurait la vérité et l'aurait acceptée…

L'Amie de l'Arbre ne put étouffer un petit cri au moment où le cadavre de l'Eubage implosa littéralement.

Alors qu'un geyser de sang et de lambeaux de chair jaillissait dans le Bosquet, Axis hurla d'horreur.

À ses côtés, Faraday vacilla mais parvint à ne pas l'imiter.

—Mère! s'indigna-t-elle, décomposée.

Elle savait depuis le début que Raum devrait se métamorphoser. Mais pas de cette façon, et encore moins en… *cela!*

Axis regarda l'endroit où Raum, quelques secondes plus tôt, se tordait de douleur sur le sol. La flaque de sang avait disparu, et un magnifique cerf blanc, la tête baissée pour que son museau soit en contact avec la terre, remplaçait le cadavre de l'Eubage.

Un mouvement, à la lisière du Bosquet, attira l'attention de l'Envoûteur. La créature mi-homme, mi-cerf au pelage argenté qu'il avait vue dans son rêve, deux ans plus tôt, avançait vers le splendide animal qu'était devenu Raum. L'être se pencha et caressa le front du cerf blanc, qui sembla transporté d'extase.

Quand l'Enfant Sacré recula, un cri monta de la gorge de tous les espions cachés entre les arbres. L'homme-cerf le reprit et le transforma en un hurlement de joie.

—Raum…, murmura Faraday près d'Axis.

L'Eubage ne s'était pas métamorphosé en Enfant Sacré. Contre toute attente, il était devenu le Cerf Sanctifié de la forêt magique.

— Raum, souffla Faraday, j'ai toujours su que tu étais un être à part. Assister à ta métamorphose fut une bénédiction…

Pour l'heure, l'Amie de l'Arbre ignorait encore que c'était sa manière d'invoquer le pouvoir de la Mère et du Bosquet qui avait rendu possible ce miracle.

— Je n'y comprends rien…, marmonna Axis.

Avant de répondre, Faraday prit le temps de se remémorer les enseignements d'Ur.

— Très rarement, dit-elle, peut-être toutes les cent générations, il vient au monde un Eubage au cœur parfaitement pur et bon. Quand arrive l'heure de se transformer, il ne devient pas un Enfant Sacré, mais un Cerf Sanctifié, la créature la plus magique et surnaturelle du Bosquet.

— Les Avars vénèrent cet animal, continua Axis, puisant dans ce qu'il avait appris sur le mont Serre-Pique. Au moment du solstice d'hiver, il joue un rôle central dans les rituels. Car c'est son sang qui donne au soleil la force de renaître. Tous les Eubages s'identifient à cet animal mythique…

— Oui, approuva Faraday, il est leur emblème, et ils l'utilisent quand ils signent un document… Axis, je suis heureuse que la pureté d'âme et de cœur de Raum ait été récompensée ainsi. Désormais, le Cerf Sanctifié arpentera de nouveau la forêt magique. Mère, c'est un merveilleux cadeau que tu fais à tous tes enfants !

Devant eux, la créature qui avait été Raum se releva et tituba un peu – sans doute étonnée de se tenir sur quatre pattes au lieu de deux. Par vagues de deux ou trois, d'autres Enfants Sacrés sortirent du couvert des arbres pour venir saluer le mythique cervidé.

Un long moment, Axis et Faraday assistèrent en silence à cette émouvante cérémonie proche d'une adoption. Car les Enfants Sacrés, les uns après les autres, accueillaient le cerf au sein de la communauté très fermée qui vivait dans le Bosquet.

Puis la jeune femme reprit la main de son compagnon.

—Viens…, souffla-t-elle.

Non sans réticence, Axis se laissa guider vers le centre de la clairière. Dès qu'ils l'aperçurent, les Enfants Sacrés braquèrent sur lui des yeux pleins d'hostilité.

Ainsi, ils se méfient encore de moi… Décidément, j'aurai toujours des difficultés avec les arbres…

Mon bien-aimé, ne t'inquiète pas, dit la voix mentale de Faraday. *Ils finiront par t'accepter.*

—Qui es-tu ? demandèrent des dizaines de voix. Comment as-tu trouvé le chemin du Bosquet, et pourquoi te tiens-tu si près de l'Amie de l'Arbre ?

Il m'a suivi, et je l'ai guidé jusque-là…, dit le cerf.

Pour saluer l'Envoûteur, il inclina gracieusement ses andouillers.

—Je suis Axis Rivkahson Soleil Levant, se présenta Axis. Ancien Tranchant d'Acier de…

Des sifflements haineux montèrent de tout le Bosquet.

—… L'ordre du Sénéchal, acheva Axis. Aujourd'hui, libéré des mensonges qui m'aveuglaient, je suis l'Homme Étoile et j'entends restaurer Tençendor pour faire obstacle à Gorgrael.

—Que fais-tu ici ? demanda un des Enfants Sacrés.

—Je l'ai invité, répondit Faraday, et vous devriez l'accueillir amicalement. Ce soir, je vous ai amené l'Homme Étoile, parce qu'il vous faudra bien, tôt ou tard, agir pour le soutenir. Comme moi, il œuvre pour que les forêts renaissent en Tençendor.

L'Enfant Sacré au pelage argenté prit la parole :

—Nous t'observons depuis longtemps, Axis Soleil Levant, dit-il.

Il chercha le regard de l'Envoûteur, qui ne se déroba pas à ce défi, même s'il se demanda jusqu'à quel point les Enfants Sacrés connaissaient sa vie privée…

La créature dévoila ses dents jaunâtres – l'équivalent d'un sourire pour elle, espéra Axis.

—Nous savons que tu as déjà obtenu, au nom de l'Amie de l'Arbre, le droit de replanter une grande partie des antiques forêts.

Faraday eut un petit cri de surprise et de ravissement. Contrairement aux résidents du Bosquet, elle n'était pas encore informée du pacte signé par Axis avec les barons Ysgryff et Greville.

—Nous te remercions de cela, dit l'Enfant Sacré. (Il tourna la tête vers Faraday.) Mais il reste tant de souffrance à venir…

Une phrase qui pouvait avoir beaucoup trop de sens différents au goût d'Axis.

—Homme Étoile, excuse-nous de ne pas pouvoir t'accueillir de bon cœur dans le Bosquet, continua l'homme-cerf. Qui sait, ta femme t'y ramènera peut-être bientôt. Car *elle* y est toujours la bienvenue…

L'Enfant Sacré posa une main sur l'encolure du cerf.

—Tu es ici chez toi, Fils Sanctifié ! Viens découvrir les sentiers secrets que tu brûles d'envie d'arpenter…

Sur ces mots, tous les Enfants Sacrés disparurent, et le cerf se volatilisa avec eux.

Voyant que Faraday lui souriait, Axis se pencha pour l'embrasser. Un moyen, peut-être, de chasser sa culpabilité…

—Non, dit la jeune femme en reculant. Pas tant que mes vœux me lieront à Borneheld ! Axis, viendras-tu bientôt me libérer ?

—Oui…

—Je t'en prie, ne tarde plus ! Il y a si longtemps que je t'attends ! Je me languis depuis des mois, mais… tu as tellement changé ! Où est passé l'homme dont je n'ai plus eu de nouvelles depuis le fort de Gorken ? Qu'as-tu fait depuis notre séparation, Axis Soleil Levant ? Qui es-tu devenu ? Et m'aimes-tu seulement encore ?

Axis voulut répondre, mais il ne trouva rien à dire. Troublé, il tendit les mains vers Faraday.

Entre eux, la brume jaune tourbillonnait de nouveau.

— Me veux-tu encore ? murmura Faraday.

Pourquoi semblait-elle si effrayée ?

— Oui, souffla Axis, je te désire toujours.

La stricte vérité, car elle était magnifique, et son pouvoir l'attirait irrésistiblement. Mais le désir serait-il suffisant pour la satisfaire ?

— Dans ce cas, viens vite !

Le brouillard s'épaissit et parut se solidifier. En quelques secondes, le Bosquet et Faraday disparurent.

Axis ferma les yeux et avança dans la brume cotonneuse.

— Faraday ! cria-t-il en rouvrant les yeux.

Penchée sur lui, Azhure le regardait fixement.

— Tu as rêvé, dit-elle d'un ton dur, mais à présent, c'est l'heure de revenir à la réalité.

Elle se leva et s'habilla rapidement, le dos tourné à son amant. Très vite, la tunique qu'elle enfilait recouvrit les cicatrices qui couvraient ses omoplates.

En silence, Axis regarda la femme qu'il aimait finir de se vêtir. Encore prisonnier des derniers vestiges de son rêve, il se demanda ce qu'il devait faire pour qu'elle lui pardonne d'avoir crié le nom de sa rivale.

Azhure prit Caelum entre ses bras et se leva.

— Le petit déjeuner est déjà sur le feu, dit-elle sans regarder son amant dans les yeux. Si tu paresses encore, il sera fichu.

Sur ces mots, elle écarta le rabat de la tente.

— Je suis désolé, souffla Axis.

Beaucoup trop tard !

51

CE SERA DONC LA GUERRE,
MON FRÈRE?

Au petit trot, Axis inspectait ses troupes. Sur le flanc droit, le lac Graal scintillait dans le lointain. Au-delà, les murs roses et les toits argent et or de Carlon dominaient le paysage.

La tour du Sénéchal – Spiredore! – se reflétait dans les eaux paisibles.

Le voyage depuis le bois de la Muette ayant pris un mois – une éternité, selon Axis! –, l'armée rebelle atteignait son objectif ultime alors qu'on entrait dans la troisième semaine du mois de la Graine. Par bonheur, Borneheld n'avait envoyé aucune force à la rencontre des insurgés pendant qu'ils traversaient les plaines de Tare.

Au bout du premier rang de soldats, Belial et Magariz attendaient patiemment, leurs cottes de mailles brillant au soleil. Un moment, le regard d'Axis s'attarda sur Magariz. L'image de sa mère endormie entre les bras du vétéran venait le hanter aux moments les plus incongrus. Depuis quelques semaines, il observait attentivement les deux «vieux amis». S'ils partageaient vraiment leurs nuits, quand l'occasion se présentait, leur comportement diurne ne trahissait rien de leur secret.

Axis détourna les yeux et s'efforça de penser à autre chose. Rivkah était une femme libre. Pourquoi son fils aurait-il dû s'alarmer qu'elle ait une liaison avec Magariz?

Montée sur Venator, Azhure attendait à côté du seigneur. Équipée pour le combat, elle était aussi belle qu'au creux d'une couverture, dans la splendeur de sa nudité.

Depuis qu'il s'était réveillé en criant le nom de Faraday, Axis n'avait plus eu l'occasion d'admirer les charmes de sa compagne. Distante et peu loquace, Azhure dormait encore près de lui, mais il aurait tout aussi bien pu s'étendre à côté d'une statue de marbre…

Peut-être à cause de cette froideur, il la désirait comme jamais. Ses pensées tournaient sans cesse autour d'elle, et il ignorait jusqu'à quand sa raison résisterait à ce calvaire. Aucune femme ne l'avait repoussé ainsi! À force de la sentir à côté de lui, chaque soir, proche mais pourtant inaccessible, il perdait toute joie de vivre, en oubliant parfois jusqu'à la guerre qui l'attendait.

Quand il passa devant elle, Azhure détourna la tête pour ne pas croiser son regard.

Désagréablement touché, il tira sur les rênes de Belaguez, qui s'arrêta à quatre ou cinq pas de ses officiers supérieurs.

Allons, oublie-la un moment, et accomplis ton devoir!

À cinq cents pas de là, Borneheld attendait à la tête de son armée, massée entre le fort de Bedwyr et le dernier méandre que le fleuve Nordra décrivait vers le sud, avant de se jeter dans la mer de Tyrre.

Aujourd'hui, Axis donnerait à Borneheld sa dernière chance de se joindre à lui dans le combat contre Gorgrael. Bien entendu, il espérait que l'imposteur déclinerait son offre. Car son demi-frère devait mourir, et il préférait une bataille à un meurtre.

Pourtant, Borneheld ne devrait pas tomber devant le fort de Bedwyr. En l'absence de Faraday, la Gardienne du Portail estimerait qu'Axis n'avait pas rempli sa part du contrat…

— Venez, dit-il à Belial et à Magariz.

Les trois hommes éperonnèrent leurs montures. Derrière eux, Arne jouait les porte-bannière. Avec le vent qui se déchaînait, le tissu battait comme une voile, et le soleil rouge sang semblait crépiter comme un départ d'incendie prêt à tout consumer sur son passage.

Les quatre hommes n'étaient pas armés et avançaient tête nue.

Quelques cavaliers, en face, quittèrent les rangs et vinrent à leur rencontre.

Alors que les deux petits groupes s'arrêtaient à une dizaine de pas l'un de l'autre, Rivkah talonna son cheval et rejoignit Azhure.

— Tu lui as parlé? demanda-t-elle à l'archère.

— Non, mon amie. En ce moment, il a trop de soucis pour que j'en rajoute…

— Il a le droit de savoir, Azhure! Comment peux-tu le laisser dans l'ignorance?

— Je comprends que tu t'inquiètes, mais c'est un problème entre lui et moi! Quand il aura remporté la bataille pour Tencendor, je lui dirai tout…

Rivkah n'insista pas, de plus en plus sûre qu'elle avait raison de s'angoisser. Que voulait faire Axis des deux femmes de sa vie? Sur ce sujet, il était aussi prompt à se fermer comme une huître qu'Azhure lorsqu'on évoquait sa grossesse…

Tout recommence comme au gué de Gundealga, pensa Belial en tirant sur les rênes de sa monture. *Mais cette fois, nous allons décider que la trêve est finie, et préciser qu'il s'agira d'un combat à mort. Après tant d'années, Axis et Borneheld vont enfin vider leur querelle.*

Pour l'instant, les deux frères se foudroyaient du regard.

Le roi d'Achar avait revêtu son armure de seigneur de guerre et il arborait une couronne de campagne légère et sans ornements. En face de lui, Axis resplendissait dans son manteau rouge.

À quoi ressemblerait le monde, se demanda Belial, *si l'un de ces hommes n'était jamais né? Tous les deux sont en grande partie le résultat de leur éternelle rivalité. Si Axis n'était pas à leur tête, Borneheld haïrait-il autant les Proscrits? Et si la gloire de son demi-frère ne l'écrasait pas, n'aurait-il pas été un meilleur souverain?*

Pareillement, on pouvait douter qu'Axis aurait si facilement accepté une guerre civile face à un autre roi d'Achar.

Quant à Faraday, aurait-il pris tant de risques pour la rejoindre si elle n'avait pas épousé Borneheld ?

— Eh bien, mon frère, dit Axis, il semble que le temps des trêves et des alliances est révolu.

— As-tu fait la paix avec tes ignobles dieux, Axis ? lança Borneheld. Si la réponse est « non », dépêche-toi, car tu ne tarderas plus à les rejoindre !

Axis se força à sourire et s'en félicita quand il vit son demi-frère s'empourprer de fureur.

— Borneheld, je suis là pour te demander une dernière fois de servir sous mes ordres et de m'aider à chasser l'envahisseur.

— C'est toi l'envahisseur ! Et je te repousserai, n'en doute pas !

— Ce sera donc la guerre, mon frère ? Tu préfères que j'attaque pour que ton humiliation soit complète ? Car tu as conscience, je suppose, que je contrôle une bien plus grande partie du royaume que toi ?

— Je vois les bannières de deux traîtres, Ysgryff et Greville, battre au vent derrière toi. Que leur as-tu offert pour qu'ils renient leur roi et leur dieu ?

Chaque nouvelle désertion enfonçait un peu plus Borneheld dans son désespoir. Et celle des deux barons était le coup de grâce. Par Artor, pourquoi tout le monde se détournait-il de lui ?

Artor, tu m'entends ? Ou m'as-tu aussi abandonné ?

Ces dernières semaines, torturé par des cauchemars, le roi d'Achar tremblait de peur quand venait l'heure de se coucher. Toujours assise à son bureau, la vieille sorcière aux cheveux noirs lui rendait visite chaque nuit, assurant que leur rendez-vous était pour bientôt. Parfois, elle lui tendait la maudite coupe et l'invitait à boire…

Le jour, Jayme et ses assistants parvenaient à remonter un peu le moral du souverain. Mais leur conscience les tourmentait-elle aussi, dès qu'ils reposaient dans le noir ?

Borneheld ne se faisait aucune illusion sur les raisons de leur soutien. Pour échapper au désastre, ces hommes ne pouvaient plus compter que sur lui.

Mon armée est le dernier rempart qui se dresse entre Axis et eux...

Conscient de la menace, Jayme lui-même avait mis une sourdine à ses imprécations.

— Ysgryff et Greville se sont ralliés à moi spontanément, répondit enfin Axis. Et il en va de même pour tous mes soldats. Les hommes qui luttent à mes côtés m'aiment et me respectent, et ils croient en ma cause. Peux-tu en dire autant ? Moi, je n'ai jamais eu besoin d'engager des mercenaires.

Borneheld se détendit un peu. Axis ne savait pas tout, et il allait pouvoir marquer un point.

— Sache que j'ai conclu une alliance avec l'empereur de Coroleas, Axis. Chaque jour, des bateaux m'amènent de nouveaux combattants. Si tu veux attaquer, ne tarde pas ! D'heure en heure, je deviens plus puissant !

Axis ne broncha pas, même s'il serra un peu plus fort les rênes de Belaguez. Une alliance avec l'empire ? Depuis le début, il redoutait que cela arrive. Coroleas ne manquant pas de ressources – financières comme militaires –, il devrait remporter une victoire éclair. Sinon, il risquait de livrer devant Carlon une guerre de position aux conséquences désastreuses. Sans même parler de son marché avec la Gardienne, il y avait Gorgrael, qui continuait à améliorer ses Skraelings. S'il s'enlisait dans le Sud, Axis courait au désastre au nord.

À ce propos, un détail l'étonnait. Jorge et Gautier accompagnaient Borneheld, aujourd'hui. Mais s'ils étaient à Carlon, qui commandait la garnison, au Ponton-de-Jervois ?

Et qu'avait fait miroiter Borneheld à l'empereur coroléien pour qu'il s'engage ainsi ?

Le roi d'Achar devina une partie des questions que se posait son demi-frère.

— Nor, Axis... Je lui ai offert Nor...

— Eh bien, j'espère qu'il n'y tenait pas trop, parce qu'il ne prendra jamais possession de sa nouvelle province !

— Je crois que nous nous sommes tout dit, Axis, lâcha Borneheld.

Avec un rictus méprisant, il fit volter son cheval.

—Attends ! le rappela Axis. J'ai avec moi quelqu'un qui voudrait te parler.

Borneheld fit demi-tour et regarda le cavalier solitaire qui approchait au petit trot.

—C'est une personne que tu rêves de rencontrer depuis longtemps, ajouta Axis.

Le cavalier – une cavalière, en réalité – s'arrêta à côté de lui.

Une femme aux tempes grises, toujours très jolie, avec une ossature délicate…

—Bien le bonjour, Rivkah, la salua Axis.

De surprise, Borneheld vacilla sur sa selle.

—Notre mère aimerait s'entretenir avec toi, mon frère. Elle tenait à te voir avant que tu quittes ce monde…

Rivkah fit avancer son cheval, tendit un bras et frôla du bout des doigts la joue de son fils aîné.

—Notre mère ? murmura Borneheld.

Maintenant qu'il voyait cette femme de près, il ne pouvait plus avoir de doute. Elle avait les mêmes yeux que Priam, et son visage semblait être une version modifiée par l'âge du portrait qu'il gardait jalousement dans ses appartements.

Depuis toujours, le souvenir de sa mère était aussi important pour lui que sa foi en Artor. Et voilà qu'elle lui caressait la joue, l'air impassible et le regard aussi froid que si elle avait flatté la truffe d'un chien.

—Borneheld, je me demande depuis trente ans quel homme tu es devenu. Et voici que je te découvre…

Le portrait craché de Searlas, voilà ce que tu es !

Se rappelant combien elle avait vomi le défunt duc, Rivkah pinça si violemment la joue de Borneheld qu'il en tressaillit de douleur et recula sur sa selle.

—Tu as assassiné mon frère, en digne fils de Searlas que tu es !

—Mère, tu m'as abandonné pour me laisser grandir sans amour ni tendresse ! Comment as-tu pu agir ainsi ?

—Ce fut facile, parce que c'était moi qu'on avait condamnée à vivre sans amour ni tendresse! Ton père et toi, je ne vous ai jamais aimés, sache-le! Et je n'ai pas laissé passer ma chance de fonder une autre famille, très loin de vous.

—Alors, ne t'étonne plus que je sois devenu ce que je suis…, lâcha Borneheld, soudain sinistre. Et n'ose pas t'indigner de certains de mes actes…

Tous ceux qui entendirent cette dernière phrase sursautèrent. Était-ce un aveu, au sujet de la mort de Priam?

—Je t'ai abandonné, c'est vrai, dit Rivkah, mais mon histoire est très différente de ce qu'on t'a raconté. On m'a arrachée à toi, Borneheld, pour me forcer à accoucher dans une chambre glaciale et sinistre. Puis on m'a pris mon second fils, en prétendant qu'il était mort. Alors que mon ventre saignait encore, on m'a laissé crever de faim et de froid sur les contreforts des Éperons de Glace. Tu veux savoir comment je suis arrivée là? Demande à tes amis Jayme et Moryson! Par la même occasion, dis-leur que j'ai hâte de les revoir. Cette tentative de meurtre doit peser sur leur conscience, et ils voudront peut-être se confesser à moi ou à leur dieu, avant de mourir!

—Non…, souffla Borneheld.

Il refusait de croire les mensonges qu'Axis lui avait déjà racontés au gué de Gundealga. Jayme et Moryson, complices pour assassiner sa mère? Ce n'était pas possible! Pourtant, en matière de meurtre, ils ne semblaient pas avoir trop de scrupules.

—Ça, tu peux le dire, mon frère! lança Axis. Au fait, es-tu sûr d'être hors de portée de leurs machinations?

Borneheld sursauta de nouveau et blêmit de surprise.

—Tu as dit que ce serait la guerre! rugit-il. Pauvre idiot, entre nous, elle est déclarée depuis le jour de ta naissance! Avec ta mort, la paix reviendra, et j'ai hâte que ce moment arrive!

Un long moment, le roi d'Achar dévisagea Rivkah comme s'il voulait graver ses traits dans sa mémoire. Puis il fit volter son cheval et partit au triple galop vers son armée.

Gautier le suivit, mais pas Jorge.

— Princesse, dit-il en inclinant la tête, je suis content de découvrir que vous avez survécu et que vous vous portez bien… (Il se tourna vers Axis.) Comment va Roland ?

— Le mieux possible, dans son état. Pour l'heure, il se repose à Sigholt.

— Tant mieux… Axis, si je ne survis pas, peux-tu lui dire que son amitié fut mon bien le plus précieux, ces dernières années ?

— Jorge, pourquoi ne viens-tu pas avec nous ? Tu as entendu Borneheld ? C'est un fou ou un assassin, et probablement les deux…

Le vieux guerrier pensa à sa famille. Ses filles et ses fils lui avaient donné de si beaux petits-enfants. S'il changeait de camp, tous seraient égorgés le soir même…

— Je vois, dit Axis. Borneheld en est à prendre des otages pour s'assurer la loyauté de ses officiers…

— Axis, je te souhaite bonne chance, murmura Jorge, des sanglots dans la voix. Une étrange chose à dire au chef d'une armée ennemie, n'est-ce pas ? Pourtant, je suis sincère.

— Bonne chance à toi, Jorge, répondit l'Homme Étoile. Du fond du cœur…

52

VEILLÉE D'ARMES

— D es mensonges, Borneheld…, dit Jayme d'un ton apaisant. Oui, un tissu d'affabulations… S'il peut lire les pensées des autres, comme tu as cru t'en apercevoir, c'est qu'il est désormais un puissant sorcier. Crois-tu qu'il aurait du mal, dans ce cas, à faire passer n'importe quelle femme pour Rivkah ? Une illusion, voilà tout… Grand roi, calme-toi et réfléchis rationnellement.

Le frère-maître jeta un coup d'œil à Moryson, debout à l'autre extrémité de la pièce. Comme quasiment tous les membres de l'ordre, les deux hommes s'étaient réfugiés au palais de Carlon. Dès qu'il pensait à la tour du Sénéchal, virtuellement entre les mains d'Axis, Jayme avait envie de vomir. La dernière cohorte de Haches de Guerre était encore en position autour de l'édifice, mais elle ne tiendrait sûrement pas longtemps. À supposer que ses membres acceptent d'affronter leurs anciens camarades…

Pour le moment, Jayme devait chasser la tour de ses pensées. Depuis qu'il avait rencontré une dernière fois son frère – de stupides pourparlers ! –, Borneheld délirait au sujet d'une femme qu'il affirmait être sa mère.

Ce crétin faisait une crise de conscience ! Qu'Artor le maudisse ! Développer le sens du bien et du mal à un âge si avancé était la pire erreur que pouvait commettre un homme.

—Majesté, dit Moryson en avançant, je suis sûr que Jayme a raison. Pourquoi croire un traître qui s'est acoquiné avec des démons ? Jusque-là, quelles raisons auriez-vous de lui faire confiance ? Il vous a trahi au fort de Gorken. Plus tard, au Ponton-de-Jervois, il a envoyé sa vermine ailée vous harceler. Depuis le début de cette affaire, il prend un malin plaisir à corrompre vos officiers et vos alliés. Que vaut la parole d'un tel félon ?

Borneheld leva les yeux sur le premier assistant de Jayme. Ces propos étaient exactement ce qu'il voulait entendre – et surtout, ce qu'il aurait donné cher pour croire. Avec son visage ouvert, ses yeux bleus si francs, sa sérénité et sa voix douce, Moryson parvenait toujours à le rassurer un peu.

— La dernière heure avant l'aube est toujours la plus noire de la nuit, Sire. Vous vivez cette heure-là, et Artor attend de voir si vous avez la force d'arracher aux ténèbres le royaume d'Achar et l'ordre du Sénéchal. (Moryson approcha encore et posa une main sur l'épaule du roi.) À chaque minute, je remercie la providence que vous soyez à notre tête, Majesté. Qui d'autre pourrait nous sauver ?

Bien parlé, Moryson, pensa Jayme, admiratif. *En réalité, et tu le sais comme moi, cet abruti est toujours de ce monde parce que nous n'avons personne à mettre à sa place ! Oui, roi de paille, nous avons encore besoin de toi, même si je commence à penser que te propulser sur le trône fut une grossière erreur. Artor, aurions-nous dû garder Priam ? Il avait de drôles d'idées, c'est vrai, mais je parvenais presque toujours à l'influencer…*

Borneheld s'était enfin calmé, convaincu que Jayme et Moryson disaient la vérité. Comment avait-il pu tomber dans le piège grossier d'Axis ? Décidément, le bâtard était pourri jusqu'à l'os !

Très discret pendant que les deux frères tentaient d'apaiser son maître, Gautier avança d'un pas décidé.

— Sire, j'ai quelques suggestions à proposer pour demain. Vous savez, notre plan…

— Vraiment ? demanda Borneheld. (N'ayant aucune envie de se coucher malgré l'heure tardive, il sauta sur l'occasion :) Je t'écoute…

— Eh bien voilà…, commença Gautier.

Dans une autre pièce du palais, Yr posa la brosse qu'elle venait de passer longuement dans les cheveux de sa protégée.

—Je sens Jack, Ogden et Veremund, dit-elle. Ils approchent, et nous serons bientôt réunis.

» Mais à quatre, j'ignore ce que nous pourrons faire. Si Zeherah n'est pas à nos côtés, la Prophétie n'aura pas une chance de triompher…

Faraday se leva et alla se camper devant une fenêtre d'où elle pourrait admirer le lac Graal. Dans le lointain, telles des lucioles, elle voyait briller les premiers feux qui marquaient la lisière du camp d'Axis.

Depuis leur rencontre dans le Bosquet, elle mourait d'inquiétude. Quels étaient les sentiments d'Axis pour elle ? N'avait-il pas hésité à répondre, quand elle s'était enquise de son amour ? D'ailleurs, il avait seulement concédé qu'il la désirait…

Faraday en eut les larmes aux yeux. Borneheld aussi l'avait désirée. Et qu'en avait-il résulté ? Du chagrin et de la haine ! Elle voulait être *aimée*, pas seulement convoitée…

—Je croyais qu'il m'aimait…, soupira-t-elle.

Yr approcha et posa une main sur l'épaule nue de sa compagne.

—Douce enfant, dit-elle, vous êtes séparés depuis longtemps, et vous avez tellement changé, chacun à votre manière. Axis n'est plus le Tranchant d'Acier, mais un Envoûteur icarii… Et toi, crois-tu ressembler à l'innocente jeune fille qui l'admirait ouvertement dans le hall des Lunes ? Je suis sûre qu'il a été surpris de te découvrir si différente ! Maintenant, vous avez besoin d'un peu de temps en paix, pour vous redécouvrir – ou vous découvrir, tout simplement. En réalité, vous vous connaissez à peine ! Ne crains rien, Faraday, l'avenir vous sourit.

—Tu crois vraiment, Yr ? (Ses yeux verts pleins d'espoir, Faraday se tourna vers la Sentinelle.) Tout s'arrangera ?

Le discours d'Yr se tenait. Axis et elle s'étaient métamorphosés, mais ça ne les empêcherait pas de réapprendre à s'aimer !

Sur le toit du palais, quelqu'un d'autre contemplait les lointains feux de camp. Et cet observateur-là bouillait de colère.

Timozel était fou de rage ! Une bataille décisive aurait lieu le lendemain, et Borneheld lui avait ordonné de rester à l'arrière – oui, à l'arrière ! – pour empêcher qu'un hypothétique démon ailé enlève Faraday.

Je suis l'homme de la vision, pensa l'ancien Hache de Guerre en marchant de long en large. *Le héros qu'Artor a désigné pour conduire nos troupes à la victoire !*

— Oui, moi ! cria-t-il. Et personne d'autre !

Après une glorieuse bataille, l'ennemi était en déroute. Les hommes et les étranges créatures qui luttaient à leurs côtés étaient tombés comme des mouches. Timozel, lui, n'avait pas perdu un seul guerrier... Encore une pierre ajoutée au monument de sa légende !

Et demain, ce serait Gautier qui accompagnerait le roi, pas lui !

— Si tu ne me laisses pas combattre pour toi, Borneheld, tu cours au désastre ! Reste bien au chaud dans tes appartements, et confie-moi ton armée ! Je suis le héros de la vision ! La victoire m'appartient !

À moins que... Ce qu'il avait pris pour des visions était peut-être une série d'hallucinations. Ou les avait-il mal interprétées ? Borneheld était-il un imbécile, et pas le grand monarque pour lequel il était destiné à guerroyer ?

C'est mon nom qui restera dans l'histoire, pas le sien !

Oui, l'heure de Timozel n'avait peut-être pas encore sonné. Mais l'avenir lui appartenait.

Assis devant un bon feu, Axis faisait sauter Caelum sur ses genoux. Chaque jour, l'enfant devenait de plus en plus fascinant. Il commençait à parler – quelques phrases courtes

– et rampait partout dès qu'on ne le surveillait pas. Le matin même, Axis avait dû le tirer promptement de sous les jambes de Belaguez…

— Caelum…, murmura l'Envoûteur à l'oreille de son fils.

— Papa! s'écria l'enfant.

Quand Axis entreprit de lui chatouiller le ventre et le dos, il éclata de rire.

À deux pas de là, Azhure ne put s'empêcher de sourire.

Axis tendit un bras et lui prit la main.

— Azhure, je t'en supplie, ne partons pas à la bataille sans nous être rapprochés. Veux-tu revenir sur ta décision et me quitter?

— Non, je resterai près de toi, car rien n'a changé… Mais l'avenir me terrorise, tu dois le savoir.

— Maman! s'écria Caelum, les bras tendus vers la jeune femme. Azhure!

C'était la première fois qu'il prononçait ce prénom. Ravie, Azhure lâcha la main d'Axis et prit l'enfant dans ses bras.

— Azhure! répéta Caelum.

Je n'oublierai jamais ton nom…, ajouta-t-il mentalement.

Des larmes aux yeux, Azhure le serra très fort contre elle.

— Pourquoi a-t-il dit ça? demanda Axis, qui avait capté un lointain écho de cette pensée.

Caelum tourna la tête et riva ses grands yeux bleus dans ceux de son père.

Parce qu'elle a oublié le nom de sa mère, Azhure craint que je ne me souvienne plus du sien un jour. Quand ses os seront depuis longtemps retombés en poussière, elle redoute que nous ne sachions plus qui elle était, toi et moi…

Axis fut stupéfait par la sophistication du raisonnement de son fils et par sa sensibilité. Très lentement, il leva les yeux vers Azhure. Quelle mélancolie la rongeait?

— Faraday vivra aussi longtemps que toi, dit-elle. Avec Caelum, vous traverserez les siècles, et vous finirez par m'oublier. Suis-je mentionnée dans la Prophétie? Pas le moins du monde! Faraday, elle, est la femme qui, chaque nuit, comblera de joie le meurtrier de son mari…

—Par tous les dieux qui arpentent les lointains chemins des Étoiles, je ne t'oublierai jamais, Azhure! Je le jure!

Moi non plus, intervint Caelum. *Moi non plus!*

—C'est pour ça que le futur me terrorise, dit Azhure. Au bout du compte, je ne partagerai pas ton avenir et celui de notre fils. Faraday sera à vos côtés. Pas moi…

Caelum braqua sur son père un regard accusateur.

Qui est Faraday?

—Aujourd'hui, tu prétends m'aimer, et tu affirmes qu'elle devra te partager avec moi. Mais dans quelques années, elle t'aura pour elle toute seule. Tu te demandes si elle m'acceptera? Pourquoi pas, puisqu'elle peut espérer me survivre pendant des siècles. Axis, elle a presque autant de pouvoir que toi. Et depuis deux ans, j'ai appris que cette puissance-là conférait une espérance de vie très supérieure à celle qu'on tient pour normale en Achar.

Des bruits de pas, dans leur dos, firent sursauter les deux amants. Conscient de les déranger, mais n'ayant pas le choix, Belial vint s'agenouiller à côté d'Axis.

—Ho'Demi et Œil Perçant veulent te parler. Tu peux venir? Azhure, je suis navré, mais nous devons nous concerter, pour demain… Ta présence aussi serait bienvenue.

—Va à cette réunion, Axis. Dès que j'aurai confié Caelum à Rivkah, je vous rejoindrai.

Alors qu'elle se levait, Axis prit brièvement la main de sa compagne.

—Nous reprendrons cette conversation plus tard…

—Oui, souffla Azhure, certaine qu'ils n'en auraient plus le temps ce soir. Oui, plus tard…

Au sud, huit énormes navires coroléiens chargés de plus de cinq mille hommes approchaient du port de Nordmuth, à l'embouchure du fleuve Nordra.

—À partir du port, dit le premier officier du vaisseau amiral à son capitaine, nous remonterons le fleuve en souquant ferme, et nous serons au fort de Bedwyr à l'aube.

—Parfait… Mais Borneheld m'a promis une jolie prime si nous arrivons deux heures avant le lever du soleil. Si tu veux ta part du gâteau, va voir les rameurs et dis-leur qu'ils finiront pendus s'ils ne tiennent pas ce délai.

Le premier officier ricana avec son supérieur puis tapota le dos du timonier.

—Arrange-toi pour éviter les bancs de sable, mon ami ! J'ai des dettes de jeu à honorer, moi !

—Ne t'inquiète pas, j'ouvrirai l'œil ! Rester coincer sur un banc de sable avec vous deux ne me dit rien qui vaille !

Surveiller la proue était une riche idée, mais poster des sentinelles à la poupe n'aurait pas été une mauvaise initiative non plus. Car le danger, dans leur dos, était bien plus grand qu'ils l'imaginaient…

53

La bataille du fort de Bedwyr

Autour d'un feu de camp, Axis et ses officiers sirotaient une tisane adoucie au miel censée calmer les brûlures d'estomac dues à la nervosité.

—Affronter des compatriotes ne vous pose pas trop de problèmes ? demanda Œil Perçant à Belial et à Magariz.

—Nous n'aimons pas ça, répondit le seigneur, mais comment faire autrement ? De plus, la plupart de mes amis sont aux côtés d'Axis, pas de Borneheld, dont la moitié des hommes, au moins, viennent de Coroleas.

—Au moins, comme tu dis, approuva Belial. Au fond, il est consolant que le roi d'Achar soit obligé de recourir à des étrangers. Axis, sais-tu si la cohorte de Haches de Guerre restée à Carlon se dressera contre nous ?

Une des pires angoisses de l'officier… Se trouver face à un vieil ami, l'arme au poing.

—Elle est postée devant la tour, répondit l'ancien Tranchant d'Acier.

Comme tous ses soldats, il portait sur sa tunique une armure légère ornée du soleil rouge sang.

—Quand l'aigle a survolé le lac, hier, les Haches de Guerre n'avaient pas bougé. À mon avis, Borneheld ne fera pas appel à eux. Jayme a dû insister pour qu'ils protègent le fief du Sénéchal.

Du regard, Axis fit le tour du feu de camp. Tous ses officiers supérieurs étaient là, représentants des races qui avançaient depuis vingt mois derrière sa bannière.

Belial et Magariz, les deux hommes à qui il devait d'avoir une armée… Œil Perçant Éperon Court, le commandant de la Force de Frappe, avec deux de ses chefs de Crête, Éperon Voltige Aile Noire et Larges Ailes Hurle Corbeau… Ho'Demi, impressionnant avec ses tatouages et la panoplie d'épées et de couteaux accrochée à son ceinturon. Afin d'éviter qu'un ennemi l'attrape par les cheveux, il avait tiré en arrière ses longues nattes noires, mais sans en retirer leurs clochettes et leurs éclats de verre. Près du chasseur, Ysgryff semblait pensif. Renonçant à ses habits de soie bigarrés, il avait revêtu l'armure complète de son corps de cavalerie. Son heaume à crête – l'emblème de sa famille – reposait près de lui, reflétant la lueur des flammes. Dans cette tenue, le baron n'avait plus rien d'un courtisan, et sa seule vue suffisait à glacer les sangs.

Azhure avait opté pour une cotte de mailles légère, et ses cheveux, plaqués sur sa nuque, étaient dissimulés par une capuche de cuir. Perce-Sang et un carquois de flèches accrochés dans le dos, elle gardait les yeux baissés sur Sicarius, couché à ses pieds. Un peu plus loin, les autres chiens somnolaient en cercle. Eux aussi portaient une cotte de mailles. Aujourd'hui, Axis espérait qu'ils seraient une de ses armes les plus puissantes. Une très mauvaise surprise pour Borneheld…

Axis tenta en vain de croiser le regard d'Azhure. Avant de prendre quelques courtes heures de repos, ils n'avaient pas eu le temps de reparler de leurs problèmes privés. Axis était resté très longtemps avec ses officiers, et la jeune femme avait tenu à aller encourager ses archers.

Quand l'Envoûteur était retourné sous leur tente, elle dormait déjà.

Caelum avait été confié aux bons soins de Rivkah. Confinés à l'arrière, avec l'intendance – et plusieurs unités pour les protéger –, l'enfant et sa grand-mère ne risquaient rien. Si les choses tournaient mal, les soldats avaient ordre de conduire les chariots dans le bois de la Muette, où la forêt protégerait les survivants de la famille et des frères d'armes d'Axis de tout ce que Borneheld pourrait tenter contre eux.

Azhure, je t'aime…, pensa très fort Axis.

Peut-être, mais pour combien de temps ?

L'ancien Tranchant d'Acier blêmit un peu.

Prends garde à toi, aujourd'hui…

Toi aussi, Homme Étoile… Toi aussi…

— Les forces de Borneheld sont massées devant le fort de Bedwyr, dit Axis. Il ne fera pas mouvement, mais attendra que nous attaquions.

— Tu crois que le roi lui-même prendra position dans le fort ? demanda Ho'Demi.

— Non, répondit Axis. C'est un vieux bâtiment à demi en ruine. Jadis, il était vital pour la défense d'Achar, parce qu'il protégeait l'accès à Carlon et au lac Graal. Mais depuis des générations, il a été laissé à l'abandon. De toute façon, sa façade principale est orientée vers le fleuve, pas en direction des plaines. Et il sera vulnérable à toute attaque des Icarii. À mon avis, Borneheld combattra avec ses hommes… (Axis marqua une courte pause.) Mes amis, j'ai une requête à formuler… Non, en réalité, il s'agit d'un ordre ! (Il releva les yeux, où brillait une étrange lueur.) Aujourd'hui, Borneheld ne devra pas mourir sur le champ de bataille.

— Quoi ? s'écria Ysgryff.

Depuis qu'Axis lui avait parlé du marché passé entre le roi et l'empereur coroléien, le baron rêvait d'étrangler de ses mains le chien qui disposait à son aise de *sa* province !

— Je ne peux pas tout vous dire, mais j'ai certaines obligations envers la Prophétie et… hum… d'autres alliés dont l'aide me fut précieuse. Borneheld doit mourir devant les yeux de Faraday, c'est essentiel !

Azhure se tendit. Axis envisageait d'abattre le roi en présence de sa femme ? Perdait-il la tête ?

— Je ne peux rien expliquer, s'excusa l'Envoûteur, conscient du trouble de sa compagne. Mais croyez-moi, c'est important ! Faraday est sûrement à Carlon, et Borneheld, si monstrueux soit-il, ne la forcera pas à venir sur le champ de bataille. Je devrai donc le poursuivre jusque dans son palais. Suis-je assez clair ?

554

C'était bien un ordre, et personne n'en douta.

— Borneheld a très mal choisi son terrain, dit Belial après un long silence. Acculée au fort, son armée sera coincée dans une zone triangulaire circonscrite par le lac, le fleuve et nos forces.

— Tu as peut-être raison, dit Axis, mais ce n'est pas si sûr que ça… Huit bateaux chargés de renforts coroléiens remontent le fleuve. S'ils arrivent à temps, ils débarqueront leurs troupes dans notre dos pendant que nous attaquerons Borneheld. Il faudra être très prudent, mes amis. Œil Perçant, tes éclaireurs surveillent toujours le fleuve ?

— Ils volent sans relâche, Axis.

— Alors, espérons que Tencendor renaîtra de ses cendres, aujourd'hui. Ensuite, j'espère que Gorgrael sera mon unique ennemi…

Avec Étoile Loup, hélas… Où es-tu, Envoûteur, et quelle mauvaise surprise me prépares-tu ?

— Aujourd'hui, dit Œil Perçant, nous combattrons pour restaurer Tencendor. Ce sera un grand jour, Axis !

— Dans ce cas, il est peut-être temps de lancer la Force de Frappe à l'assaut, mon ami. Que les Icarii fondent les premiers sur l'armée acharite de Borneheld !

Axis envisageait d'utiliser la Force de Frappe en reprenant la tactique qui avait si bien réussi face à Burdel, dans la chaîne des Fougères. Hélas, l'armée du roi comptait dans ses rangs un grand nombre de survivants du Ponton-de-Jervois qui avaient vu les Icarii à l'œuvre contre les Skraelings.

En conséquence, des sentinelles surveillaient en permanence le ciel. Et même si elles repéraient très tard les hommes-oiseaux, cela leur laissait le temps d'avertir leurs camarades. Aussitôt, ceux-ci se réfugiaient sous des boucliers, créant un mur d'acier infranchissable pour les flèches de leurs agresseurs.

Il y eut quand même des pertes, parce que certains soldats furent trop lents à réagir, ou positionnèrent mal leur bouclier. Mais l'attaque aérienne, au bout du compte, fut beaucoup moins dévastatrice que dans la chaîne des Fougères.

Jugeant inutile de modifier une stratégie gagnante, Borneheld avait organisé ses forces comme au Ponton-de-Jervois. La plupart de ses hommes avaient pris position dans des tranchées où les chevaux adverses se briseraient les jambes, livrant leurs cavaliers à la fureur des défenseurs. Bien qu'en infériorité numérique de quelque huit mille combattants, le roi d'Achar savait que l'agresseur, dans ce genre de conflit, souffrait toujours d'un net désavantage.

Relativement en sécurité dans sa tente de commandement au toit protégé par plusieurs couches de toile très épaisse, Borneheld étudiait une dernière fois les cartes d'état-major.

—Et les bateaux, Gautier? demanda-t-il à son second, sanglé comme lui dans une armure complète.

—Ils sont passés à Nordmuth très tard cette nuit, Sire. Pour l'heure, ils mouillent dans le fleuve, à mi-chemin du fort de Bedwyr. Comme convenu, ils attendent vos ordres.

—Les barges?

—Prêtes à prendre l'eau, Majesté. Axis mourra aujourd'hui avec la vermine qui le soutient.

—Je l'espère bien…, commença Borneheld. (Il s'interrompit et tendit l'oreille.) Qu'est-ce que c'est? On dirait de la grêle…

—C'est le bruit des flèches des Proscrits qui rebondissent sur nos boucliers, Sire.

Borneheld serra les poings et les brandit rageusement.

—Ainsi, nous y sommes! rugit-il.

Un intense soulagement l'envahit. Enfin, la rivalité qui l'opposait à son frère touchait à sa fin…

La bataille du fort de Bedwyr commença par l'attaque des Icarii et fit rage toute la journée. Des milliers d'hommes et de femmes luttèrent d'arrache-pied et perdirent la vie. Quand le soleil se coucha, la terre n'était plus qu'une boue rouge de sang.

Axis avait été déçu – mais pas vraiment surpris – par l'échec relatif de l'offensive icarii. Borneheld était un bien meilleur chef de guerre que Burdel. De plus, il avait vu la Force de Frappe en action dans le ciel du Ponton-de-Jervois.

Quand les hommes-oiseaux furent revenus vers leurs lignes, sans déplorer de pertes, à part un guerrier victime d'une crampe aux ailes et qui s'était écrasé dans les rangs ennemis, l'ancien Tranchant d'Acier lança sa cavalerie à l'assaut. Certain que Borneheld avait prévu quantité de pièges, il ordonna à ses hommes de ne pas trop s'enfoncer dans les lignes de tranchées. Quant aux chevaliers en armure lourde d'Ysgryff, il les garda en réserve, prêts à intervenir si les soldats de Borneheld tentaient de quitter leurs trous à rats.

En principe, il aurait dû opter pour une attaque massive sur les premières tranchées. Obligés d'affronter les cavaliers, les fantassins et les Icarii, les guerriers ennemis auraient inévitablement fini par se découvrir.

Pour limiter ses pertes, Axis utilisa la tactique qui lui avait si bien réussi dans les plaines du Chien Sauvage : des offensives terrestres et aériennes très ciblées contre les points faibles adverses – d'autant plus faciles à repérer que son aigle continuait à survoler les défenses de Borneheld.

Quand il eut sélectionné les sites, neuf pour commencer, l'ancien Tranchant d'Acier envoya d'abord des archers montés protégés par une ou deux Crêtes de la Force de Frappe. Les hommes d'Azhure et ceux de Ho'Demi, travaillant avec les Icarii, arrosèrent de flèches ces positions, qui furent aussitôt transformées en « tortues » d'acier par les défenseurs.

L'instant idéal pour une attaque des fantassins armés de lances ou de piques. Et pour que les Alahunts entrent dans la danse.

Azhure avait ordonné à ses chiens de s'en prendre en priorité aux officiers. Par groupes de trois ou quatre, ils sautèrent dans les tranchées et égorgèrent tous les gradés qui leur tombaient sous les crocs. Comme prévu, cette façon de faire déconcerta les soldats, déjà troublés par les aboiements enragés des molosses. Lâchant leur bouclier, des dizaines d'hommes dégainèrent leur épée pour repousser les chiens. Ce faisant, ils s'exposèrent aux projectiles qui pleuvaient du ciel et offrirent leur dos aux coups des piquiers et des archers.

Chaque fois, les Alahunts parvinrent à sortir des tranchées avant qu'une averse de flèches y sème la mort. Du coup, aucun ne récolta la moindre égratignure.

Une chance démoniaque semblait veiller sur eux!

Bien que la méthode choisie par son demi-frère fût plutôt lente et assez peu spectaculaire, Borneheld dut très vite se rendre à l'évidence: en quelques heures, ses premières tranchées étaient déjà submergées. Encore un jour, peut-être deux, et tout son système de défense serait balayé…

—Nous ne pouvons rien contre les attaques combinées, marmonna-t-il. Le bâtard nous harcèle par le haut et au niveau du sol! Bon sang, pourquoi n'a-t-il pas lancé une offensive générale?

La réponse était évidente. Désireux de l'emporter, Axis n'avait aucune intention de se jeter dans un piège!

—Nous n'avons plus le choix, continua le roi d'Achar. Puisque Axis refuse de venir à nous, c'est nous qui irons à lui! Je veux que cette affaire soit terminée aujourd'hui… Gautier, fais circuler cet ordre: tout le monde en selle! La bataille se décidera dans les plaines de Tare!

—Et les Icarii? demanda l'officier, si troublé qu'il en appelait les « Proscrits » par leur véritable nom.

—Ils seront dangereux pendant la première partie de la charge, répondit Borneheld en mettant son heaume. Dès que nous serons au contact avec les forces d'Axis, ils cesseront de tirer afin de ne pas toucher leurs alliés. Gautier, l'heure de vérité a sonné! Une mêlée générale, et les derniers qui resteront debout auront gagné! Au fait, où en sont tes réserves?

—Elles sont prêtes à passer à l'action, Sire.

—Dans ce cas, nous gagnerons peut-être… Envoie un message aux bateaux coroléiens. Qu'ils approchent du fort de Bedwyr. Mais pas trop surtout! Je veux qu'ils débarquent leurs hommes derrière les lignes d'Axis!

—À vos ordres, Majesté!

Comme Borneheld l'avait prévu, la mêlée fut féroce.

Quatre heures durant, les deux armées s'affrontèrent au corps à corps – la plus grande bataille à laquelle tous ces soldats avaient jamais participé!

Cinquante-cinq mille hommes et femmes, tous résolus à faire triompher leur camp… Dans le feu de l'action, ces guerriers perdirent tout sens du temps et de l'espace. Une seule réalité existait encore: tuer ou être tué!

Arne deux pas derrière lui, la bannière couleur or fièrement brandie, Axis ne s'éloigna pas une seconde de la première ligne. Combattant souvent auprès de soldats dont il ignorait le nom, il se retrouva parfois à côté d'Ysgryff, magnifique sur son destrier, et à d'autres occasions près de Ho'Demi, tout aussi redoutable malgré l'allure un rien ridicule de son cheval. Il aperçut aussi Belial et Magariz, transfigurés par la concentration et la volonté de triompher.

Tous les soldats, y compris leur chef, saignaient de diverses coupures.

Au bout d'un moment, Axis lâcha les rênes de Belaguez. Dirigeant l'étalon avec ses genoux, en donnant de la voix et parfois en communiquant mentalement avec lui, il mania son épée à deux mains, frappa de droite à gauche et laissa à Arne la responsabilité de couvrir ses arrières.

Soucieux de la sécurité de l'Homme Étoile, Œil Perçant avait chargé deux Ailes de le surveiller en permanence.

Les archers montés d'Azhure changeaient sans cesse de position, intervenant aux endroits où on avait le plus besoin d'eux. Dans un coin de sa tête, Axis sentait l'excitation de sa compagne, gagnée par la fièvre du sang. Certain qu'elle était assez compétente pour savoir ce qu'elle faisait, il parvint à ne pas trop s'inquiéter pour elle…

Bien qu'il aperçût plusieurs fois la bannière de Borneheld, il ne tenta pas de se frayer un chemin jusqu'à son demi-frère. Car leur confrontation finale n'aurait pas lieu sur ce champ de bataille.

Malgré le déséquilibre des forces en faveur des «rebelles», aucun camp ne parvenait à prendre l'avantage. Fatigués après des mois de voyage, les soldats d'Axis affrontaient des adversaires parfaitement reposés, et cela égalisait les chances.

Vers le milieu de l'après-midi, tous les muscles douloureux, Axis se demanda depuis combien de temps il se battait. Jetant un coup d'œil à la position du soleil, pour estimer l'heure, il faillit payer sa curiosité de sa vie. S'abattant sur sa gauche, une épée l'aurait proprement décapité sans l'intervention d'Arne, qui dévia le coup de justesse, puis trancha au ras de l'épaule le bras du Coroléien qui avait osé s'attaquer à son chef.

Alors qu'il reprenait son souffle, Axis s'avisa qu'il ne savait rien du déroulement de la bataille au-delà d'un cercle de trente ou quarante pas de rayon dont il était le centre. Il fallait qu'il en apprenne plus!

—Arne, couvre-moi! cria-t-il.

Puis ses yeux se voilèrent, et il recommença à regarder à travers ceux de l'aigle.

Ce qu'il découvrit lui donna envie de vomir. Des soldats gisaient partout, morts ou agonisants. Des milliers de cadavres des deux camps, éventrés, égorgés, décapités, coupés en deux… Les chevaux aussi, le plus souvent éviscérés par des piques, avaient payé un lourd tribut…

Au milieu du carnage, Axis repéra enfin Azhure. Sicarius courant derrière Venator, elle conduisait une compagnie d'archers au cœur de la bataille. Visiblement épuisée, elle ne semblait pas blessée.

Sois forte, Azhure! pensa-t-il à son attention. *Et ne t'expose pas trop.*

L'archère parut désorientée quand elle entendit ces mots résonner sous son crâne. Aussitôt, Axis se maudit d'avoir été si stupide. Comment avait-il pu la déconcentrer, au risque qu'elle se fasse tuer?

Ce qu'il vit ensuite le rassura. Alors qu'une flèche jaillissait de Perce-Sang, Sicarius sauta à la gorge d'un fantassin qui tentait de lancer sa pique sur la jeune femme.

Étudiant de nouveau le champ de bataille, Axis estima que les pertes de Borneheld étaient plus lourdes que les siennes. En outre, sa bannière lui parut s'être éloignée, comme si le roi d'Achar était contraint de battre en retraite.

Vais-je l'emporter ? se demanda l'Envoûteur. *Dans une heure ou deux, cette absurde et sanglante guerre civile sera-t-elle terminée ?*

Mais l'aigle s'écarta un peu du théâtre des opérations et révéla à son maître un spectacle qui lui glaça les sangs.

Les huit gros navires coroléiens voguaient vers le fort de Bedwyr. Au minimum, ils transportaient quatre ou cinq mille soldats qui inverseraient le cours de la bataille. Alors que ses hommes guerroyaient depuis près de neuf heures, certains succombant déjà à cause de la fatigue, comment pourraient-ils faire face à un afflux de guerriers frais et dispos ?

— Que les Étoiles aient pitié de nous…, murmura Axis.

Inquiet, Arne le regarda fixement.

Un autre mouvement, sur le fleuve, attira l'attention d'Axis. Devant les gros navires, des barges chargées de soldats contournaient la berge sud du lac Graal pour prendre l'armée rebelle à revers. Une quinzaine d'embarcations, chacune chargée de quelque deux cent cinquante hommes. Soit largement assez pour renforcer les zones où les défenses de Borneheld faiblissaient.

Azhure ! Ho'Demi ! appela Axis.

Les deux seuls officiers avec lesquels il pouvait converser par la pensée…

Regardez le fleuve, au nord, et repoussez ces renforts avant qu'ils soient en position d'intervenir !

L'archère et le chasseur rallièrent leurs hommes et foncèrent vers la berge où les guerriers ennemis commençaient déjà à débarquer. Sûr que ça ne suffirait pas, Axis chercha à localiser la Force de Frappe. Depuis le début du combat, les hommes-oiseaux survolaient sans relâche le terrain et faisaient de leur mieux pour être utiles.

Quand il eut repéré Œil Perçant, Axis ordonna à l'aigle d'aller voler à côté de lui.

—Danger au nord! cria le magnifique rapace blanc avec la voix de l'ancien Tranchant d'Acier.

Aussitôt, Œil Perçant envoya cinq Crêtes à la rescousse d'Azhure et de Ho'Demi.

Nous arrêterons les barges, pensa Axis, accablé, *mais que faire au sujet des huit navires? S'ils parviennent à débarquer leurs troupes, nous sommes fichus!*

Malgré les lames qui sifflaient tout autour de lui, l'Envoûteur continua à suivre la bataille à travers les yeux de l'aigle. Arne lui éviterait de finir embroché, il en était certain. Et de toute façon, il devait voir ce qui se passait, car l'arrivée des huit bateaux risquait de mettre un terme à tous ses espoirs… et de condamner à mort la Prophétie.

Couvert de coupures mais pas gravement blessé, Borneheld regardait les navires avec une inquiétude grandissante. Pourquoi approchaient-ils autant du fort de Bedwyr? Leurs ordres étaient pourtant clairs: décharger leurs soldats au sud afin de pouvoir prendre l'ennemi en tenailles quand ceux qui descendaient des barges, au nord, attaqueraient!

—Par Artor, on dirait que ces crétins pensent à nous attaquer, au lieu de fondre sur Axis! (Une terrible prémonition glaça les sangs du monarque.) Encore une trahison? L'empereur aurait-il décidé d'oublier nos accords et de se retourner contre moi?

Au sud, les navires venaient de jeter l'ancre, et des rampes de débarquement sortaient déjà de leurs flancs. Peu après, des centaines d'hommes les dévalèrent et foncèrent en hurlant… vers la bannière de Borneheld!

Une horde de pirates au teint sombre qui agitaient leurs cimeterres en hurlant à la mort.

—Ignobles félons! rugit le roi.

—Sire, cria Gautier en le tirant par l'épaule, on nous a trahis, et votre vie est en danger! Une barge attend non loin d'ici. Nous devons nous réfugier à Carlon!

—Quoi? rugit Borneheld. Quitter le champ de bataille?

— Tout est fini pour nous! lança Jorge en accourant. Si vous voulez vivre, fuyez sur-le-champ! Je resterai pour commander nos forces, et nous lutterons jusqu'au dernier, si vous nous l'ordonnez.

Borneheld n'hésita pas longtemps, car les cris de guerre des pirates semblaient de plus en plus proches.

Talonnant sa monture, il s'éloigna à la vitesse du vent des lieux maudits de sa déconfiture…

Axis suivit tous ces événements à travers les yeux de l'aigle.

Azhure, Ho'Demi, Borneheld fonce vers une barge, pour fuir vers Carlon. Il faut qu'on le laisse passer! Je veux qu'il regagne le palais. Vous m'entendez, il est vital qu'il s'en sorte vivant!

À l'instant où Axis capta les réponses positives de ses officiers, l'aigle cria le même ordre aux Crêtes qui survolaient la partie nord du champ de bataille.

— Laissez fuir Borneheld! Il est vital qu'il en réchappe!

Alors que les pirates se jetaient dans la mêlée, Axis se tourna pour accueillir le baron Ysgryff, qui chevauchait avec son heaume sous le bras et souriait jusqu'aux oreilles.

— As-tu aimé ma petite surprise, seigneur Soleil Levant?

Riant de bonheur, Axis talonna Belaguez, rejoignit Ysgryff, le prit par le col de sa tunique, qui dépassait de son armure, et lui donna l'accolade.

— Pour ça, baron, dit-il, je ferai un prince de toi! (Lâchant son ami, il se tourna vers les braves qui continuaient à se battre.) Ce jour est celui de ma victoire, mes compagnons! Tencendor est à moi!

Tout fut fini en une heure. Démoralisés par la fuite de Borneheld, ses soldats perdirent toute combativité. Alors que le soleil se couchait, irisant de reflets les eaux du fleuve, Jorge vint annoncer à Axis la reddition des forces qu'il commandait.

Regardant autour de lui, le vieux guerrier sembla remarquer pour la première fois les cadavres qui jonchaient le sol.

Un gaspillage de vies, pensa-t-il, désespéré. *Ce massacre aurait-il été évité si Roland et moi avions eu le courage de suivre Axis, au fort de Gorken ? Sans nos conseils et notre expérience, Borneheld n'aurait peut-être jamais réussi à lever une armée pour s'opposer à Axis…*

—Il se serait quand même battu, dit l'Envoûteur.

Jorge leva les yeux et vit que l'ivresse de la victoire s'était déjà dissipée chez le demi-frère de Borneheld. Épuisé, mortellement triste, Axis Soleil Levant pleurait ses morts et peut-être aussi ceux de l'autre camp…

—Jorge, dit-il en posant une main sur l'épaule du vieil homme, où Borneheld détient-il ta famille ?

Le vétéran donna le nom d'un village, au nord de Carlon.

—Œil Perçant, peux-tu venir par ici ? appela Axis. (L'Icarii accourut.) Il faudrait envoyer tes deux Ailes de réserve libérer les proches du comte Jorge.

Œil Perçant écouta attentivement les indications du vieux guerrier puis s'en fut au pas de course.

—Bienvenue en Tencendor, Jorge, dit Axis.

Le vieil homme hocha tristement la tête. Dans le nouveau monde qui venait de naître, il doutait d'avoir un rôle très important à jouer…

54

Après la victoire...

Les quelques heures suivantes furent chaotiques. Après avoir accepté la reddition de l'armée de Borneheld, et donc de son royaume, Axis s'empressa de faire monter à bord des huit navires autant de Coroléiens survivants que possible. Détenir des milliers de prisonniers ne lui disait rien, et l'empereur saurait bien que faire de ses guerriers en déroute.

Il demanda qu'on lui amène un officier et lui tint un discours bref mais sans ambiguïté.

— Dis à l'empereur, à l'ambassadeur, ou à la première catin que tu croiseras en Coroleas que le traité signé entre Borneheld et l'empire est nul et non avenu. Je n'honorerai pas les imbéciles engagements de mon frère. Rentrez tous chez vous, surtout! Je ne vous veux aucun mal, à condition que vous quittiez mon royaume.

«Mon royaume...» Comme il était étrange – et pourtant facile – d'accoler ces deux mots...

— Puis-je dire à mon empereur que vous recevrez son ambassadeur quand... les choses seront rentrées dans l'ordre? demanda le capitaine coroléien.

— Pourquoi pas, s'il se met bien dans la tête que les dettes de Borneheld ne sont pas les miennes...

— J'insisterai sur ce point, dit l'officier.

Après un bref salut, il se détourna et avança péniblement vers une rampe d'embarquement. Des centaines de ses hommes étaient morts pour une querelle qui ne les concernait pas. À présent, il n'aspirait plus qu'à rentrer chez lui...

Axis se retourna et s'appuya un court moment sur l'épaule de Belial.

— Mon ami, puis-je te laisser organiser les bûchers funéraires ? Je sais que c'est une tâche ingrate, mais il faut en passer par là, et le plus vite sera le mieux !

Axis fit signe au jeune soldat qui tenait Belaguez par la bride. Dès qu'il lui eut amené son étalon, il sauta en selle et traversa lentement le champ de bataille. S'arrêtant de temps en temps pour lancer quelques encouragements à des blessés, il aperçut Arne, très loin de là, occupé à désigner des gardes pour les milliers de prisonniers acharites.

Que vais-je faire d'eux ? se demanda Axis. *Ce pays est aussi le leur, et la plupart sont des braves types qui ont combattu sans le vouloir dans le mauvais camp…*

À mesure qu'il avança, Axis sombra dans une tristesse qui lui serrait le cœur comme un étau. Certains soldats empilaient déjà les cadavres, et il y en avait un nombre invraisemblable. Combien de milliers, exactement ?

Et où était Azhure ? Trop épuisé, il ne parvenait plus à la localiser mentalement. Quant à l'aigle, il était allé se percher pour la nuit…

Alors que la pénombre s'épaississait, l'Envoûteur continua à sillonner le champ de bataille. Personne ne semblant avoir vu Azhure, il retourna au camp où ils avaient passé la nuit.

Devant un petit feu, il aperçut Rivkah, Caelum endormi dans ses bras.

— Tu as vu Azhure ? demanda-t-il en mettant pied à terre.

Sa mère désigna une silhouette enveloppée dans une couverture, à ses pieds. Axis s'agenouilla et dégagea le visage de l'archère. Plus pâle encore que d'habitude, les yeux cernés, elle dormait comme un enfant.

— Elle va bien, mère ?

Rivkah réfléchit un court moment. Devait-elle parler de la grossesse d'Azhure ?

Une heure plus tôt, l'archère était entrée dans le camp pour venir s'écrouler aux pieds de la princesse. Avec l'aide d'un

566

soldat, elle avait pu lui retirer sa cotte de mailles et l'installer à peu près confortablement. Tout au long de l'opération, la jeune femme n'avait pas ouvert un œil.

Pour elle, cette grossesse était bien plus pénible que la première. Et dans un tel état de fatigue, elle risquait de perdre le bébé…

— Elle est épuisée, rien de plus, si j'ose dire… Avec du sommeil, tout devrait s'arranger…

Axis s'assit et prit Caelum.

— Il n'a pas dormi de la journée, annonça Rivkah. Je ne l'ai jamais vu si agité. Axis, il savait que ses parents combattaient, et il a semblé deviner que l'issue était incertaine. Jusqu'à l'arrivée d'Azhure, il n'a pas voulu manger, et je ne réussissais pas à le calmer… (Elle hésita, un peu gênée.) Et… Magariz ? Il va bien ?

— J'ignore s'il est vivant ou mort, mère, et je n'en sais pas plus au sujet de mes autres officiers et soldats. Désolé, mais tu devras te contenter de cette réponse.

Un serviteur accourut pour aider son seigneur à retirer son armure. Reconnaissant, Axis rendit Caelum à Rivkah et se laissa faire. Puis il déchira sa tunique gorgée de sang et la jeta au loin.

Rivkah ne fit pas de commentaires sur les coupures qui zébraient le dos et la poitrine de son fils. Des plaies spectaculaires mais bénignes qui guériraient très vite…

— Dors, Axis, je veillerai sur toi… Si tu ne prends pas un peu de repos, tu ne feras rien de bon.

Le vainqueur du fort de Bedwyr s'enveloppa dans une couverture et s'étendit auprès de sa compagne.

— Deux heures, pas plus…, marmonna-t-il. Après, réveille-moi !

La confusion régnait dans les rues de Carlon et au sein du palais. Informés de la défaite du roi, des centaines de citadins silencieux, massés sur la grand-place, le regardèrent franchir les portes de la ville avec Gautier et une poignée d'hommes, puis exiger aussitôt qu'on les referme.

Une vingtaine de soldats et leur roi comme seule défense ? se demandèrent les Carlonites. À l'évidence, la capitale était perdue, et le royaume avec…

La plupart des courtisans abandonnèrent le palais pour se réfugier dans de confortables mais discrètes demeures. Désormais, la cour de Borneheld était le dernier endroit où ils désiraient être vus.

À quoi ressemblerait celle d'Axis ? Y aurait-il une place pour eux ? Sans aucun doute… Tous les rois, qu'ils fussent des imposteurs ou non, avaient besoin d'un entourage habile à les flagorner.

Quand le roi fut passé, tous les regards, sur les remparts, se tournèrent de nouveau vers le champ de bataille où les soldats, s'éclairant avec des torches, creusaient des fosses pour les bûchers funéraires. À Carlon, presque tout le monde avait perdu un fils, un père, un frère ou un époux. Dans les deux camps, d'ailleurs, puisque beaucoup d'enfants de la cité avaient combattu sous la bannière d'Axis.

Dans ces conditions, l'humeur était plus à la tristesse et à la résignation qu'à l'angoisse ou à la colère. Comme Axis lui-même, un grand nombre de Carlonites regrettaient que cette bataille n'ait pas pu être évitée. Avec un peu de bonne volonté, les deux frères auraient dû trouver un compromis… À présent, Borneheld avait tout perdu, car la capitale n'était pas conçue pour résister longtemps à un siège. Elle disposait de murs d'enceinte, bien entendu, mais il n'y avait pas l'ombre d'une milice pour défendre les remparts, et les réserves de nourriture suffisaient à peine pour quelques jours. Carlon était une cité commerciale où il convenait de s'amuser, de s'enrichir, de comploter et de se débaucher. Un monde très éloigné des dures réalités militaires qui venaient de le rattraper…

Peu enclin à la résignation, Jayme était hors de lui.

— Tu as perdu le royaume et condamné à mort l'ordre du Sénéchal ! cria-t-il à Borneheld, qui n'avait même pas pris la peine de passer une tenue propre.

Mort saoul, le roi d'Achar se laissa tomber sur son trône. Ses ambitions et ses rêves, définitivement ruinés ? Comment était-ce possible ?

La bouteille vide qu'il brandissait fendit l'air en direction de Jayme, qui parvint de justesse à l'éviter.

—Tout est fichu…, gémit le frère-maître. Mille ans d'efforts réduits à néant…

—J'ai entendu dire que tu avais perdu…, souffla une voix féminine dans l'encadrement de la porte.

Faraday avança lentement dans le hall des Lunes. Borneheld tourna la tête vers sa reine et la trouva resplendissante dans sa robe de soie émeraude. Portant un chignon raffiné, elle était parée de tous ses bijoux, comme si elle s'apprêtait à aller festoyer.

—Tu n'as pas l'air bien, mon époux, dit-elle. Veux-tu que j'envoie chercher un médecin ? Pourvu que tu n'aies pas contracté la même affection que Priam…

Borneheld se fendit d'un rictus – le mieux qu'il pouvait faire, dans son état.

—Axis a encore recouru à la trahison, souffla-t-il. C'est sa façon de faire… J'ai perdu mon royaume à cause d'une félonie de trop, voilà tout. À présent, il ne me reste rien…

—Si tu as perdu ton royaume, dit Faraday, pleine de mépris pour l'épave vautrée sur le trône, c'est parce que tu n'aurais jamais dû porter la couronne. Dans combien de temps Axis te la prendra-t-il, Borneheld ?

Le souverain se pencha sur son trône… et faillit basculer en avant, tant il était ivre.

—Catin ! Jusqu'à quel point es-tu complice de ceux qui m'ont trahi ? Combien d'hommes as-tu attirés dans ton lit pour les convaincre de se retourner contre moi ? Et depuis quand couches-tu avec le bâtard ?

—Contrairement à toi, je suis restée fidèle à mes vœux, lâcha Faraday. (Sans attendre de réponse, elle se tourna vers le frère-maître :) Vous n'êtes plus qu'un vieillard pitoyable, Jayme. Aujourd'hui, votre dieu et vous êtes vaincus au moins autant que Borneheld ! Savez-vous que j'ai cru ardemment en Artor ? Puis j'ai connu la Prophétie, et découvert d'autres divinités. Désormais, Artor compte autant pour moi que ma loque humaine de mari !

Elle fit volte-face et se dirigea vers la porte.

Tremblant de tous ses membres, Jayme chercha Moryson du regard. Mais son premier assistant, comme Gilbert, s'était volatilisé dès l'annonce de la défaite.

—Moryson ? gémit le vieil homme. Mon vieil ami ? (Par Artor, pourquoi son fidèle compagnon n'était-il pas là ?) Qu'allons-nous faire ?… Mais pourquoi dire « nous » ? Me voilà seul avec le crétin aviné qui va finir par s'endormir sur le trône d'Achar !

Borneheld eut un sourire d'ivrogne.

—Ce que nous allons faire, frère-maître ? Boire un autre petit coup, très cher ! Vous devriez trouver une bouteille pleine dans cette armoire, là-bas…

Dès qu'elle fut sortie du hall des Lunes, l'assurance de façade de Faraday disparut. Elle ne se faisait pas d'illusions sur la suite… D'une façon ou d'une autre, Axis viendrait défier Borneheld dans la salle du trône, où se réaliserait l'abominable vision que lui avaient montrée les arbres du bois de la Muette, deux ans plus tôt…

Et même si elle voulait se convaincre que l'Homme Étoile serait vainqueur, elle revoyait sans cesse son sang jaillir pour venir couler entre ses seins.

—Gagne, Axis…, murmura-t-elle. Oui, gagne !

Jusqu'au milieu de la nuit, torturée par l'angoisse, Rivkah veilla sur le sommeil d'Azhure, de Caelum et d'Axis. Quelques heures avant l'aube, elle se détendit enfin en voyant Magariz avancer dans le cercle de lumière projeté par les flammes.

Se levant d'un bond, elle courut le prendre dans ses bras.

Aussi épuisé et déprimé qu'Axis, le vétéran se dégagea puis se laissa tomber à côté du feu. Pendant que la princesse lui retirait son armure, il lui raconta la bataille… et s'endormit au milieu d'une phrase.

Rivkah l'étendit sur le sol et l'enveloppa dans une couverture.

Alors qu'elle se relevait, elle aperçut une grande Norienne en robe rouge debout près du feu.

—Belial ? murmura-t-elle.

—Je n'ai pas de nouvelles de lui…, répondit Rivkah.

—Ah…

La jeune femme se détourna et s'éloigna.

Se rasseyant près du feu pour surveiller sa petite colonie de dormeurs, Rivkah médita sur la façon dont tournaient le monde et la guerre. Le plus souvent, les hommes croisaient le fer et les femmes les attendaient en pleurant. Lasse de ne jamais avoir ce qu'elle voulait, la mère d'Axis était résolue à ne plus laisser l'amour et la vie lui couler entre les doigts. La fin de son existence, avait-elle décidé, serait plus heureuse que sa première moitié. Cette fois, personne, même pas son fils, ne la séparerait de l'homme qu'elle aimait.

Elle finit par réveiller Axis, un peu plus tard que prévu, mais il sombra de nouveau dans le sommeil, et elle décida de le laisser en paix jusqu'à l'aube. De toute façon, en pleine nuit, qu'aurait-il pu faire ?

Une heure après l'aube, Axis, Azhure et Magariz se réchauffaient les mains autour du feu en silence. Les yeux toujours cernés, ils n'étaient pas encore en pleine forme, mais déjà beaucoup plus vifs que lors de leur arrivée.

La grossesse d'Azhure semblait sauvée, mais il s'en était fallu de peu. Quelques heures de combat supplémentaires, et…

—Aujourd'hui, tu ne bougeras pas d'ici, Azhure, dit Axis, également inquiet pour l'archère. Dans ton état de fatigue, tu ne seras utile à personne – et même pas à notre fils, si tu ne dors pas un peu !

Azhure ne protesta pas. Une preuve s'il en fallait qu'elle

était à bout de forces… et soucieuse de préserver la graine qui poussait dans son ventre.

La veille, au plus fort de la bataille, elle s'était demandé si elle reverrait jamais Caelum. Aujourd'hui, elle n'avait aucune envie de s'éloigner de lui…

—Alors, Axis, par où allons-nous commencer ? demanda soudain Magariz.

—Eh bien, par nous lever, mon ami, et marcher, si nos jambes consentent à nous porter. Ensuite, nous verrons bien ! Allons, courage !

Axis se redressa et aida le vétéran à se remettre debout.

—Hier soir, Rivkah s'est inquiétée pour toi, dit-il. Je suis content pour elle que tu t'en sois tiré, mon ami. Et pour moi aussi, évidemment…

Une déclaration apparemment banale, mais pleine de sous-entendus.

—Eh bien, je suis très content pour moi ! plaisanta Magariz.

—Allons-y, dit Axis, souriant. Voyons un peu quel genre de victoire nous avons remporté…

Deux heures plus tard, il arriva à la conclusion déprimante qu'un « triomphe » de ce type valait à peine mieux que certaines défaites. Les pertes étaient énormes, sauf pour la Force de Frappe, qui déplorait seulement trois morts et quelques blessés. Le visage décomposé sous ses tatouages, Ho'Demi avait annoncé à son chef que près de quinze cents chasseurs étaient tombés devant le fort de Bedwyr.

—Mille morts…, lâcha sombrement Ysgryff quand Axis l'interrogea du regard. Et quelque trois mille chevaux…

—Et les pirates ?

—Tous indemnes, grogna le baron. Ces forbans sont bénis des dieux, Axis ! En outre, ils se sont jetés tard dans la mêlée, face à des adversaires déjà fatigués…

—Et où sont-ils ?

—Sur les berges du fleuve, attendant les bateaux qui les ramèneront chez eux…

— Ysgryff, je ne te remercierai jamais assez! Si tes pirates n'avaient pas attaqué les navires coroléiens, puis débarqué à la place des renforts attendus par Borneheld…

— Nous compterions nos morts pour passer le temps en attendant de les rejoindre, acheva le baron. Comme tous les Noriens, les pirates sont prêts à se battre pour la Prophétie dès qu'on le leur demande!

Axis tourna la tête vers les plaines de Tare. Dans la nuit, tous les corps avaient été brûlés. Mais la terre gardait une étrange teinte rose…

— La Prophétie semble avoir des fidèles là où on s'y attendrait le moins, dit Axis. Nor et les pirates comptent parmi les plus glorieux…

Il s'interrompit et sourit faiblement à Belial, qui approchait du petit groupe d'officiers.

— T'es-tu un peu reposé, mon ami?

— Deux ou trois heures, oui… Mais ça suffira…

— Combien de morts chez nous?

Belial comprit que son chef parlait des combattants «ordinaires», qu'ils fussent d'anciens Haches de Guerre, des hommes de Magariz ou des nouvelles recrues.

— Onze cents, Axis. Essentiellement des soldats inexpérimentés venus nous rejoindre à Sigholt. Plus quelques miliciens d'Arcen et une centaine de nos plus vieux frères d'armes. Avec quelques-uns de nos meilleurs amis dans le lot…

Accablé, Axis baissa les yeux.

— En tout, continua Belial, nous avons perdu quatre mille hommes. Borneheld, lui, a laissé huit mille soldats sur le champ de bataille… Axis, souviens-toi du fort de Gorken! Sept mille morts, et ça ne nous a pas empêchés de continuer…

— Oui, oui, nous continuerons…, soupira Axis. Mais ce fut un massacre inutile, mon ami, et je pleure tous les Acharites qui sont tombés pour défendre Borneheld… Leur fin me brise presque autant le cœur que celle de nos partisans.

— Tes guerriers ont péri en sachant que tu te souciais d'eux, Axis! Ce n'est pas rien… De plus, nous allons pouvoir les remplacer en puisant dans des réserves… eh bien… des plus surprenantes.

Belial fit signe à un soldat d'approcher. Vêtu d'un uniforme de l'armée régulière couvert de sang, l'homme boitait légèrement.

— Lieutenant Bradoke, seigneur, annonça-t-il d'un ton assuré mais respectueux. Parmi les prisonniers, je suis le plus haut gradé… Seigneur Axis, nous avons combattu avec Borneheld parce que notre serment nous liait au roi d'Achar. Mais le voir fuir le champ de bataille, hier, nous a révoltés. Depuis des semaines, autour du feu de camp, nous parlions beaucoup de la Prophétie. Hier, tard dans la nuit, nous sommes arrivés à une décision… Je sais que nous sommes à votre merci, mais nous demandons la liberté de choisir notre destin.

— Et que dois-je comprendre par là ?

— Nous voulons combattre pour la Prophétie, seigneur, et nous rallier à votre bannière. (Voyant qu'Axis allait émettre une objection, Bradoke se hâta d'enchaîner :) Axis, je vous ai vu pleurer chaque soldat qui a donné sa vie pour vous. Borneheld n'aurait jamais fait cela, nous le savons. Voilà pourquoi nous voulons nous ranger à vos côtés !

Axis consulta du regard Belial, qui hocha simplement la tête.

Bradoke semblait sincère, mais jusqu'où pouvait-on lui faire confiance ?

Ai-je un autre choix ? pensa Axis. *Je n'ai pas assez d'hommes pour surveiller des milliers de prisonniers, et il me faudra des renforts pour affronter Gorgrael…*

— Pour les détails, arrange-toi avec Belial, dit-il au lieutenant. Combien d'hommes as-tu sous tes ordres ?

— Sept mille, seigneur…

— Par les Étoiles, comment nourrirons-nous toutes ces bouches ?

— Ne t'en fais pas, Axis ! lança Ysgryff en flanquant une bourrade à son ami. Carlon sera bientôt à toi, et nous y trouverons sans doute des vivres. En outre, des vaisseaux d'approvisionnement noriens remontent le fleuve à la minute où nous parlons.

— Bon sang, baron, soupira Axis, je me demande si je ne devrais pas te confier le royaume…

— Tu me vois avec une couronne sur ma grosse tête, très cher ? De plus, comme Ho'Demi, je suis un serviteur fidèle et zélé de l'Homme Étoile…

Ce jour-là, Axis se donna seulement trois missions : faire transférer son poste de commandement au bord du lac Graal, s'assurer que tous ses hommes seraient convenablement nourris avant de se reposer, et aller en reconnaissance au pied de la tour du Sénéchal – ou plutôt, de Spiredore.

Après deux ans passés loin de ce bâtiment, il eut pourtant le sentiment de l'avoir quitté la veille. Trois décennies durant, il l'avait tenu pour son foyer – la demeure où vivait Jayme, l'homme qu'il aimait comme un père. Dévoué au Sénéchal, il avait cru que l'édifice était un témoignage de l'amour d'Artor pour le peuple d'Achar, dont l'ordre lui semblait alors l'ultime protecteur.

Aujourd'hui, il voyait la magnifique tour blanche sous un jour très différent. L'étincelante incarnation des mensonges du Sénéchal – un crime contre les Acharites – et un temple érigé à la gloire des contre-vérités dont avaient tant souffert les Enfants de l'Aile et ceux de la Corne.

Mais derrière l'illusion se dissimulait Spiredore, une des quatre antiques forteresses de Tencendor – et sans doute la plus investie de magie.

Désormais, Axis entendait libérer ce site sacré de ses geôliers.

Un long moment, il admira la bâtisse aux sept côtés qui brillait faiblement à la lueur du soleil couchant. Devant, les eaux argentées du lac Graal miroitaient joyeusement, comme si elles savaient que le calvaire de la tour – une fidèle compagne depuis des millénaires – allait enfin se terminer.

Quels secrets contiens-tu ? pensa Axis en approchant de Spiredore. *De quels mystères es-tu dépositaire ? Et que décou-*

vrirai-je quand j'aurai chassé le Sénéchal du temple qu'il s'est injustement approprié ?

Mais il y avait un problème plus urgent : la cohorte de Haches de Guerre qu'il avait lui-même chargée de défendre la tour ! Qu'allaient faire ces hommes ? S'ils choisissaient de se battre, les écraser serait facile, mais les vainqueurs auraient le cœur brisé…

Axis fit signe à son escorte de s'arrêter. Au petit trot, il avança jusqu'à Kenricke, le chef de la cohorte, s'arrêta à une dizaine de pas et le dévisagea.

De haute taille, très mince, ce vétéran aux cheveux grisonnants affichait une sérénité impressionnante. Un long moment, Axis garda les yeux baissés sur les deux haches croisées qu'il arborait sur la poitrine. Pendant des années, il avait lui-même arboré fièrement cet insigne. Aujourd'hui, il portait une tunique couleur or ornée d'un soleil rouge sang…

— Je te salue, Kenricke… Une longue séparation, mon ami…

L'officier soutint le regard de son ancien Tranchant d'Acier. Puis il le salua à la manière des Haches de Guerre, en se tapant du poing sur le cœur.

— Axis, je… Eh bien, je ne sais pas trop quel titre te donner, et ça m'embarrasse…

— Mon prénom ira très bien. En ce qui me concerne, c'est une des rares choses qui n'ont pas changé…

— Que fais-tu ici, Axis ? Pourquoi reviens-tu à la tour du Sénéchal ?

— Je veux rendre la vie au monde que l'ordre pensait avoir détruit. Spiredore, le véritable nom de la tour, en fait partie, et je viens la libérer de ses chaînes…

— Un bien long discours pour un objectif très simple, Axis. Tu vas chasser les frères de la tour, c'est ça ?

— Ce bon vieux Kenricke, toujours aussi direct ! Essaieras-tu de m'en empêcher ?

L'officier regarda longuement son ancien supérieur. Puis

il éperonna son cheval tout en dégainant la hache glissée à sa ceinture.

Axis se tendit mais n'esquissa pas un geste. Lorsqu'il avait intégré les Haches de Guerre, encore adolescent, Kenricke avait été son premier instructeur. Cet homme-là ne l'abattrait pas ainsi…

Quand son étalon arriva au niveau de Belaguez, Kenricke fit tourner la hache dans sa main, la prit par le tranchant et la présenta à Axis.

—Voilà mon arme, et avec elle, je te remets le commandement de ma cohorte. Depuis ton départ, nous broyons du noir en attendant ton retour. Prends ma hache, Axis, et accepte ma loyauté.

L'importance de cet instant ne pouvait pas échapper à un ancien Tranchant d'Acier. Kenricke venait de mettre un point final à mille ans d'une glorieuse saga militaire.

—J'accepte ton arme, ta reddition et ta loyauté, mon ami! Bienvenue parmi nous! Belial t'attend dans notre camp, et vous vous chargerez ensemble des détails pratiques. Kenricke, vous devrez tous renoncer à vos haches. Dans notre nouveau pays, il n'y a pas de place pour ces armes.

—Je comprends…

L'Envoûteur leva les yeux vers Spiredore.

—Jayme est là?

—Tu veux rire? Il y a un bon moment que le frère-maître, ses assistants et tous les frères de quelque importance se sont réfugiés à Carlon. Dans la tour, il reste une poignée de vieillards et de novices. Ils demandent simplement que tu les épargnes…

Axis réfléchit quelques instants.

—Puis-je parler à l'homme qui les représente?

Kenricke hocha la tête puis fit signe à un de ses soldats qui alla taper à l'une des portes de la tour. Elle s'ouvrit peu après, et un vieillard aux cheveux blancs jeta un coup d'œil dehors…

—Boroleas…, souffla Axis.

Alors que Kenricke lui avait tout appris sur les armes, c'était à ce vieillard qu'il devait presque tout le reste de son éducation.

— Boroleas, je viens réclamer Spiredore !

— Et moi, je t'implore de nous laisser la vie !

— Nous ne vous ferons pas de mal.

— Et tu nous accorderas la liberté ?

— Une escorte vous conduira jusqu'à Nordmuth, où vous embarquerez dans un navire en partance pour Coroleas.

— Et nos archives ? demanda le vieil homme.

— Ne tente pas d'abuser de ma bonne volonté, Boroleas ! Vous pouvez partir, mais sans rien emporter d'autre que vos affaires personnelles. Kenricke, veux-tu bien superviser l'évacuation des frères ?

L'officier acquiesça. Satisfait, Axis fit volter Belaguez. Spiredore était à lui, maintenant, et il ne tarderait pas à y revenir.

55

ÉTOILE DU MATIN

Trois jours après la bataille, des dizaines de tentes se dressaient sur la berge est du lac Graal. Certaines portaient les emblèmes des divers commandants de l'armée d'Axis. D'autres, plus nombreuses, arboraient fièrement une version plus petite de sa bannière au soleil rouge sang…

Partout, des hommes se reposaient sous les douces caresses du soleil d'automne. Oubliant Carlon pour un temps, Axis et ses soldats reconstituaient leurs forces. Des navires venus de Nor avaient réapprovisionné la troupe. Les Carlonites, déjà à court de vivres, durent se serrer la ceinture en regardant de loin les assiégeants se régaler de pain frais et de fruits délicieusement mûrs. Ils furent aussi obligés de voir les chasseurs de Ravensbund s'exercer à leur sport favori – un jeu de balle, mais à cheval, et avec des sortes de crosses pour marquer les buts – et de suivre dans le ciel les joyeuses évolutions des Icarii.

Cet après-midi-là, Axis rendit visite à son père et à sa grand-mère, qui partageaient une tente dans la zone nord du camp. Ensemble, ils étudièrent les livres que les deux Icarii avaient découverts dans les sous-sols de Spiredore.

Sur ordre d'Axis et de Vagabond des Étoiles, tous les textes mensongers de l'ordre avaient été brûlés. Mais Étoile du Matin et son fils avaient mis la main sur des centaines de documents en icarii conservés dans des armoires et des coffres fermés.

—Que faisait donc le Sénéchal de ces ouvrages ? s'étonna Étoile du Matin, les yeux baissés sur une de ses dernières trouvailles. Ne me dites pas que les frères les lisaient ?

— Je ne sais vraiment pas pourquoi ils gardaient ces livres, avoua Axis. D'ailleurs, ils ignoraient peut-être ce qu'ils signifiaient. En investissant Spiredore, ils les ont sans doute relégués dans les sous-sols, puis complètement oubliés!

— Axis, s'écria Vagabond des Étoiles, aussi surexcité que sa mère, nous pensions que ces textes étaient perdus à jamais! Et voilà que nous les retrouvons! Regarde, mère! (Il brandit un petit livre qu'il venait de sortir d'une caisse.) *L'Histoire des lacs…* Je pensais que cet ouvrage était un mythe!

Étoile du Matin cria de surprise, puis elle s'empara du livre.

— *L'Histoire des lacs*! Axis, merci d'avoir tant fait pour les Icarii!

Axis sourit. Maintenant que la plupart des sites sacrés étaient de nouveau accessibles, il découvrait chez sa grand-mère une nouvelle facette dont il n'avait jamais soupçonné l'existence. Le matin même, il l'avait vue plaisanter avec Azhure tandis que les deux femmes promenaient Caelum. Apparemment, l'Envoûteuse en avait fini de soupçonner la compagne de son petit-fils…

— Y a-t-il encore des trésors dans Spiredore? demanda-t-elle en posant le livre – à regret, mais elle aurait tout le temps de le dévorer plus tard.

— Non, répondit Vagabond des Étoiles. Nous avons retiré tout ce qui appartenait au Sénéchal pour en faire un feu de joie. Sous les lambris des murs, nous avons découvert des sculptures à même la pierre blanche. Axis, elles ressemblent beaucoup à celles qu'on voit autour du puits qui conduit au Monde Souterrain…

Axis se souvenait très bien de ces représentations de femmes et d'enfants qui dansaient en se tenant par la main. Brûlant d'impatience de découvrir celles de Spiredore, il attendait cependant qu'elles aient été restaurées.

— Vagabond des Étoiles, quand penses-tu pouvoir sanctifier de nouveau Spiredore?

— Demain soir, Axis. Ce sera une nuit de pleine lune, et la forteresse a un lien spécial avec l'astre nocturne.

— Eh bien, que fait cette fille dehors? demanda soudain Étoile du Matin.

Axis et son père se demandèrent de quoi elle parlait. Puis ils s'avisèrent qu'elle regardait à travers le rabat à demi ouvert de la tente.

— Imibe était censée veiller sur Caelum pendant qu'Azhure irait voir ses archers blessés, continua l'Envoûteuse. Et voilà qu'elle court voir son mari jouer à cet étrange jeu, comme tous les jours… Je devrais aller m'assurer que le petit dort bien…

— Je peux m'en occuper, proposa Axis. Je sais que tu as hâte de consulter ces livres, et passer du temps avec mon fils n'est jamais une corvée!

— C'est gentil, mais Vagabond des Étoiles voudrait te parler de la cérémonie de demain… Axis, j'ai des années devant moi pour lire ces textes. Et être avec Caelum n'est pas davantage une corvée pour moi!

Axis n'insista pas – une décision destinée à le hanter pendant longtemps. Que serait-il arrivé s'il avait quitté la tente, ce jour-là, pour aller surveiller son fils?

Étoile du Matin sourit aux deux Envoûteurs et sortit.

En route vers la Prophétie…

Dès qu'elle entra sous la tente d'Axis et d'Azhure, Étoile du Matin sentit que quelque chose n'allait pas. Dans un coin sombre, une silhouette encapuchonnée se penchait vers le lit de l'enfant comme si elle voulait le prendre dans ses bras.

— Qui êtes-vous? lança l'Envoûteuse.

Quand l'inconnu se retourna, elle gémit de terreur, puis ses mains volèrent vers sa gorge. Une onde de pouvoir l'enveloppant, elle tenta de résister, mais elle ne pouvait rien contre la Musique Sombre.

— Étoile Loup…, murmura-t-elle. Je me demande depuis si longtemps sous quel masque tu te dissimules…

— Bonjour, Étoile du Matin, dit l'Envoûteur-Serre.

Il avança, un sourire cruel sur le visage qui lui servait de déguisement. Puis cette façade se volatilisa, et Étoile du Matin vit les véritables traits de leur ennemi.

Le visage entouré d'une capuche sombre était d'une incroyable beauté. Étoile Loup avait les yeux violets caractéristiques de bien des Soleil Levant, mais sous sa chevelure couleur cuivre, l'effet était très différent. Tous ses traits vibraient littéralement de pouvoir. Une étrange magie, vraiment, qu'il avait sans doute ramenée de son voyage à travers le Portail des Étoiles.

Comment Axis pourra-t-il faire face à cela ? pensa l'Envoûteuse, paniquée, tandis qu'Étoile Loup se campait devant elle et lui prenait le menton entre le pouce et l'index.

— Quand il me trouvera, très chère, Axis devra bien se débrouiller…, dit-il. Mais ça n'est pas pour tout de suite, car j'ai encore du pain sur la planche sous mon déguisement actuel.

— Je ne dirai rien…, murmura Étoile du Matin.

— Allons, ma douce amie, comment pourrais-tu garder le secret ? Axis et Vagabond des Étoiles verraient au premier coup d'œil que tu leur caches quelque chose, et ils finiraient par te faire parler. Ma pauvre enfant, tu m'as vu sous mon apparence de tous les jours, et pour ça, tu devras payer le prix !

Étoile du Matin gémit.

— Tu as peur ? Que c'est dommage…

Étoile Loup prit entre ses mains la tête de l'Envoûteuse et il l'embrassa tendrement sur la bouche.

Un baiser d'adieu…

— Eh bien, bon voyage, ma lointaine descendante…, dit doucement Étoile Loup.

Sans effort, comme un enfant casserait un œuf, il fit exploser entre ses mains le crâne de l'Envoûteuse.

Alors qu'il accompagnait la chute du cadavre sur le sol, Caelum cria de terreur.

À ce moment-là, les cinq Alahunts qui somnolaient sous la tente, et n'avaient pas bronché pendant qu'Étoile Loup assassinait une femme, se levèrent d'un bond et formèrent un cercle défensif autour du lit.

—C'est étrange, dit Vagabond des Étoiles en levant les yeux du texte qu'il étudiait. J'éprouve un sentiment de vide, ou de perte, mais je suis incapable de savoir pourquoi…

Inquiet, Axis regarda son père. Mais l'Envoûteur oublia son malaise et recommença à lire.

Étoile Loup courait entre les tentes, bouleversé que quelqu'un l'ait découvert – et vaguement honteux d'avoir dû se débarrasser d'Étoile du Matin. Cette femme était une Soleil Levant, et lui ôter la vie ne l'avait pas enchanté.

Dans sa confusion, il en avait oublié de se dissimuler de nouveau sous son masque habituel. Sans savoir où il allait, affolé par les cris de Caelum qui semblaient le poursuivre, il s'engouffra entre deux tentes… et se retrouva face à face avec Jack.

—Maître ? s'écria la Sentinelle, stupéfaite.

Recouvrant son calme, Étoile Loup lui tapota gentiment l'épaule.

—Jack, écoute-moi bien… Des choses terribles se sont passées, et tu ne devras pas dire que tu m'as vu.

Jack regarda un moment Étoile Loup, puis il baissa les yeux en signe de soumission.

—Comme vous voudrez, maître.

Rassuré, Étoile Loup s'en fut.

—Tu vois cette illustration, dit Vagabond des Étoiles en désignant une page du livre qu'il consultait. Elle représente le quatrième ordre de…

Axis !

Les deux Envoûteurs sursautèrent. C'était la voix mentale d'Azhure, et elle vibrait de terreur.

Axis ! Axis !

Le père et le fils oublièrent leur lecture et se précipitèrent dehors.

Cinq Alahunts sur les talons, Azhure courait vers eux, Caelum dans les bras. Et bien qu'il fût près de sa mère, l'enfant hurlait hystériquement.

—Axis…, gémit Azhure, trop terrifiée pour en dire plus.

—Azhure, demanda Axis, que se passe-t-il ? Dans l'esprit de Caelum, je capte une terreur sans borne. Mais…

—Étoile du Matin…, souffla Vagabond des Étoiles, les yeux rivés sur la tente où l'enfant dormait quelques minutes plus tôt.

Azhure éclata en sanglots.

Après s'être consultés du regard, Axis et son père partirent au pas de course.

Arrivés sous la tente, ils se pétrifièrent d'horreur.

Étoile du Matin gisait sur le sol, les bras le long du corps, comme si quelqu'un avait pris soin de l'allonger confortablement. Mais son crâne n'était plus qu'une immonde bouillie d'os, de sang et de lambeaux de matière cervicale. Écrasé comme une noix !

Habitué à voir des atrocités sur le champ de bataille, Axis en eut cependant la nausée.

Azhure entra à son tour, une main sur les yeux de Caelum pour lui dissimuler l'atroce vision.

—Je… je…, balbutia-t-elle. Je revenais vers notre tente… quand j'ai entendu Caelum crier… J'ai couru, et je l'ai trouvée… Axis, je ne savais plus que faire ! Alors, j'ai pris Caelum dans mes bras et je suis sortie…

Axis enlaça sa compagne. Dix secondes plus tard, Belial, Magariz, Rivkah, Ysgryff et Embeth firent irruption sous la tente… et se pétrifièrent à leur tour.

Le visage fermé, Axis prit Caelum, le cala au creux de son bras et l'apaisa en lui fredonnant une Chanson. Bercé par le pouvoir de son père, l'enfant cessa peu à peu de pleurer.

Il était le seul témoin du crime !

Du calme, du calme, tu es en sécurité… Voilà, c'est beaucoup mieux… Qui a fait ça à Étoile du Matin ?

Un homme en noir.

Tu connais son nom ?

Axis sentit l'hésitation de son fils.

Étoile du Matin l'a appelé Étoile Loup.

Caelum, as-tu vu son visage ?

Non, sa capuche le dissimulait…

—Étoile Loup! s'écria Vagabond des Étoiles. C'est lui, le coupable?

Il m'a touché avec son esprit, ajouta Caelum. *Si gentiment... Et il a dit qu'il m'aimait.*

Quand il retourna sous sa tente, dévasté par le chagrin, Vagabond des Étoiles ne retrouva pas *L'Histoire des lacs*... Malgré des recherches acharnées, les semaines suivantes, personne ne remit jamais la main dessus.

Beaucoup plus tard dans la nuit, après qu'on eut préparé le cadavre d'Étoile du Matin pour son dernier voyage, Axis et son père allèrent s'asseoir sur les berges sablonneuses du lac Graal.

Calmés à l'aide d'un sort très simple, Azhure et Caelum dormaient à poings fermés sous la tente de Rivkah – qu'elle partageait désormais officiellement avec Magariz.

Certain qu'il ne pourrait plus jamais y entrer, Axis avait ordonné qu'on brûle la sienne.

Un long moment, les deux Envoûteurs regardèrent les eaux du lac briller sous les rayons de lune.

Entendant soupirer son père, Axis lui prit la main.

—Je sais que tu étais très proche d'elle, dit-il.

Parce qu'ils se ressemblaient comme deux gouttes d'eau, sur le plan psychologique, Étoile du Matin et son fils se querellaient sans cesse. Mais le lien qui les unissait, derrière cette façade, était une forme d'amour telle qu'on en rencontrait rarement.

—Je ne parviens pas à croire qu'elle soit morte comme ça, dit Vagabond des Étoiles. De nous tous, c'était elle qui s'inquiétait le plus au sujet d'Étoile Loup. Tu te souviens? Elle voulait absolument le démasquer. Peut-être parce qu'elle avait une prémonition...

—Étoile Loup..., répéta Axis.

Oui, les soupçons d'Étoile du Matin... Comment les aurait-il oubliés, puisqu'ils visaient Azhure?

—Non, pas Azhure, murmura Vagabond des Étoiles. Ça ne peut pas être elle!

—C'est certain, renchérit Axis. Comment m'aurait-elle formé, quand j'étais enfant ? Elle est née à Smyrton et elle y est restée pendant que je grandissais à Carlon.

Parce que tous deux aimaient Azhure à la folie, le père et le fils s'accrochaient à ces « preuves » comme à une bouée de sauvetage.

—Belial, Rivkah, Magariz, Ysgryff et Embeth sont tous arrivés sous la tente quelques instants après nous, dit Axis. Donc, ils n'en étaient pas loin.

—Tu peux rayer ta mère de la liste… Elle n'aurait pas pu te former non plus.

—Comment en être certain, Vagabond des Étoiles ? Chaque année, elle passait des mois loin de Serre-Pique ! Tu es sûr qu'elle était vraiment avec les Avars ?

—Axis, tu perds la tête !

—D'accord… Donc, ce n'est ni Azhure ni Rivkah…

—Et pour les autres ?

—Ils sont tous plus vieux que moi, et ils ont eu, *a priori*, la possibilité de me connaître quand j'étais enfant. À partir de mes onze ans, j'ai vécu chez Ganelon et Embeth, et elle a pu entrer en contact avec moi plus tôt, au palais. Magariz a admis qu'il m'a connu à l'époque où il appartenait à la garde, puis la dirigeait. Ayant ensuite été affecté au fort de Gorken, il a pu aussi contacter Gorgrael. Belial ? Il a huit ans de plus que moi, et j'ignore s'il ne m'a pas vu avant mon entrée dans les Haches de Guerre, à quinze ans. De plus, à l'époque, il commandait mon unité.

—Et Ysgryff ?

—Peut-être le meilleur déguisement… Récemment, non sans surprise, nous avons appris que les barons de Nor s'occupent du Temple des Étoiles depuis dix siècles. Ysgryff fait sans cesse allusion à des éléments de la culture icarii qu'il ne devrait pas connaître, et il sait que Raum s'est transformé.

—Vraiment ?

—Une nuit, un peu avant que nous arrivions au bois de la Muette, je l'ai vu réconforter l'Eubage. Il était parfaitement au courant de ce qui se passait…

586

—La famille dirigeante de Nor est la meilleure «cachette» dont aurait pu rêver Étoile Loup, c'est exact. Ainsi, il aurait eu accès à tous les sites sacrés, et surtout à l'île de la Brume et de la Mémoire. Et tu admettras qu'Ysgryff est un personnage des plus mystérieux…

Axis eut un rire amer.

—Écoute-nous délirer, Vagabond des Étoiles! ricana-t-il. Nous n'avons qu'une certitude : ni toi ni moi ne sommes Étoile Loup, puisque nous étions ensemble au moment du crime! À part ça, il y a inflation de suspects! Des centaines de gens auraient eu la possibilité de commettre le meurtre, et qui peut dire pourquoi Étoile Loup est revenu? D'ailleurs, que faisait-il avec mon fils? Oui, mon Caelum!

—Axis, tu ne m'as jamais récité la troisième partie de la Prophétie! Et quand je la chante, les mots que je prononce me sont incompréhensibles, comme à mon auditoire…

—C'est normal, puisque je suis le seul à pouvoir l'entendre. Tous les autres l'oublient dans l'instant…

—Révèle-la-moi! Qui sait, je la mémoriserai peut-être? Et je pourrais t'apporter quelques éclaircissements.

Axis plissa le front, mais il s'exécuta.

Homme Étoile, écoute-moi bien,
Car je sais que ce Sceptre en main
Tu pourras briser Gorgrael
Et libérer la vie du gel.
Mais ton triomphe n'est pas sûr
Et ton chemin sera très dur.

Un félon dans ton sein nourri
Complotera pour te blesser
Et la souffrance de ta mie
Si tu ne sais pas l'ignorer
Te déchirant l'âme et le corps
Signera ton arrêt de mort.

Si la force du Destructeur
Est la haine qu'il porte au cœur,
En essayant de l'imiter,
Ta perte sera assurée.
Car seul le pardon est certain
De sauver Tencendor demain.

Vagabond des Étoiles fronça les sourcils. Déjà, les mots se dissipaient dans sa mémoire.

—Je ne parviens pas à…, commença-t-il, troublé.

—Ces vers me disent ce que je dois faire pour vaincre Gorgrael, et ça n'est important que pour moi. Ils m'avertissent aussi qu'il y a un traître dans notre camp.

—Étoile Loup !

—Sans doute… Mais qui est-il ? Sous quel déguisement se cache-t-il ? Il peut être n'importe qui, dans notre camp, voire être venu de Carlon pendant la nuit ! Combien de suspects avons-nous, dans un tout petit rayon ? Soixante-dix mille ? Quatre-vingt mille ? Plus encore ?

Mais pourquoi était-il penché sur Caelum ? Étoile du Matin est-elle morte pour le sauver ? ou Étoile Loup rendait-il simplement une petite visite à mon fils ?

—Axis, dit Vagabond des Étoiles, toi et moi sommes les seuls innocents certains, comme tu le disais… Tous les autres peuvent être des traîtres !

—As-tu envie de vivre en te méfiant de tout le monde ?

—Non, mais la fin d'Étoile du Matin fut atroce. Ne l'oublie jamais, Axis…

56

UNE NORIENNE GAGNE…
ET UNE AUTRE PERD

S ur le toit du palais de Carlon, debout près de son mari, Faraday sondait l'horizon. Derrière eux, Timozel broyait du noir, comme d'habitude. Depuis le désastre du fort de Bedwyr, il ne desserrait pratiquement plus les dents. Son respect pour Borneheld ébranlé par la formidable déroute, il lui arrivait cependant de marmonner des propos incohérents sur des «visions» et les «promesses» qui lui auraient été faites.

Le teint verdâtre, comme si une fièvre maligne le rongeait, le champion de Faraday avait des poches sous les yeux, et ses mains tremblaient imperceptiblement.

Pauvre Timozel, pensa l'Amie de l'Arbre, *il n'est sûrement pas pressé de revoir Axis!*

Bien entendu, elle ignorait que le jeune homme était surtout rongé par le manque de sommeil. Terrifié à l'idée de voir apparaître Gorgrael dans ses songes, il n'osait quasiment plus fermer l'œil. Et quand il cédait à la fatigue, il se réveillait les yeux écarquillés de terreur, les mains agrippées aux draps et le front ruisselant de sueur. Mais au moins, il ne hurlait plus à la mort…

Faraday ferma les yeux et s'abandonna aux caresses d'un doux soleil d'automne. Le dénouement était imminent, désormais, et elle le savait aussi bien que son époux.

Debout à deux pas l'un de l'autre, le roi et la reine étaient pourtant séparés par un gouffre infranchissable.

Si Axis était vaincu, lors de l'inévitable duel, Faraday n'avait aucune intention de lui survivre. Avec la défaite de la Prophétie, les ténèbres venues du nord tomberaient sur Achar, et elle ne tenait pas à errer comme un spectre dans un monde de glace et d'obscurité que son bien-aimé aurait quitté.

Elle prit une grande inspiration, savoura le parfum délicat des fleurs automnales, et rouvrit les yeux. À peine visible dans le lointain, la tour blanche dont le véritable nom, selon Yr, était «Spiredore», l'attirait irrésistiblement. (Qu'avaient donc fait les Icarii, la veille au soir, pour qu'elle brille autant?) L'armée d'Axis campait depuis une semaine sur les berges du lac – un repos bien mérité après une dure victoire. Comme presque tous les Carlonites, Faraday avait vu que les survivants des forces de Borneheld, sans doute révoltés par la désertion de leur chef, s'étaient ralliés à leur vainqueur. Axis n'avait fait aucun prisonnier, et gagné des milliers de nouveaux frères d'armes.

Faraday se pencha un peu plus au parapet. Elle aurait donné cher pour avoir une longue-vue, histoire de mieux distinguer les détails… La nuit précédente, elle était restée très tard sur le toit, fascinée par les colonnes de flammes qui montaient de la berge est du lac. Un bûcher funéraire, lui avait révélé Yr, présente à ses côtés. Sans doute pour un membre glorieux et très aimé du peuple ailé, car seuls les Icarii hors du commun étaient honorés ainsi.

Alors que les flammes crépitaient, Faraday avait vaguement aperçu, massés tout autour, des Icarii, des Acharites et des chasseurs de Ravensbund. Axis était-il parmi cette foule? Avec son père et sa mère, peut-être…

Borneheld avait parlé à son épouse d'une étrange rencontre avec une femme qui prétendait être Rivkah, peu avant la bataille. En dépit des dénégations du roi, certain qu'il s'agissait d'une mystification, Faraday, sûre que c'était la vérité, se réjouissait pour Axis…

Alors que les flammes du bûcher semblaient vouloir tutoyer les étoiles, des Icarii porteurs de torches avaient pris leur envol. Très haut dans le ciel nocturne, devenus de minuscules points lumineux, ils avaient paru ajouter de nouveaux astres au cosmos. Leur façon d'escorter l'âme du défunt au début de son voyage vers l'infini…

Bouleversée par ce spectacle, Faraday avait pleuré à chaudes larmes. Quel individu hors du commun les Enfants de l'Aile honoraient-ils ainsi ? Elle aurait donné cher pour le savoir…

Plus tard, une fois le bûcher éteint, toutes les têtes, sur les berges du lac (et sur les remparts de Carlon) s'étaient tournées vers Spiredore.

Alors que les échos d'une mystérieuse chanson atteignaient les oreilles des Carlonites, Faraday avait aperçu sur le toit de la tour une silhouette ailée blanche et argentée. Vagabond des Étoiles, sûrement… Parfois les pieds bien campés au sol, et à d'autres moments en lévitation au-dessus de l'édifice.

Très vite, Spiredore avait émis une vive lumière blanche qui pulsait au rythme d'un cœur géant. Émerveillées, Faraday et Yr étaient restées des heures devant ce fabuleux spectacle. Ensuite, elles en avaient parlé jusqu'à l'aube, excitées comme des gamines.

Bien qu'elle eût très peu dormi, Faraday se sentait reposée comme jamais, et plus vivante que depuis des mois. Même la présence de Borneheld ne suffisait pas à gâter son humeur.

Axis serait bientôt là. Elle le sentait dans tout son corps.

Entendant des bruits de pas dans son dos, la reine d'Achar se retourna lentement.

C'était Gautier. En armure légère, toutes ses armes cliquetant, il vint se placer à côté de son chef et se perdit un instant dans la contemplation du paysage. Ces derniers jours, les deux hommes avaient retrouvé un peu de leur courage et de leur arrogance…

—Quand ? demanda Gautier.

—Bientôt…, répondit simplement Borneheld.

—Qu'allez-vous faire, Sire ?

—Rien… (Le front plissé, le roi fixait une petite silhouette rouge et or, de l'autre côté du lac.) Axis viendra, il ne peut pas faire autrement. Nous voulons tous les deux en finir – rien que lui et moi. C'est écrit depuis toujours…

Borneheld tourna le dos au parapet. Le visage mangé par une barbe rousse, il ne s'était ni lavé ni rasé depuis des jours.

—Notre rivalité a commencé à la minute même où il est venu au monde, dit-il à Faraday. Depuis qu'il est arrivé à Carlon, encore dans ses langes, nous nous affrontons d'une manière ou d'une autre. Ne va surtout pas croire, ma reine, qu'il viendra ici par amour pour toi ! Après ma mort, je me demande si tu l'intéresseras encore… Pour être franc, j'en doute fort. Quand tu ne seras plus un trophée à m'arracher, ses yeux te traverseront comme si tu étais transparente…

Sur ces mots, le roi s'éloigna en compagnie de son second, leurs bottes martelant le sol avec la sinistre monotonie d'un glas.

Glacée d'effroi, Faraday fixa un long moment le dos de son mari. Il venait de parler comme s'il était certain de mourir transpercé par l'épée d'Axis. Dans ce contexte, ses propos sur l'avenir de la jeune femme prenaient des échos de… prophéties…

Grâce à sa vision d'Envoûteur, Axis avait suivi toute la scène. Quand Faraday quitta le toit, longtemps après son époux, l'Homme Étoile se tourna vers Belial.

—Quand ? demanda simplement l'officier.

—Ce soir… J'ai assez attendu.

—Et comment ?

—Rivkah connaît une entrée secrète du palais. D'abord, nous traverserons le lac.

—«Nous» ?

—Moi, toi, Ho'Demi, Magariz, Rivkah et Jorge.

—Ta mère viendra ?

—Elle doit être présente. Un de ses fils va mourir cette nuit. Il faut qu'elle soit là…

—Et qui d'autre ?

—Les Sentinelles… Leur présence aussi est nécessaire.

—Pour servir de témoins ?

—Cela aussi, oui… Mais surtout pour attendre.

Belial fronça les sourcils. Aujourd'hui, son chef était d'une humeur des plus étranges.

—Attendre quoi ?

—Le retour d'un amour perdu, mon ami…

—Et tu n'emmèneras personne d'autre ?

—Si, Vagabond des Étoiles, même s'il risque de me traîner dans les pattes. Mais il tient absolument à venir ! Gorge-Chant aussi nous accompagnera, pour attendre, comme les Sentinelles. Enfin, il y aura Arne et cinq ou six soldats. Des chasseurs de Ravensbund, je pense…

—Pour faire traverser tout ce monde, il te faudra un navire commercial !

—Allons, nous serons dix-sept ou dix-huit ! Une grande barque suffira.

—Et Azhure ?

—Il faut que quelqu'un reste au camp… De toute façon, je doute qu'elle ait envie de venir.

—Axis… (Belial hésita un instant, puis se jeta à l'eau :) Prends garde à ne pas la traiter injustement, dans cette histoire. Elle t'aime trop pour te regarder partir, ce soir, avec le cœur plein de sérénité et de compréhension.

Pour ne pas exploser de rage, Axis prit une profonde inspiration.

—Fais attention, mon ami, ajouta Belial, conscient qu'il allait trop loin. Dans nos rangs, Azhure est très aimée. Si tu la blesses, beaucoup d'hommes t'en voudront.

—Et tu es dans le lot, bien entendu ? siffla Axis, sans plus chercher à se contrôler. De quelle façon aimes-tu Azhure, Belial ?

—Je ne nierai pas avoir été fou d'elle, il n'y a pas si long-temps. Mais pourquoi serais-je mort d'amour alors qu'elle ne voyait que toi ? Cela m'aurait détruit, et je n'étais pas prêt à mourir pour de bon ! Cela dit, elle est toujours très chère à mon cœur, et il en va de même pour Magariz, Rivkah, Arne et des milliers de soldats dont j'ignore le nom. Nous l'aimons trop, Homme Étoile, pour la voir dépérir de chagrin quand tu auras épousé Faraday. Choisis, Axis! Si tu continues à les vouloir toutes les deux, elles souffriront autant l'une que l'autre!

—Je ne choisirai jamais! Ce n'est pas nécessaire. Elles s'accepteront, tu verras. Ce genre d'arrangement a déjà existé.

—Pas avec des femmes pareilles! cria Belial, excédé. Chacune est merveilleuse à sa façon, mais toutes les deux mourront de chagrin si tu les forces à te partager.

—Belial, je doute que…, commença Axis.

Il n'acheva pas sa phrase. Blanc de fureur et éructant de rage, le baron Ysgryff avançait vers eux en tirant par la main une jeune Norienne.

—Par tous les dieux, non…, souffla Belial. Cazna!

Les traits tordus par la colère, Ysgryff était quasiment méconnaissable. La jeune femme en robe rouge, elle, ne faisait pas mystère de son indignation face à un tel traitement.

Le baron s'arrêta à cinq pas des deux hommes et foudroya Belial du regard.

—Tu sais ce que tu as fait, espèce de crétin en rut? hurla-t-il. As-tu seulement réfléchi avant d'oser voler la vertu de ma fille?

—Ta fille…, répéta Belial, stupéfait.

—Oui, ma fille! Tu la prenais pour une putain de bordel ambulant? L'as-tu attirée dans ton lit sans te poser de questions?

—Je…, commença Belial.

Mais Ysgryff ne lui laissa pas le loisir de se justifier.

—Quelle valeur a-t-elle, désormais? Aucune! Quel mariage vais-je bien pouvoir lui arranger? Une minable union avec un Acharite de bas étage que je devrai soudoyer pour qu'il fasse mine de ne pas voir son ventre rond?

Bouleversé qu'on l'accuse d'avoir mis sa belle enceinte, Belial tenta de nouveau d'intervenir. Mais Cazna fut plus rapide:

—Père, coupa-t-elle avec une autorité saisissante, Belial ne m'a pas séduite. C'est tout le contraire! La nuit de la signature du traité, dans le champ aux tumulus, je suis allée l'attendre sous sa tente, dans son lit!

Belial sourit à ce souvenir qu'il n'oublierait jamais, même s'il vivait cent ans !

— Quelle vipère ai-je réchauffée dans mon sein ? s'étrangla Ysgryff, horrifié. Traiter son pauvre père comme ça !

Belial avança et prit la main de Cazna.

— Ysgryff, rien de grave n'est arrivé… (Voyant que le baron écarquillait les yeux d'horreur, il se hâta d'enchaîner :) J'ai déjà demandé ta fille en mariage.

Axis plissa le front. Alors qu'il venait de lui donner une leçon de morale, Belial couchait avec la fille du baron de Nor ?

— Un mariage, dis-tu ? Tu crois que ça suffira à rendre son honneur à ma famille ?

Bien que sa colère se fût évanouie en entendant le mot « mariage », Ysgryff fit un effort pour en rajouter. S'il continuait dans le registre du père bafoué, Belial finirait par accepter Cazna sans lui demander de dot…

— J'ai dit « oui », annonça froidement la jeune femme.

Le numéro de son père ne la convainquait pas depuis le début. Là, elle aurait juré qu'il se fichait du monde.

— D'accord, d'accord, ma fille… Mais comment savoir si cette proposition est sérieuse ? Il a pu te dire ça pour t'attirer dans son lit…

— Tu ne t'es pas très bien comporté, Belial, déclara Axis. (Ses premiers mots depuis l'arrivée en fanfare du baron.) Et tu ne sembles pas avoir traité Cazna avec tout le respect qu'elle mérite.

— Va chercher deux témoins de plus, et je l'épouserai sur-le-champ ! Moi, je n'ai pas peur de jurer amour et fidélité à la femme qui a conquis mon cœur !

Axis foudroya du regard son second, sereinement debout près de sa promise. Puis il tourna les talons et s'en fut à grandes enjambées.

— Comme je ne peux pas t'emmener, je te confie le commandement du camp et de nos troupes, avec Œil Perçant comme second.

—Je comprends…, souffla Azhure en pliant son manteau pour la troisième fois.

Le dépliant, elle s'apprêta à recommencer toute l'opération.

Ils étaient dans la tente qu'ils partageaient désormais avec Rivkah et Magariz. Depuis des jours, Axis n'avait eu aucune occasion de parler en privé avec sa compagne. Mais ce soir, Rivkah avait offert une petite promenade fort judicieuse à Caelum…

—Bon sang, s'écria Axis, qu'est-ce qui ne va pas? (Il avança, arracha le manteau qu'Azhure repliait et le jeta sur le sol.) Que nous arrive-t-il, ces derniers mois?

Depuis combien de temps ne l'avait-il plus touchée, embrassée, aimée? Leur dernière étreinte remontait à la nuit de la signature du traité avec Greville et Ysgryff. Une petite éternité…

—Ce qui nous est arrivé? Faraday, tout simplement…

—Azhure, je t'aime, et tu le sais. (Axis prit doucement le menton de la jeune femme et la força à relever les yeux.) Tu feras toujours partie de ma vie!

—Tu m'en demandes beaucoup!

—Rester avec moi est un tel sacrifice? Si tu m'aimes vraiment, c'est le moins que tu puisses faire!

—Si tu savais combien je regrette de n'être pas partie avant… tout ça…

—Me quitter? Pour Belial, peut-être?

Les yeux fous, Azhure détourna la tête pour se dégager.

Mais Axis lui reprit le menton.

—Essaie de me quitter, et tu verras! Je te poursuivrai jusqu'au bout du monde! Personne ne te prendra à moi!

Azhure dévisagea son amant. Comment un homme capable de tant de compassion avec des inconnus pouvait-il la traiter si cruellement?

—Azhure, souffla Axis, se forçant au calme, est-ce que tu m'aimes?

—Oui…

—Dans ce cas, tu serais très malheureuse loin de moi! Écoute-moi bien, je t'en prie. En épousant la veuve de Borneheld, j'aurai un argument de plus pour réclamer le trône d'Achar. De plus, la Prophétie me lie à Faraday, et j'ai besoin d'elle pour rallier à ma cause les Avars et les arbres. Je ne peux pas l'abandonner ! Elle a déjà tant fait pour moi, et elle en fera encore tellement ! Mais mon cœur t'appartient, ne t'avise jamais de l'oublier !

Axis se pencha et posa un doux baiser sur les lèvres de sa compagne.

— Si je n'étais pas lié à Faraday, je t'épouserais sans l'ombre d'une hésitation. Je t'implore de le croire !

— Je le crois…

— Je ne nierai jamais mon amour pour toi, ton importance dans ma vie, et le rôle que tu as joué dans mes succès. Je t'aime, et notre fils sera mon héritier. Sache tout cela et marche la tête droite !

— Pars, murmura Azhure. Va rejoindre Faraday ! Contre la Prophétie, je suis désarmée…

Après le départ d'Axis, Azhure sortit de la tente, alla récupérer Caelum, puis se promena avec lui en s'arrêtant parfois pour bavarder avec les soldats. Un sourire confiant sur les lèvres, elle ne laissa pas un instant transparaître le chagrin qui la minait.

Sicarius la suivit comme son ombre, tous les sens aux aguets.

Quand elle eut inspecté le camp, l'archère dîna avec Cazna. Une jeune femme qu'elle enviait, car elle avait su s'approprier le cœur de l'homme qu'elle aimait…

57

LE HALL DES LUNES

A lors que le crépuscule cédait la place à une nuit d'encre, le hall des Lunes se remplissait lentement. Des serviteurs, des gardes, des courtisans, des filles de cuisine, des écuyers, tous poussés par le pressentiment qu'un événement hors du commun allait se produire ce soir dans la salle du trône.

Ils avançaient en silence, trop tendus pour éprouver le besoin de parler. Bientôt, près de deux cents personnes eurent formé un cercle dans le hall, dont le centre restait dégagé.

Assis sur son trône, Borneheld tapotait doucement l'épée posée en travers de ses genoux. À côté de lui, Faraday resplendissait dans une robe émeraude qui mettait en valeur ses cheveux et ses yeux. Très calme, les mains sagement croisées, elle regardait droit devant elle, comme son mari.

Sur la gauche de l'estrade, quatre personnes attendaient en silence. Fidèle à sa nouvelle nature, Timozel broyait du noir. Tout aussi morose, Gautier ne cherchait plus à dissimuler son angoisse. Pâle comme un mort, Jayme semblait avoir du mal à tenir sur ses jambes. Aussi sereine que sa protégée, Yr sentait dans l'air la présence rassurante de la Prophétie.

Les torches fixées aux colonnes – l'unique illumination, pour cette soirée crépusculaire – projetaient plus d'ombres que de lumière. Et dans ce théâtre pétrifié, le seul mouvement venait de ces tentacules d'obscurité.

L'attente serait longue…

Dans la barque qui fendait les eaux du lac Graal, personne non plus ne parlait.

Les pensées d'Axis oscillaient sans cesse entre Azhure et Faraday. De temps en temps, il voyait flotter devant ses yeux l'image de Borneheld, dont le règne, si tout allait bien, s'achèverait ce soir. Cette idée l'amenait à évoquer Libre Chute, Zeherah, et le marché qu'il avait conclu avec la Gardienne du Portail.

Belial réfléchissait au duel à venir… et à sa toute nouvelle femme. L'après-midi même, après le départ précipité d'Axis, il avait épousé Cazna sur les berges du lac Graal. Quelle serait leur vie, se demanda-t-il, quand le rideau retomberait sur la scène de la Prophétie ? S'installeraient-ils à Romsdale, sa province d'origine ? ou dans un des trois manoirs que Cazna s'était attribués sans demander l'avis de son père ? Belial se rembrunit un peu. Il espérait que Cazna comblerait tous ses espoirs, mais comment en être sûr ?

Rivkah et Magariz pensaient à Axis et au duel auquel ils allaient devoir assister. La princesse aurait donné cher pour rester au camp, mais elle ne pouvait pas se soustraire à ses obligations. Ces deux hommes étaient sortis de sa matrice, et ce soir, elle devrait regarder l'un d'entre eux quitter ce monde. Sans aucune hésitation, elle espérait que ce serait Borneheld.

À part l'horrible épreuve qui l'attendait, elle était heureuse d'être aux côtés de l'homme qu'elle aimait et de ne plus avoir à garder secrets ses sentiments.

Baissant les yeux sur l'eau, elle sourit, prit la main de Magariz et lui fit comprendre de regarder aussi. Au fond du lac, deux lignes lumineuses parallèles dessinaient une sorte de chemin, et la barque le suivait sans jamais s'en écarter d'un pouce. De temps en temps, ces rangées de lampes sous-marines formaient des cercles ou des flèches qui évoquaient vaguement les tatouages des chasseurs de Ravensbund. Trouvant ces figures fascinantes, Rivkah dut résister à l'envie de plonger pour aller les admirer de plus près. Dans sa jeunesse, elle avait souvent traversé le lac de nuit, mais sans jamais voir ces fantastiques lueurs.

Jack, Ogden et Veremund les avaient remarquées aussi, mais elles ne les étonnaient pas.

C'est ici qu'il nous attend, pensa Jack.

Oui, approuvèrent mentalement Ogden et Veremund, *notre destin…*

Tous les trois savaient à quoi ils assisteraient bientôt. Et cette nuit, espéraient-ils, mettrait un terme à la guerre entre Axis et Borneheld. Un conflit dévastateur qui avait déchiré Achar…

Mais pourquoi subir tout cela, se demanda Veremund, *alors que la cinquième Sentinelle manque toujours à l'appel?*

Ogden serra la main de son vieux compagnon, et Jack tapota l'épaule des deux vieillards.

Il faut avoir la foi, les encouragea-t-il. *C'est tout ce qui nous reste.*

Assis non loin d'Axis, Arne pensait comme toujours à sa mission – protéger l'Homme Étoile – et… à des légions de traîtres virtuels. Parfois, quand il regardait le dos d'Axis, comme en ce moment, il croyait voir la garde d'un couteau saillir entre ses omoplates. À d'autres moments, quand il baissait les yeux sur les mains de son chef, elles lui semblaient rouges de sang, mais il n'aurait su dire à qui appartenait ce fluide vital.

Anxieux, il dévisagea tous les passagers de la barque. Qui était le félon? Et quand tenterait-il de frapper?

À la poupe de l'embarcation, Vagabond des Étoiles et Gorge-Chant, tous deux assez mal installés, laissaient les pointes de leurs ailes s'immerger légèrement dans l'eau froide du lac.

L'Envoûteur pensait à sa mère, si heureuse d'avoir découvert *L'Histoire des lacs*, et morte avant d'avoir eu le temps de la lire. La tête d'Étoile du Matin avait éclaté comme une noix, et son meurtrier rôdait autour d'eux. Mais sous quel masque se cachait Étoile Loup?

Gorge-Chant voyait danser devant ses yeux l'image de Libre Chute. Depuis un an, elle luttait en vain pour le chasser de son esprit. Un soir, à Sigholt, elle était allée jusqu'à séduire

Belial, et elle avait recommencé la dernière nuit de Beltide. Mais rien n'y avait fait, pas même la virile ardeur de l'officier. Et le souvenir de Libre Chute, aujourd'hui, la hantait avec encore plus de force qu'à l'accoutumée.

Libre Chute, implora-t-elle, *permets-moi de vivre sans toi et de ne plus souffrir à chaque instant. Rends-moi mon cœur, et envole-toi vers les Étoiles qui sont désormais ta demeure.*

Assis près de Ho'Demi et des six guerriers qui l'accompagnaient, Jorge ne se sentait pas le moins du monde mal à l'aise. En quelques semaines, il avait appris à respecter les hommes et les femmes de Ravensbund. Pourtant, sa vie durant, il les avait tenus pour d'ignobles sauvages…

Cela dit, Axis avait formé un groupe très étrange, pour accomplir la mission la plus importante de sa vie. À l'évidence, les aptitudes pour la magie et les origines raciales avaient joué un rôle plus important, pour guider son choix, que les compétences martiales.

Mais qu'est-ce que je fais là ? se demanda le vétéran. *Je suis trop vieux et trop fatigué pour de pareilles aventures…*

Glissant presque sans bruit sur l'eau, la barque atteignit le mur d'enceinte et s'immobilisa devant une poterne inhabituellement basse. Presque oubliée, sauf de Rivkah, qui l'avait parfois empruntée dans son enfance, cette issue servait jadis aux courtisans désireux d'entrer et de sortir discrètement du palais. Petite fille, la princesse adorait y venir l'été en fin d'après-midi pour s'asseoir sur le petit quai, les pieds dans l'eau.

La poterne n'avait pas été condamnée, constata-t-elle, soulagée. Elle n'était pas gardée, et on ne s'était sans doute pas donné la peine de la verrouiller.

Après un long escalier en colimaçon, un étroit couloir – presque un tunnel – conduisait jusqu'aux corridors principaux du palais. À se demander si cette entrée secrète n'avait pas été aménagée, des siècles plus tôt, pour servir la cause de la Prophétie.

Axis leva la tête et siffla doucement. Un bruissement d'ailes annonça l'arrivée de son aigle, qui se posa sur son bras tendu.

Dès que la barque heurta la pierre, Arne sauta sur le quai et s'attaqua à la serrure de la porte. Sans opposer de résistance ni grincer, le battant s'ouvrit pour dévoiler un rectangle d'obscurité.

Aussitôt, Axis pensa au rectangle lumineux qui pulsait derrière le bureau de la Gardienne. La comparaison, comprit-il, était judicieuse. Le Portail, dans le Monde Souterrain, donnait accès à l'Après-Vie. Et celui-là permettait d'entrer dans la Prophétie…

Arne attacha l'amarre de la barque à un anneau fixé dans le mur, puis il alla explorer l'escalier. Ses compagnons attendirent en silence, Axis caressant le doux plumage de son aigle pour l'apaiser… et se calmer par la même occasion.

Avant le départ, Belial était venu s'excuser de ses propos bien trop exaltés au sujet d'Azhure. L'incident oublié, les deux hommes s'étaient serré la main, leur amitié intacte. Aussi soulagé que son vieux compagnon par cette réconciliation, surtout à l'approche d'une nuit déterminante, Axis s'était empressé de le féliciter d'avoir choisi une si bonne épouse.

— Les lieux sont déserts, annonça Arne en réapparaissant. Je suis allé assez loin, et je n'ai vu personne.

— Pas de gardes ? s'étonna Belial.

— Ils sont tous dans le hall des Lunes, dit Axis. (Sans savoir pourquoi, il en était absolument certain.) Oui, ils nous attendent. Allons-y !

La petite colonne avança sans difficulté dans les couloirs des sous-sols du palais.

Axis sentant que l'aigle devenait de plus en plus nerveux, il le caressa et lui murmura des paroles réconfortantes. Aussi inquiets que le rapace – et pour la même raison, l'impossibilité de s'envoler en cas de danger –, Vagabond des Étoiles et Gorge-Chant soupirèrent de soulagement quand ils débouchèrent dans des corridors assez larges pour que les pointes de leurs ailes ne frottent pas contre la pierre glaciale.

Au rez-de-chaussée, les « visiteurs » croisèrent quelques domestiques qui se plaquèrent contre les murs, les yeux écarquillés, dès qu'ils aperçurent l'homme vêtu d'une tunique jaune et son aigle. Deux ou trois s'inclinèrent sur le passage d'Axis, qui ne leur accorda pas un regard.

Personne ne tenta d'arrêter les intrus, qui n'eurent même pas à dégainer leurs armes. Arrivé au bout de son chemin, Borneheld ne ferait rien pour s'opposer au duel à venir…

Au premier étage, où les couloirs devinrent assez larges pour qu'on puisse marcher à cinq ou six personnes de front, ils foulèrent de riches tapis et, sous la vive lumière de lampes en cristal taillé, passèrent devant des étendards et des tapisseries à la gloire des moments les plus héroïques de l'histoire d'Achar. Devant les scènes martiales évoquant la Guerre de la Hache, Vagabond des Étoiles ne put s'empêcher d'avoir une moue méprisante.

Atteignant une partie du palais qu'il connaissait presque comme sa poche, Axis accéléra le pas. Enfant, il avait remonté des dizaines de fois le grand couloir où ses compagnons et lui venaient de s'engager. Tout au bout se dressaient les portes du hall des Lunes, où le roi aimait à donner audience au frère-maître.

En grandissant, devenu le Tranchant d'Acier, il était tout aussi souvent venu ici avec Jayme, toujours friand d'avoir le soutien du chef de son armée. Ce soir, quand il croiserait le fer avec Borneheld, Axis défierait en même temps l'ordre du Sénéchal, auquel il avait longtemps cru devoir tout ce qui avait une quelconque valeur dans sa vie.

—Halte! lança-t-il en levant une main.

Le couloir tournait vers la droite. Au bout de cette section, à environ une cinquantaine de pas, la double porte du hall des Lunes était ouverte en grand. Au-delà, dans la pénombre, des torches projetaient une lumière vacillante.

—Nous y sommes, dit Jack en venant se placer à côté de l'Homme Étoile. Je sens la présence d'Yr…

—Et moi, celle de Faraday, souffla Axis, profondément soulagé. Le décor est en place, et tout sera accompli…

Il se retourna, sourit à ses compagnons et s'avisa pour la première fois qu'il s'était choisi une escorte des plus hétéroclites! Trois Sentinelles, des chasseurs de Ravensbund, une princesse, un vieux noble, son meilleur ami, deux Icarii…

— Allons poser la dernière pierre des fondations de Tencendor, mes amis! Il est temps d'en finir!

Quand Axis entra dans le hall des Lunes, l'aigle battant des ailes sur son bras, la lumière des torches fit briller sa tunique jaune et ses cheveux couleur de blé mûr.

Tous ceux qui le virent clignèrent des yeux – certains parce que sa splendeur les éblouissait, d'autres parce qu'elle leur glaçait les sangs.

Une femme, dans l'assistance, sentit son cœur se gonfler d'amour.

Il a tellement changé, pensa Faraday, se levant dès qu'elle vit qu'il la cherchait du regard. *Comme il semble plus puissant et plus sûr de lui encore que le soir où je l'ai vu pour la première fois, dans cette même salle…*

Un dieu solaire, voilà à qui Axis faisait aujourd'hui penser! Et pourtant, l'Amie de l'Arbre se sentait fondre, aussi instantanément séduite que deux ans plus tôt.

Soudain, elle remarqua le soleil rouge sang, sur la poitrine de son bien-aimé.

« *Un soleil de sang en suspension au-dessus d'un champ jaune* », se souvint-elle. Une image énigmatique qui prenait aujourd'hui tout son sens.

De nouveau prise dans les rets de la vision que lui avaient envoyée les arbres du bois de la Muette, Faraday porta les mains à sa gorge. Au prix d'un gros effort, elle parvint à se ressaisir et baissa les bras.

Immobile, Axis fit du regard le tour du hall, puis ses yeux se posèrent sur Faraday, resplendissante au bord de la plate-forme, tandis que Borneheld, assis derrière elle, n'avait pas bougé un cil.

D'un geste si vif que toute l'assistance en cria de stupéfaction, Axis propulsa l'aigle dans les airs. Battant des ailes, le rapace alla se percher sur une poutre, au cœur du dôme du hall des Lunes.

Un aigle ? pensa Faraday, les yeux rivés sur le rapace. *Tout est clair, maintenant !*

Dans la vision, elle avait vu des plumes tomber autour d'elle…

En frissonnant, elle baissa les yeux.

De nouveau, tous les regards étaient braqués sur Axis.

— Une belle brochette de traîtres, dit Borneheld sans daigner se lever. Regarde, Jayme, ils sont tous là, réunis dans cette salle. Tu vois leur arrogance ? Ils ne cherchent même pas à dissimuler leur félonie…

Debout une dizaine de pas derrière le trône, Jayme disparaissait presque dans la pénombre. Le teint grisâtre et les traits tirés, il ne pouvait contrôler le tic qui faisait tressaillir en permanence sa joue gauche et lui donnait l'air d'un vieux fou.

Quand son regard croisa celui d'Axis, ses derniers espoirs moururent. Dans les yeux de l'homme qu'il avait élevé ne brillait pas une once de compassion, et moins encore d'amour. Tout ce qu'il y lut – augure impitoyable de sa propre fin – fut un mépris au-delà de l'imaginable.

Hypnotisé par le regard d'Axis, le frère-maître ne vit pas Rivkah avancer dans le hall des Lunes pour rejoindre son fils. Après plus de trente ans d'exil, la princesse revenait chez elle… Désorientée, elle dévisagea ses deux fils, puis balaya le hall des Lunes du regard.

La Prophétie ! Sa vie et celle de ses deux premiers enfants étaient depuis toujours entre les griffes de ces prédictions ! Chaque fois qu'elle pensait s'en être échappée, c'était pour mieux retomber dans le piège !

Les uns après les autres, les compagnons d'Axis allèrent s'intégrer au cercle de témoins, entre les colonnes.

Faraday descendit de l'estrade et se plaça sur le côté, pour laisser les deux frères face à face. Au passage, elle sourit à Axis. Concentré sur Borneheld, il lui accorda à peine un regard.

« *Des cris retentissent dans le hall des Lunes. Un concert d'accusations de meurtre et de trahison !* »

— Le traître est assis sur le trône ! cria soudain Axis. (Dans l'assistance, tous ses compagnons reprirent en chœur cette accusation.) Borneheld, tu es coupable du meurtre de Libre Chute et de celui de notre oncle, le roi Priam! Sur ton ordre, des milliers d'hommes, d'enfants et de femmes ont été massacrés en Skarabost! Mais la liste de tes crimes s'arrêtera là, usurpateur! Aujourd'hui, il est temps pour toi de comparaître devant les dieux, qui décideront de ton châtiment!

Enfin, Borneheld consentit à se lever.

— Un combat singulier, mon frère? C'est ce que tu veux? Alors, pourquoi es-tu venu avec la vermine magique dont tu tires ton pouvoir? Je suis un fidèle d'Artor, Axis, et un guerrier comme les autres. Quelle chance aurais-je contre ta sorcellerie?

— C'est un frère qui se dresse devant toi, usurpateur, pas un Envoûteur icarii! En guise d'arme, j'utiliserai mon épée et rien d'autre. Égaux devant les dieux et devant la Prophétie, nous laisserons nos lames décider lequel de nous deux aura le droit de continuer à vivre.

À la vitesse de l'éclair, Axis retira sa bague d'Envoûteur et la lança à Vagabond des Étoiles, qui la rattrapa habilement au vol.

— Non! s'écria Faraday, désespérée.

Si Axis n'avait pas recours à sa magie, il mourrait, elle en était certaine. Et dans sa vision, une bague avait volé dans les airs…

« *Du sang ruisselle sur tout le corps d'Axis, poissant sa barbe et ses cheveux. Et quand il tend une main, une énorme goutte de sang jaillit et retombe sur elle.* »

Faraday voulut courir vers le centre du hall. Comme dans la vision, des bras puissants l'en empêchèrent.

— N'intervenez pas! dit le comte Jorge. Borneheld et Axis doivent en finir. Ici, et à tout jamais…

— Non! cria de nouveau Faraday, se débattant en vain.

À présent, même si la chronologie des événements avait été embrouillée comme à plaisir – mais Jack l'avait prévenue que les arbres fragmentaient voire travestissaient parfois la réalité –, elle était sûre que la vision se réaliserait point après point. Axis allait mourir ce soir, et elle ne pourrait rien faire pour le sauver.

—Non! répéta-t-elle alors que son bien-aimé tournait la tête vers elle. Non!

« Elle vit Borneheld descendre du trône. »

À cet instant précis, l'assassin de Priam avança, l'épée levée.

Très lentement, Axis déboutonna sa tunique jaune et la lança à Belial. Très attaché à ce vêtement, il refusait qu'il soit déchiré ou taché de sang.

Remontant les manches de la chemise blanche qu'il portait dessous, il prit une profonde inspiration et dégaina son épée d'un geste si rapide que beaucoup de témoins crurent qu'elle venait d'apparaître par enchantement dans sa main.

—À moi, Borneheld! lança-t-il.

Sautant de l'estrade, le roi félon d'Achar chargea, comme dans la vision…

Le temps s'écoulait, son passage marqué par le cliquètement incessant des lames qui se heurtaient sous le dôme du hall des Lunes.

Englués dans la toile d'araignée du destin, Axis et Borneheld ferraillaient exactement comme dans la vision du bois de la Muette. Désespérée, Faraday luttait toujours pour briser l'étreinte de Jorge, mais il était beaucoup trop fort pour elle.

Terrifiée par le spectacle auquel elle assistait, l'Amie de l'Arbre ne pouvait retenir ses larmes.

Au centre du hall, deux hommes couverts de sang s'affrontaient, guettant l'ouverture qui mettrait fin à trois décennies de haine mutuelle. Depuis combien de temps se battaient-ils? Quelle quantité de sang avaient-ils perdue? À combien d'occasions, croyant porter le coup de grâce, l'un des deux avait-il vu son adversaire esquiver au dernier moment?

Sans même s'en apercevoir, Faraday murmurait le prénom d'Axis en une longue et plaintive litanie. Folle de nervosité, elle faisait tourner autour de son doigt la bague ornée du rubis d'Ichtar – si violemment, que la peau était à vif et saignait.

À part les gémissements de Faraday – et le cliquètement des épées – on n'entendait pas un bruit dans le hall des Lunes, et personne n'osait bouger. Debout derrière Rivkah, Magariz avait posé les mains sur ses épaules, la soutenant pendant qu'elle regardait ses deux fils lutter à mort. Si violemment qu'elle ait pu renier Borneheld, clamant même qu'elle le méprisait, la princesse ne pourrait pas le regarder mourir sans éprouver un immense chagrin.

Pour l'instant, elle était fascinée par le combat. Devenus des guerriers d'élite, les deux hommes avaient des styles très différents. Tout en muscles, Borneheld utilisait à très bon escient des tactiques d'un rigoureux classicisme. Plus fluide et gracieux, Axis faisait montre d'imagination et de subtilité – des qualités héritées de son père, sans aucun doute.

Avec sa couronne autour du front et sa taille impression-nante, Borneheld était l'image même d'une royale autorité. En face, presque éthéré, Axis incarnait l'éternelle résistance de la liberté et du rêve contre l'oppression.

Non loin de son ancienne épouse, Vagabond des Étoiles venait de faire une étrange constatation. Le cliquètement des épées, les halètements des deux hommes et le bruit de leurs bottes sur le marbre composaient une musique telle qu'il n'en avait jamais entendu. Charriant de sombres présages, cette mélodie qui n'en était pas vraiment une troublait l'Envoûteur. Et soudain, il comprit pourquoi ! En réalité, il entendait les échos de la Danse de la Mort – la Musique Sombre des Étoiles. Ce duel avait-il été de tout temps programmé et chorégraphié par Étoile Loup ? Était-il dans le hall, caché parmi les spectateurs ?

Vagabond des Étoiles sonda l'assistance, mais ne repéra rien de suspect. Étoile Loup avait-il pris l'apparence de ce courtisan, au premier rang, qui écarquillait les yeux ? ou du garçon d'écurie placé juste derrière lui ?

L'Envoûteur s'intéressa de nouveau au duel. Avoir compris

que Borneheld et Axis s'affrontaient au rythme de la Musique Sombre l'inquiétait plus que tout le reste. Pour se réaliser, pourquoi la Prophétie devait-elle recourir aux forces des ténèbres ? N'y avait-il pas de place, ce soir, pour la Danse des Étoiles ?

Le temps s'écoulait, son passage marqué par le fracas des épées et le martèlement sourd des bottes sur le marbre. Sans s'en apercevoir, Vagabond des Étoiles sautillait en rythme d'un pied sur l'autre, battant la mesure de la Danse de la Mort.

De plus en plus épuisés, Axis et Borneheld titubaient après chaque passe d'armes. À bout de souffle, couverts de sueur, ils semblaient avoir de plus en plus de mal à lever les bras, comme si on les avait lestés d'invisibles charges de plomb. Tous les deux étaient blessés, mais Axis saignait davantage que son demi-frère, mieux protégé par son pourpoint et son pantalon de cuir.

Depuis le début, leurs regards n'avaient pas cessé d'être rivés l'un à l'autre. Après avoir attendu toute leur vie cet instant, chaque coup qu'ils se portaient charriait la haine et le ressentiment qu'ils avaient accumulés au fil des décennies.

Tout ce que voyait Faraday se superposait à la vision que lui avaient envoyée les arbres. On eût dit qu'il y avait quatre duellistes. Dès qu'Axis levait son épée, une silhouette fantomatique, derrière lui, imitait son geste comme le reflet d'un miroir. Et il en allait de même pour Borneheld.

Le temps s'écoulait, et la musique continuait à retentir.

Axis titubait de fatigue. Depuis quand ferraillait-il ? Borneheld ne lui laissait aucun répit, l'empêchant de reprendre son souffle et de coordonner assez ses attaques pour obtenir un avantage décisif. Sans véritable génie, mais avec une force aveugle de taureau, l'assassin de Priam parvenait à neutraliser un escrimeur beaucoup plus subtil que lui…

Finalement, ce fut l'aigle qui décida de l'issue du combat. Depuis le début, perché sur sa poutre, il suivait les évolutions des deux hommes sans dissimuler son ennui. De guerre lasse, il décida de passer le temps en se lissant les plumes, sa tête s'agitant frénétiquement comme s'il tentait de se débarrasser d'une souillure imaginaire.

Ayant arraché une petite plume duveteuse de sa poitrine, il la recracha, agacé, puis entreprit de s'occuper de son aile gauche, qui semblait soudain le démanger.

La plume blanche tomba vers le sol en un lent tourbillon. Puis sa chute devint plus chaotique, car le souffle des duellistes la soumit aux fantaisies d'une tempête miniature.

Elle faillit se poser dans les cheveux d'Axis, qui secoua la tête, énervé par ce contact à un moment pareil. Déconcerté, il parvint d'extrême justesse à parer le coup à la poitrine que lui porta son adversaire.

La plume effectua quelques vrilles gracieuses puis tomba d'un seul coup sur le sol. Dans sa fureur, Borneheld ne la remarqua même pas, et Axis, occupé à se défendre, l'oublia aussitôt.

Les coups redoublant de violence, les deux hommes eurent le sentiment que leurs poignets, éprouvés par les vibrations, ne résisteraient plus très longtemps. Empourprés, luisant de sueur, ils comprirent qu'il fallait en terminer et frappèrent avec une détermination désespérée.

Sur le marbre, la plume ne bougeait plus.

Axis s'étant fendu, Borneheld, qui ne s'y attendait pas, fut contraint de reculer d'un pas…

… et perdit l'équilibre quand sa botte gauche glissa sur la plume.

L'ouverture tant attendue ! Alors que son demi-frère titubait presque comiquement, Axis lui faucha les jambes du bout d'un pied.

Borneheld s'écrasa sur le sol, et son épée lui échappa. D'un nouveau coup de pied, Axis la propulsa à l'autre bout du hall.

Les traits tordus par la peur, le roi d'Achar rampa en arrière en quête d'un peu d'espace libre pour se relever.

Osant jeter un coup d'œil derrière lui, il aperçut Faraday, toujours maintenue par Jorge, et la regarda avec une étrange mélancolie. Certain d'avoir perdu, il se retourna ensuite vers Axis, résolu à voir venir le coup qui mettrait un terme à son existence.

Immergée dans sa vision, Faraday continuait à apercevoir des silhouettes spectrales. Pour elle, c'était Axis qui venait de glisser et s'apprêtait à recevoir le coup de grâce.

Dans le monde réel, l'Envoûteur plaqua une botte sur la poitrine du vaincu puis leva son épée. Mais au lieu de l'abattre en arc de cercle, pour décapiter son adversaire, il retourna l'arme entre ses mains et flanqua sur la tempe de son demi-frère un terrible coup du plat de la garde.

Sonné, Borneheld ne bougea plus.

Sous le regard stupéfait des témoins, Axis leva de nouveau sa lame... et l'envoya rejoindre celle de Borneheld, très loin sur le sol. Que se passait-il ? Pourquoi renonçait-il à achever proprement le vaincu ?

S'agenouillant, Axis se plaça à califourchon sur Borneheld et tira un couteau de sa botte. Quand il eut découpé la tunique de cuir du roi, il l'écarta, enfonça sa lame dans la chair vulnérable... et remonta lentement.

S'aidant des deux mains, il fendit en deux le sternum de Borneheld et fit éclater sa cage thoracique.

Révulsée par cette atroce vision et par l'ignoble craquement des os, Rivkah se plia en deux, la bile lui remontant dans la gorge. Lui-même très pâle, Magariz la redressa et la prit dans ses bras.

Les yeux roulant dans leurs orbites, les poings serrés, Borneheld battit follement des jambes quand son frère, après avoir jeté le couteau, écarta à deux mains sa cage thoracique exposée à l'air libre.

L'aorte du moribond explosa sous la tension, et une énorme goutte de sang en jaillit pour aller s'écraser sur la gorge de Faraday puis ruisseler entre ses seins.

Paniquée par le contact du fluide vital sur sa peau, la jeune femme hurla comme une démente entre les bras de Jorge.

Pourtant, elle ne parvint pas à fuir le regard fixe et déjà éteint de Borneheld. Ou étaient-ce les yeux d'Axis qu'elle voyait ? Car il lui était toujours impossible de distinguer les véritables silhouettes de leurs doubles spectraux. Qui agonisait à ses pieds ? Axis ou Borneheld ?

Mère, je t'en supplie, fais que ce ne soit pas Axis !

Du sang jusqu'aux coudes, sa chemise désormais aussi rouge que ses hauts-de-chausses, Axis enfonça une main dans la poitrine de son demi-frère et la referma sur son cœur encore battant. D'un geste vif, il arracha le muscle toujours vivant, aspergeant de sang tous les témoins proches de lui.

— Libre Chute ! cria-t-il en levant les yeux vers le dôme. Libre Chute !

L'aigle quitta sa poutre et plongea vers le sol du hall des Lunes.

Axis jeta en l'air le cœur de Borneheld. En plein vol, le rapace blanc le rattrapa entre ses serres, se posa sur le marbre et dévora avidement le morceau de choix que son maître venait de lui offrir.

Devant ce spectacle ignoble, pas un témoin n'osa détourner la tête. Toujours blottie contre la poitrine de Magariz, Rivkah elle-même, comme hypnotisée, regarda le grand rapace festoyer avec le cœur de son fils aîné.

Axis se releva et faillit glisser sur la mare de sang qui s'étalait sous le cadavre de son demi-frère.

L'estomac retourné, Faraday tourna la tête vers son bien-aimé.

« *Du sang ruisselle sur tout le corps d'Axis, poissant sa barbe et ses cheveux. Et quand il tend une main…* »

Tendant effectivement la main, Axis saisit Faraday par un bras. Écœuré par le carnage, Jorge lâcha la jeune femme et baissa les yeux.

Effrayée par la lueur qui brillait dans les yeux d'Axis, Faraday tenta de se débattre quand il lui prit le poignet gauche, le serrant si fort qu'elle en eut des larmes aux yeux.

Entre ses seins, le sang de Borneheld continuait à ruisseler.

« Et du sang. Du sang partout! »

Après avoir retiré la bague au rubis du doigt de Faraday, Axis se retourna vers le cadavre, les doigts toujours refermés sur le poignet de la jeune femme.

—J'ai rempli ma part du marché, Gardienne! cria-t-il. À ton tour, maintenant!

Sur ces mots, il jeta le rubis d'Ichtar dans la poitrine du mort. Un moment, la pierre brilla comme un petit soleil. Puis elle sombra dans un magma de bouillie sanglante, exactement à l'endroit où avait battu le cœur de Borneheld.

58

Transformations

Piégée depuis deux mille ans dans le maudit rubis, elle avait connu les doigts d'une innombrable suite de duchesses d'Ichtar. Vingt siècles durant, elle avait entendu des milliers de conversations, vu défiler une infinité de vies et pleuré avec les dizaines de malheureuses forcées de porter la bague et de supporter des ducs d'Ichtar plus monstrueux les uns que les autres.

Quel noir sortilège l'avait enfermée dans la bague, lorsque la source avait été obstruée par un barrage de rochers, en ces temps reculés ? Zeherah aurait été incapable de le dire. Pareillement, elle avait oublié le nom du duc d'Ichtar mille fois maudit qui s'était décidé, après que le pont lui eut refusé le passage, à tarir la source et à vider le lac de la Vie. Mais au fond, qu'importait l'identité de ce chien ? Tout ce qui comptait, c'étaient les conséquences de ses actes…

Alors que les eaux s'évaporaient, la cinquième Sentinelle s'était sentie… disparaître… avec elles. Tandis que le soleil desséchait les dernières flaques de boue, le pont se dématérialisant avec un soupir, le duc d'Ichtar, debout sur la berge, avait repéré le magnifique rubis qui brillait dans la tourbe du lac assassiné. Depuis, Zeherah avait végété dans cette pierre précieuse qu'elle détestait plus que tout au monde.

Les trois dernières décennies – un petit peu plus, maintenant… – avaient été les plus frustrantes. Présente au doigt de la duchesse d'Ichtar de l'époque, Zeherah avait été témoin de sa rencontre avec l'Envoûteur icarii, puis de la conception passionnée de l'Homme Étoile. Toujours là pendant la grossesse de la jeune femme, elle avait partagé avec elle les premières douleurs de l'accouchement. Mais cette vermine de Searlas l'avait retirée du doigt de Rivkah avant la naissance du bébé. Du coup, Zeherah n'avait jamais su s'il était venu au monde mort ou vivant.

Pendant des années, elle s'était morfondue dans un coffre, au fond des sous-sols de Sigholt, la fantastique forteresse devenue une coquille vide. Désespérée, Zeherah avait pleuré de rage en songeant que la Prophétie arpentait peut-être le monde sans qu'elle le sache. Où étaient Ogden, Veremund et Yr ? S'étaient-ils réveillés aussi ?

Et Jack ? Être séparée de ses compagnons la torturait, mais lui… Le contact délicat de son esprit lui manquait terriblement, et elle redoutait de ne plus le revoir…

Un jour, Borneheld l'avait sortie du coffre, amenée à Carlon et glissée au doigt de la nouvelle duchesse d'Ichtar.

Depuis deux ans, Zeherah n'avait pas quitté Faraday, vivant toutes ses aventures et partageant ses sentiments, joyeux ou sombres. À travers ses yeux, elle avait vu la Prophétie se réaliser peu à peu, et même aperçu les quatre autres Sentinelles. Hélas, elle n'avait pas pu communiquer avec elles…

Après avoir senti Faraday s'éprendre de l'Homme Étoile – Axis, quel drôle de nom ! –, elle avait tenté de la soutenir pendant son ignoble mariage avec Borneheld. Toujours présente pendant le siège puis la chute du fort de Gorken, elle avait tout fait pour aider la duchesse d'Ichtar à ne pas tomber enceinte. De plus en plus impatiente de voir s'éteindre la maudite lignée à qui elle devait sa captivité, elle avait néanmoins pris plaisir à accompagner Faraday lors de ses promenades dans le Bosquet Sacré et la forêt magique.

Ce soir, Zeherah avait assisté à la mort de Borneheld – à travers les yeux de Faraday *et* la paroi translucide de sa prison. Quand l'Homme Étoile s'était emparé de la bague, elle avait hurlé de joie !

Dans le sang de l'infâme duc d'Ichtar, le sortilège s'était comme dissous. Par sa mort, l'imposteur qui avait cru pouvoir régner sur Achar venait de rendre la liberté à la cinquième Sentinelle!

Il jaillit du soleil, totalement désorienté. Où avait-il été, ces derniers temps? Qu'est-ce qui avait mal tourné dans sa vie? Et pourquoi cet état de confusion mentale? Au-dessus de lui, la chaleur dépassait celle d'un millier d'incendies, et il tombait comme une pierre pour tenter de lui échapper. Mais sa fuite semblait sans espoir. La fournaise l'enveloppait, le consumait, le marquait au fer rouge, l'aveuglait et semait dans son esprit cette confusion qui confinait à la démence.

Oubliant jusqu'à la nécessité de contrôler sa chute, il leva les mains pour se protéger les yeux et hurla de douleur.

La fournaise explosa, souffle brûlant dévastateur qui força tous les occupants du hall des Lunes à se protéger le visage avec les mains, puis à se détourner.

Ils entendirent l'aigle crier de douleur. Et tous ceux qui étaient à proximité de la dépouille de Borneheld virent une lumière rouge l'embraser de l'intérieur.

Axis attira Faraday contre lui pour la protéger de la chaleur et de la lumière. Quand la vision de la jeune femme s'éclaircit, elle découvrit enfin que c'était son bien-aimé qui l'enlaçait… et le cadavre de Borneheld qui gisait à ses pieds tandis qu'une silhouette blanche et jaune s'élevait lentement derrière lui.

—Axis! s'écria l'Amie de l'Arbre, folle de joie.

Quand la chaleur se fut dissipée ainsi que la lumière, tout le monde se retourna vers le centre du hall. À la place de l'aigle, un Icarii blond aux ailes blanches et argent, nu comme un ver, était accroupi sur le sol, ses yeux violets volant d'un visage inconnu à un autre.

—Libre Chute! cria Gorge-Chant.

Bousculant son père, pour une fois dépassé par les événements, elle courut vers son amoureux.

— Gorge-Chant, où sommes-nous et que s'est-il passé ?
D'abord, qui sont ces gens ?

La jeune Icarii prit la main de son fiancé et leva les yeux
vers Axis.

— Merci, souffla-t-elle. Oui, merci !

Puis elle se tourna vers Libre Chute, l'enveloppa de ses bras
et de ses ailes et lui murmura des mots d'amour à l'oreille.

Axis se concentra sur la femme qui se tenait désormais
debout près de lui. Totalement nue, comme Libre Chute, elle ne
semblait pas troublée pour autant, et une aura de pouvoir l'enveloppait. Zeherah, la cinquième Sentinelle, grande, mince et très
jolie avec les mêmes yeux noirs que sa mère et de longs cheveux
d'un roux soutenu presque aussi rouges que le rubis d'Ichtar.

— Merci, dit-elle simplement, comme Gorge-Chant.
Oui, merci…

Une seconde après, Jack vint se camper à côté d'elle.

Axis prit une profonde inspiration et posa un petit baiser
sur les lèvres de Faraday.

— On dirait bien qu'il me faut une épouse, plaisanta-
t-il, et une idée vient de me frapper : te voilà veuve ! Veux-tu
devenir ma femme, Faraday ?

— Oui ! s'écria la reine d'Achar.

Oubliant qu'ils étaient tous les deux couverts de sang, elle
se serra plus fort contre Axis.

Toujours révulsé par la fin horrible de Borneheld, Jorge
leur jeta un regard noir.

— Aucune bonne intention, même celle de défendre son
univers, n'autorise à commettre des meurtres, dit soudain Axis.
(Le comte sursauta quand il s'aperçut que l'ancien Tranchant
d'Acier le regardait par-dessus la tête de Faraday.) Souviens-toi
de l'assassinat de Libre Chute, mon ami. Et de l'horrible fin
de Priam, après qu'il eut envisagé de s'allier avec moi. Pense
aux milliers d'innocents crucifiés en Skarabost parce que
leur cœur les poussait à suivre une nouvelle voie, alors que
Borneheld refusait de renoncer à l'ancienne…

Jorge baissa les yeux et inclina la tête.

—Pense aussi aux renaissances que la mort de Borneheld a permises, continua Axis, décidé à convaincre le vétéran que l'abominable fin de l'imposteur était nécessaire. Libre Chute est revenu du Monde Souterrain, rendu à l'existence dont il n'aurait jamais dû être arraché si tôt. Zeherah, elle, a échappé à la prison où des générations de ducs d'Ichtar l'avaient maintenue. À présent, elle pourra reprendre sa place parmi les Sentinelles…

—J'ai compris, Axis, dit Jorge. (Il jeta un bref regard au cadavre de Borneheld.) Le nouvel ordre à venir doit être accepté, et je suis prêt à le faire.

—Je m'assurerai que le monde entier l'accepte, mon ami.

Le comte dévisagea un moment Axis, puis il se détourna.

—Yr, dit l'Envoûteur, occupe-toi de Faraday, je t'en prie. Aide-la à se laver, puis à s'endormir…

Dans le hall des Lunes, les témoins étaient enfin sortis de leur stupéfaction. Penché sur Libre Chute et Gorge-Chant, Vagabond des Étoiles regardait Axis avec un grand sourire.

—Ce soir, ta magie a été fabuleuse, mon fils !

Il lança la bague d'Envoûteur à Axis, qui la rattrapa au vol et la remit à son doigt.

—J'ai eu de l'aide, Vagabond des Étoiles, mais je te raconterai plus tard… Libre Chute ?

Le jeune Icarii leva les yeux.

—Axis ? Que s'est-il passé ? Et où suis-je ?

—Tu es parti très loin de chez toi, mon cousin, mais te voilà de retour. Ce soir, fête tes retrouvailles avec Gorge-Chant, puis repose-toi. Je t'en dirai plus long quand nous aurons un peu de temps…

—« Ce soir », Axis ? répéta Vagabond des Étoiles avec un petit rire. La lumière de l'aube filtre déjà dans le hall des Lunes !

Axis jeta un coup d'œil aux petites fenêtres du dôme. Son père avait raison : dehors, le ciel rosissait.

—Par les Étoiles, combien de temps nous sommes-nous battus ?

—Presque toute la nuit, mon ami! répondit Belial dans le dos de son chef. Je me demande comment tu tiens encore debout…

Axis donna l'accolade à son frère d'armes, prit l'épée qu'il lui tendait et la glissa dans son fourreau.

—Belial, le capitaine de la garde palatiale est-il ici?

L'officier désigna un grand type en uniforme qui semblait très nerveux.

—Comment t'appelles-tu, capitaine? demanda Axis.

À l'époque où il vivait à Carlon, il n'avait jamais vu cet homme.

—Hesketh, hum… Sire.

—Eh bien, Hesketh, je prends le contrôle de Carlon comme j'ai déjà pris celui du reste d'Achar. Tu y vois un inconvénient?

—Non, Majesté.

Le capitaine regarda Yr, qui sortait avec Faraday. Avant de disparaître, la Sentinelle sourit à son bel amant.

—Très bien, dit Axis. Avec tes gardes, tu vas aider Belial à sécuriser le palais. Quand ce sera fait, gagne les portes de la ville et ordonne qu'on les ouvre. Désormais, tout le monde est libre d'entrer ou de sortir de Carlon. La garde palatiale ne subira pas de représailles, et les soldats de Borneheld non plus. Tout ce que je demande, c'est votre loyauté à tous.

—Sire, vous l'avez! assura le capitaine.

Axis avait disputé un duel loyal contre son frère, et il méritait la couronne. De plus, si les accusations qu'il avait lancées contre Borneheld étaient vraies, on pouvait considérer l'issue du combat comme une sorte de jugement divin.

—Très bien, répéta Axis. Belial, accompagne notre nouvel ami, et amène deux chasseurs de Ravensbund avec toi. J'aurai besoin des quatre autres…

Le mari de Cazna salua et partit exécuter ses ordres.

Axis regarda alors Gautier, Timozel et Jayme, que Ho'Demi et ses quatre chasseurs surveillaient de près.

—Timozel, souffla-t-il en avançant vers le fils d'Embeth.

Qu'allait-il dire à cet homme? Le jeune garçon charmant qu'il avait connu n'était plus qu'une brute à la mine maussade dont les yeux brillaient de fanatisme.

—Timozel, les vœux qui te lient à Faraday tiennent-ils toujours?

Le champion de la reine ne répondit pas tout de suite. Il avait suivi le duel, et maintenant, ses rêves et ses visions semblaient gésir à côté du cadavre de Borneheld. Où étaient les armées qu'il aurait dû commander? Les dizaines de milliers de gorges criant son nom? Les victoires légendaires? Où?

Et Faraday? Alors que son mari était étendu sur le sol de marbre, mort et mutilé, laisserait-il Axis s'emparer de cette femme comme si elle était un trophée?

—Oui, je suis toujours le champion de Faraday. Et je pressens qu'elle aura plus que jamais besoin de mes conseils. Surtout si elle est tentée de prendre une décision qu'elle regrettera toute sa vie.

Axis parvint à rester impassible.

—N'oublie pas que ta mission est de la soutenir, Timozel, quelle que soit la direction qu'elle emprunte. Tu n'es pas son maître!

—Et je jure devant tous les dieux qui nous écoutent que tu ne le seras pas non plus!

Sur ce défi, Timozel passa devant Axis et se dirigea vers la porte.

—Laisse-le partir, dit l'Envoûteur à Ho'Demi, qui faisait mine de suivre le jeune homme. Nous ne pouvons rien pour lui. Mais il reste le champion de Faraday, et je ne lui ferai pas de mal.

—Il est dangereux, dit le chef des chasseurs.

Une entité malveillante avait pris possession de l'âme de cet homme…

Axis se tourna vers Gautier, dont le visage décomposé le fit frissonner de dégoût.

—Tu as suivi aveuglément Borneheld, Gautier, et je ne saurais l'oublier… Mais je ne suis pas le mieux placé pour t'accuser. Tes propres hommes te haïssent à cause de ta cruauté.

Combien de soldats as-tu fait exécuter parce qu'ils n'avaient plus la force de faire un pas ou de continuer à se battre ? Des héros qui avaient pourtant tout donné pour leur roi ! Mais il y a pis ! Te souviens-tu des trois chasseurs que tu as fait crucifier parce qu'ils avaient osé parler en bien de moi ? Ho'Demi, je te confie ce chien ! Fais de lui ce que tu veux, à condition qu'il soit mort avant le coucher du soleil !

—Non ! s'écria Gautier, terrifié, pendant que deux chasseurs le prenaient par les bras. Tue-moi tout de suite, Axis ! Un coup d'épée rapide, je t'en supplie ! Ne me livre pas à ces sauvages !

—Ho'Demi, je répète : il devra être mort au coucher du soleil ! Jette son corps sur un tas d'ordures, devant la ville, afin que tout le monde le voie !

—Je ferai ce que tu dis avec ce qui restera de sa carcasse…

—Laisse-moi deux de tes guerriers, Ho'Demi, ajouta Axis. Pour vous occuper de ce lâche qui ne tient déjà plus debout, vous serez bien assez de trois.

—Merci de ce cadeau, noble seigneur, dit Ho'Demi.

Faisant signe à ses chasseurs de le suivre avec leur proie, il salua l'Homme Étoile et gagna la sortie.

—Eh bien, Jayme, dit Axis en se tournant vers le frère-maître, il semble bien que tu auras été le dernier chef de l'ordre du Sénéchal ! Les « Proscrits », comme tu dis, sont de retour chez eux, dans les plaines et les collines dont l'ordre les a injustement chassés.

Se taisant soudain, Axis étudia le vieil homme, incapable de comprendre comment il avait pu changer à ce point. Depuis toujours, il avait connu Jayme fort comme un roc et débordant de vitalité. Un homme fier du chemin qu'il avait parcouru et soucieux de soigner son apparence.

À présent, il ressemblait à un vieux paysan épuisé par des années de labeur et de misère. Les cheveux en bataille, les vêtements sales et déchirés, des lambeaux de nourriture et de la bave séchée collés à sa barbe…

—Où sont Moryson et Gilbert ?

621

—Volatilisés…, murmura Jayme.

—Enfermez-le dans une pièce dont il ne pourra pas sortir, ordonna Axis aux deux chasseurs. (Comment jeter une épave pareille dans une cellule humide et crasseuse ?) Bloquez les fenêtres, pour qu'il ne puisse pas se jeter dans le vide. Je lui parlerai plus tard…

Du coin de l'œil, Axis vit que Rivkah, toujours soutenue par Magariz, regardait tristement le cadavre de Borneheld.

Rivkah… Qu'allait-il pouvoir lui dire ?

S'arrêtant près du corps, Axis baissa la tête et vit que les yeux gris de son demi-frère, toujours grands ouverts mais voilés et souillés de sang, fixaient sans les voir les lunes et les astres peints sur le dôme couleur nuit.

Il se pencha, baissa les paupières de Borneheld et vit briller la couronne d'Achar au milieu de ses cheveux maculés de sang coagulé. Après une brève hésitation, l'ancien Tranchant d'Acier s'empara de la couronne et retira du doigt de son demi-frère la bague d'améthyste symbole du pouvoir suprême dans le royaume.

Se relevant, il frotta les bijoux contre sa manche, pour les débarrasser du sang, puis les contempla un moment. Désormais, ils étaient à lui, comme Achar…

Mais il n'avait pas l'intention de s'asseoir sur ce trône-là, qu'il avait la ferme intention de voir tout simplement disparaître dans le nouveau Tencendor. Alors, que faire de ces symboles devenus inutiles ? Sa décision pas encore prise, il approcha de sa mère.

Quand elle leva les yeux sur son fils survivant, la princesse s'étonna que lui aussi ait le visage couvert de sang. Mais il y en avait partout dans le hall des Lunes ! Axis et Borneheld étaient nés dans des flots de sang, des décennies plus tôt. Tout cela, au fond, n'aurait pas pu finir autrement…

—Rivkah…, souffla Axis, ignorant toujours ce qu'il allait faire de la couronne et de la bague.

La princesse tendit une main tremblante vers la poitrine couverte de plaies de son fils cadet. Les blessures n'étaient pas très graves, mais elles saignaient, et l'une d'elles était assez profonde pour qu'on aperçoive une côte entre ses lèvres…

—Tu as été touché, gémit Rivkah en frôlant du bout des doigts le torse de son enfant si longtemps perdu.

—Après une petite visite sous la tente du chirurgien, qui les recoudra promptement, ces plaies guériront vite…

—Axis, c'était plus dur que je ne l'aurais cru… Je n'ai jamais aimé Borneheld, et je le haïssais presque à cause de l'assassinat de Priam, mais…

» Oui, il est dur de voir ses deux fils se battre ainsi…

Cédant à une impulsion, Axis tendit la couronne et la bague à sa mère.

—Prends-les, car je n'en aurai pas besoin ! Tu es la dernière de ta lignée, Rivkah. Porte ces ornements, fais les fondre pour les vendre ou jette-les, je n'en ai rien à faire !

Rivkah accepta les reliques. Avant son frère, son père les avait arborées, comme des dizaines de rois dans l'histoire…

—Magariz, dit Axis, dès que tu auras trouvé des soldats disponibles, ou même des serviteurs, fais-leur emporter le cadavre de Borneheld. Je veux qu'il soit jeté sur un tas d'ordures, devant les murs de la ville. Car cette charogne appartient maintenant aux corbeaux.

Rivkah tressaillit et serra plus fort la bague et la couronne.

Très tard dans la nuit, ses blessures recousues, Axis eut enfin quelques minutes de tranquillité pour faire le point.

Le palais s'était rendu sans résistance. À tout hasard, Belial et ses hommes l'avaient passé au peigne fin, dénichant pour l'essentiel des domestiques disposés à servir le nouveau maître et des courtisans pressés d'aller le flagorner. Remettant les serviteurs au travail, Belial avait renvoyé les nobles chez eux, car l'heure ne lui semblait pas à la flatterie.

À la fin de ses recherches, l'officier avait débusqué une dizaine de frères du Sénéchal et le comte Isend, réfugié dans une chambre avec une fille outrageusement peinturlurée. Las des massacres, Axis avait ordonné que tout ce petit monde parte pour Coroleas.

Une fois certain que le palais était sûr, il avait passé sa journée en ville histoire de bien montrer qu'il prenait le royaume en main.

Fatalistes, les Carlonites avaient accepté sans sourciller qu'un souverain chasse l'autre. En revanche, le retour de Rivkah faisait sensation.

En compagnie de Faraday, la princesse avait passé une grande partie de la journée dans les rues, où elle s'était entretenue avec le maire, plusieurs maîtres de guildes et une multitude de citoyens qui l'approchaient timidement, puis se détendaient au fil de la conversation.

En quelques heures, la veuve de Borneheld et la « revenante » avaient beaucoup fait pour apaiser les craintes de la population. Leur escorte d'Icarii effrayant les Carlonites, elles s'étaient montrées assez didactiques et persuasives pour inverser la tendance. Enthousiasmé par Plume Pique, le maire était allé jusqu'à l'inviter à dîner chez lui.

Selon les ordres d'Axis, Belial et Hesketh avaient fait ouvrir les portes de la capitale. Du coup, les citadins et les soldats de l'Homme Étoile purent fraterniser. On échangea des nouvelles, des vivres et des cadeaux. Puis les mères, les épouses et les petites amies s'enquirent des survivants, dans les deux camps. En fin d'après-midi, une longue procession de femmes et d'enfants alla déposer des fleurs sur les tombes alignées devant le fort de Bedwyr. Un ultime hommage aussi sincère qu'émouvant…

Enfin seul dans une chambre d'invité du palais, Axis ferma les yeux et se laissa réchauffer par les flammes qui crépitaient dans la cheminée. De sa vie, il n'avait jamais été si fatigué !

Pourtant, dans quelques jours, après avoir annoncé la renaissance de Tencendor, il devrait repartir vers le nord pour affronter Gorgrael.

Je devrais peut-être y envoyer des troupes plus tôt… Dès demain, même…

Si le Destructeur avait vent des troubles qui s'étaient produits dans le sud d'Achar – non, de Tencendor ! – il pouvait en profiter pour attaquer… Et il aurait raison, car c'était le moment idéal !

Vêtue d'une houppelande bleu marine, Faraday se glissa dans la chambre et sourit en voyant Axis endormi dans un fauteuil, près de la cheminée. Bien qu'il se fût lavé et changé, il portait toujours les traces de son duel contre Borneheld. À travers sa chemise entrouverte, on voyait les points de suture, sur son torse. Et les phalanges de sa main droite étaient gonflées à force d'avoir trop longtemps tenu une épée…

—Axis…, souffla Faraday.

Elle attendait ce moment depuis si longtemps ! Ce soir, elle refusait de patienter encore !

—Faraday ? marmonna Axis en ouvrant les yeux.

La jeune femme dénoua la ceinture de sa houppelande et la laissa glisser sur le sol. Dessous, elle était entièrement nue.

Axis la regarda, stupéfait. Par les Étoiles, ignorait-elle qu'il était à bout de forces ? Deux nuits blanches, dont une passée à ferrailler contre un colosse… Tout son corps lui faisait mal, et malgré les mensonges rassurants qu'il avait servis au chirurgien, ses plaies récemment recousues le mettaient à la torture.

Mais Faraday était vraiment une femme superbe…

Souriante, elle s'agenouilla devant lui, lui retira ses bottes et lui frôla lascivement les cuisses. Se penchant en avant, elle lui embrassa le torse, toujours aussi provocante…

Sentant son corps répondre à ces stimuli, Axis sursauta.

Azhure, pensa-t-il, son esprit protégé par un bouclier infranchissable, *il y a si longtemps que tu m'interdis de te toucher. Tu savais que ça en arriverait là…*

Les caresses de Faraday se faisant plus précises et insistantes, comme sa bouche, Axis sentit qu'il ne se contrôlerait plus longtemps.

Un instant, fou de jalousie, il se demanda si Faraday tenait sa toute nouvelle expertise de Borneheld. Car elle n'avait plus aucun rapport avec la jeune vierge qu'il avait embrassée sous les étoiles, dans le champ aux tumulus.

Mais comment pouvait-il penser des choses pareilles alors qu'il s'apprêtait à trahir Azhure ?

Faraday eut un rire de gorge quand il l'enlaça enfin. Mais tandis qu'il lui faisait l'amour sur une douce fourrure, devant la cheminée, elle ne se douta pas un instant que son ardeur et sa fougue ne visaient qu'un objectif : l'aider à oublier la culpabilité qui le taraudait.

Par miracle, au moment suprême, Axis parvint à ne pas crier le nom d'Azhure.

Quand tout fut fini, lorsqu'elle le vit pleurer en silence, Faraday pensa que son amour pour elle lui arrachait des larmes, et un bonheur sans mélange la submergea…

Personne n'avait osé parler à la reine d'Azhure et de Caelum. Comme Belial et Rivkah, les Sentinelles avaient gardé le silence…

Plus tard, en découvrant la vérité, Faraday en voudrait terriblement à tous ceux qui l'avaient laissée dans l'ignorance. Et si elle détenait le secret qui assurerait le succès de la Prophétie, son pouvoir portait aussi en gésine les graines de la destruction d'Axis…

59

Un serment vole en éclats

Timozel passa la nuit à chercher Faraday. Le visage fermé, il erra en vain dans les couloirs du palais…

Borneheld s'était comporté dignement. Un authentique chevalier ! Aux yeux du champion de la reine, sa fin soulignait encore sa valeur et la pureté de son cœur.

Dans sa ferveur, il en oubliait que le roi défunt s'était détourné de ses visions, refusant de lui confier le commandement de l'armée.

De temps en temps, alors qu'il arpentait les couloirs, Timozel avait dû se plaquer contre un mur pour éviter un des Proscrits qui grouillaient dans le palais.

Infâme vermine ! Monstres répugnants !

Ces créatures avaient déjà investi la capitale, et bientôt, elles contrôleraient Achar. Avant l'hiver, toute l'œuvre du Sénéchal serait irrémédiablement détruite. Et à la fin de l'année, les maudits lézards auraient réduit en esclavage le bon peuple d'Achar.

Tout était perdu. La mort de Borneheld avait marqué la fin d'un monde. Pour Timozel, les ténèbres régnaient sur l'univers.

Il devait parler à Faraday et lui rappeler la fidélité qu'elle devait à la mémoire de son mari. Pour elle, la solution était une paisible retraite dans un cloître, loin du bruit et de la fureur de Carlon. Car elle était incapable de lutter contre ses faiblesses, surtout lorsqu'il s'agissait d'Axis.

Croisant enfin Yr – la catin revenait à l'aube des baraquements de la garde ! –, il lui demanda où était sa protégée.

—Avec Axis, je suppose… Ce serait normal, en cette nuit de retrouvailles… Gorge-Chant et Libre Chute, Jack et Zeherah, Axis et…

—Non ! s'écria Timozel, si furieux qu'il leva une main pour gifler l'insolente.

Les yeux bleus d'Yr brillèrent d'un tel pouvoir qu'il recula d'un pas.

—N'y songe même pas ! lâcha la Sentinelle. Maintenant que nous sommes au complet, notre puissance est à son zénith ! Nous fournirons à Axis l'arme qui lui permettra de dominer Gorgrael. N'ose pas me menacer, ou il t'en cuira !

Gorgrael… En entendant ce nom, Timozel se décomposa. Comme s'il avait un démon à ses trousses, il tourna les talons et partit au pas de course.

Interloquée, Yr le regarda s'éloigner.

Timozel continua ses recherches. Il avait vérifié la plupart des appartements, réveillant plus d'un innocent dormeur en faisant irruption dans sa chambre.

Tous les dormeurs, hélas, n'étaient pas innocents. Révulsé, le champion de Faraday avait découvert trois dames de la cour endormies avec l'un des lézards volants venus rejoindre Axis dans la journée.

Mais où était Faraday ? Comment avait-elle pu s'abandonner entre les bras du meurtrier de son mari moins de vingt-quatre heures après le crime ?

Il trouva enfin sa dame dans une des suites en principe réservées aux ambassadeurs. Elle dormait sur une fourrure, devant le feu, blottie dans les bras du régicide…

—Faraday…, souffla Timozel, stupéfait.

La reine ouvrit les yeux, s'assit en sursaut et tâtonna autour d'elle, à la recherche de sa houppelande.

—Timozel, que fais-tu ici ?

Vidé par son duel contre Borneheld, Axis émergea lentement du sommeil et ne comprit pas tout de suite ce qui se passait.

—Catin! cria Timozel en brandissant le poing. Le corps de ton mari est à peine froid, et tu laisses cet assassin se repaître de ton corps? Tu as souillé la mémoire d'un héros, chienne en chaleur!

Complètement réveillé, Axis bondit sur ses pieds.

—Cette fois, c'en est trop! cria-t-il en tendant le bras vers son épée, posée près de la cheminée.

—Non! lança Faraday.

Axis renonça à dégainer sa lame. Mais il avança vers Timozel et le saisit par le poignet.

—Ce que fait Faraday ne te regarde pas! Sors d'ici!

—Tu n'es qu'un taureau en rut! cracha Timozel. As-tu apprécié la reine, tueur de roi? Et au passage, lui as-tu refilé une des sales maladies que tu as récoltées dans les bordels de campagne?

—Timozel, assez! cria Faraday.

Mais les deux hommes ne l'entendirent pas.

—On m'a parlé du goût des Icarii pour la débauche, continua le champion de la reine. Ils ne peuvent pas se retenir, pas vrai? J'en ai vu avec de nobles et saines dames de ce palais! Alors, Axis, as-tu infecté Faraday avec une maladie attrapée entre les cuisses d'une putain icarii?

Fou de rage, Axis saisit Timozel à la gorge de sa main libre.

—Arrêtez! cria Faraday, certaine qu'il y aurait bientôt un mort de plus. Arrêtez!

Les deux hommes ne bougèrent plus, mais ne cessèrent pas de se défier du regard.

—Timozel, regarde-moi! ordonna Faraday.

Le champion tourna la tête à contrecœur… et s'écarta d'Axis, plus blême qu'un cadavre.

—Faraday, non! implora-t-il.

Très droite, la reine s'était emparée d'un vase. Impitoyable, elle regarda Timozel dans les yeux.

Il était temps d'en terminer avec cette absurde histoire de champion!

—Non…, souffla de nouveau Timozel.

—N'avance pas! ordonna Faraday.

Axis lui-même recula d'un pas, son regard oscillant entre le fils d'Embeth et l'Amie de l'Arbre. Que se passait-il? Les yeux verts de la jeune femme brillaient de pouvoir, et Timozel était blanc comme un linge.

—Il y a deux ans, je t'ai accepté comme champion, dit Faraday, très calme. À l'époque, j'étais innocente, seule au monde et condamnée à un mariage qui me répugnait. J'ai cru que tu serais un ami, un soutien, l'épaule sur laquelle m'appuyer en des temps difficiles. Mais tu ne fus rien de tout ça! Timozel, tu as pris le parti de Borneheld! Te moquant de moi alors que j'avais besoin d'amour, tu m'as accablée de sermons pompeux alors que je cherchais de la sympathie…

—Non! cria le champion en tendant une main vers sa dame. Faraday, j'ai toujours fait ce qui me semblait le mieux pour toi! Que t'ai-je dit, sinon ce que tu devais absolument entendre? Il t'est arrivé de t'égarer, et le devoir de ton champion était de te remettre sur le droit chemin!

—Tu me fais pitié, Timozel, et mon cœur saigne pour toi. Comme je regrette l'adorable garçon rencontré jadis dans les plaines de Tare! Que t'est-il arrivé? Qui est la brute morose que je vois devant moi? Tu n'es pas un champion de la Lumière, mais un suppôt des Ténèbres! Un être condamné à errer dans d'étranges territoires où il finira par se perdre et par être dépossédé de son âme.

Faraday semblait à présent en transe, et sa voix avait pris les intonations chantantes de celle d'une voyante.

—Je ne veux plus de toi, Timozel! Si tu retrouves le chemin de la Lumière, reviens me voir, car j'aurai plaisir à retrouver l'ami que j'ai perdu. Quand ce vase se brisera, champion, le serment qui nous lie éclatera avec lui en mille morceaux.

Faraday lâcha le vase.

Timozel plongea pour le rattraper, faillit y parvenir, mais le manqua de quelques pouces.

—Non! cria-t-il alors que le cristal explosait en une gerbe d'éclats.

Faraday et Axis frissonnèrent, glacés par le désespoir du jeune homme.

— Nous ne sommes plus liés, Timozel, dit Faraday. Tu n'es plus mon champion ! Et maintenant, hors de ma vue !

Dans sa forteresse de glace, très loin au nord, Gorgrael hurla de joie ! Enfin, Timozel était à lui !

Des ténèbres tourbillonnaient dans la pièce, menaçant de submerger Timozel. Au moment où le vase s'était brisé, il avait senti mourir en lui le peu qui restait de son ancienne personnalité. Nul ne pleurait plus que lui la disparition du jeune homme insouciant et pur qu'il avait été. Et qui pouvait prétendre haïr davantage la brute qu'il était devenu ?

Mais résister à l'obscurité qui envahissait son âme était impossible. Sans cesse, des pensées qui ne lui appartenaient pas retentissaient dans sa tête, lui donnant envie de hurler de désespoir. Des souvenirs qui n'étaient pas davantage les siens le hantaient… Un jour, il s'était réveillé pour se découvrir debout sur le muret d'un puits, les oreilles déchirées par les cris de la jeune fille qu'il venait d'y jeter.

Cette expérience avait failli lui faire perdre la raison.

Qu'était-il devenu ? Quelles forces tentaient de s'emparer de sa vie ?

Levant vers Faraday ses yeux voilés de larmes, il comprit qu'il aurait bientôt toutes les réponses à ses questions. En brisant leur lien, sa dame venait de le livrer au Destructeur.

— Hors de ma vue ! répéta Faraday. Sors de cette pièce et de ma vie !

Timozel se leva lentement, les yeux rivés sur la jeune femme, qui finissait de s'envelopper dans sa houppelande. L'avait-il vraiment maltraitée ? Pourtant, il avait toujours tenté de faire ce qui lui semblait juste.

— Je suis désolé, dit-il sans savoir s'il s'adressait à Faraday, à Axis… ou aux deux.

Il tourna les talons, sortit de la chambre et referma la porte derrière lui.

— Oui, désolé, répéta-t-il dans le couloir.

Une fois dans la cour du palais, il enfourcha le premier cheval disponible et quitta Carlon, la vue toujours voilée par des larmes.

Tous ceux qui le croisèrent s'écartèrent sur son passage.

Dès qu'il eut franchi les portes, il galopa vers le nord, car il sentait déjà l'étau de Gorgrael se refermer sur son cœur.

Axis et Faraday ne devaient pas le revoir avant très longtemps…

60

TENCENDOR SUR LES BERGES DU LAC GRAAL

Huit jours après avoir tué Borneheld, Axis proclama la renaissance de Tencendor lors d'une grande cérémonie qu'il présida sur les berges du lac Graal. C'était plus tard que prévu, mais il avait sous-estimé le temps qu'il lui faudrait pour se remettre de sa longue guerre et de son duel final contre son demi-frère. À la vérité, ce retard avait également permis à tous les acteurs de ce drame de reprendre leurs esprits.

Presque toute la population de Carlon assista à la cérémonie. À ses côtés (et à ceux des milliers d'Acharites venus de tout le royaume) se tenaient les fidèles soldats de l'Homme Étoile. Des chasseurs de Ravensbund, des Acharites et des Icarii. N'ayant jamais été des fanatiques du Sénéchal, la majorité des Carlonites avaient accepté sans mal les hommes et les femmes-oiseaux, qui participaient désormais totalement à la vie de la cité.

Les autres Acharites – surtout originaires des régions rurales – étaient plus méfiants. Cela dit, le retour des Icarii en Achar se passait beaucoup mieux qu'on aurait pu le craindre.

Se sentant seule sans Judith, qui avait choisi de rester à Tare, Embeth avait très vite succombé au charme de Vagabond des Étoiles. Pour l'instant, elle partageait un appartement avec l'Envoûteur, au palais. Consciente que cette liaison ne durerait pas plus de quelques semaines, elle s'y accrochait quand même pour ne pas sombrer dans le désespoir.

Bientôt, espérait-elle, elle pourrait rentrer chez elle. Car à Carlon, il ne restait plus rien qui la retienne. Ses deux plus jeunes enfants s'étaient mariés et vivaient très loin à l'ouest. Quant à Timozel... Eh bien, il avait disparu, tout simplement !

Mélancolique, Embeth sortit de la foule surexcitée et s'en retourna lentement en ville.

La nuit du duel, Azhure avait passé son temps à marcher de long en large sur la berge est du lac Graal. Quand la bannière jaune et rouge sang avait enfin flotté sur le toit du palais, elle avait éclaté en sanglots. Un mélange de joie et de désespoir, car la victoire d'Axis signifiait aussi qu'elle venait de le perdre...

Aujourd'hui, alors que la cérémonie ne tarderait plus à commencer, la jeune femme se sentait très nerveuse. Bien qu'elle n'eût plus revu Axis depuis le soir où il était parti affronter Borneheld, Belial lui avait tout raconté en détail. Et maintenant, elle allait devoir faire face à son amant... et à Faraday. Selon les rumeurs, la veuve du roi resplendissait de bonheur depuis huit jours. Quoi d'étonnant, puisqu'elle les avait passés avec Axis ?

Azhure s'inquiétait aussi à cause de sa grossesse. Le matin, Axis lui avait fait dire qu'il voulait qu'elle soit éblouissante dans la robe qu'il avait fait faire spécialement pour elle. Mais elle en était au cinquième mois, et ce bébé semblait plus gros que Caelum au même stade de sa croissance.

Eh bien, puisqu'il le faut, on me verra en robe ! Tant pis si je ne peux plus cacher mon état sous une tunique ample et une cotte de mailles...

La robe rouge foncé incrustée de perles mettait merveilleusement en valeur la peau très blanche et les yeux bleus de l'archère. Très soucieuse des détails, Imibe avait orné de perles semblables les cheveux noirs de sa maîtresse. Devant son miroir, Azhure dut bien reconnaître qu'elle avait l'allure d'une grande dame !

Entendant des bruits de pas dans son dos, elle se retourna et découvrit Ysgryff, vêtu comme un roi. Depuis le départ d'Axis pour le palais, le baron avait passé beaucoup de temps avec sa compatriote. Le soir, malgré sa tristesse, il était arrivé à la faire rire avec le récit de ses aventures à Ysbadd, la capitale de Nor, et surtout en évoquant sa jeunesse, durant laquelle il avait écumé les mers en compagnie des pirates.

Et quand il sentait que la jeune femme avait seulement besoin de compagnie, il avait également su rester près d'elle en silence, contemplant les flammes de la cheminée tout en caressant la tête d'un des Alahunts.

Après avoir assuré Azhure qu'elle était magnifique dans sa robe, il regarda un long moment son ventre rebondi.

—Azhure, si tu as besoin de quoi que ce soit, n'hésite pas à m'en parler. Axis est vraiment un sombre idiot! Comment peut-il songer à épouser une autre femme?

—Faraday est très spéciale, avec sa magie et…, commença Azhure.

—Personne ne peut être comparé à toi! coupa Ysgryff. (Il prit Azhure par les épaules.) Tu m'entends? S'il te laisse t'éloigner de lui, Axis y perdra son âme!

Une déclaration très étrange… Surprise, Azhure dévisagea le baron, mais il se contenta de sourire et lui tapota gentiment la joue.

—Viens, adorable dame, dit-il. Ce soir, de grands événements nous attendent à Spiredore.

Il fallait une vingtaine de minutes pour aller du camp à la tour. Caelum dans les bras, Azhure se fraya lentement un chemin dans la foule, le baron toujours à ses côtés.

Tout le monde sourit et inclina la tête sur le passage des deux Noriens. À voir leurs atours, il s'agissait de gens très importants, et l'enfant blotti dans les bras de la femme avait une telle aura de grandeur…

Axis avait fait installer des sièges au premier rang de la foule, juste devant l'estrade érigée au pied de Spiredore. Sur la droite de la plate-forme, d'autres chaises attendaient les invités de marque. Voyant approcher Azhure et Ysgryff, Belial, Cazna, Magariz et Rivkah se levèrent pour les saluer.

—Tu es belle comme le jour! murmura la princesse à l'oreille d'Azhure.

— Et enceinte jusqu'aux yeux…, marmonna la jeune femme.

Belial l'embrassa sur la joue, regarda son ventre… et s'abstint de tout commentaire.

Ho'Demi et Sa'Kuya arrivèrent, resplendissants dans des manteaux en fourrure d'ours blanc à l'ourlet et au col teints en bleu ciel. Leurs nattes graissées de frais et ornées de plus d'éclats de verre et de clochettes que d'habitude, ils avaient l'air de magnifiques sauvages avec leurs tatouages bleus et noirs et le soleil rouge sang qui brillait au milieu de leur front. Très détendus, ils embrassèrent avec enthousiasme leurs amis. Depuis une éternité, des générations de chasseurs de Ravensbund attendaient ce jour…

Les Sentinelles, enfin au nombre de cinq, avaient pris place à la gauche de l'estrade. Jack était assis à côté de Zeherah. Bien que nul ne les ait jamais vus se toucher, il semblait évident que leur relation était très intime.

— Bonjours, mes amis! lança Vagabond des Étoiles en se posant sur l'herbe.

Gorge-Chant, Libre Chute et Œil Perçant l'imitèrent quelques secondes plus tard.

Azhure savait tout de la résurrection de Libre Chute au milieu du hall des Lunes. Un soir, Gorge-Chant lui avait amené son amoureux, et l'archère avait beaucoup apprécié sa compagnie. Très paisible mais néanmoins plein d'humour, il était si beau et si mystérieux que la plupart des gens, émerveillés, ne pouvaient s'empêcher de le dévisager. Et Azhure n'avait pas fait exception à la règle.

Profondément modifié par sa mort puis sa renaissance, Libre Chute paraissait encore plus empreint de mysticisme que ses semblables, déjà très portés à la spiritualité. En réalité, il ne se souvenait plus de son séjour dans le royaume des morts et gardait de très vagues souvenirs de son existence d'aigle.

Jusque-là, Axis avait catégoriquement refusé d'expliquer par quel miracle il avait pu ramener son cousin à la vie et libérer Zeherah de sa prison.

Resté sur le mont Serre-Pique, Crête Corbeau avait appris une semaine plus tôt que son fils était revenu à la vie. Il n'avait pas pu voler vers le sud pour participer à la cérémonie, mais Azhure espérait que ses retrouvailles avec Libre Chute seraient pour bientôt.

Cessant de couver les deux jeunes Icarii d'un regard attendri, Azhure se tourna vers Vagabond des Étoiles et fut très étonnée par la bienveillance qu'elle lut dans son regard.

Il avança, embrassa la jeune femme… puis posa les mains sur son ventre. Surprise, la future mère recula. Ce n'était ni le lieu ni le moment de faire un scandale, et même si elle aurait refusé de le reconnaître, le contact de l'Envoûteur et de son pouvoir n'avait rien eu de désagréable.

— Azhure, souffla le père d'Axis, tu es un merveilleux cadeau pour la famille Soleil Levant ! Tu ne portes pas un seul enfant, ma chère, mais deux ! Un garçon et une fille, chacun avec des pouvoirs ! Vraiment, tu es extraordinaire !

Dans l'histoire icarii, deux femmes seulement avaient donné le jour à des jumeaux.

— Merci, Vagabond des Étoiles, murmura Azhure avant de s'asseoir.

L'Envoûteur venait de s'autoriser un acte des plus intrusifs, mais son contact et ses propos l'avaient réconfortée et rassurée au moment où elle en avait le plus besoin.

Vagabond des Étoiles s'assit à la droite d'Azhure, et Ysgryff prit promptement possession du siège placé à sa gauche.

Caelum bien installé sur ses genoux, la compagne d'Axis sourit. Vêtu de rouge sombre, comme sa mère, l'enfant était magnifique avec ses boucles noires et ses yeux bleus.

Un autre fils et une fille, pensa Azhure, ravie. *Pourra-t-elle en faire autant pour lui ?*

De qui parles-tu ? demanda mentalement Caelum. *Qui est cette personne à laquelle tu penses si souvent, ces derniers temps ? Faraday ?*

Tais-toi et regarde, Caelum ! Ton père va bientôt arriver.

Ayant capté le dialogue mental, Vagabond des Étoiles

ouvrait des yeux ronds comme des soucoupes. Comment une humaine pouvait-elle faire cela ? En principe, le don de la parole par l'esprit était exclusivement réservé aux Envoûteurs les plus puissants…

— Axis…, souffla Azhure, arrachant l'Icarii à ses pensées.

Une barge venait d'accoster. Quand Axis et Faraday en descendirent, Azhure eut le souffle coupé en découvrant sa rivale. Elle était aussi superbe que dans la vision qu'elle avait eue, le soir de la Réunion, quand Vagabond des Étoiles lui avait demandé son aide pour réveiller l'Arbre Terre. Vêtue d'une robe de soie crème ornée de broderies d'or, elle était belle à se damner.

Et resplendissante de bonheur, en plus !

Frôlant de temps en temps le bras d'Axis, sa future épouse marchait à côté de lui en souriant à la vie. Chacun de ses gestes et de ses regards criait à la face du monde qu'elle aimait cet homme.

Pour l'occasion, Axis arborait sa tunique jaune au soleil rouge sang et ses hauts-de-chausses rouges. Une épée à garde d'or battant son flanc, il semblait en parfaite forme et suprêmement confiant. Sa barbe et ses cheveux, soigneusement taillés et brossés, brillaient presque autant que le tissu de sa tunique.

Des acclamations montèrent de la foule quand l'Homme Étoile et l'Amie de l'Arbre approchèrent de l'estrade. Le cœur brisé, Azhure ne put retenir ses larmes. Faraday, une authentique reine, soulignait sa propre insignifiance !

— Tu es une Soleil Levant, dit Vagabond des Étoiles en lui prenant la main. Exactement comme Rivkah, et peut-être même plus qu'elle. Si tu as besoin d'un refuge, nous t'ouvrirons toujours les bras !

Devant eux, Faraday venait de lâcher la main d'Axis, qui s'engagea seul sur les quelques marches de l'estrade.

— Pourquoi ne monte-t-elle pas avec lui ? demanda Azhure.

Pour cacher son état à Axis, elle plaça Caelum juste devant son ventre.

— Borneheld est mort depuis à peine une semaine, répondit Ysgryff, et les corbeaux n'ont pas fini de nettoyer ses os…

Azhure frissonna à cette idée. En accord avec les ordres d'Axis, le cadavre du roi avait été jeté sur un tas d'ordure. Le soir même de sa mort, la dépouille de Gautier l'y avait rejoint. À ce qu'on racontait, le second de Borneheld avait payé très cher la crucifixion des trois chasseurs de Ravensbund…

— Dans ces conditions, il est préférable que Faraday reste au pied de l'estrade, continua Ysgryff. Sinon, les gens pourraient jaser.

L'Amie de l'Arbre sourit aux Sentinelles et alla s'asseoir avec elles. Faisant du regard le tour des rangées de sièges, elle remarqua Rivkah et lui sourit. Les deux femmes, anciennes duchesses d'Ichtar l'une et l'autre, s'entendaient très bien, car elles avaient beaucoup de points communs.

Puis Faraday aperçut Vagabond des Étoiles, cet Envoûteur dont le regard suffisait à faire rougir n'importe quelle femme. Mais qui était la splendide Norienne assise à côté de lui, un enfant sur les genoux ? Était-ce l'héroïque Azhure, dont elle avait tant entendu parler ? Mais les rumeurs ne mentionnaient pas qu'elle avait un enfant – et encore moins qu'elle était si belle !

Axis venant d'arriver sur l'estrade, Faraday oublia aussitôt la guerrière aux cheveux noirs.

Quand l'Homme Étoile s'inclina en tournant sur lui-même – le salut traditionnel des Icarii – la foule se tut, comme hypnotisée.

Lorsque leurs regards se croisèrent, alors qu'il souriait à tous ses fidèles, Azhure eut du mal à respirer et elle serra plus fort Caelum.

Axis se redressa, se campa face à la foule et tendit les bras comme s'il invitait toute l'assistance à approcher.

Azhure eut un petit cri de surprise, comme Rivkah, assise non loin d'elle. Toutes deux avaient reconnu ce geste. Le jour de leur rencontre, Vagabond des Étoiles l'avait adressé à la princesse pour la séduire. Plus tard, il avait recommencé avec l'archère. Et Axis aussi y avait recouru la nuit de Beltide et le soir de son retour sur le toit de Sigholt.

Mais aujourd'hui, il entendait séduire tout un peuple! Aux soupirs qui montèrent un peu partout derrière elle, Azhure estima qu'il était bien parti pour réussir.

— Mon peuple, dit-il simplement d'une voix qui porta jusqu'au dernier rang d'auditeurs.

Un sortilège classique pour amplifier ses paroles, comprit Vagabond des Étoiles. Un autre devait sans doute agrandir sa silhouette pour que tout le monde la voie. À part ça, il ne recourait pas à son pouvoir pour se faciliter la tâche. Comme devant l'Assemblée, il était résolu à restaurer Tencendor sans user d'artifices.

— Mon peuple, il y a mille ans, une nation est morte ici. Trois races, les Acharites, les Avars et les Icarii en ont beaucoup souffert. La première a perdu le sens de la beauté et de la musique et n'a plus arpenté les sentiers ombragés où elle se promenait en quête de mystère et d'amour. Les deux autres ont été privées de leur patrie et de sites qui restent encore sacrés pour elles à ce jour. Mon peuple… (à présent, tous comprirent qu'il parlait des trois races)… laisse-moi évoquer Tencendor, que nous avons depuis si longtemps perdu.

Sur ces mots, l'Envoûteur commença à chanter.

Azhure se souvint de la première Assemblée à laquelle elle avait assisté, lors de son arrivée au mont Serre-Pique. Vagabond des Étoiles y avait donné un récital, et sa voix lui avait paru… magique. Depuis, elle avait également entendu chanter Axis, mais en s'accompagnant d'une harpe, autour d'un feu de camp. La prestation de l'Homme Étoile, ce soir, dépassait tout ce que ses oreilles avaient jamais pu capter. Sur ses genoux, Caelum ne bougeait plus, pétrifié d'émerveillement. Dans son ventre, les deux bébés réagissaient avec la même extase à la voix de leur père.

Axis décrivit Tencendor – en puisant dans un savoir dont Azhure ignorait la provenance, car comme elle, il ne connaissait pas grand-chose du mythique pays.

Il vanta pourtant sa beauté, la qualité de sa musique, la splendeur des cités et celle des forêts aujourd'hui disparues. Enthousiaste, il décrivit les jeux que partageaient jadis les trois races, insistant sur la course aérienne que les Icarii disputaient régulièrement pour amuser les Acharites et les Avars. Puis il passa à l'antique savoir qu'avaient développé les écoles et les académies, qu'il s'agisse d'étudier les Étoiles et leurs mystères ou de résoudre des problèmes pratiques afin d'améliorer la vie de tous. Ému aux larmes, il glorifia tout ce qui avait fait l'unité des trois races : les aventures communes, l'amitié, l'amour, le goût de l'harmonie et la passion des feuilles et des fleurs.

Soudain plus sombre, il raconta comment la méfiance et la jalousie avaient détruit tout cela. Les Acharites, révéla-t-il, avaient fini par envier les Icarii et redouter les Avars. De leur côté, les hommes-oiseaux, trop portés à l'arrogance, s'étaient pris pour une élite – souvent sans en avoir conscience –, se moquant des pauvres Acharites incapables de voler.

Puis il cessa de chanter et parla d'une voix tout aussi fascinante.

— En ce temps-là, les Icarii dirigeaient Tencendor, et cela a fini par mal tourner. Je veux restaurer Tencendor, c'est vrai, mais sous une autre forme. Dans ce pays-là, les Icarii seront une race parmi les autres, et toutes partageront également le pouvoir, la richesse et le bonheur. Mon peuple, je suis l'Homme Étoile, dont le rôle est de contribuer à la naissance de cette nouvelle nation. Dans mes veines coule du sang acharite et icarii, comme vous le savez tous, désormais. Fils de deux races, j'ai hérité de la compassion des humains et des pouvoirs hors du commun du peuple ailé. Et mon héritier aussi est un enfant des deux races !

Faraday en plissa le front de surprise. *« Est »* ? Un lapsus, sans aucun doute. Axis avait voulu dire « sera »…

— Ainsi, ma maison dirigera le nouveau Tencendor ! Mais il ne s'agira pas de la maison du Soleil Levant, ni de celle d'Achar… (L'orateur marqua une pause.) Car aujourd'hui, je vous annonce la naissance de la maison des Étoiles !

Stupéfaits, les Icarii, les Acharites et les chasseurs de Ravensbund dévisagèrent l'Homme Étoile.

—Mes amis, si certains d'entre vous ne me connaissent pas, beaucoup ont combattu à mes côtés. D'abord dans les Haches de Guerre, puis au sein de ce qui fut nommé «l'armée rebelle». Ceux-là savent quel genre d'homme je suis.

» Alors, serez-vous à mes côtés pour rebâtir Tencendor? (De nouveau, Axis tendit les bras.) Me permettrez-vous de vous guider vers l'avenir en puisant mon inspiration dans le passé? Chevaucherez-vous derrière moi pour écraser le Destructeur? Car pour créer Tencendor, il nous faudra d'abord en chasser Gorgrael! Serez-vous les frères d'armes de l'Homme Étoile et les loyaux alliés de la maison des Étoiles? Puis-je compter sur vous?

Après un instant de silence, une voix, au dernier rang de l'auditoire, fit écho à la harangue d'Axis:

—Homme Étoile! Homme Étoile!

Aussitôt, toute l'assistance reprit en chœur cette incantation.

Le souffle coupé, Azhure se laissa bercer par cette fabuleuse mélodie.

—Bien joué, mon garçon! lança Ogden en tapant dans la main de Veremund. Un coup de génie! Tu viens de leur montrer comment venir à bout des ressentiments et des haines du passé! Une nouvelle maison, issue des deux précédentes, qui saura sublimer l'avenir et assurer la paix!

Axis recula un peu et savoura le concert d'acclamations qui montait à ses oreilles. Si son visage restait grave, son cœur et son âme débordaient de joie. Ce soir, la Prophétie était avec lui sur cette estrade, et il n'avait pas connu un seul instant de doute.

De nouveau, il regarda Azhure et Caelum. Par les Étoiles, que cette femme était belle! Combien de nuits, alors que Faraday dormait près de lui, avait-il pensé à son aimée, désespéré d'en être séparé!

Ce qu'il éprouvait pour Faraday n'avait rien de comparable. De la gratitude et une immense amitié… Cela méritait peut-être le nom d'« amour ». Mais ce n'était rien, face à la passion pour Azhure qui le consumait…

Mon amour, pensa-t-il, *pourquoi m'est-il interdit de t'épouser ? Et par quel cruel mauvais tour du destin aurons-nous si peu d'années à passer ensemble ?*

Si courtes qu'elles doivent être, ces années seraient merveilleuses, il en avait pris la ferme résolution. En supposant que Faraday ignorait toujours la vérité, elle ne quitterait pas les berges du lac Graal sans savoir qui était Azhure pour lui.

Il avait souvent voulu aborder le sujet. Faraday le regardant avec des yeux pleins d'amour, il n'y était jamais parvenu. Et maintenant, il ne pouvait se permettre de sauter de l'estrade pour aller lui murmurer à l'oreille qu'il aimait Azhure. Comme la mère de Caelum, elle devrait accepter les choses telles qu'elles étaient.

Regardant de nouveau Azhure, il se demanda s'il pourrait la rejoindre, cette nuit…

La foule s'était calmée, constata-t-il soudain. Il devait continuer…

— Après un vide de mille ans, et si vous êtes d'accord, je proclame la restauration de Tencendor !

— Tencendor ! Tencendor ! Tencendor ! scanda la foule.

Axis attendit un moment, puis leva les mains pour demander le silence.

— Mes amis, à part la présence des Icarii et très bientôt des Avars, il y aura quelques changements dans ce qui était jadis Achar. Très peu d'Acharites perdront leurs terres, et ceux-là recevront de généreuses compensations. Car les Enfants de l'Aile et ceux de la Corne ne reviennent pas avec des rêves de conquête…

Il y eut de nouvelles acclamations. À Carlon, le traité signé entre Axis, Ysgryff et Greville était connu de tous. Du coup, personne ne redoutait que les Icarii et les Avars se comportent en colons.

— Ceux d'entre vous qui possèdent des terres et des titres de noblesse garderont les deux, continua Axis. Hélas, après la guerre civile et les attaques de Gorgrael, bien des provinces ont perdu leurs dirigeants…

» Depuis deux ans, certains amis présents ce soir m'ont apporté une aide précieuse. Sans eux, je ne serais jamais monté sur cette estrade, et Tencendor serait resté un mythe. Mon peuple, j'entends créer cinq familles de haut rang dont les membres seront mes plus anciens fidèles…

» Belial, tu es le premier de tous! Monte me rejoindre sur cette estrade!

L'officier obéit, s'agenouilla devant Axis et lui tendit ses deux mains.

— Mon vieux compagnon, qui sait combien de fois tu m'as sauvé la vie? En récompense, je t'accorde le titre de Prince de l'Ouest, avec tous les privilèges que cela implique. Tu dirigeras la cité de Carlon et tous les territoires qui s'étendent du fleuve Nordra à la mer d'Andeis, et du fleuve Azle à la mer de Tyrre. Bien entendu, il te sera loisible de lever la dîme sur toutes ces terres, qui seront désormais tes vassales. Je te concède aussi la propriété du château de Kastaleon et du fort de Bedwyr. Pour ce dernier, j'espère que tu consentiras à financer des travaux de réparation!

Belial en perdit toute couleur. Avec son titre – et surtout le droit de lever la dîme – Axis faisait de lui un homme très riche et très puissant. Et *idem* pour tous ses descendants!

— Belial, acceptes-tu ce titre et ces privilèges? En contre-partie, jureras-tu fidélité à l'Homme Étoile?

— Je suis honoré d'accepter tes bienfaits, Homme Étoile, et de te jurer une éternelle allégeance!

— Alors, prince Belial, lève-toi et salue le peuple de Tencendor.

Belial obéit. Lui prenant la main, Axis la leva bien haut sous les acclamations de la foule, subjuguée par cette démonstration d'amitié. Parmi les combattants, et sans doute pas seulement, Belial Cœur Fidèle était aussi populaire que son chef.

Le comte Jorge d'Avonsdale et le baron Fulke de Romsdale – les deux nobles dont les terres, comme celles du duc Roland d'Aldeni, passeraient sous le contrôle du nouveau prince – haussèrent les épaules avec un profond fatalisme. Ce «nouveau monde» ressemblait trait pour trait à l'ancien royaume d'Achar. Simplement, un suzerain chassait l'autre. Et tant qu'à faire, mieux valait Belial que Borneheld !

Le nouveau prince descendit de l'estrade et retourna s'asseoir.

— Magariz, dit Axis, tu es le deuxième des cinq !

Le seigneur sursauta, car il ne s'y attendait pas le moins du monde. Après avoir rejoint Axis, il s'agenouilla aussi devant lui, les mains tendues.

— Magariz, tu m'as soutenu à l'époque où agir ainsi aurait pu te coûter la vie. Désormais, tu seras le Prince du Nord. Je te concède la province jadis appelée «Ichtar», qui s'étend entre les fleuves Azle et Nordra, et entre la chaîne de la Forteresse et la mer d'Andeis. Toutes ces terres seront à toi, à l'exception de la forteresse de Sigholt, dont j'entends faire ma résidence. Comme tu le sais, prince Magariz, ces territoires sont pour l'instant sous la domination de Gorgrael. J'espère stimuler ton ardeur en te les promettant, une fois que nous en aurons chassé les Skraelings.

Magariz était déjà issu d'une des plus anciennes maisons nobles d'Achar. Mais grâce à Axis, il serait désormais beaucoup plus riche et influent.

— Magariz, acceptes-tu ce titre et ces privilèges ? En contrepartie, jureras-tu fidélité à l'Homme Étoile ?

— Je suis honoré d'accepter tes bienfaits, Homme Étoile, et de te jurer une éternelle allégeance !

Comme avec Belial, Axis présenta le nouveau prince à la foule, qui le gratifia d'une ovation tout aussi enthousiaste. Car sa lignée, parmi les Acharites, était unanimement respectée.

Alors que son ami descendait de l'estrade, Axis leva de nouveau les mains.

— La troisième famille, dit-il, est la mienne… Libre Chute Soleil Levant, veux-tu bien me rejoindre sur l'estrade ?

Le jeune Icarii obéit de bonne grâce. Stupéfaite par sa

beauté et son aura d'amour et de paix, l'assistance murmura de surprise.

Comme Belial et Magariz, il tendit les mains à Axis. Mais il ne s'agenouilla pas…

—Libre Chute, mon cousin, dit l'Homme Étoile, pour ma cause, tu as donné jusqu'à ta vie. Et avec ce sacrifice, tu as peut-être sauvé la mienne.

» Mon cousin, ta maison et ton peuple ont recueilli ma mère alors que les félons du Sénéchal espéraient bien l'avoir condamnée à mort. Plus tard, les Icarii m'ont permis de prendre possession de mon héritage et de développer les compétences dont j'aurai besoin pour vaincre Gorgrael. Grâce au Pacte des Tumulus, le peuple ailé est déjà rentré en possession de ses sites sacrés. Désormais, les Icarii voleront de nouveau librement dans le ciel de Tencendor !

» Libre Chute, quand nous pensions ne jamais te revoir, ton père, Crête Corbeau Soleil Levant, m'a nommé héritier du trône icarii. Ce titre t'appartenait de droit, et aujourd'hui, je te le rends avec une immense joie !

Libre Chute voulut protester, mais Axis ne lui en laissa pas le temps.

—Mon cousin, le Roi-Serre, dans le nouveau Tencendor, ne sera pas tout-puissant. Il régnera sur les Icarii, mais pas sur les autres races, et devra jurer allégeance à l'Homme Étoile et à sa maison. Accepteras-tu ces restrictions ?

Axis sonda les magnifiques yeux violets de son cousin. Depuis des millénaires, la maison du Soleil Levant n'avait jamais été vassale de personne. Et le Roi-Serre, ou son héritier, ne se reconnaissait pas de supérieur.

Un moment clé pour la stratégie d'Axis, s'il voulait gagner les Icarii – et les Soleil Levant – à sa vision du nouveau Tencendor.

Libre Chute se laissa tomber sur un genou, les ailes écartées en signe de respect.

—En ma qualité d'héritier du Roi-Serre, et au nom des Icarii, je te jure fidélité, Axis Soleil Levant Homme Étoile !

Tu nous as ramenés en Tencendor alors que nous pensions ne plus jamais y retourner. En nous rendant nos sites sacrés, Axis, tu nous as aussi restitué notre fierté! Par conséquent, nous acceptons la prédominance de la maison des Étoiles. Désormais, le Roi-Serre sera ton vassal.

Cédant à une impulsion, Libre Chute se leva et donna l'accolade à Axis. Une nouvelle fois, la foule exulta!

Pendant que son cousin descendait de l'estrade, l'Homme Étoile fit signe à Ho'Demi de l'y rejoindre.

Le chef des chasseurs s'agenouilla sans hésitation devant lui.

— Ho'Demi, comme avec les Icarii, je saisis cette occasion pour remercier publiquement le peuple de Ravensbund de son antique fidélité à la Prophétie, et du soutien qu'il m'a apporté. En conséquence, chef Ho'Demi, ta famille fera partie des cinq principales de Tencendor. Tu recevras les territoires qui s'étendent au nord du nouveau royaume entre le fleuve Andakilsa et l'océan d'Iskel. Mon ami, je sais qu'il s'agit de terres que tu possédais déjà et qui te furent arrachées. Mais je jure devant cette assemblée d'en chasser les Skraelings afin que tu rentres en possession de ce qui t'est dû. Au nom de ta famille et de ton peuple, me jureras-tu fidélité, chef Ho'Demi?

D'une voix claire et forte, le chasseur prêta serment d'allégeance à l'Homme Étoile et à Tencendor.

Axis fit signe à Ysgryff, qui remplaça Ho'Demi sur l'estrade. Le pacte que le baron avait signé avec les pirates – scellant ainsi le sort de Borneheld –, était devenu quasiment légendaire à Carlon. Dans ces conditions, personne ne s'étonna que le Norien fasse partie des cinq élus.

— Ysgryff, dit Axis en prenant les mains de l'homme agenouillé devant lui, tu as fait beaucoup pour Tencendor, pour les Icarii et pour moi. Ton intervention décisive, lors de la bataille du fort de Bedwyr, serait suffisante pour te valoir ma gratitude. Mais il y a aussi l'admirable dévouement de ta lignée au Temple des Étoiles, sur l'île de la Brume et de la Mémoire…

Mon ami, bien que tu aies déjà reçu de substantielles récompenses, je tiens à te nommer Prince de Nor. Accepteras-tu cet honneur, et me jureras-tu fidélité ?

Le baron rayonna. Quelle superbe scène, pour un cabotin comme lui !

— J'accepte, Homme Étoile, et je jure de te servir fidèlement.

Tandis que le Norien descendait de l'estrade, Ogden et Veremund se regardèrent, l'air épanoui. Les cinq premières familles comprenaient des Icarii, des chasseurs de Ravensbund et des Acharites. Un puissant symbole du nouveau visage de Tencendor ! Les Avars étaient absents de ce « palmarès », mais ils avaient refusé de combattre pour Axis…

— Et les territoires orientaux ? souffla Veremund. Axis les gouvernera-t-il ?

Ogden ne répondit pas, car l'Envoûteur venait de reprendre la parole.

— Il me reste une dernière personne à honorer, dit-il. Les terres de l'Est, comme vous le savez tous, seront les plus concernées par le retour des Icarii et des Avars. Même si les principaux problèmes sont réglés, il y aura certainement de petits heurts pendant que les trois races réapprendront à vivre ensemble. Pour diriger cette partie de Tencendor, il convient donc que je choisisse une personne hautement qualifiée…

Faraday approuva du chef. Axis avait bien évalué la situation. Bientôt, elle pourrait commencer à transférer dans l'est de Tencendor les jeunes plants qui attendaient dans la forêt magique. Ayant déjà mémorisé douze mille noms – et noué autant de relations amicales –, elle était relativement près du but. Mais avec qui devrait-elle travailler ?

— Bref, continua Axis, la Protectrice de l'Est devra avoir de grandes qualités de diplomate. Mais le choix était facile, car il y a parmi mes proches une femme qui a vécu avec les trois races et qui comprend parfaitement leurs problèmes.

Rivkah ? se demanda Faraday.

— Azhure, dit Axis, veux-tu bien venir me rejoindre ?

L'archère pâlit et dévisagea son amant. Il sourit, la main tendue avec un rien d'impatience.

La foule acclama une fois de plus cette nomination. Dans la légende qui commençait à se tisser autour de l'Homme Étoile, la guerrière aux cheveux noirs qui maniait l'arc magique et commandait la meute de molosses occupait une place de choix.

— Azhure ? souffla Faraday à Ogden, assis près d'elle. N'est-ce pas la femme officier dont on parle tant ?

— Elle-même, oui, répondit le vieillard, très mal à l'aise. Elle dirige les archers, et en ce moment, pendant qu'Axis, Belial et Magariz résident à Carlon, elle commande toutes les forces de l'Homme Étoile.

— Mais pourquoi lui avoir confié l'Est ? demanda Faraday. Pour ça, je suis mieux qualifiée qu'elle ! Après tout, c'est moi qui suis liée à la Mère !

Ogden s'empourpra jusqu'aux oreilles.

— Eh bien… comme l'a souligné Axis, Azhure connaît très bien les trois races, et elle est respectée par l'armée. Faraday, c'est un très bon choix !

L'Amie de l'Arbre se radossa à son siège, troublée, pendant que la Norienne, à l'évidence perturbée, confiait l'enfant à Vagabond des Étoiles et se levait. Quand elle tira sur sa robe pour la lisser, Faraday remarqua qu'elle était enceinte.

Axis s'en aperçut au même instant et en fut stupéfait.

Par les Étoiles, pourquoi ne m'a-t-elle rien dit ?

Azhure monta sur l'estrade et accepta la main que son amant lui tendait.

— Pourquoi ? murmura-t-il simplement.

— Je ne voulais pas te détourner de ta mission… Si tu avais su, tu aurais peut-être hésité à faire ce que la Prophétie exigeait…

Axis baissa les yeux sur le ventre de sa compagne. Même si elle avait réussi à lui cacher son état, il aurait dû entendre chanter le sang de l'enfant, comme avec Caelum.

S'avisant que son comportement n'était pas très poli, il releva les yeux.

—Azhure, je te dois tellement... Depuis près de deux ans, tu m'as offert ton amitié et ton soutien, et j'ignore si je pourrai un jour t'en remercier assez. C'est toi qui as imaginé mon emblème, le soleil rouge sang, et tu t'es courageusement battue aux côtés de mes autres officiers. De plus, tu as vécu parmi les Icarii et les Avars. Ayant grandi avec des Acharites, tu es parfaitement à même de gérer les problèmes relatifs à la réunification des trois races. Le rôle de la Protectrice de l'Est sera capital. Azhure, te chargeras-tu de ce fardeau pour moi ?

—Avec plaisir, Homme Étoile.

Ysgryff, Belial, Magariz et beaucoup d'autres proches d'Axis ne cachèrent pas leur surprise. Azhure ferait des merveilles dans sa nouvelle position, ils n'en doutaient pas, mais pourquoi Axis ne lui avait-il pas demandé de prêter serment ? En agissant ainsi, il sous-entendait qu'elle était d'un statut quasiment égal au sien. Et pourtant, il avait voulu que Libre Chute, l'héritier du Roi-Serre, se déclare son vassal...

Aussi instruite en politique que les autres, Faraday se fit les mêmes remarques et arriva à une conclusion identique. Mais pourquoi Axis voulait-il distinguer ainsi cette femme ?

—Protectrice de l'Est, tu n'as ni terre ni foyer. Je ne te concéderai aucun territoire, mais tu auras enfin un chez toi où tu pourras être heureuse jusqu'à la fin de tes jours. Ensuite, ce lieu me reviendra... Azhure, je t'offre la libre disposition de Spiredore !

—Oh, Axis..., souffla la jeune femme.

La lueur qu'il vit briller dans ses yeux fut pour l'Homme Étoile un remerciement amplement suffisant.

Il va falloir que j'apprenne à mieux connaître cette femme, pensa Faraday, *puisque nous devrons travailler ensemble pour redonner la vie aux anciennes forêts de Tencendor.*

Azhure retourna s'asseoir, surprise et éblouie par ses nouvelles responsabilités. La preuve de confiance que venait de lui donner Axis devant tant de témoins l'avait bouleversée...

Vagabond des Étoiles dévisagea son fils. À son avis, il n'était pas allé assez loin ! D'un seul battement d'ailes, il quitta son siège et vint se poser sur l'estrade à côté d'Axis.

— Je suis Vagabond des Étoiles Soleil Levant, annonça-t-il d'une voix presque aussi fascinante que celle de l'Homme Étoile, père d'Axis Soleil Levant. Mes amis, nous vivons un moment historique ! Réunifié, Tencendor sera assez fort pour triompher de Gorgrael et avancer vers un avenir radieux. Mais des obstacles se dressent encore devant nous. Pour chasser les Skraelings, nous devrons lutter férocement, et Axis, lors de ces combats, sera en première ligne. Sans vouloir gâcher cette célébration, il est de mon devoir de regarder la réalité en face. Qu'arriverait-il si mon fils était blessé, voire tué ? (L'Envoûteur se tourna vers l'Homme Étoile et, mélodramatique, tendit une main implorante.) Axis Soleil Levant, pour dissiper tous les doutes, désigneras-tu aujourd'hui ton héritier ?

Tu crois que j'avais oublié ? pensa Axis, furieux. *J'allais y venir au moment où tu t'es posé devant moi !*

Incapables de regarder Faraday en face, Ogden, Veremund et Jack fixèrent intensément l'estrade.

Yr frémit intérieurement. Ses pires craintes menaçaient de se réaliser. Avec les autres Sentinelles, avait-elle eu tort de pousser Faraday dans une voie qui l'avait tenue éloignée d'Axis pendant près de deux ans ?

— Va te rasseoir, Vagabond des Étoiles, dit Axis.

Puis il tendit de nouveau la main à Azhure.

Elle se leva et voulut simplement lui confier Caelum, mais il la prit par le poignet et la força à remonter sur l'estrade avec l'enfant.

Faraday en eut le souffle coupé. Maintenant, elle comprenait de qui le bébé aux boucles noires tenait ses traits typiquement icarii.

Mère, qu'a-t-il osé me faire ?

Yr se pencha et posa une main réconfortante sur l'épaule de sa protégée.

Souriant, Axis prit Caelum dans ses bras et le souleva au-dessus de sa tête.

— Je nomme mon fils, Caelum Azhureson Soleil Levant Étoile Fils, héritier de la maison et du trône des Étoiles ! À ma mort, il bénéficiera de tous les privilèges liés à ce titre et devra assumer les lourdes responsabilités qui lui sont afférentes. Bienvenue dans mon cœur et dans ma maison, Caelum Étoile Fils!

Faraday croisa le regard d'Azhure, qui détourna aussitôt la tête, le cœur serré par la détresse qu'elle lut dans le regard de sa rivale.

Ignorant tout de ce drame, la foule hurla de joie.

—Écoutez-moi! cria Axis. Aucun autre enfant né de mon sang ne supplantera jamais Caelum! C'est mon premier fils, et qu'il soit illégitime ne change rien! Être un «bâtard» a-t-il souillé mon âme? Cela m'a-t-il empêché de créer le trône des Étoiles? Bien sûr que non! Et il en sera de même pour lui!

Perdue dans un cauchemar intime, Faraday eut l'impression de plonger dans un puits sans fond. Axis l'avait trompée avec une femme qu'il était allé jusqu'à engrosser – deux fois, par surcroît! Et après l'avoir couverte de titres et d'honneurs, il nommait son premier rejeton héritier, déshéritant d'avance tous les enfants qu'elle pourrait lui donner!

Soudain, Faraday mesura la gravité de la trahison dont elle avait été victime. Axis l'avait abusée avec la complicité de tous ses proches! Car tout le monde devait être informé! Et personne ne lui en avait dit un mot…

Pourquoi l'avait-on laissée croire qu'Axis l'aimait toujours?

Elle se souvint des derniers mots que lui avait dits Borneheld sur le toit du palais. Son défunt époux avait eu raison. Axis ne l'aimait pas, sinon, il n'aurait pas pu lui faire une chose pareille!

61

Le traître sans son masque...

—Il faut que nous parlions, Faraday, dit Axis.
La jeune femme se retourna, ses yeux verts voilés par
le chagrin et la désillusion.

—Oui, il le faut! Mais je doute que ce soit l'endroit idéal!

Estimant qu'elle avait raison, Axis n'insista pas. Quand la
barge les eut déposés devant le palais, ils entrèrent, gagnèrent
très vite leur chambre et s'y enfermèrent.

—Nous devons assister à la fête, rappela Axis.

—*Nous*, Homme Étoile? Moi, je doute d'y avoir ma
place!

Axis encaissa le coup sans broncher – du moins extérieu-
rement. Pourquoi n'avait-il pas parlé plus tôt à Faraday? Mais
comment dire à une femme, après qu'elle eut passé deux ans à se
languir, qu'on était trop amoureux d'une autre pour envisager
d'y renoncer?

—Faraday, je…

Il avança et la prit par les épaules.

—Ne me touche pas! cria-t-elle en se dégageant.

—Par pitié, laisse-moi m'expliquer!

—Non! C'est moi qui vais parler! Depuis près de deux
ans, nous avons été séparés, et la vie ne nous a rien épargné. Je
peux comprendre que nous ayons pris des chemins différents,
et que tu aies pu succomber au charme d'autres femmes. Au
nom de la Mère, comment pourrais-je t'accabler après avoir
été l'épouse de Borneheld? Mais la façon dont tu m'as traitée
aujourd'hui est impardonnable!

—Faraday… (Axis tendit une main, mais il replia très vite le bras.) J'ai promis que nous nous marierons, et je tiendrai parole.

—Être ta femme ne signifiera rien ! Ta véritable compagne, c'est la Norienne qui est montée avec toi sur l'estrade, même si elle ne porte pas ton nom !

Effrayée par son propre éclat, Faraday fit un gros effort pour se calmer.

—Que veut dire le mot « épouse » quand la véritable reine est une autre personne ? Depuis un an, sans doute plus, vu l'âge de l'enfant, elle partage ta vie, tes aventures et ta couche. Et maintenant, voilà que tu la couvres d'honneurs, comme pour officialiser votre union ! Elle est déjà la mère de ton héritier, tu lui offres Spiredore, et elle attend un autre enfant de toi ! N'essaie pas de me faire croire qu'elle n'est plus rien pour toi !

Axis baissa les yeux. Que pouvait-il dire contre cela ?

—C'est avec elle que tu t'es montré aujourd'hui, pas avec moi ! Ensemble, vous avez été acclamés par le peuple. Et tu voudrais m'épouser ? Quelle sinistre plaisanterie ! Même ainsi, je resterai la maîtresse, et elle la compagne légitime. Elle a tout, et il ne me reste rien. Tu m'as humiliée ! En as-tu au moins conscience ?

—Je n'ai jamais voulu te tromper, dit Axis en relevant les yeux. Azhure était présente quand j'avais terriblement besoin d'amitié. Elle savait que je t'aimais…

—Tu lui as parlé de moi ? s'indigna Faraday.

Quelles autres infamies lui dissimulait encore cet homme ?

—… et elle a tenté de me résister. Ne la blâme pas, car je suis le seul fautif.

Faraday comprit que sa défaite était consommée. Pour songer à protéger Azhure en un moment pareil, il fallait qu'Axis l'aime à la folie.

—Crois-moi si ça te chante, mais je ne l'accuse pas ! Je sais combien il est facile, pour une femme, de tomber amoureuse de toi. S'il y a un coupable, je l'ai devant les yeux !

654

Axis vint se placer derrière Faraday, l'enlaça et la berça tendrement. Cette fois, elle ne tenta pas de se dégager.

—Renonceras-tu à elle?

—C'est… impossible…

—As-tu au moins quelques sentiments pour moi?

—Faraday…

Axis fit doucement tourner la jeune femme pour la regarder dans les yeux. Très délicatement, du bout des doigts, il essuya les larmes qui roulaient sur ses joues. Deux ans plus tôt, tout avait commencé comme cela…

—Si je disais que je t'aime, ce ne serait pas un mensonge. Mais ce que j'éprouve pour Azhure est si différent de ce que je ressens pour toi… Pourtant, je suis sincère: je veux t'épouser, Faraday!

Axis se pencha pour embrasser la joue, le cou, puis la naissance des seins de sa compagne.

Menteur! pensa-t-elle. *Tu ne veux qu'Azhure, mais en homme d'honneur, tu te sens lié par la promesse que tu m'as faite il y a si longtemps. Et peut-être aussi parce que je suis celle qui t'apportera le soutien des arbres! Redoutes-tu, Axis Soleil Levant Homme Étoile, que je ne remplisse pas ma part du marché si tu ne m'épouses pas? Et de provoquer ainsi la défaite de la Prophétie?*

Mère, tu es la seule qui ne m'ait jamais trahie!

À présent, Faraday n'avait plus qu'un désir: être en paix dans le Bosquet Sacré, où elle pourrait retourner voir Ur, s'asseoir à l'ombre du porche et admirer la pépinière.

Sentant qu'Axis déboutonnait sa robe, Faraday se raidit.

Croit-il se faire pardonner ainsi? ou me subjuguer?

Pourtant, Faraday ne résista pas. Une dernière étreinte? Pourquoi pas?

62

Au cœur de Spiredore

É tendue sous sa tente, Azhure ne parvenait pas à trouver le sommeil. Après une journée si excitante, comment aurait-elle pu s'endormir paisiblement ?

Axis avait montré Caelum au peuple ! Puis il l'avait désigné comme son héritier en l'appelant Azhureson ! La clameur jaillie de milliers de gorges avait assourdi l'archère comme le rugissement du fleuve Nordra à l'endroit où il sortait de la vallée des Proscrits.

L'Homme Étoile l'avait nommée Protectrice de l'Est. Et il lui avait offert Spiredore !

En descendant de l'estrade, elle avait croisé le regard de Faraday, dont la détresse avait failli lui briser le cœur.

Ce soir, Axis était à Carlon avec sa future femme. Mais Azhure n'était plus jalouse. Très bientôt, il reviendrait de ce côté du lac pour voir son véritable amour.

À Spiredore ! Un fabuleux endroit magique libéré des mensonges du Sénéchal et qui n'attendait plus qu'elle !

Repoussant sa couverture, Azhure se leva. La veille, elle n'avait pas eu le temps de visiter la tour. Après la cérémonie, le banquet s'était éternisé, et elle n'avait pas pu fausser compagnie à Vagabond des Étoiles et à Ysgryff, qui faisaient assaut de charme à son intention.

Maintenant, fatiguée mais bien réveillée, elle pouvait faire le tour du propriétaire.

Maman, où vas-tu ?

Azhure prit un châle, le posa sur ses épaules, puis se pencha sur le lit de son fils.

— Je vais visiter Spiredore, Caelum. Tu veux venir avec moi, ou tu es trop fatigué pour faire autre chose que pleurnicher et me gâcher le plaisir ?

Je serai sage, maman.

Azhure sourit tendrement, souleva l'enfant et le blottit contre sa poitrine.

Les derniers fêtards étant allés se coucher – ou ronflant à même le sol –, le camp était parfaitement calme. Pieds nus, vêtue d'une simple chemise de nuit blanche et d'un châle, Azhure slaloma entre les tentes puis gravit les pentes herbeuses qui conduisaient à Spiredore. Plusieurs Alahunts avaient fait mine de la suivre, mais elle les avait renvoyés. Aucun danger ne la menaçait au cœur de Spiredore, et, pour sa première visite, elle entendait être seule avec Caelum.

La porte n'étant pas verrouillée, elle se glissa à l'intérieur et referma derrière elle. Un long moment, elle se contenta de rester immobile à admirer le spectacle. Vue de dehors, la tour semblait déjà immense. Mais quand on était dedans, elle se révélait dix fois plus grande encore.

Azhure avança, levant bien haut la lampe qu'elle avait emportée. Les escaliers, les balcons et les arches, au-dessus de sa tête, culminaient à des hauteurs impressionnantes. À tous les étages, des dizaines de chambres et de salles donnaient directement sur les galeries circulaires. Dans cette curiosité architecturale, toutes les formes géométriques connues – cercles, triangles, rectangles, rosaces – s'associaient dans le plus grand désordre. Ailleurs, ce goût de l'asymétrie et du baroque aurait pu être désagréable pour l'œil. Ici, il était sublimé par la paradoxale harmonie qui donnait toute sa splendeur à Spiredore.

— Par les Étoiles, murmura Azhure, on pourrait se perdre ici pendant des jours…

— En fait, il est très facile de s'orienter, une fois qu'on a compris le principe, dit une voix derrière la jeune femme.

Elle se retourna si vite que sa lampe envoya des ombres danser un peu partout dans le curieux atrium. Par réflexe, elle serra plus fort Caelum, qui poussa un petit cri de protestation.

Un Icarii avançait vers Azhure, un livre ouvert à la main, comme s'il avait été dérangé au milieu de sa lecture.

Azhure n'avait jamais vu un homme-oiseau si beau. Et entouré d'une telle aura de puissance… Un Envoûteur, sûrement, et au minimum du calibre de Vagabond des Étoiles.

Ses grands yeux violets brillant d'amusement sous ses cheveux bouclés couleur cuivre, il écarta légèrement ses ailes dorées. Et à l'évidence, il ne s'agissait pas d'une teinture, mais de leur apparence naturelle.

On dirait qu'elles sont en or, pensa Azhure, fascinée.

—Je suis désolé de t'avoir effrayée, mon enfant, dit l'Icarii en refermant le livre. (Azhure aperçut brièvement le titre, et elle eut le temps de reconnaître le mot «lacs».) D'autant plus que je ne devrais pas être là. Axis t'a offert Spiredore, et c'est moi l'intrus.

—Vous étiez à la cérémonie? demanda Azhure.

Un peu moins inquiète, elle relâcha sa pression sur Caelum.

—Oui, mais assez loin de toi, très chère.

—Je ne vous ai jamais vu. Et votre visage n'est pas de ceux qu'on oublie facilement.

—Comme le tien, Azhure, qu'on soit acharite ou icarii! Une Prophétie devrait t'être entièrement consacrée, à mon avis. Dommage que tu sois obligée de partager celle du Destructeur avec Axis. Un de ces jours, il faudra que je prenne la plume…

Azhure rit de bon cœur. Cet homme avait le sens des formules frappantes, et c'était un flatteur impénitent. Mais comment pouvait-il prétendre qu'elle partageait la Prophétie avec Axis?

—Pourquoi ne vous ai-je jamais vu?

L'Icarii se rembrunit un peu.

—Parce que j'ai été très longtemps absent… Bien plus loin d'ici que tu peux l'imaginer! Mon retour étant très récent, il n'est pas étonnant que nous ne nous soyons pas encore croisés… (L'étrange homme-oiseau avança.) Puis-je tenir un moment le bébé ? Il est si beau !

Azhure hésita un moment, puis elle tendit Caelum à l'Icarii. Sans aucune réticence, l'enfant se laissa cajoler par l'Envoûteur, qui lui murmura à l'oreille des propos inaudibles.

Ravi, Caelum tendit ses petites mains vers le visage de l'homme, le chatouillant jusqu'à ce qu'il éclate de rire.

— Tous les bébés sont curieux, dit-il en rendant son fils à Azhure, et certains beaucoup plus que d'autres ! Tu as un enfant magnifique, et tu es une formidable mère !

La Protectrice de l'Est rosit et sourit. Puis elle s'avisa qu'elle n'avait jamais dit son nom à l'Icarii. Bien sûr, il devait l'avoir entendu pendant la cérémonie… C'était quand même étrange…

— Mais j'allais éclairer ta lanterne sur la magie de Spiredore, dit l'homme-oiseau.

Il prit la Norienne par le bras et la guida vers l'escalier qui montait en une spirale majestueuse jusqu'au dernier étage de la tour.

Azhure se laissa faire, séduite. Quelle chance elle avait ! Un Envoûteur se proposait de l'initier à la magie de son fief !

— Ma chère enfant, c'est très simple, en réalité. Si tu t'aventures au hasard dans ces lieux, tu te perdras, comme tu l'imaginais tout à l'heure. L'astuce, c'est de décider où tu veux aller avant de t'engager dans l'escalier. Et là, il t'y conduira de lui-même.

— Mais comment savoir où je veux me rendre, sans connaître la tour ?

L'homme-oiseau sourit, et sa main remonta un peu sur le bras d'Azhure. Troublée par ce contact très doux – on eût dit de la soie, pas de la peau –, la jeune femme se pencha un peu plus vers son mystérieux ami.

— Tu as beaucoup à apprendre, mon enfant. Oui, vraiment beaucoup… (L'Envoûteur posa un bras sur l'épaule d'Azhure et lui caressa tendrement le cou.) Où voudrais-tu aller ? Que désirerais-tu voir ?

Bercée par les caresses de l'Icarii, Azhure eut un sourire rêveur.

— Je voudrais admirer la vue, quand on est sur le toit… Un lever de soleil sur Avarinheim, contemplé depuis les hauteurs de Spiredore…

— Tu vois, déjà une destination ! (L'Envoûteur eut un petit rire qui arracha Azhure à sa curieuse transe.) Un bon début, pour quelqu'un qui pourra explorer ces lieux jusqu'à la fin de sa vie. Car Spiredore fut construite pour toi seule, Azhure. Un jour, tu la connaîtras comme ta poche…

— C'est trop de flatterie, messire, dit l'archère, amusée. Pour moi seule ? Cette tour existe depuis des millénaires, et j'ai à peine vingt-huit ans…

— Pour toi seule…, répéta l'Envoûteur.

Puis il se pencha et posa sur les lèvres d'Azhure un baiser enivrant qu'elle ne fit rien pour écourter.

Finalement, ce fut l'homme-oiseau qui y mit un terme.

— Je n'aurais pas dû faire ça, dit-il, car c'est une Indignité. Mais quand il s'agit de violer les règles, j'ai toujours été le premier. J'espère que tu me pardonneras… (Il perdit soudain toute son onctuosité.) Maintenant, si tu veux voir le lever de soleil, tu devrais monter. L'aube ne tardera plus.

Suivant les instructions de l'Envoûteur, Azhure pensa au toit et gravit quelques marches. Mais elle s'arrêta et se retourna vers son curieux compagnon.

— Comment les membres du Sénéchal s'orientaient-ils dans la tour ?

— Pour eux, ma chérie, c'était un bâtiment comme un autre. Ils ont aménagé leurs propres escaliers, puis des pièces d'habitation et des bibliothèques. Mais ils n'ont jamais vu Spiredore comme tu peux l'admirer à présent. Pour ça, il leur manquait la magie. À présent, monte, car le soleil ne t'attendra pas !

Azhure recommença son ascension. Quand elle jeta un coup d'œil derrière elle, l'homme-oiseau avait disparu.

Dissimulé dans les ombres de l'entrée, Étoile Loup écouta longtemps l'écho des pas d'Azhure dans l'escalier.

Quelle femme remarquable ! Et quel enfant superbe elle avait mis au monde !

Quand il n'entendit plus rien, l'Envoûteur disparut comme s'il s'était dématérialisé.

Caelum blotti dans ses bras, Azhure regarda le soleil se lever sur la forêt d'Avarinheim. Dans le ciel, les dernières étoiles s'éteignaient tels les lampions d'une fête. Les cheveux au vent, sa chemise de nuit gonflée comme une voile, la Protectrice de l'Est sentit la tour vibrer doucement sous ses pieds nus. On eût dit que la pierre se fredonnait une chanson…

Alors, Azhure sut qu'elle était enfin chez elle.

63

Jaillir du soleil naissant...

Comme Azhure, Axis n'était pas parvenu à fermer l'œil. Des heures durant, il était resté étendu près de Faraday – sans la toucher –, tout à fait conscient qu'elle ne dormait pas non plus. Incapables de se parler, ils étaient restés ainsi à attendre les premières lueurs de l'aube.

N'y tenant plus, Axis s'était levé et rapidement habillé. Il devait parler à son père !

Les deux hommes allèrent prendre le frais sur le balcon de Vagabond des Étoiles, d'où on avait une vue magnifique sur le lac.

— Que vas-tu faire, Axis ?

— Je me suis engagé vis-à-vis de Faraday, et je dois tenir parole.

— Et Azhure ?

— Je refuse de la perdre !

Grâce à leur vision magique, les deux Envoûteurs voyaient la Protectrice de l'Est debout sur le toit de Spiredore. S'abandonnant aux caresses du vent, elle montrait à Caelum le soleil qui commençait à s'élever au-dessus de la forêt d'Avarinheim.

— Mon fils, qu'a-t-elle de spécial pour que nous ne puissions pas lui résister ?

— J'ai parfois le sentiment que la Danse des Étoiles est nichée dans son corps et dans son âme..., murmura Axis.

Stupéfait, Vagabond des Étoiles tourna la tête vers son fils.

— Dans ses bras, continua Axis, je suis plus près de la Danse des Étoiles que lorsque j'entonne une Chanson, si puissante soit-elle ! Quand je la touche, je jurerais que j'étreins les astres eux-mêmes ! Ou que leur musique m'enlace… Oui, chaque fois que nous nous aimons, la mélodie des Étoiles retentit plus fort à mes oreilles !

La femelle Griffon décrivait de grands cercles très haut dans le ciel. Sa mission était risquée, elle le savait. Considérant son importance, Gorgrael n'avait pas voulu la confier à un Skraebold.

Le Destructeur l'avait chargée d'espionner Axis Soleil Levant ! Que préparait-il ? De quelles forces disposait-il ? Où les avait-il cantonnées ? Avait-il assez dégarni le front, au Ponton-de-Jervois, pour qu'une attaque ait des chances de réussir ?

La femelle Griffon avait déjà répondu de son mieux à toutes ces questions. Le gros de l'armée d'Axis était concentré autour de Carlon. À l'est de la ville, après une terrible bataille, le sol était encore rouge de sang. Quant à Borneheld, sa dépouille gisait sur un tas d'ordures, devant les murs de la capitale.

Axis se montrait beaucoup et parlait sans cesse de Tencendor. La femme – Faraday – l'accompagnait presque toujours. À première vue, les retrouvailles entre les Acharites et les Icarii se passaient bien. Enfin, comme Sigholt, Spiredore s'était réveillée…

Autour d'Axis, Tencendor renaissait. S'il voulait passer à l'assaut, le Destructeur ne devait pas tarder !

Sa mission accomplie, la femelle Griffon s'apprêtait à repartir. Mais son attention fut soudain attirée par une femme debout sur le toit de Spiredore, un enfant dans les bras. Ces deux humains lui semblaient étranges, mais elle n'aurait su dire pourquoi. Devait-elle aller les étudier de plus près ? Voire attaquer ? La femme et son petit étant seuls, ce serait une victoire facile. Une humaine désarmée… Un jeu d'enfant… et un délicieux festin en perspective !

Et la créature ailée avait l'avantage considérable de pouvoir jaillir du soleil naissant, prenant sa proie par surprise.

Elle contacta mentalement Gorgrael et lui demanda la permission de tuer.

Le Destructeur n'y vit pas d'inconvénient.

Sur le toit de Spiredore, Azhure souriait de bonheur en regardant Caelum tendre les mains vers le soleil, qui semblait si proche.

Levant les yeux vers l'astre diurne, elle battit des paupières, puis distingua un point noir qui semblait jaillir de la boule de feu rouge.

Intriguée, elle plissa le front, cria et se jeta sur le sol, espérant protéger Caelum avec le seul bouclier à sa disposition.

Son corps!

Axis se matérialisa au cœur d'un épais brouillard gris. Angoissé, il tenta de sonder cette purée de pois. Un Griffon attaquait, impressionnante masse de chair, d'os et de plumes. À quel sortilège pouvait-il recourir contre un tel monstre?

À l'instant où il entendit un cri, sa vision commença à s'éclaircir. C'était la voix de Caelum, et elle exprimait une terreur inhumaine.

—Caelum! cria l'Homme Étoile. Caelum!

Alors qu'il avançait dans la brume, Axis capta sur le toit la présence d'un pouvoir maléfique. La Danse de la Mort! Quelles armes avait-il pour s'y opposer? Azhure et Caelum étaient-ils déjà morts? Il n'entendait plus rien, à part un petit bruit de... déchirure. Par les Étoiles, le Griffon dévorait-il ses proies?

Émergeant du brouillard, il vit Azhure, Caelum serré contre elle, étendue sur le sol, dos contre le parapet. Elle avait un bras en sang, comme si le Griffon avait frappé au moment où elle le levait pour se protéger le visage. À part ça, elle semblait indemne.

À cinq pas d'elle, le monstre, écroulé sur les dalles, se tordait de douleur. Un instant, Axis crut qu'un ennemi invisible l'attaquait. Puis il comprit que le Griffon était pris entre les serres d'un... sortilège qui le déchiquetait littéralement de l'intérieur.

Et ce sort appartenait au répertoire de la Musique Sombre !

Dans son dos, Axis entendit Vagabond des Étoiles se poser et crier son nom. Mais il était concentré sur le Griffon, dont la fin n'était plus qu'une question de secondes.

Puis il tourna la tête vers Azhure. Ignorant les cris de Caelum, elle fixait le monstre...

La Musique Sombre lui obéissait ! Pour tuer le Griffon, elle recourait à la Danse de la Mort !

— Azhure... que fais-tu ? souffla Axis, terrifié.

Il sentit la main de Vagabond des Étoiles se poser sur son épaule.

— Ce que je fais ? répondit Azhure d'une voix dure qui semblait... vide...

Oui, pensa Axis, *comme le cosmos, entre les astres, dans le Portail des Étoiles...*

— Ce que je fais ? répéta la Protectrice de l'Est. Pour détruire ce monstre, j'invoque la Musique Sombre qui a servi à le créer. Ou, si tu préfères, je défais le sortilège qui lui a donné la vie...

Elle croisa le regard d'Axis, qui vit des étoiles tourbillonner dans l'infinie profondeur de ses yeux.

— Étoile Loup ! cria Vagabond des Étoiles ! Non ! Non !

Mais alors que le Griffon implosait, réduit en lambeaux par le pouvoir sombre, les deux Envoûteurs se souvinrent de tous les indices qui accusaient la jeune femme.

Sur le mont Serre-Pique, elle avait marché allègrement le long d'une saillie où aucun humain n'aurait dû rester en équilibre plus de quelques secondes. Plus tard, elle avait réussi à armer Perce-Sang... Et les Alahunts d'Étoile Loup, qui lui obéissaient au doigt et à l'œil ? Répondaient-ils à l'appel de son sang, qui rendait fous l'Homme Étoile et son père ? Du sang Soleil Levant ?

Et les antiques runes icarii dont elle avait décoré la tunique d'Axis ? Comment les connaissait-elle ?

Et son aptitude à percevoir (et à utiliser, ajouta Vagabond des Étoiles) la parole par l'esprit ?

Pourquoi Axis entendait-il si fort la Danse des Étoiles quand ils faisaient l'amour ? Pourquoi le sang icarii de Caelum était-il si pur, comme s'il le tenait de ses deux parents ?

Tout concordait, y compris les cicatrices, dans son dos, qui pouvaient être les vestiges des ailes qu'elle s'était arrachées !

À l'en croire, Azhure avait découvert le cadavre d'Étoile du Matin. Rien d'étonnant, si elle était la meurtrière !

Enfin, preuve la plus accablante, elle contrôlait la Musique Sombre. Aucun Envoûteur n'aurait pu en dire autant. Alors, une simple paysanne de Smyrton ?

— Étoile Loup ? souffla Axis.

Une rage brûlante le submergea, occultant sa terreur et sa stupéfaction.

J'ai passé des dizaines de nuits dans les bras d'Étoile Loup ?

Alors que le Griffon finissait de se désintégrer, Azhure cligna des yeux, et les étoiles disparurent de son regard. Comme au sortir d'une transe, elle reprit conscience de ce qui l'entourait.

— Axis ? Que…

Pourquoi y avait-il du sang partout ? Et Axis la regardait si bizarrement…

Soudain, elle se souvint de l'attaque du Griffon. Mais où était passé le monstre ?

Une atroce douleur avait éclaté dans la tête d'Azhure. Ensuite, le trou noir… À part d'étranges murmures, sous son crâne, qui lui soufflaient des mots inconnus…

Mais qu'était devenu le Griffon ?

— Il est mort, lâcha Axis. (Derrière lui, Vagabond des Étoiles affichait une expression tout aussi implacable que celle de son fils.) Comme tu le seras bientôt, Étoile Loup !

Si horribles qu'elles soient, ce ne furent pas les paroles, mais le ton d'Axis qui brisa le cœur d'Azhure. Pourquoi la haïssait-il ainsi ? Qu'avait-elle fait de mal ?

Quand il lui arracha Caelum des bras, elle se réfugia d'instinct dans les ténèbres impénétrables qui l'avaient aidée à survivre, petite fille, lorsque Hagen lui jetait les mêmes regards haineux.

Avant de sombrer dans son puits d'obscurité, Azhure eut le temps de comprendre que son pire cauchemar s'était réalisé. Hagen n'avait jamais quitté ce monde. Il s'était simplement dissimulé sous l'apparence d'Axis !

— Par toutes les Étoiles de l'univers ! cria l'Homme Sombre. Qu'as-tu fait, infâme crétin ?

Gorgrael recula et faillit se prendre les jambes dans les pieds d'une chaise. À l'instant même où il avait senti la mort de la femelle Griffon, l'Homme Sombre s'était matérialisé dans sa salle privée, au cœur de sa forteresse de glace.

Il était hors de lui. Fou de colère, même…

Et dans cet état, l'Homme Sombre pouvait faire n'importe quoi !

— Une femme et un enfant…, souffla le Destructeur en luttant pour ne pas s'étaler lamentablement à cause de la maudite chaise. Quel mal y avait-il à les tuer ?

— Quel mal ? rugit l'Homme Sombre. Tu oses poser la question ?

Gorgrael crut voir des flammes – ou de la glace ? – luire dans les profondeurs de la capuche de son protecteur. Mort de peur, il sentit son énorme langue jaillir stupidement de sa gueule.

— Tu aurais pu la tuer ! rugit l'Homme Sombre. Oui, la tuer !

Il avança, sa capuche noire ondulant furieusement sans rien révéler de ses traits.

— Homme Sombre, que t'importe la vie ou la mort d'une humaine et d'un enfant ? s'écria Gorgrael. Pourquoi t'en soucies-tu ?

— Parce que *cette* femme compte pour moi !

— Une humaine et un enfant ? répéta le Destructeur.

Il osa avancer, et l'Homme Sombre recula d'un pas.

— Imbécile…, marmonna-t-il, un peu moins furieux. Tu

aurais pu ruiner mon œuvre… Avec toutes les humaines qui grouillent en ce monde, il a fallu que tu choisisses celle-là !

— Elle s'en est tirée, dit Gorgrael, les yeux écarquillés pour tenter d'apercevoir les traits de son mentor. Ton humaine a tué mon Griffon ! N'est-ce pas étrange ? Pour ça, elle a utilisé la Musique Sombre ! Et j'ai perdu mon merveilleux animal domestique… Qui est cette femme ? Quelle importance a-t-elle pour que tu déboules dans ma forteresse, fou de rage ? Réponds !

— Elle est exposée, maintenant, souffla l'Homme Sombre. C'est ça le drame ! À cause de toi, ils l'ont peut-être déjà tuée…

64

AZHURE – 1

— P ar tous les dieux de la création! cria Belial en voyant Axis lever son épée pour porter le coup de grâce. Es-tu devenu fou?

— Elle nous a trahis! C'est Étoile Loup que je vais tuer!

Belial recula, révulsé par la scène qui se déroulait devant lui et par la fureur – et le pouvoir brut – qui brillait dans le regard de son chef.

La pièce du palais où ils étaient, au sous-sol, servait à l'occasion de salle d'interrogatoire. Et c'était exactement à cette fin lugubre qu'Axis l'utilisait.

Azhure était ligotée à une colonne de pierre. À peine consciente, elle gémissait de douleur. Du sang maculant sa chemise de nuit, elle semblait assez gravement blessée à un bras, et sa jambe gauche ne l'aurait pas soutenue sans les cordes.

Mère, pensa Belial, *toi seule sais combien d'autres plaies saignent sous cette chemise de nuit.*

— Bon sang, Axis, prouve-moi qu'elle est une traîtresse! Tu m'entends? Prouve-le!

Rouge de fureur, Axis regarda son second, puis se tourna vers Vagabond des Étoiles.

— Devons-nous arracher son masque à cette chienne? demanda-t-il d'une voix aussi glaciale que ses yeux.

— Je crois qu'il faut la tuer au plus vite…

— Non! explosa Belial. (Il saisit au vol le bras de l'ancien Tranchant d'Acier.) Prouve-moi qu'elle a trahi, Axis! Sinon, que la Mère me pardonne, mais je lèverai une armée contre toi!

Axis lâcha un abominable juron et lança son épée, qui rebondit contre un mur, puis s'écrasa sur le sol. À part Azhure, il n'y avait que les trois hommes dans la salle, car Belial en avait interdit l'entrée à quiconque d'autre.

— Tu veux voir son véritable visage ? cracha Axis. Vraiment ?

Il soutint le regard de Belial, puis baissa les yeux sur sa bague d'Envoûteur et la fit légèrement tourner autour de son doigt.

Qu'est-ce qui lui prend ? se demanda Vagabond des Étoiles.

Quand Axis releva la tête, son regard avait changé. Approchant d'Azhure, il lui saisit le menton, le souleva et la força à river les yeux dans les siens.

— Je vais obliger la traîtresse à déverrouiller son esprit, annonça l'ancien Tranchant d'Acier d'une voix hargneuse.

Horrifié, Belial recula d'un pas.

Une musique au rythme agressif retentit dans la pièce. Au début, Vagabond des Étoiles pensa qu'il s'agissait de la Musique Sombre, tant elle lui paraissait discordante. Puis il reconnut un mélange – cacophonique – entre deux Chansons, une du feu et l'autre de l'eau. Un sortilège conçu pour extirper les secrets dissimulés au plus profond d'un esprit. Cela dit, il ne l'avait jamais entendu de sa vie. À l'évidence, Axis venait de le créer de toutes pièces.

— Je verrai son âme pervertie telle qu'elle est ! cracha l'ancien Tranchant d'Acier. Tu veux une preuve, Belial ? Eh bien, tu vas l'avoir ! Cette… créature… est le monstre qui a tué Étoile du Matin et qui complote depuis toujours au bénéfice de Gorgrael !

Quelques secondes plus tard, Azhure hurla de douleur. Impitoyable, Axis continua à la torturer mentalement.

— Par tous les dieux…, murmura Belial, écœuré.

Il se détourna, incapable d'en voir davantage, et regretta pour la première fois de sa vie de n'être pas sourd. Pourquoi n'avait-il pas le courage d'attaquer Axis, afin qu'il cesse de tuer Azhure à petit feu ?

—Il s'introduit dans son esprit, dit Vagabond des Étoiles, très calme, et il viole sa mémoire pour la forcer à révéler sa véritable identité.

Au fil des minutes, les cris d'Azhure gagnèrent encore en intensité. Comme un animal pris au piège, elle se débattait entre ses liens. Quand il trouva le courage de regarder, Belial vit que les cordes avaient traversé le tissu et la chair. Désormais, la chemise de nuit était gorgée de sang.

—Voilà! triompha Axis. J'ai trouvé!

—Quoi donc? demanda Vagabond des Étoiles.

—Une muraille… Une grille fermée, ou une porte verrouillée. La véritable Azhure se cache derrière. Dois-je en forcer l'ouverture?

—Tu penses y arriver? Et n'est-ce pas dangereux? Si Étoile Loup est tapi de l'autre côté, il pourra nous bondir dessus! Axis, il suffit peut-être de connaître l'existence de cette muraille. Tue Azhure, maintenant!

—Non, non… Belial réclame une preuve, et il l'aura. Encore un instant, et ce sera fait.

La musique redoubla soudain d'intensité. Azhure cessa de hurler, tourna la tête et éclata en sanglots.

—Oui, je te tiens! triompha l'ancien Tranchant d'Acier. Tu ne m'échapperas plus, immonde garce! Mais… que se passe-t-il?

Axis écarquilla les yeux, terrorisé par un spectacle que lui seul pouvait voir.

—Par les Étoiles…, gémit-il.

Puis Azhure et lui disparurent en un clin d'œil.

Axis était enveloppé par le pouvoir d'Azhure: la puissance brute des Étoiles! Peut-être parce qu'il lui restait quelques vestiges de compassion, elle n'autorisa pas cette force à écraser tout de suite l'homme qui venait de la torturer.

Également prisonnière de la magie de cet intrus, Azhure n'avait plus aucun moyen de lui dissimuler ses secrets, même ceux qu'elle avait enfouis au plus profond de sa mémoire afin de conserver sans santé mentale.

Ouvrant les yeux, elle redevint une pauvre petite fille de cinq ans.

Et Axis vit tout à travers ses yeux.

Les yeux écarquillés, l'homme et la femme qui ne faisaient plus qu'un seul être découvrirent l'intérieur de la maison du Gardien de la Charrue, à Smyrton. Un ameublement élégant, tout le confort imaginable… Apparemment, Hagen ne se refusait rien !

Tôt dans la soirée, des bûches crépitaient joyeusement dans la cheminée, et la chaude lumière des lampes se reflétait sur la table de bois poli où un délicieux repas refroidissait dans un grand plat blanc.

La fillette de cinq ans était recroquevillée dans un coin, le plus loin possible de la cheminée, car elle détestait s'en approcher.

Devant l'âtre, Hagen s'apprêtait à assassiner sa mère. À califourchon sur sa victime, une main serrée sur sa gorge, il la forçait à baisser la tête vers les flammes.

— Sale putain ! rugit-il. Avoue que je ne suis pas le père de ce monstre ! Confesse ton crime, salope ! Qui t'a engrossée, espèce de chienne ?

Impitoyable, le Gardien de la Charrue approcha encore des flammes les cheveux noirs de sa proie.

À travers les yeux de la fillette, Axis vit que la femme était d'une incroyable beauté. Malgré son visage tuméfié et ses yeux bleus voilés par la douleur, elle gardait une aura de mystère que sa peau d'une blancheur laiteuse – aux rares endroits où les coups l'avaient épargnée – augmentait encore. Mais bientôt, ses cheveux s'enflammeraient, et elle brûlerait vive.

— Qui ? répéta Hagen, écumant de rage.

Axis crut qu'il allait vomir de dégoût. Mais qui le répugnait le plus ? Le spectre de Hagen, qui avait jadis immolé par le feu la mère d'Azhure ? ou son propre aveuglement – l'imbécile fureur d'un pauvre idiot – qui risquait de coûter la vie à la femme qu'il aimait ?

—Azhure, écoute-moi! cria la victime de Hagen, certaine que sa dernière heure avait sonné. Cet homme n'est pas ton père!

—Bien sûr que non! beugla le Gardien de la Charrue. Depuis que j'ai vu les plumes qui poussent sur le dos de cette engeance du démon, cet après-midi, je sais qu'elle ne peut pas être de mon sang! Depuis combien de temps les pliais-tu, chienne, pour que je ne les remarque pas? Et qui a semé dans ton ventre impie cette graine maudite?

—Azhure, hurla la femme alors que ses cheveux s'embrasaient, tu es une enfant des dieux! Cherche la réponse sur la montagne du temple!

La voix de la malheureuse s'étrangla, car Hagen tentait de lui écraser la trachée-artère pour la réduire au silence.

—Azhure, croassa la Norienne, sa tête devenue une boule de feu, vis, ma petite chérie! Oui, vis pour moi! Ton père... ton père...

Le feu fit taire à jamais la mère d'Azhure. Les bras roussis, Hagen lâcha la moribonde et recula.

Un instant, les mains de la Norienne tentèrent vainement d'éteindre les flammes qui s'attaquaient déjà au col de son chemisier.

Puis elle s'embrasa tout entière comme une torche.

De longues minutes durant – et peut-être des heures –, Axis et Azhure, piégés dans le même corps d'enfant, assistèrent à l'agonie de la pauvre femme. La chair déjà noircie, elle continua pourtant à rouler sur elle-même tandis que ses membres se racornissaient à vue d'œil.

Ensemble, Axis et Azhure se demandèrent s'ils l'entendaient haleter, les poumons en quête d'air, ou s'il s'agissait du craquement de ses articulations, brisées de l'intérieur par la chaleur.

La puanteur était insupportable.

Quand la dépouille rongée par les flammes ne bougea plus, Hagen se tourna vers la fillette.

—Et maintenant, à ton tour!

Prenant le couteau au manche en os posé sur la table, le Gardien de la Charrue approcha de sa seconde proie.

Quand il l'eut prise par les cheveux, après avoir déchiré sa robe, il leva lentement la lame.

Comme Azhure, Axis sentit le couteau s'enfoncer dans sa chair.

En même temps que la fillette, il se débattit, hurla et en appela à la pitié de son bourreau.

Impitoyable, Hagen lacéra les omoplates d'Azhure. Puis il déchira les embryons d'aile nichés sous la chair, arrachant un cri de douleur à sa victime et aux deux âmes qui partageaient son calvaire.

Quand la lame racla l'os, Axis implora le tortionnaire d'arrêter.

Comme Azhure, deux décennies plus tôt…

Puis le couteau tomba sur le sol. Déchaîné, Hagen laboura à mains nues le dos de la fillette, résolu à extirper de son corps, ou à déchirer, tous les vestiges de sa véritable identité.

Les plumes, les membranes, les muscles, les tendons…

Axis cria encore. Il implora, se débattit, tenta de lutter, pleura et se résigna à souffrir jusqu'à la fin des temps.

Comme Azhure, deux décennies plus tôt…

Quand Hagen reprit le couteau, creusant la chair à la recherche d'impossibles vestiges de plume, l'ancien Tranchant d'Acier comprit enfin le véritable sens du mot « désespoir ».

Comme Azhure, deux décennies plus tôt…

Et comme elle, il vécut chaque seconde des six semaines suivantes. Ces six semaines interminables durant lesquelles Hagen, chaque matin, avait arraché les bandages de l'enfant pour lui lacérer le dos, tranchant sans pitié les pauvres embryons d'aile qui s'acharnaient à repousser.

Six semaines à entendre les imprécations de ce boucher tandis qu'il tailladait un quartier de viande vivant !

Je comprends ! cria Axis dans les ténèbres où l'esprit d'Azhure – non, *leur* esprit ! – s'était cloîtré pour échapper à la folie.

Je comprends!

Le crois-tu vraiment? demanda doucement Azhure. *En es-tu sûr?*

Le premier soir, Hagen avait couché l'enfant, la laissant seule avec sa souffrance, son angoisse et son chagrin pendant qu'il enterrait la dépouille carbonisée de sa mère.

Ensuite, chaque matin, et pendant six semaines, il était venu, éructant des horreurs, inciser les chairs, les déchirer, arracher des lambeaux de muscle et racler les os comme s'il avait pu ainsi les purifier.

Sa tâche accomplie, le Gardien de la Charrue gagnait le foyer de l'Adoration où il glorifiait l'amour et la compassion du grand dieu Artor – celui qui n'était que bonté – avant de s'occuper des âmes des bonnes gens de Smyrton, ces pécheurs égarés dans l'enfer du monde qu'il entendait bien ramener vers la Lumière.

Son saint office achevé, il revenait chez lui, soulevait la tête de l'enfant qui était aussi Azhure et Axis et la forçait à boire un peu d'eau fraîche.

— Pourquoi me laisses-tu vivre? avait un jour demandé l'enfant.

— Parce que j'aime te voir souffrir. Tu veux que je regarde sous tes pansements, pour voir où tu en es?

Je comprends..., murmura Axis.

Cette fois, il n'entendit rien, à part les sanglots d'une enfant poussée à la folie par la douleur, la haine et le désespoir.

Une enfant qui avait fini, pour survivre, par enfermer derrière une muraille – ou une grille, ou une porte – tous ses souvenirs et tous ses fabuleux pouvoirs.

Une fillette, puis une adolescente et enfin une femme, qui avait étouffé sa véritable personnalité afin de paraître parfaitement et banalement «normale».

Parce que c'était son seul espoir de survivre.

Oui, son unique bouée de sauvetage!

Piégé dans un lieu obscur, sans savoir comment s'en échapper… Le pouvoir incompréhensible d'Azhure, si longtemps enfoui et bridé, avait fait basculer Axis dans une fosse de ténèbres dont il était incapable de sortir…

—Azhure, murmura Axis dans le noir. Azhure ?

Pas de réponse.

—Azhure ? répéta Axis avant de commencer à ramper à l'aveuglette dans sa prison.

Toujours rien.

L'Homme Étoile s'immobilisa et réfléchit. À la place d'Azhure, aurait-il répondu ?

Sûrement pas, puisque ces ténèbres étaient son unique protection.

Alors, que devait-il dire pour la faire changer d'avis ?

—Pardonne-moi… Azhure, pardonne-moi…

Rien.

—Pardon pour la mort de ta mère !

L'obscurité et le silence…

—Pardon pour ta douleur et pour ta terreur !

Le silence et l'obscurité…

—Pardon pour mon manque de confiance et de foi !

Toujours rien, mais Axis sentit une présence.

—Azhure, aide-moi ! Sans toi, je suis seul, perdu et terrorisé. Aide-moi, je t'en prie !

—Pardon…, murmura une voix.

Axis éclata en sanglots, révolté qu'*elle* éprouve le besoin de demander pardon.

—Oui, maman, pardonne-moi d'avoir oublié ton nom…

À cette seconde précise, Axis sentit qu'il serrait dans ses bras un être précieux qui était à la fois la fillette de jadis et la femme adulte d'aujourd'hui. Ensemble, l'enfant, la guerrière et l'Envoûteur versèrent toutes les larmes de leur corps, puis cherchèrent le pardon, la paix et l'amour – et surtout, un endroit où être hors d'atteinte de la cruauté et de l'injustice du monde !

Englués dans un sortilège, Belial et Vagabond des Étoiles attendaient, coincés dans l'intervalle impossible qui sépare une seconde de la suivante.

Alors qu'ils auraient pu rester ainsi à jamais, leurs entraves disparurent, et ils retrouvèrent toutes leurs perceptions.

Puis l'air miroita, et Axis apparut devant eux, Azhure dans les bras.

Ou son cadavre ? Car de son dos, écorché vif au point qu'on aperçoive les os, coulaient des torrents de sang qui imbibaient les hauts-de-chausses d'Axis, ruisselaient sur ses bottes et formaient déjà une flaque écarlate à ses pieds.

—Au secours…, gémit l'Homme Étoile.

65

AZHURE – 2

Relevant des deux mains l'ourlet de sa robe longue, Faraday courait dans les couloirs du palais.

Après qu'Axis l'eut quittée, elle s'était assez vite endormie et n'avait pas rouvert un œil avant que le soleil soit déjà assez haut dans le ciel. Une fois lavée et habillée, elle avait pris un agréable petit déjeuner. Puis sa nouvelle servante – une authentique domestique, contrairement à Yr – lui avait parlé distraitement du « charivari, dans le palais »…

Que lui a-t-il fait ?

La servante n'ayant entendu que de vagues rumeurs, Faraday était allée interroger un des gardes palatiaux. Le soldat ne savait rien, sinon qu'Axis devait être dans la salle d'interrogatoire, où il avait fait enfermer Azhure.

Dans la pièce, Faraday n'avait trouvé personne. Mais les traces de sang formaient une piste facile à suivre…

Elles s'arrêtaient devant la porte d'une des suites réservées aux diplomates étrangers. Sans hésiter, Faraday ouvrit la porte… et se pétrifia sur son seuil.

L'antichambre était bondée de monde ! Vagabond des Étoiles, Belial, Libre Chute, Gorge-Chant, Magariz, Rivkah, Ho'Demi…

L'état-major d'Axis quasiment au grand complet ! Mais très loin de sa meilleure forme… On eût dit une assemblée de spectres assis sur des sofas en attente de la damnation éternelle.

Quelques Alahunts, très nerveux, montaient la garde devant

la porte de la chambre. Le plus gros du groupe, sans doute le chef, grattait furieusement le battant de bois…

Des pas retentirent dans le dos de Faraday, qui ne s'écarta pas assez vite et fut propulsée en avant par l'homme qui voulait à tout prix entrer dans l'antichambre.

C'était Ysgryff. Lugubre, furieux et… brûlant d'envie de se défouler en étranglant quelqu'un à mains nues.

—Où est-il ? rugit le baron. Et que lui a-t-il fait ?

Avant que quiconque ait pu répondre, un bébé gémit à fendre l'âme.

Faraday tourna la tête vers Rivkah. Assise dans un fauteuil, la mère d'Axis tentait en vain de rassurer et de calmer le fils d'Azhure.

—Je vais le prendre, souffla l'Amie de l'Arbre en approchant.

Consciente que ses efforts n'avaient pas beaucoup d'effets, la princesse lui tendit l'enfant.

Bonjour, Caelum. Je suis Faraday…

Le bébé leva la tête pour voir qui lui parlait ainsi.

Tu veux bien aider ma maman ? Elle s'appelle Azhure.

Faraday sourit et caressa la joue du petit Envoûteur.

C'est un très joli nom ! Elle est avec ton père ?

La voix mentale de Caelum trembla un peu :

Il avait peur d'elle, Faraday ! Pourquoi ? Alors, tu veux bien aider ma maman ?

Rassuré par l'amour et la compassion de Faraday – l'essence même de son pouvoir ! –, l'enfant ne s'agitait plus, mais son angoisse restait palpable.

Si je le peux, Caelum… Maintenant, tais-toi, parce qu'il faut que je parle avec nos amis.

—Racontez-moi, Vagabond des Étoiles !

—Axis… je… eh bien… Faraday, je suis aussi coupable que mon fils. Tous les deux, nous avons cru qu'Azhure était Étoile Loup…

—Quoi ? rugit Ysgryff.

—Elle a invoqué la Musique Sombre, baron ! se justifia

Vagabond des Étoiles. Qu'aurais-tu pensé à notre place ? La solution s'imposait : elle était Étoile Loup !

Le voyant bouillir de rage, Faraday crut prudent de retenir le Norien par le bras.

— Ysgryff, un peu de calme ! Vagabond des Étoiles, je ne sais pour les autres, mais moi, je ne comprends rien à votre histoire ! Qui est Étoile Loup ? Et pourquoi avez-vous cru, comme Axis, qu'Azhure était cette personne ?

À contrecœur, l'Icarii résuma l'histoire de l'Envoûteur-Serre criminel revenu du Portail des Étoiles.

— À cause de la Prophétie, Étoile du Matin, Axis et moi avons toujours pensé qu'Étoile Loup se dissimulait sous l'apparence d'un des proches de l'Homme Étoile. Ma mère a toujours soupçonné Azhure, mais nous refusions de la croire. Pourtant, il y avait tant d'indices troublants… L'arc, les Alahunts, Caelum, avec la quasi-pureté de son sang icarii… Enfin, ce matin même, Azhure a utilisé la Musique Sombre pour tuer un Griffon ! Faraday, qu'aurions-nous pu déduire d'autre ?

Avec le bébé dans les bras, Faraday ne parvint pas à retenir Ysgryff plus longtemps. Se penchant en avant, il saisit Vagabond des Étoiles par les plumes qui poussaient sur sa nuque et le souleva de son siège.

— Si elle meurt, Envoûteur, j'aurai ta peau ! Je le jure sur tous les dieux du Temple des Étoiles !

Alors que Belial faisait mine de se lever pour intervenir, le baron laissa retomber l'Icarii sur son sofa.

— Vagabond des Étoiles, j'espère qu'Étoile Loup aura un jour l'occasion de vous jeter dans le Portail, ton fils et toi ! Finir comme cobayes de ce fou furieux serait encore un trop grand honneur pour deux salauds comme vous !

— Ysgryff, contrôlez-vous, de grâce…, souffla Faraday. Belial, qu'est-il arrivé dans la salle d'interrogatoire ?

Le tout nouveau Prince de l'Est raconta ce qu'il savait.

— Hélas, conclut-il, j'ignore le plus important… Azhure a emmené Axis quelque part, mais je ne saurais dire où, et encore moins imaginer ce qu'ils ont fait. Lorsqu'ils sont revenus, le dos d'Azhure était écorché vif, et Axis semblait avoir perdu la raison. Nous les avons aidés à venir jusqu'ici, et depuis, ils sont enfermés dans la chambre. Axis refuse de laisser entrer quiconque. Faraday, si elle meurt, j'ai peur qu'il se suicide sur son cadavre! Et même si elle survit, il risque de se transpercer le cœur avec une dague pour expier le mal qu'il lui a fait.

—Ysgryff, ne partez pas, surtout! lança Faraday au Norien. À mon avis, vous êtes le plus qualifié, parmi nous, pour résoudre cette énigme.

La veuve de Borneheld se tourna vers la porte de la chambre.

—Faraday! appela Rivkah, très inquiète.

La dernière personne qui avait tenté d'entrer était ressortie deux secondes plus tard, terrorisée par le fou furieux qui veillait jalousement sur Azhure.

—Ne vous en faites pas, dit Faraday, il ne me jettera pas dehors… et encore moins Caelum!

Elle ouvrit la porte, se glissa dans la chambre et referma doucement derrière elle.

Dans la chambre aux volets baissés, Faraday s'immobilisa et prit le temps de s'accoutumer à la pénombre. Quand ce fut fait, un mouvement presque imperceptible attira son regard.

Un morceau de tissu ensanglanté à la main, Axis s'écarta du lit sur lequel il était penché, au fond de la pièce. En silence, il riva sur Faraday des yeux hagards.

La jeune femme avança, hésita un moment, puis baissa les yeux vers la silhouette étendue sur un côté, au milieu de la couche.

—Bonjour, Azhure, dit-elle avec un sourire amical. Je suis Faraday, et j'aurais voulu faire ta connaissance dans des circonstances plus heureuses…

Si la Protectrice de l'Est était consciente, la douleur voilait le regard de biche apeurée qu'elle leva sur son fils.

—Caelum va bien, dit Faraday, mais il est très inquiet pour toi.

Azhure leva un bras tremblant et caressa du bout des doigts la joue de l'enfant. Trop faible pour continuer, elle laissa vite sa main retomber sur le drap. Pâle comme une morte – et probablement pas très loin d'exhaler le dernier soupir –, la malheureuse ne parvenait même plus à s'intéresser à la chair de sa chair.

—Tu as encore fait un beau gâchis, Axis, lâcha Faraday.

L'ancien Tranchant d'Acier tomba sur un genou, de l'autre côté du lit. Depuis des heures, il tamponnait le dos d'Azhure pour enrayer l'hémorragie, mais il n'y parvenait pas. Dans la cuvette où il trempait sa compresse, l'eau était aussi rouge que du sang…

Des bandes de chair pendaient sur le dos d'Azhure où on voyait par endroits les os à nu.

—Je ne peux rien faire pour elle…, souffla Axis. Faraday, il n'existe pas de Chanson pour la soulager. Dois-je attendre qu'elle meure pour essayer de l'aider ?

—Au lieu de dire des bêtises, prends ton fils et va t'asseoir dans un coin ! J'aimerais parler un peu en privé avec Azhure…

L'Homme Étoile se leva, laissa tomber la compresse dans la cuvette et tendit les mains vers Caelum.

Faraday le sentit se tendre dans ses bras.

Va avec ton père, mon petit. Il a besoin de réconfort…

En lui donnant le bébé, Faraday regarda Axis droit dans les yeux.

—Il doit savoir ce qui est arrivé. Si tu ne le lui dis pas, il ne te fera jamais plus confiance. À présent, va t'asseoir dans un fauteuil et parle-lui ! Surtout, ne t'avise pas de nous déranger, Azhure et moi !

Axis acquiesça, serra Caelum contre lui et gagna l'autre bout de la chambre.

Faraday prit la main d'Azhure entre les siennes et la caressa délicatement.

—Il faut que je sache ce qui s'est passé. En parler t'aidera beaucoup.

Réconfortée par ce contact amical, la guerrière commença à raconter son histoire.

—Attends un peu! coupa très vite Faraday, sans cesser de caresser la main d'Azhure. Face à ce Griffon, tu savais ce que tu faisais?

—Non… Quand il a attaqué, j'étais sûre que Caelum et moi étions fichus… Je n'avais pas d'arme, donc j'ai levé un bras pour nous protéger, et le monstre l'a entaillé avec son bec. À cause de la terreur, ou de la douleur, quelque chose s'est brisé en moi. Comme si une digue lâchait… Faraday, j'ignore ce que j'ai fait! Mais je ne suis pas Étoile Loup! Comment Axis a-t-il pu penser une chose pareille?

—Du calme, ma pauvre chérie, murmura Faraday. (Du bout des doigts, elle écarta du front d'Azhure des mèches de cheveux collées par la sueur.) Il y avait des raisons, hélas…

En quelques mots, elle résuma la longue liste d'indices dont lui avait parlé Vagabond des Étoiles.

Azhure gémit de détresse. Ainsi, il y avait si longtemps que ses amis doutaient d'elle?

—Que s'est-il passé dans la salle d'interrogatoire? Il faut que je le sache!

La guerrière blessée hésita un long moment. Encouragée par la patience de Faraday et par ses caresses apaisantes, elle se décida enfin.

Elle décrivit la fureur d'Axis, le dégoût qu'elle avait lu dans ses yeux, et sa violence débridée. En ces instants, avoua-t-elle, il lui avait rappelé l'homme qu'elle nommait son « père ». Sur le toit de Spiredore avait commencé un cauchemar qui s'était poursuivi dans les sous-sols du palais. Enfin, quand Axis l'avait mentalement violée pour démasquer Étoile Loup – selon lui –, la douleur, l'angoisse et le sentiment d'être seule au monde avaient de nouveau fait lâcher la digue qui la séparait de…

—J'ignore de quoi il s'agit, Faraday, mais la porte ne s'est pas entièrement refermée… Dans l'obscurité, quelque chose m'appelle encore…

—Nous en reparlerons plus tard… Pour le moment, raconte-moi la suite.

Azhure évoqua la vision qu'Axis et elle avaient partagée. Acharné à découvrir l'identité de l'amant de sa femme, Hagen avait fini par la tuer…

—J'ai presque tout oublié, souffla Azhure. Mes ailes avaient commencé à pointer un mois ou deux plus tôt… En s'en apercevant, alors qu'elle me donnait un bain, maman avait souri. C'était un cadeau de mon père, d'après elle, mais elle faisait tout pour les cacher à Hagen. Quand c'est devenu très difficile, elle les a pliées au maximum et recouvertes d'un bandage très serré. Comme ça, mon dos semblait bien plat… Mais un jour, Hagen est rentré à l'improviste alors que j'étais assise sur les genoux de maman, sans tunique ni bandage…

» Faraday, tout ça est ma faute! Mon dos me grattait, et maman l'avait dénudé pour me soulager!

—Continue…, murmura l'Amie de l'Arbre, des larmes aux yeux.

—Après la mort de maman, Hagen m'a charcutée pendant des semaines. Chaque matin, il examinait mon dos et tranchait tout ce qui lui semblait suspect.

—Et vos voisins? Ils n'ont rien soupçonné?

—Hagen leur a dit que maman s'était enfuie avec un colporteur. En réalité, il l'avait enterrée discrètement, une nuit… J'étais censée avoir attrapé une mauvaise fièvre. Des villageoises venaient parfois m'apporter à manger, mais si elles ont vu mes pansements ensanglantés, elles n'ont jamais posé de question. À Smyrton, personne ne mettait en doute la parole du Gardien de la Charrue. Au fil du temps, j'ai fini par croire que maman m'avait abandonnée pour suivre un colporteur. C'était moins douloureux – et plus sûr – que de garder en mémoire la vérité dont j'avais été témoin…

Faraday eut du mal à ne pas exploser de colère! Maudits villageois!

Ils n'ont pas pu ne rien voir! Comment Azhure a-t-elle réussi à grandir à Smyrton sans devenir folle?

— Pour survivre, je suis devenue ce que voulait Hagen… L'incarnation de ses mensonges! Dès que je ne me comportais pas «comme il faut», il me battait jusqu'à ce que j'implore grâce. Alors, j'ai appris à ne pas utiliser…

— De quoi parles-tu? Azhure, va jusqu'au bout…

C'était un moment clé. La jeune femme devait accepter sa vraie nature.

— Mes pouvoirs… Faraday, maman disait que j'étais une enfant des dieux! Pour découvrir ma véritable identité, je devais aller sur la montagne du temple…

— Et tu iras un jour, assura Faraday. Mais quelque chose me dit que tu sauras la vérité bien avant ça… Maintenant, ne parle plus de tout cela, mon amie. Je dois m'occuper de ton dos. Tes cicatrices se sont-elles rouvertes pendant que tu partageais ta vision avec Axis?

— Oui, parce que j'ai revécu toutes les séances de torture de Hagen. Mes ailes luttaient tellement pour repousser! Mais ce boucher…

— Du calme, du calme… Ton Envoûteur d'amant n'a pas pu te soulager. Voyons ce que réussira la Mère…

Faraday fit le tour du lit pour examiner le dos d'Azhure. Au passage, elle remarqua qu'Axis et Caelum s'étaient endormis dans le fauteuil.

— Veux-tu que je te parle de la Mère? demanda-t-elle en soulevant les pansements de fortune qu'avait posés Axis à certains endroits.

Azhure hocha imperceptiblement la tête.

D'une voix aussi apaisante que ses caresses, Faraday évoqua une série de merveilles. Le Bosquet Sacré, la forêt magique, l'étrange pépinière d'une adorable vieille dame… Puis elle décrivit la Mère, cette entité au cœur rempli d'amour pour la nature et pour la terre.

Raum n'avait jamais été très disert sur les mystères des Avars. Et ce qu'Azhure en avait entendu dire par Axis l'avait plutôt effrayée. À présent, sa vision des choses changeait…

Faraday parla plus lentement, et ses yeux émirent une vive lueur émeraude. Avec une infinie douceur, ses mains s'immergèrent dans les plaies d'Azhure.

Malgré la délicatesse de ce contact, la guerrière cria de douleur. Mais Faraday continua de lui parler, et le son de sa voix lui permit de ne pas sombrer dans les ténèbres. S'y accrochant comme un noyé à un morceau de bois flotté, elle parvint aussi à ne pas basculer dans la folie.

Et quand elle faillit perdre connaissance, les mots de Faraday, soudain plus forts, la retinrent dans le monde des vivants.

Peu à peu, la douleur se dissipa. Presque détendue, ses forces en partie revenues, Azhure sentit une agréable chaleur se diffuser dans tout son dos. Bercée par la voix de Faraday, elle se laissa dériver au cœur d'une délicieuse quiétude.

—Tes ailes sont perdues, dit soudain l'Amie de l'Arbre, interrompant abruptement ses merveilleux récits. J'ai tenté de les sauver, mais c'est impossible. Hagen avait bien fait son sale travail…

Après avoir tant souffert à cause de ces appendices, Azhure n'avait aucune larme à verser sur leur disparition.

En silence, Faraday continua à caresser le dos de sa patiente – qui n'avait plus mal du tout!

—Bien, Azhure, tu devrais te lever, à présent… Nous allons te déshabiller et te laver. Tu es barbouillée de sang de la tête aux pieds!

Azhure s'assit et leva les bras pour enlever sa chemise de nuit en lambeaux. Ce faisant, elle s'aperçut que son dos était totalement guéri. Il ne restait pas une trace des cicatrices qu'elle sentait sous ses doigts depuis plus de vingt ans.

Faraday alla chercher une casserole d'eau gardée au tiède près de la cheminée et lava sa rivale avec la tendresse d'une mère.

—Merci! s'écria soudain Azhure. (Timidement, elle prit la main de l'Amie de l'Arbre puis la lâcha presque aussitôt.) Merci!

—Ces derniers temps, j'ai souvent pensé que la vie n'avait pas été clémente avec moi… Mais comparées aux tiennes, mes souffrances ne sont rien! Azhure, nous sommes toutes les deux à un carrefour. C'est notre première rencontre, nous aurions des milliers de choses à nous dire, mais chacune doit continuer son chemin. Après un long calvaire, je crois que tu te diriges vers le bonheur. Moi… Eh bien, j'ai peur de devoir beaucoup souffrir avant de retrouver la joie de vivre…

—Faraday, je suis désolée… Si tu savais combien je voudrais ne pas m'être dressée entre Axis et toi!

—Nous sommes tous piégés par la Prophétie, sans aucun moyen de lui échapper. Je ne t'en veux pas, sache-le. En revanche, le comportement d'Axis m'indigne. Toutes les deux, il nous a traitées injustement! Il n'hésite jamais à agir, une qualité précieuse pour un guerrier, mais pas quand il se laisse guider par sa colère et une certaine tendance à la cruauté…

» J'aimerais que nous devenions amies, Azhure… Je sais combien tu as souffert, et je suis sûre que tu compatis en pensant à tout ce qui m'attend…

—Je serais fière d'être ton amie!

—Alors, plus de larmes ni de récriminations entre nous! Nous aimons toutes les deux Axis, et c'est d'autant plus malheureux qu'il ne peut pas choisir l'une ou l'autre… Azhure, je vais partir. Non, laisse-moi finir! De toute façon, c'est mon destin. Le rôle que je dois jouer dans la Prophétie m'entraîne loin d'ici… Je te laisse ton amoureux, mon amie, et j'envie ton bonheur. J'aurai passé une semaine avec lui, et il faudra bien m'en satisfaire jusqu'à la fin de mes jours…

Faraday baissa les yeux sur le ventre d'Azhure.

—Vous faites de si beaux enfants, tous les deux!

La future mère plaqua les mains sur son abdomen. Les bébés avaient-ils souffert de ce qui venait d'arriver?

—Non, la rassura Faraday. Ils vont très bien… Mais eux aussi ont partagé la vision, ce matin, et j'ignore quel effet ça leur fera…

Elle marqua une pause, comme si elle hésitait à continuer, puis secoua la tête et décida d'en rester là.

—Ce sont des jumeaux, d'après Vagabond des Étoiles. Une fille et un garçon! Axis doit les réveiller en chantant, puis leur apprendre ce qu'ils doivent savoir.

—Tu peux les former seule, mon amie! Après tout, tu es une Envoûteuse icarii!

Azhure en resta bouche bée.

—Assieds-toi, et prends le temps de réfléchir à tout ça! Dans quelques jours, quand Axis aura réveillé les jumeaux, profite de tes moments de tranquillité pour… initier… tes bébés. Pendant que tu médites, je vais fouiller dans cette armoire, histoire de te trouver de quoi te vêtir.

Une Envoûteuse? pensa Azhure, accablée. *Non, je ne veux pas! Je suis Azhure, et ça me suffit!*

—Le choix n'est pas terrible, annonça Faraday en revenant avec une robe de chambre blanche et un châle rouge. Pour le reste, tu es telle que ton père t'a faite!

—Mon père?

—«Une enfant des dieux», c'est bien ce que disait ta mère? (Faraday fit un clin d'œil à son amie.) Tu imagines la nuit qu'elle a passée, quand elle t'a conçue?

—Il me reste tant à apprendre…

—Et tout ce qu'il faut de siècles pour ça!

Azhure eut besoin de quelques secondes pour comprendre toutes les implications de cette phrase.

Médusée, elle dévisagea Faraday.

—Eh oui… Des siècles pour profiter de ton amoureux et regarder grandir tes enfants et des générations de petits-enfants! (L'Amie de l'Arbre s'assit à côté de la guerrière.) J'ai une faveur à te demander…

—Tout ce que tu voudras!

—Aime Axis pour moi! Élève ses enfants pour moi! Tous ses enfants…

Faraday avait prononcé ces derniers mots d'une voix étrange. Trop troublée, Azhure ne s'en aperçut pas.

—Parle de moi à ces enfants! Dis-leur qui était Faraday, qui a aimé leur père et s'est liée d'amitié avec leur mère. Surtout, parle-leur de la Mère! Azhure, quand je partirai, ce sera pour jouer mon rôle dans la Prophétie…

—Faraday…

—Un étrange chemin m'attend, mais je ne veux pas perdre l'amie que je me suis faite aujourd'hui. Dans les mois à venir, nous nous reverrons…

—Comment…? souffla Azhure.

Mais Faraday lui fit signe de se taire.

—Nous trouverons un moyen… Et si je peux, je t'emmènerai dans le Bosquet Sacré. Les Envoûteurs y sont rarement les bienvenus, mais pour toi, la Mère et les Enfants Sacrés, comme Raum, seront ravis de déroger à la règle. Là-bas, il y a tant de merveilles que j'aimerais te montrer! Mais où que ce soit, nous nous verrons de temps en temps, et je te serai reconnaissante si tu m'amenais parfois tes enfants…

Comparée à la superbe femme assise à côté d'elle, Azhure se sentit parfaitement insignifiante.

—Merci…, dit-elle.

Faraday lui tapota la joue.

—Je suis heureuse que nous soyons amies… À présent, allonge-toi et dors un peu! Ces prochains mois, et sans doute jusqu'à la naissance des jumeaux, il faudra te reposer beaucoup. Allons, endors-toi…

Azhure s'étendit et ferma les yeux.

Faraday veilla longtemps sur le sommeil de la guerrière, lui caressant parfois les cheveux.

Comme Axis et moi, tu as un long et extraordinaire chemin devant toi, pensa-t-elle. *Après les épreuves que nous avons derrière nous, et avec celles qui nous attendent, prions pour ne pas tous périr…*

Faraday se leva, tira sur sa robe et approcha d'Axis et de Caelum.

—Axis…, souffla-t-elle en s'agenouillant à côté du fauteuil.

—Azhure? lança l'ancien Tranchant d'Acier, réveillé en sursaut.

—Elle dort, et elle va très bien… Je crois que je vais te laisser avec ta bien-aimée…

—Faraday…, murmura Axis, une main tendue pour la retenir.

Même si elle souriait, il vit les larmes qui brillaient dans les yeux de la jeune femme.

—Axis, nous sommes tombés amoureux l'un de l'autre quand j'étais simplement Faraday, la fille du comte Isend de Skarabost, et toi le Tranchant d'Acier des Haches de Guerre. Aujourd'hui, nous n'avons plus rien à voir avec ces personnes, et il est impossible de revenir en arrière. Peut-être, pour nous aimer, avions-nous besoin que Borneheld soit vivant… (Axis frémit, bouleversé par la profonde amertume de cette déclaration.) Comme il jubilerait, s'il savait que sa mort a détruit notre amour !

—Faraday…

—Non, laisse-moi finir ! Tu n'as plus rien à me dire, et aucune excuse ne pourrait adoucir mon chagrin. Tu m'as fait du mal, ne te voile pas la face ! Je t'aime toujours, mais ça ne m'empêchera pas de partir pour que tu puisses épouser Azhure. Surtout, ne t'avise pas de te dérober ! Cette femme est un joyau que tu ne peux pas te permettre de perdre. (Faraday eut un sourire plein d'une hautaine compassion.) Surtout, ne t'inquiète pas, je jouerai le rôle que m'assigne la Prophétie. À présent, écoute-moi ! Je romps formellement les vœux que nous avons prononcés au fort de Gorken ! J'agis ainsi pour Azhure, pas pour toi ! Ce qui existait entre nous est mort. Te voilà libre !

Et moi, le suis-je aussi ?

Faraday regarda un long moment Axis comme si elle voulait graver ses traits dans sa mémoire. Puis elle se pencha et l'embrassa chastement sur la bouche.

—Adieu, Axis…

Se relevant, l'Amie de l'Arbre courut vers la porte.

L'Homme Étoile voulut bondir sur ses pieds. Mais ce mouvement brusque réveilla Caelum. Et comme tous les bébés du monde, il pleura pour manifester son indignation.

Quand Axis l'eut calmé, il était bien trop tard pour qu'il puisse encore rattraper Faraday.

Faraday laissa le temps au plus gros des Alahunts de se glisser dans la chambre, puis elle ferma la porte.

Dès qu'elle eut fait deux pas, tous les regards se braquèrent sur elle.

Par miracle, elle réussit à sourire.

— Ils vont bien… Laissez-leur une heure ou deux, puis allez les voir. Vous avez tous beaucoup de choses à vous dire. (Elle jeta un coup d'œil à Ysgryff, puis se tourna vers Rivkah et sourit – sincèrement, cette fois – en la voyant assise près de Magariz, qui lui tenait les mains.) Princesse, je peux vous parler en privé ?

Rivkah se leva et suivit Faraday dans le couloir.

— Je m'en vais, car je ne peux pas me dresser entre ces deux-là ! Princesse, cette Prophétie est impitoyable…

La mère d'Axis prit Faraday dans ses bras et la laissa pleurer en lui caressant les cheveux.

Quand elle fut calmée, la jeune femme se dégagea et essuya ses larmes.

— Je dois aller voir les Sentinelles, dit-elle. Ensuite, je partirai pour un très long voyage. Rivkah, j'ignore si nous nous reverrons…

Les yeux de la princesse s'embuèrent. Faraday avait raison : la Prophétie ignorait la pitié ! Et si elle aimait Azhure comme une fille, Rivkah se sentait très proche de Faraday – une ancienne duchesse d'Ichtar comme elle.

Pauvre petite… Elle mérite le bonheur autant qu'Azhure…

— Et je le trouverai ! assura Faraday. Un jour ou l'autre, et qui peut dire où… ? Mais Rivkah, vous ai-je vraiment vue main dans la main avec le prince Magariz ? Et dois-je supposer que… ?

Voyant la princesse rougir jusqu'aux oreilles, Faraday éclata de rire.

— C'est merveilleux ! Mon amie, avant de partir, je vais vous faire un cadeau.

Sans crier gare, Faraday se pencha et plaqua ses lèvres sur celles de Rivkah – qui frissonna, le corps traversé par une décharge d'énergie pure.

Quand Faraday s'écarta, la princesse la regarda, stupéfaite. Comment pouvait-elle se sentir… régénérée… ainsi ? Plus vivante que jamais ?

— Un présent de la Mère, en réalité… Faites-en bon usage.

Elle se détourna et s'en fut, laissant derrière elle un cadeau d'adieu destiné, dans les années à venir, à tourmenter Axis davantage que Gorgrael en personne.

Un petit souvenir pour l'homme qui l'avait trahie !

66

ENVOÛTEUSE

Trois heures après le départ de Faraday, Axis pria les Sentinelles, ses officiers supérieurs et ses meilleurs amis de le rejoindre dans la suite. Certaines choses devaient être dites, et il ne supportait plus d'avoir des secrets. Si Étoile Loup se dissimulait sous l'identité d'un de ses proches, ourdissant de sombres complots, eh bien, tant pis !

Vagabond des Étoiles, Rivkah, Étoile du Matin et lui avaient gardé secrète l'existence du traître. Après l'assassinat de l'Envoûteuse, ils avaient soupçonné tout le monde, et cette paranoïa était passée près de coûter la vie à Azhure.

Axis avait toujours du mal à croire que sa compagne, en se réveillant, lui ait souri comme si elle lui avait déjà tout pardonné. Car il doutait de vivre assez longtemps pour expier le mal qu'il lui avait fait…

Pour l'heure, la Protectrice de l'Est, assise dans un fauteuil, près du feu, regardait le petit groupe franchir la porte. Très pâle et à l'évidence épuisée, elle souriait quand même, le cœur en paix.

Magariz entra le premier, une Rivkah rayonnante à ses côtés. Belial et Cazna suivirent, les cinq Sentinelles – étrangement moroses – sur les talons. Puis vinrent Ho'Demi et Sa'Kuya, qui s'écartèrent très vite pour laisser passer les représentants de la maison du Soleil Levant. Bousculant Libre Chute et Gorge-Chant, Vagabond des Étoiles, comme son fils un peu plus tôt, courut s'agenouiller devant Azhure pour implorer son pardon.

La mine toujours sombre, Ysgryff vint tapoter gentiment l'épaule de la guerrière. Encore furieux, il foudroya les deux Envoûteurs du regard et alla s'asseoir près de Magariz et de Rivkah.

Sur ces entrefaites, Œil Perçant entra en compagnie de plusieurs chefs de Crête, de Plume Pique et d'Arne, plus renfrogné encore qu'à l'accoutumée.

Précédés par quelques officiers des compagnies d'archers d'Azhure, les quatorze Alahunts vinrent rejoindre leur chef, couché aux pieds de leur maîtresse. Avec l'arrivée des molosses, l'antichambre, pourtant assez spacieuse, parut soudain bien trop petite pour une telle réunion.

—Regardez, dit Axis quand tous ses invités furent assis – certains à même le sol. Je veux que vous voyiez la scène à laquelle j'ai assisté ce matin. Voilà ce qu'a enduré Azhure !

Il entonna la Chanson du Souvenir. Comme à Arcen, où était apparu le sinistre cercle de croix, une image se forma dans l'air.

La maison du Gardien de la Charrue, à Smyrton…

Quand il vit le visage de la mère d'Azhure, Ysgryff cria de détresse. Après l'ignoble meurtre, les séances de torture se succédèrent, Hagen de plus en plus convaincant dans son rôle de boucher cynique.

Peu à peu, tous les témoins comprirent pourquoi Azhure avait si profondément enfoui la vérité sur son passé et son identité. Car au moindre faux pas, Hagen lui aurait fait connaître le même sort qu'à sa mère…

Vagabond des Étoiles ne put supporter très longtemps ce spectacle. Quand il détourna les yeux, son regard croisa celui d'Axis.

« Une enfant tournera la tête / Et d'anciens arts révélera / À l'heure où elle pleurera. » Axis, au moment où les pouvoirs d'Azhure se sont totalement réveillés, quand elle t'a emporté vers le passé, elle a tourné la tête et éclaté en sanglots !

L'Homme Étoile acquiesça imperceptiblement.

Tu as tout compris, Vagabond des Étoiles… Et quels autres

vers parlent d'Azhure dans la Prophétie ? Quel rôle doit-elle y jouer exactement ?

— Le plus triste, dit l'archère quand les images se furent dissipées, c'est que j'ai oublié le nom de ma mère. Depuis sa mort, je me sens coupable de cette trahison…

— Elle s'appelait Niah, Azhure…

Tous les regards se braquèrent sur Ysgryff – y compris ceux des chiens !

Niah ? répéta mentalement Azhure, bouleversée.

Le Norien se leva, approcha du fauteuil, se pencha et prit la main de sa compatriote.

— Je m'en doutais déjà, mais il me fallait une confirmation…

— Ysgryff, parle-moi d'elle !

— Niah était mon aînée de huit ans. Comme beaucoup de femmes de la maison de Nor, elle a renoncé au mariage pour être une des prêtresses du Temple des Étoiles. À vingt et un ans, après avoir choisi sa voie à quatorze, elle est devenue une des Hautes Prêtresses. Azhure, tu n'as pas oublié son nom ! En réalité, elle ne te l'a jamais dit ! Quand elles prononcent leurs vœux, toutes les prêtresses doivent renoncer à leur prénom. Même après avoir quitté la montagne du temple, je suis sûr qu'elle-même ne savait plus qu'elle s'était un jour appelée Niah.

— Niah… Merci, Ysgryff… enfin, je veux dire, mon oncle !

— Ysgryff ira très bien, petite… (Le baron prit la main de sa nièce et y posa un baiser.) Bienvenue dans la maison de Nor. Quand nous serons plus tranquilles, je te parlerai de ta mère…

— Ysgryff, demanda Axis, sais-tu quelque chose sur l'identité du père d'Azhure ?

— Hélas, non… Une année, le temple nous a annoncé que Niah était partie. Il était déjà arrivé qu'une prêtresse quitte l'Ordre des Étoiles, mais très rarement. Comme Niah semblait heureuse, nous avons tous été stupéfaits. Au temple, personne n'a pu ou n'a voulu m'en dire plus. Niah s'en était allée un jour, et voilà tout…

— Elle serait partie à Smyrton pour épouser un Gardien de la Charrue ? demanda Azhure. Pourquoi ?

Et pour quelle raison Hagen m'a-t-il laissé vivre, alors qu'il me détestait tellement ?

— Que savez-vous ? demanda Axis aux Sentinelles. Je vous ordonne de parler, car le temps des secrets est révolu !

Jack garda le silence. Pourtant, il savait que la Prophétie, depuis toujours, destinait l'Homme Étoile à Azhure, pas à Faraday…

— Axis, dit Veremund, très nerveux, je te prie de croire que nous ignorions tout de Niah ! Quant à son mariage avec Hagen, c'est un plus grand mystère encore…

— Pourtant, en matière matrimoniale, vous êtes des experts ! Surtout quand il s'agit de forcer les gens à se marier contre leur gré !

— Axis, je… Crois-moi, je ne peux rien te dire ! Depuis le début, Azhure est un mystère pour nous.

— Nous ne savons rien de Niah, résuma Vagabond des Étoiles en se levant. Mais elle a conseillé à Azhure de chercher les réponses sur la montagne du temple. Les prêtresses seront peut-être plus enclines à parler à la fille de leur ancienne collègue… (Il prit une grande inspiration, regarda Axis puis se tourna vers Azhure.) Je doute fort que tu sois une enfant des dieux, très chère ! Ta mère le croyait peut-être, et il est possible qu'on le lui ait dit. Parce qu'il valait mieux qu'elle ignore la vérité…

» Moi, je crois savoir qui est ton père ! Cela expliquerait beaucoup de choses. En particulier, sans excuser nos actes, pourquoi Axis et moi avons cru ce matin que tu étais Étoile Loup. Azhure, je pense que le neuvième Envoûteur-Serre t'a donné la vie !

Assis dans un coin sombre, Jack fronça les sourcils. La perspicacité de Vagabond des Étoiles l'étonnait.

— Quoi ? s'écria Azhure.

— Ma chérie, intervint Axis, je crois qu'il a raison… Pense à Perce-Sang et aux Alahunts ! (Il sourit.) Et à ton sang

Soleil Levant… (Il prit la main de sa compagne.) Tu sais que Vagabond des Étoiles et moi sommes irrésistiblement attirés par toi. La nuit de Beltide, mon sang, le tien et le sien chantaient ensemble!

Axis croisa brièvement le regard de son père avant de continuer.

—Si tu es la fille d'Étoile Loup, cela explique pourquoi tu contrôles la Musique Sombre. Il a dû apprendre à l'utiliser de l'autre côté du Portail des Étoiles, et il t'a transmis ce pouvoir.

Azhure se radossa à son siège et réfléchit un long moment. Cette hypothèse était logique. Et elle éclairait d'un nouveau jour son étrange rencontre avec l'Envoûteur, dans le hall de Spiredore.

—Hier soir, j'ai vu mon père, murmura-t-elle.

—Quoi? s'étrangla Axis, son cri repris par plusieurs membres de l'assistance.

—Sur le coup, je ne le savais pas, mais ça devait être lui!

Elle résuma son entretien avec Étoile Loup, parla du baiser et mentionna qu'il s'était accusé d'avoir commis une «Indignité».

—Chez les Soleil Levant et tous les Icarii, on appelle comme cela les relations entre père et fille, mère et fils et frère et sœur… (Azhure prit un air rêveur.) Il était si beau et si… puissant. S'il s'est montré sous ce jour-là à Niah, je comprends qu'elle l'ait pris pour un dieu. Et qu'elle se soit donnée à lui!

Vagabond des Étoiles plissa le front, troublé qu'Azhure fasse si peu mystère de son admiration pour Étoile Loup.

—Il a assassiné Étoile du Matin, rappela-t-il. Et formé Gorgrael.

—Peut-être, mais avec Caelum et moi, il a été très gentil… Je ne cherche pas à excuser ses crimes. Simplement, je crois que cet homme a une multitude de facettes…

—Mon oncle, intervint Libre Chute, assez parlé de ce sujet! Nous aurons tout le temps plus tard de gloser sur ce mystère. Pour le moment, il y a plus urgent. (Il passa devant

Vagabond des Étoiles, enjamba deux ou trois Alahunts et se pencha pour embrasser Azhure sur la joue.) Azhure, bienvenue dans la maison du Soleil Levant. Je suis Libre Chute Soleil Levant, ton cousin. Chante bien et vole haut, et puisse la suite de ta vie être pleine de joie et de lumière afin de chasser à jamais les ténèbres qui régnèrent sur tes premières années.

Des larmes perlèrent aux paupières de la jeune femme.

Gorge-Chant vint remplacer Libre Chute et embrassa la guerrière sur l'autre joue.

— Azhure, bienvenue dans la maison du Soleil Levant. Je suis Gorge-Chant Soleil Levant, ta cousine. Puisse le vent toujours souffler dans ton dos et porter tes flèches droit vers leur cible !

Vagabond des Étoiles passa après sa fille, et Azhure rougit quand il la regarda dans les yeux.

— Azhure, bienvenue dans la maison du Soleil Levant. Je suis Vagabond des Étoiles Soleil Levant, prêt à être pour toi tout ce que tu voudras. Mais n'oublie jamais que je ne suis ni ton père ni ton frère…

Et donc en rien « Indigne » ! ajouta-t-il mentalement à l'attention d'Azhure.

— Puisses-tu transmettre à la fille qui grandit dans ton ventre ta beauté et ton charme !

Azhure, bienvenue dans la maison du Soleil Levant. Je suis Caelum Azhureson Soleil Levant Étoile Fils, ton enfant. Je t'aime, et si je suis un fils du soleil, c'est grâce à toi.

Merci de ton amour, Caelum…

Rivkah avança et embrassa Azhure sur le front.

— Azhure, bienvenue dans la maison du Soleil Levant, même si elle est parfois un peu… turbulente. Puissent ta compassion et ton courage face à l'adversité rappeler à tous tes parents qu'ils ne sont pas parfaits, loin s'en faut !

— Merci, dit la Protectrice de l'Est alors que la princesse allait se rasseoir près de Magariz.

Azhure se tourna vers Axis, supposant qu'il allait à son tour l'accueillir dans sa nouvelle maison. Mais il lui sourit simplement, puis foudroya du regard Ysgryff, qui s'empressa de lâcher la main de sa nièce et de filer vers son siège.

— Mes très chers amis, dit enfin Axis, j'ai une excellente raison d'avoir voulu que vous soyez présents. Car pour ce que j'entends faire, il me faut des témoins.

Il s'agenouilla devant Azhure et lui prit la main.

— Moi, Axis, Homme Étoile de Tencendor, fils de Vagabond des Étoiles Soleil Levant et de Rivkah, princesse de la maison royale d'Achar, je te demande, Azhure, fille de Niah de Nor et d'Étoile Loup Soleil Levant, de devenir ma femme. Devant ces témoins, de mon plein gré et sans que nul ne m'y force, je te prends pour épouse et jure de t'accorder à jamais une place privilégiée à mes côtés et en ma demeure. Je m'engage à t'aimer, à te respecter, et à faire tiens mon corps et mes biens jusqu'à la fin de nos jours. Et je promets de ne jamais t'entraîner ailleurs que dans un ciel clair, sous un soleil radieux, dans l'ivresse de courants éternellement ascendants… Mes ailes sont les tiennes, mon cœur et mon âme aussi. Je m'engage à t'épouser, douce Azhure, devant tous les dieux et toutes les Étoiles de la création. Au fil des ans, j'espère que nous continuerons à danser au son de la musique des Étoiles, ces astres qui nous offriront le repos éternel quand notre temps en ce monde sera écoulé…

Le serment d'Axis était un curieux mélange entre les rituels acharites et icarii. Le meilleur reflet possible du lignage très particulier des deux futurs époux.

Incapable de parler, Azhure serra la main d'Axis et le regarda dans les yeux comme s'ils étaient seuls dans la pièce… et au monde.

— Moi, Azhure, dit-elle enfin, fille de Niah la Norienne et d'Étoile Loup Soleil Levant…

D'une voix de plus en plus assurée, elle répéta le serment que venait de réciter Axis.

— Mes ailes sont les tiennes, mon cœur et mon âme aussi, conclut-elle. Devant tous les dieux et toutes les Étoiles de la création, j'accepte de t'épouser. Au fil des ans, j'espère que nous continuerons à danser au son de la musique des Étoiles, ces astres qui nous offriront le repos éternel quand notre temps en ce monde sera écoulé…

Axis se pencha et embrassa Azhure. Depuis qu'il avait prononcé ses vœux de mariage, il éprouvait la compulsion – comme le lui avait prédit Orr – de transmettre la bague de l'Envoûteuse à sa légitime propriétaire.

Lâchant la main d'Azhure, il sortit le bijou de la petite poche secrète où il le conservait et le leva devant ses yeux pour que tous dans la pièce puissent le voir. À la lumière des flammes de la cheminée, le saphir et les étoiles d'or qu'il contenait brillèrent intensément.

Les Icarii et les Sentinelles n'en crurent pas leurs yeux. Pourtant, eux non plus ne mesurèrent pas totalement l'importance de ce qui se passait devant eux.

Axis glissa la bague à l'annulaire gauche d'Azhure. Elle s'y adapta parfaitement, puisqu'elle était faite pour cette femme.

—Envoûteuse, bienvenue dans la maison des Étoiles, à mes côtés. Puissions-nous marcher ensemble jusqu'à la fin des temps.

Le Cercle était enfin complet.

À suivre dans
L'Homme Étoile en août 2008